T5-AFM-623

Veröffentlichungen der Wissenschaftlichen Gesellschaft für Theologie:

Europäische Theologie.
Versuche einer Ortsbestimmung.
Herausgegeben von Trutz Rendtorff mit Beiträgen von Owen Chadwick, Sutan M. Hutagalung, Yoshiro Ishida, Judah B. M. Kiwovele, Hans Jochen Margull, Lothar Perlitt, Trutz Rendtorff, Adolf Martin Ritter, Heinz Eduard Tödt, Lukas Vischer und Robert C. Walton, Gütersloh 1980.

Glaube und Toleranz.
Das theologische Erbe der Aufklärung.
Herausgegeben von Trutz Rendtorff, Gütersloh 1982.

Schriftauslegung als theologische Aufklärung.
Aspekte gegenwärtiger Fragestellungen in der neutestamentlichen Wissenschaft. Herausgegeben von Otto Merk mit Beiträgen von François Bovon, Günter Haufe, Hans Klein, Robert Morgan, Kurt Niederwimmer, Henning Graf Reventlow, Georg Strecker und Anton Vögtle, Gütersloh 1984.

Charisma und Institution.
Herausgegeben von Trutz Rendtorff, Gütersloh 1985.

Mythos und Rationalität

Herausgegeben von Hans Heinrich Schmid

Gütersloher Verlagshaus Gerd Mohn

CIP-Titelaufnahme der Deutschen Bibliothek

Mythos und Rationalität / hrsg. von Hans Heinrich Schmid. –
Gütersloh : Gütersloher Verl.-Haus Mohn, 1988
(Veröffentlichungen der Wissenschaftlichen Gesellschaft für Theologie)
ISBN 3-579-00177-9
NE: Schmid, Hans Heinrich [Hrsg.]

ISBN 3-579-00177-9

Umschlagentwurf: Dieter Rehder, Aachen
Satz: ICS Communikations-Service GmbH, Bergisch Gladbach
Druck und Bindung: Poeschel & Schulz-Schonburgk, Eschwege
Printed in Germany

Inhalt

II. Sektionen

1. Altes Testament

2. Neues Testament

3. Kirchengeschichte

4. Systematische Theologie

5. Praktische Theologie

6. Religions- und Missionswissenschaften

Vorwort

Wer die Zeichen unserer Zeit wahrzunehmen versucht, wird um die Feststellung nicht herumkommen, daß wir in einer Epoche leben, in der manche Grundpfeiler überkommener geistiger Orientierung ins Wanken geraten sind. Wir sehen Aufbrüche – nicht selten unkontrolliert-eruptiver Art –, die alles Bisherige über Bord zu werfen trachten, um zu neuen, wenn auch noch unbekannten Ufern aufzubrechen; und wir sehen Reaktionen – nicht selten ängstlich-defensiver Art –, die im Neuen nur dessen bedrohliche Aspekte zu sehen vermögen. Doch es geht nicht nur um Extreme: Im weiten Mittelfeld zwischen den Randpositionen sind Auseinandersetzungen und Bewegungen in Gang gekommen, die auf Umschichtungen in unserem geistigen Haushalt hin tendieren – und solche durchaus auch bereits in Gang gebracht haben. Diese Bewegung, der neue, gewissere Fixpunkte gemeinsamer Orientierung weitgehend noch fehlen, hat nicht nur die Öffentlichkeit mit ihren verschiedenartigen Lebensbereichen und Institutionen im allgemeinen erfaßt, sie entfaltet ihre Wirkung auch im Bereich der Wissenschaften. Sowohl in den Methoden als auch in den Inhalten heutiger Wissenschaft zeichnen sich Entwicklungen ab, die mit zunehmender Dringlichkeit nach neuen Orientierungsmarken verlangen. Daß sich der Ruf nach vermehrter wissenschaftstheoretischer und wissenschaftsethischer Reflexion verstärkt, beruht keineswegs nur auf Zufall.
Auf einen wichtigen Kristallisationspunkt dieser Situation der Ungewißheit verweist die Beobachtung, daß nicht wenige unserer Zeitgenossen, nicht zuletzt aus der jüngeren Generation, der Rationalität, der Aufklärung, der wissenschaftlichen Vernunft etwas müde geworden zu sein scheinen. Äußerungen einer gewissen Wissenschaftsverdrossenheit, einer gewissen Wissenschaftsfeindlichkeit oder doch zumindest von Vorbehalten (um nicht zu sagen: Ängsten) vor der neuzeitlichen Wissenschaft sind unüberhörbar geworden. Man wirft der Wissenschaft ihr analytisches Vorgehen als zersetzend vor. Ihr traditionelles Ethos der Wertfreiheit wird ihr als Wert-Losigkeit, wenn nicht sogar als Verantwortungslosigkeit vorgeworfen. Man lastet ihr ihre technischen Folgen an. Man wird sich auch der Grenzen der wissenschaftlichen Vernunft bewußt, ihrer Einseitigkeiten, ihrer Tendenz, in ihrem Vollzug Wirklichkeit nicht nur wahrzunehmen (oder zu schaffen), sondern auch zu zerstören. Man erkennt, daß die wissenschaftliche Vernunft keineswegs so rational ist, wie sie im allgemeinen zu sein vorgibt, man beginnt von der Abgründigkeit der wissenschaftlichen Vernunft zu sprechen; es erklingt die Rede von einem Realitätsverlust der Wissenschaft.

Im Gegenzug dazu gewinnen mythische Verstehensstrukturen wieder die Oberhand. Von ihnen verspricht man sich – in Abkehr von der Partialisierung der Wirklichkeit durch die Wissenschaft – einen ganzheitlicheren Ansatz der Weltbetrachtung und den Ersatz der formal-methodischen Apriori der Wissenschaft durch qualitative und inhaltliche. An die Stelle der wissenschaftlichen Distanzierung des Menschen von der Welt soll dessen Integration in den Gesamtkosmos treten. Die Frage nach den Formalstrukturen der Wirklichkeit soll durch die nach ihren Sinnzusammenhängen wenn nicht ersetzt, so doch ergänzt werden; an die Stelle des Postulates der Zweckfreiheit der Wissenschaft soll die explizite Frage nach den Werten treten. Im Zusammenhang damit wird das Erbe der Aufklärung, der Zug zum Durchschauen, zum Wissen, Können und Machen zunehmend selbst als Mythos angesehen. Man sucht nicht mehr nur nach Erkenntnis, sondern nach Lebensorientierung, nach Werten und Normen, nach Reduktion der so komplex gewordenen Welterfahrung auf einfache Zusammenhänge; man sehnt sich nach Heimat.
Daß dieser Neuaufbruch des Mythischen über massensuggestive Kräfte verfügt, ist nicht zu übersehen. Möglicherweise weist er sogar tatsächlich auf gewisse Defizite der abendländischen Geistesgeschichte der letzten zwei Jahrhunderte hin. Gleichzeitig aber kann ebensowenig verborgen bleiben, daß dieser Aufbruch auch seine höchst problematischen Seiten hat. Zweifellos wäre es verhängnisvoll, nun einfach mit vollen Segeln auf neue Mythen zusteuern zu wollen. Die moderne Welt kann von den Errungenschaften der neuzeitlichen Vernunft nicht ungestraft Abschied nehmen. Auch ein Rationalitätsverlust würde einen erheblichen Realitätsverlust darstellen.
Vor diesem Hintergrund hat die Wissenschaftliche Gesellschaft für Theologie den Problemkreis »Mythos und Rationalität« zum Generalthema des VI. Europäischen Theologenkongresses gemacht, der vom 21. bis 25. September 1987, organisiert von der dortigen Evangelisch-Theologischen Fakultät, in Wien stattfand und dessen wissenschaftlicher Teil durch den vorliegenden Band dokumentiert wird. Die Themenwahl ging davon aus, daß durch die skizzierte Situation die Theologie in besonderer Weise herausgefordert ist. Welche Wissenschaft müßte für eine Orientierung in dieser Diskussion besser vorbereitet und zuständiger sein als die Theologie, die ja von ihrem Gegenstand her und ihrem Wesen nach mit beiden Formen des Wirklichkeitsverständnisses umzugehen hat und auch schon immer umgegangen ist?
Wie die nachstehenden Beiträge, die nicht nur bei den Kongreßteilnehmern, sondern auch in der Presse große Beachtung gefunden haben, zeigen, zeichnete sich auf dem Kongreß – bei allen Differenzen im einzelnen – ein doppeltes Einverständnis ab:
Auf der einen Seite war man sich sehr bald darüber einig, daß die Themen »Mythos« und »mythisches Denken« für die Bereiche Religion, Theologie und Kirche von erheblicher Aktualität sind. Bei aller Achtung und Wertschätzung der Art und der Ergebnisse der Mythosdiskussion im Zusammenhang der

Entmythologisierungsdebatte läßt sich doch nicht übersehen, daß sich in der Zwischenzeit eine ganze Reihe von Vorgaben, von seiten der Erkenntnistheorie, der Mythenforschung, aber auch der Exegese und der Theologie, in einer Weise geändert haben, die nach einer neuen Reflexion dieses Problemkomplexes verlangt.
Auf der anderen Seite wurde auf breiter Basis klargemacht, daß »Mythos« und »Rationalität« nicht einfach als Gegensätze begriffen werden können:
Zum einen beruht auch das mythische Denken auf einer ihm eigenen Rationalität, auf einer Rationalität allerdings, die von der des neuzeitlich-wissenschaftlichen Denkens kategorial zu unterscheiden ist.
Zum anderen läßt sich zeigen, daß und wie sich die Rationalität des Mythos selbst zu explizieren beginnt und, sich selber transformierend, zu Verstehensweisen findet, die sich zwar nach wie vor dem Mythischen verdanken, selbst aber nicht mehr als »mythisch« zu beschreiben sind. Dieser Vorgang läßt sich im griechischen wie im biblischen Bereich beobachten, und er hat gleicherweise fundamentale Bedeutung für das werdende philosophische wie theologische Denken. Als Beispiel dafür kann der Begriff des »Logos« dienen, der im griechischen und im biblischen Kontext zwar ein je spezifisches Wirklichkeitskonzept zum Ausdruck bringt; in beiden Bereichen aber ein Weltverstehen benennt, das in spannungsvoll-dialektischer Weise gleichzeitig in Kontakt und Distanz zum mythischen Verstehen steht.
Einigkeit bestand zum dritten darin, daß es verfehlt wäre, das Christentum nun plötzlich als mythische Religion begreifen zu wollen. Dennoch setzte sich die Überzeugung durch, daß für ein sachgerechtes theologisches Verstehen des biblischen Erbes ein neues Verhältnis zum Mythischen gewonnen werden muß. Ein Wirklichkeitskonzept, das das Ganze der Wirklichkeit umfassen will und auch der Frage nach den Uranfängen und der Transzendenz Gottes offenstehen soll, wird ohne mythische Ausdrucksweisen – oder zumindest Ausdrucksweisen, die im mythischen Verstehen wurzeln – wohl nie zureichend aussagbar sein.
Deutlich wurde schließlich, daß das mythische Verstehen ganz offensichtlich eine fundamentale, allgemein-menschliche Wahrnehmungskategorie darstellt, die sich auch durch die aufgeklärteste Rationalität nicht verdrängen läßt. Neben und hinter der etablierten neuzeitlichen Rationalität leben zahlreiche Mythen der Gegenwart. Daß diese oft nicht ausformuliert werden, sondern latent bleiben, schmälert deren Wirksamkeit in keiner Weise, sondern erhöht sie nur um so mehr.
In einem der Presseberichte über den Kongreß stand zu lesen: »Wer in Wien zugehört, mitgedacht und mitgearbeitet hat, wurde nicht enttäuscht. Im Gegenteil – dieser Kongreß sorgte für Klärungen, er gab neue Anstöße, und er wird in seinen Annäherungen an ein brisantes aktuelles Thema noch des öfteren zitiert werden« (Lutherische Monathefte 11/87). Diese Anstöße einem breiteren Publikum weiterzuvermitteln dient der vorliegende Band. Er umfaßt

die Hauptvorträge des Kongresses sowie einen Querschnitt durch die Sektionsreferate und spiegelt darin und als Ganzes eines der Hauptziele der Wissenschaftlichen Gesellschaft für Theologie und der Europäischen Theologenkongresse: Gelehrte verschiedener Länder und theologischer Fächer über einem gemeinsamen, für die Gegenwart relevanten Thema miteinander ins Gespräch zu bringen und damit die theologische Erkenntnis zu fördern.
Die Wissenschaftliche Gesellschaft für Theologie dankt allen, die zum Zustandekommen dieses Bandes beigetragen haben, insbesondere den Autoren, dem Gütersloher Verlagshaus Gerd Mohn mit Herrn Dr. Manfred Baumotte, der Evangelischen Kirche in Deutschland und den Landeskirchen, die als fördernde Mitglieder die Arbeit der Gesellschaft unterstützend begleiten.

Zürich, im Dezember 1987 *Hans Heinrich Schmid*

I. Hauptvorträge

Gerhard Oberhammer
Kurt Hübner
Hans Weder
Fritz Stolz
Wolfhart Pannenberg

Mythos – woher und wozu? Zur Rationalität des Mythos

Gerhard Oberhammer

Mit der ausdrücklichen Frage nach dem Zueinander von Mythos und Rationalität stellt sich die Theologie dem mythischen Denken des Menschen. Kann sich die Theologie der Faszination des Mythos nicht mehr entziehen, weil auch sie das Kind einer Zeit ist, der der Mythos als politische Rhetorik zum furchtbaren Schicksal geworden ist und als unbewältigte Mythologie zum verschlossenen Horizont eines transzendenzarmen Daseins zu werden droht, oder sucht die Theologie aus sachlichem Zwange einen Zugang zum Mythos, um ihr Wesen gegen den Mythos zu bewahren oder dieses Wesen im Horizont des Wissens um den Mythos neu zu bestimmen?

Verweilen wir einen Augenblick bei unserer Frage. Betrachtet man das Thema näher, so beginnt sich nämlich die Perspektive des Blickes zu verschieben. In ihm scheint die Theologie zunächst nur in akademischer Distanz nach dem Zueinander und Gegeneinander von Mythos und Rationalität zu fragen. Ist aber solche akademische Distanz gerechtfertigt, ja überhaupt noch möglich, wenn der Theologe und nicht der Religionshistoriker die Frage nach dem Mythischen und dem Mythos stellt? – Reden denn Mythos und Theologie nicht, wenngleich in unterschiedlicher Weise, von demselben, nämlich von dem gemeinsamen Stehen des Menschen vor der Transzendenz, der Transzendenz der Welt, in der sich der Mensch mit seiner Sinnfrage vorfindet, einerseits und der Transzendenz Gottes und der Götter, auf die der Mensch in seiner Sinnfrage und in seiner Heilssehnsucht verwiesen ist, andererseits? Ist dann aber die Frage des Theologen nach dem Wesen des Mythos im Gegenüber zur Rationalität nicht eigentlich ein drängendes Verstehenwollen und gleichzeitig ein erschrecktes Innehalten, voll der Ahnung eines gemeinsamen, geschwisterlichen Ursprungs? – Wenn dies so ist, dann wäre die akademische Distanz des Fragens in der Tat nicht mehr möglich. Würde doch die Verkürzung der Fragestellung ausschließlich auf das gegenseitige Verhältnis von Mythos und rationalem Denken gerade das Grundanliegen der theologischen Selbstbesinnung verstellen und ausklammern. Ginge es dem gegenüber doch gerade darum, das theologische Denken seinerseits in seinem Bezug zu beidem, zu Mythos und Rationalität, neu zu orten. Dann wäre aber gerade die Theologie in ihrem Gefordertsein zwischen mythischer Rede und begrifflich-rationalem Denken das unausgesprochene Anliegen, das alle Beiträge in einem tieferen Sinne präjudizieren würde, ja präjudizieren müßte, da sie dann immer schon eingebunden wären in das Spannungsfeld dieses Gefordertseins.

Fragen wir daher im Wissen um diesen Problemzusammenhang nach dem

Mythos und seiner Rationalität. Nicht nach seiner Rechtfertigung aus der Rationalität bestimmter mythischer Inhalte, was im Hinblick auf das Anliegen der Theologie nur bedeutungsloser Rationalismus wäre. Wir fragen vielmehr nach der Rationalität des Mythos als solchem. Denn nicht die einzelnen Mythen stehen zur Frage, sondern die Tatsache, daß der Mensch überhaupt den Mythos hat. Wenn wir also nach der Rationalität des Mythos fragen, dann in dem Sinne, daß wir seinem Gründen im Sein nachdenken, indem wir sein »Woher« und sein »Wozu« zur Sprache bringen, um so seine bleibende Wahrheit zu verstehen.

Welchen Zugang haben aber wir Heutigen zum Mythos, den wir aus Mythensammlungen kennen, die wir lesen wie Märchen? Wir kennen Mythen, aber wissen wir, was der Mythos ist und was sein Sitz im Leben war? Aus der Kenntnis der Mythen Indiens halten wir als ersten Ansatzpunkt fest, daß Mythen *wahre* Geschichten sind von den Taten der Götter und der Halbgötter, aber auch anderer Wesen, Taten, die außerhalb der erinnerten, geschichtlichen Zeit getan wurden, *in illo tempore,* wie Mircea Eliade gesagt haben würde[1].

Betrachten wir weiter den Inhalt dieser Erzählungen, so ist er seinerseits das Ergebnis immer neuer Bearbeitung. Neben der Freude am Erzählen hat die Verbindlichkeit althergebrachter Überlieferung, aber auch die Existenzfrage des Augenblicks an ihm mit derselben sanften Gewalt gearbeitet, mit der Wind und Wetter die Gestalt der Berge in langen Zeiträumen verändern. Denn die Arbeit am Mythos ist nicht leichtfertig und nicht unbefangen. Das Erzählen der Mythen ist ernsthaft, wie das Heiraten ernsthaft ist und das Kinderzeugen und das Pflügen. Der Mythos ist nicht der unverbindliche Gehalt einer beliebigen Erzählung, sondern Wahrheit des Daseins, die der Mensch setzt, indem er den Mythos zur Sprache bringt und in ihm die Sinn-Wirklichkeit seines Daseins gewinnt.

Das Erzählen der Mythen ist das bleibende und sich dennoch beständig wandelnde Kräftefeld, in welchem der Mythos konkret wird. Es wäre daher falsch zu glauben, daß die Mythen eines Gottes nur in ihrer literarisch-konkreten Gestalt und nur in ihrer Vollständigkeit den Zugang zur mythischen Wirklichkeit dieses Gottes eröffnen. Die Kenntnis des Mythenstoffes ist immer zufällig und abhängig von den Imponderabilien der Überlieferung, selbst in der archaischen Gesellschaft einer mythenbildenden Zeit. Viele Mythen waren schon damals für immer verloren, viele Mythen in unterschiedlicher, voneinander abweichender Gestalt überliefert. Und in Indien sehen wir, daß die

---

1. Demgegenüber ist jedoch festzuhalten, daß das mythische Geschehen zwar außerhalb der historischen Zeit spielt, aber deshalb nicht schon außerhalb des Lebensraumes des die Mythen erzählenden Menschen. Häufig wird das mythische Geschehen von einem ganz bestimmten Ort (Tempel, Naturheiligtum usw.) erzählt und gewinnt so einen räumlichen Bezug zum menschlichen Dasein des konkreten Menschen, durch den dieser einen Zugang zu dem mythischen Geschehen gewinnt und an ihm Teil hat, auch wenn es sich »in illo tempore« ereignet hat.

Mythen eines Gottes sogar in den Mythenkreis eines anderen Gottes, wenn auch mit veränderter Intention, übernommen werden können. P. Hacker hat dieses Phänomen als Inklusivismus beschrieben. Und so sind denn auch die erzählten Taten und Ereignisse keine feststehenden Größen, wie historische Ereignisse es sind. Wenn in den Hymnen des Ṛgveda Indras Sieg über den Drachen Vṛtra besungen wird, der die Wasser in der Höhle eingeschlossen hält, oder die drei Schritte Viṣṇus gefeiert werden, durch die er den drei Welten Raum schafft, oder wenn in den Purāṇen beispielsweise von der Göttin erzählt wird, wie sie den Büffeldämon Mahiṣa erschlägt, so werden nicht historische Taten berichtet, sondern es wird die Wirklichkeit Indras, Viṣṇus und der Mahiṣāsuramardinī gegenwärtig gesetzt, indem von ihnen erzählt wird. Denn nur in solcher Erzählung, nur in ihren Taten werden die Götter konkret bezeugbare Wirklichkeit.
Das Wesen der mythischen Erzählung erschöpft sich jedoch nicht darin, daß in den erzählten Ereignissen die Wirklichkeit Gottes oder der Götter zur Sprache gebracht und konkret wird. Vielmehr wird im Erzählen von Taten, die der Geschichte und dem Leben des Menschen – Grund und Raum gebend – vorausliegen, die Wirklichkeit des Menschen der Wahrheit seines Daseins sinnhaft erschlossen und damit Existenz entworfen und Existenz verantwortet. Jede Mythe ist letztlich Erfahrungs- und so Existenzentwurf. Denn im Erzählen mythischer Ereignisse gewinnt der Mensch, der vor dem bedrohlichen Horizont des Seins in die Entscheidung gerufen ist, einen apriorischen Sinnentwurf des Daseins, der ihm erlaubt, sein Leben durchzustehen und so verantwortlich zu überleben. Indem die mythische Erzählung Sterben und Töten, Zeugen und Gebären, Schuld und Sühne als dem Menschen vorgegeben und vorgelebt zur Sprache bringt, macht sie das tatsächliche Geschehen von Tod und Leben, von Schuld und Sühne zu Lebensvollzügen, die der Mensch im Wissen um die urbildhaft-transzendenten Geschehnisse der Mythen annehmen darf, ja verantwortlich auf sich nehmen muß.
Wenn es nun wahr ist, daß der Mythos immer nur im Erzählen von Mythen konkret gegenwärtig wird, weil nur ihre Erzählung die Wahrheit des Mythos zu vermitteln vermag, dann müßte diese Tatsache auch uns, die wir keine Tradition archaischer Mythen mehr besitzen, einen authentischen Zugang zum Mythos eröffnen. Versuchen wir diese Tatsache in ihrer Konsequenz zu verstehen: Die Mythe erzählt ein Geschehen, das nur durch sein Erzähltwerden bekannt ist, nur in einer Erzählung als tatsächliches begegnet. Als solches wird dieses Geschehen nie in Frage gestellt, sondern ist in der eigenen Tradition fraglos und selbstverständlich. Aber selbst die fremden Traditionen ziehen es nicht in Zweifel, wie wir in Indien sehen. Sind wir uns bewußt, was dies bedeutet? Die mythische Erzählung gilt nicht als unverbindliche dichterische Erfindung, sondern beansprucht Gültigkeit, und dennoch wird für das erzählte Geschehen, weder in ihr selbst noch anderswo in der Tradition, ein Erkenntnisgrund für die Tatsächlichkeit des Geschehenen gefordert. Ist dies nicht erstaunlich?

Ein Beispiel soll dies verdeutlichen. In der Manusmṛti erzählt Manu, der Stammvater der Menschen, die Geschichte von der Entstehung der Welt, wobei die Erzählung im Grunde selbst schon ein mythisches Geschehen ist: »Dunkelheit war dies [alles], von niemandem erkannt, ohne Merkmal, dem Verstande unzugänglich, nicht zu erkennen, gänzlich wie im Tiefschlaf befangen. Dann trat der Erhabene, der von selbst seiende (*svayaṃbhū*), das Dunkel vertreibend, machtvoll hervor, indem er, der gestalthaft nicht Manifeste, dieses [alles], beginnend mit den großen Elementen, zu gestalthafter Erscheinung brachte. Er, der [allein] durch Übersteigen der Sinne erfaßt wird, der [ungegenständlich] feine, nicht gestalthafte, der bleibende, er, in dem alle Wesen [wie in ihrem Grunde] enthalten waren, der unausdenkbare, er entstand von selbst. Mit dem Wunsch, aus seinem Körper vielfältige Wesen hervorgehen zu lassen, brachte dieser, da er sein Sinnen darauf gerichtet hatte, im Anfang die Wasser ins Dasein. In diese hinein entließ er seinen Mannessamen. Dieser wurde zu einem goldenen Ei, der tausendstrahligen [Sonne] gleich an Glanz. Darin entstand er selbst als Gott [Brahmā], der der Urvater aller Wesen ist ... In diesem Ei blieb der Erhabene während des Umlaufes eines Jahres. Dann spaltete er jenes Ei kraft seines Gedankens. Aus den beiden Hälften bildete er Himmel und Erde und zwischen [ihnen] den Luftraum, die acht Richtungen [des Raumes] und den dauernden Standort der Wasser.«[2]

Wenn man von der durch zahlreiche gedankliche Elemente angereicherten Gestalt der Erzählung absieht, ist das Geschehen einfach und wie selbstverständlich. Die Erzählung enthält für die einzelnen Handlungselemente keine Begründung und scheint auch keine solche zu fordern. Die Erzählung entfaltet sich nach der Logik des Geschehens und der es strukturierenden Bilder, nicht nach der Logik des nach Gründen fragenden Erzählers oder Zuhörers: Wie kamen denn die Wasser ins Dasein? Warum bedurfte es des Samen des Selbstentstandenen? Womit vertrieb er das Dunkel? Wir erfahren es nicht; die Erzählung genügt sich ohne jede Frage. Aber gerade die Fraglosigkeit des mythischen Geschehens scheint in den tieferen Grund seiner Erzählung zurückzuweisen und einen möglichen Zugang zum Phänomen des Mythos zu erschließen. Wir sagten vorhin, daß die mythische Erzählung immer auch Existenzentwurf ist, durch den der Mensch sein Dasein verantwortlich leben kann. Warum ist dies so? Warum kommt der mythischen Erzählung und letzlich nur ihr solche Bedeutsamkeit und Autorität zu, daß sie Existenzentwurf sein kann und als solcher vom Menschen ohne jede weitere Begründung angenommen wird[3]? Schon hier beginnt die befremdliche Fraglosigkeit, die einer Erklärung bedarf.

---

2. Manusmṛtiḥ I, 5–13.

3. Die Versuche, den Autoritätsanspruch der autoritativen Überlieferung als solchen zu begründen, gehören nicht zur Dimension des Mythos und setzen, wenn sie überhaupt vorgenommen werden, wie beispielsweise in Indien, erst in viel späterer Zeit ein.

Nun scheint das Spezifische der mythischen Erzählung, wenigstens sofern es die Religion des Menschen betrifft, gerade darin zu liegen, daß sie in einem urbildlich sinnstiftenden Geschehen die Transzendenz der Welt und des Gottes in konkreter »Individualität« in den Blick bringt. Sie versteht sich selbst gar nicht als Wissensvermittlung im objektiven Sinne und bedürfte daher eigentlich nicht der Begründung ihrer Richtigkeit. Denn ihre Gültigkeit läge ja gerade nur darin, daß sie Transzendenz in einer konkreten »Individualität« unmittelbar zur Erfahrung bringt. Diese Erklärung würde, falls sie zutrifft, die Fraglosigkeit der mythischen Rede im Wesen des »Mythischen« selbst grundlegen und könnte uns so einen entscheidenden Schritt im Verständnis des Mythos weiterbringen. Sie ist aber nur dann möglich, wenn es gelingt, das In-den-Blick-Bringen der Transzendenz durch die Mythe in seinem »Woher« zu erhellen. Fragen wir daher, wie sich denn die Wirklichkeit der Transzendenz dem Menschen in seiner Welterfahrung überhaupt öffnet.
Es ist die mythische Erzählung selbst, die uns den Weg zur Beantwortung dieser Frage eröffnet, indem sie über das erzählte Geschehen hinaus auf die Möglichkeitsbedingung ihrer selbst verweist, nämlich die Wirklichkeit des Daseins, die, noch ehe ein Geschehen erzählt werden kann, immer schon Sprache geworden sein muß. So setzt die Erzählung Manus als Bedingung ihrer Möglichkeit die Welt voraus, die dem Menschen Himmel und Erde geworden ist und nicht nur raum-zeitliche Gegebenheit; sie setzt die Wasser und den männlichen Samen voraus als lebensträchtiges und lebenzeugendes Element und das Ei als bergenden Ort, in dem Leben entsteht und ausgetragen wird. Dieses Zur-Sprache-Kommen der Wirklichkeit als Bedingung der Möglichkeit mythischer Erzählung setzt jedoch, um fraglos gültig zu sein, voraus, daß es selbst nicht ein unverbindlicher Akt dichterischer Erfindung noch ein Akt begründenden Denkens, sondern ein Akt menschlicher Existenz ist, der als solcher keiner Begründung bedarf, sondern selbst die fraglose Begründung des in ihm Zur-Sprache-Kommens der Wirklichkeit ist.
Ein solcher Akt menschlicher Existenz muß seinem Wesen nach ein geistiges Tun sein, durch das der Mensch sich im Durchbrechen aller gedanklich-noetischen Distanz dem Herantretenden öffnet und sich so immer schon in einer Begegnung mit der ihn fordernden Wirklichkeit vorfindet. Solcher Art ist jedoch nur das »Sagen« des Menschen, das als »Sprechen zu« in Nennen und Anreden den Innenraum menschlichen Denkens transzendiert und das Subjekt so in die Unverhülltheit existenzieller Zuwendung hinein entblößt und jedem »Reden über« und »Erzählen von« vorausliegt. Denn nur in solchem Sagen kommen Wort und angesprochene Wirklichkeit in einem unmittelbaren Sichverhalten des Menschen zur Synthese[4]. Indem sich aber das Subjekt dem Vorhandenen sagend zuwendet, entwirft es *a priori* dessen Erfahrung in

4. Vgl. *G. Oberhammer:* Versuch einer transzendentalen Hermeneutik religiöser Traditionen, Wien 1987, S. 19ff., im besonderen S. 21

einem sprachlichen Entwurf und begegnet ihm und seiner eigenen Innerlichkeit im Einholen dieses Entwurfes als seiner in Sprache immer schon gedeuteten Welt und Existenz[5].

Dennoch bleibt ein Letztes zu sagen, um die Wahrheit des Mythos freizulegen und diesen in seinem Woher zu orten. In Manus Erzählung vom Entstehen der Welt ist das ganze Geschehen von jenem Einen getragen, der selbstentstanden, machtvoll hervortritt. Ist auch er, auch seine Wirklichkeit – und wenn, dann welche? –, in einem sagend Sichzuwenden des Menschen Sprache geworden? Mit dieser Frage treten wir in jenes transitorische Moment ein, in welchem die mythische Erzählung auf ihren Ursprung zurückweist, aus dem die Wahrheit des Mythos stammt und seine Religion stiftende Kraft aufbricht, wenn immer Religion Begegnung mit der Transzendenz bedeutet. Denn wenn Manus Geschichte von der Weltentstehung fraglose Bedeutung und Gültigkeit haben soll, dann nur, wenn sie die Welt in ihrer Entstehung, von einer unbedingten, das Maß aller Dinge setzenden Wirklichkeit umfaßt, zur Sprache bringt und diese so in gültiger Erfahrung bezeugt. Solche Wirklichkeit ist aber kein Gegenstand der Erkenntnis mehr wie die Dinge dieser Welt, deren Vorhandensein durch die Sinne vermittelt wird. Damit die mythische Erzählung gültige Bezeugung transzendenter Wirklichkeit sein kann, muß die Ahnung solcher Wirklichkeit jedem Menschen immer schon und wesenhaft innerlich sein.

Es ist im Rahmen dieses Vortrages nicht möglich, die transzendentale Struktur des menschlichen Geistes abzuleiten, die mit diesem Satz angesprochen ist[6]. Fest steht jedoch, daß der Mensch nicht von etwas Erfahrung haben kann, was ihm radikal entzogen und daher *a priori* unzugänglich wäre. Denn dann wäre auch jede Offenbarung undenkbar, es sei denn, man nähme »eingegossene« Erkenntnis- und Erfahrungsformen an, durch die deren gläubige Rezeption denkbar wäre. – Fest steht ferner, daß der Mensch auch tatsächlich eine Ahnung von einer Wirklichkeit jenseits des Seienden haben muß, von der allein er sich Sinn und bleibendes Heil seines Daseins erwartet. Dies bezeugt die Ernsthaftigkeit seiner religiösen Existenz, die von ihm gegen jede daseinsimmanente Logik durchgehalten wird[7]. Wenn dies so ist, dann muß diese Wirklichkeit aber, da sie nicht Gegenstand aposteriorischer Erkenntnis sein kann, noch vor jeder Mitteilung und Erzählung dem menschlichen Geist als Bedingung seiner Möglichkeit innerlich sein, sei es auch ungegenständlich und unverfügbar[8].

Wenn der Mensch sich daher im existentiellen Vollzug seines Daseins dieser

---

5. Vgl. ebd. S. 30ff.
6. Zur menschlichen Transzendentalität als hermeneutische Struktur der Religion vgl. ebd. S. 10ff.
7. Vgl. *Verf.:* Überlieferungsstruktur und Offenbarung, in: *G. Oberhammer – H. Waldenfels:* Überlieferungsstruktur und Offenbarung, Wien 1980, S. 27–30.
8. Vgl. a. a. O. (Anm. 4) S. 16ff.

Wirklichkeit in einem Sagen öffnet und zu ihr in einer Begegnung unmittelbar wird, dann entwirft er, ob er will oder nicht, einen sprachlichen Entwurf ihrer Erfahrung, der von ihr in einer mythischen Gegenwart erfüllt und verwirklicht wird. Es ist diese Gegenwart der Transzendenz, die in der mythischen Erzählung in einem Geschehen konkret wird, ohne daß jedoch die Konkretisierung dieser Gegenwart durch dieses Geschehen ein für allemal festgelegt und erschöpft werden würde. Tatsächlich könnte das mythische Geschehen jeweils ein anderes sein und auch mit zum Teil erheblichen Varianten erzählt werden. Entscheidend für die innere Wahrhaftigkeit und die Gültigkeit seiner Erzählung wäre nur, daß die innere Form, die durch die Mythisierung der Transzendenz gesetzt ist, gewahrt bleibt und die mythische Vermittlung der Gegenwart der Transzendenz in der Erzählung nicht ein literarisches Eigensein erhält, das dann als nur mythologischer Stoff nicht mehr fähig wäre, die Gegenwart der Transzendenz zu vermitteln.

Kehren wird zur eingangs gestellten Frage zurück. Was bedeutet die hier versuchte Rückführung des Mythos auf die mit dem menschlichen Existenzvollzug notwendig erfolgende Mythisierung jeder Wirklichkeit für die theologische Relevanz des Mythos? – Wenn es richtig ist, daß in der mythischen Gegenwart der Wirklichkeit auch jene transzendente Wirklichkeit in die Erfahrung einer Begegnung vermittelt wird, die dem Menschen nur durch sein sagend Sichzuwenden gegenwärtig wird, ihm also *a posteriori* nie anders als im und durch das Wort, in und durch Mythisierung gegeben ist, dann muß man sagen, daß auch der Gegenstand der Theologie, sofern er geoffenbart ist, zunächst und unmittelbar nur in mythischer Rede in Erscheinung tritt, selbst wenn die Wirklichkeit, die solcher Art mythisch gegenwärtig wird, eine geschichtliche ist wie im Christentum. Religiöser Glaube und mythischer Logos wären dann, sofern sie in der Mythisierung der Transzendenz gemeinsamen Urgrund haben, in ihrer Verbindlichkeit und in der Mächtigkeit, ihren Gegenstand zu vermitteln, nicht mehr zu unterscheiden.

Vielleicht ist es gut, hier innezuhalten und das Wort vom »mythischen Logos« zu bedenken, das sich uns eben aufgedrängt hat. Denn im Gegenüber von Mythos und Rationalität scheint ein möglicher Gegensatz zwischen Mythos und Logos anzuklingen, der nicht übersehen werden darf; ein Gegensatz übrigens, der im Abendland selbst zu einer Art Mythologem geworden ist, daß nämlich der Mythos dem Licht des Logos weichen müsse, damit der aufgeklärte Mensch, zur Vernunft erwacht, nur noch dem Logos lebe. – Aber ist es nicht merkwürdig, daß der Logos den Mythos aufheben sollte? Zunächst und grundsätzlich ist *logos* doch »Wort«, nicht »Begriff« und »begriffliche Reflexion«. Wie könnte der Theologe sonst im Anschluß an Johannes die zweite göttliche Person mit dem Begriff des Logos belegen? Und in diesem Sinne müßte man eher sagen, daß der Logos der *Urgrund* des Mythos sei; vielleicht sogar, um im Sinne christlicher Theologie zu reden, der Logos als zweite göttliche Person, sofern das sich selbst Zusprechen Gottes im Logos jedem

sich der Transzendenz sagend Zuwenden des Menschen dialogisch vorausgeht. Aber dies wäre wohl Gegenstand eines eigenen Beitrages.
Wenn freilich in der lateinischen philosophischen Tradition *logos* mit *ratio* übersetzt und so der Logosbegriff technisch verengt wird[9], scheint sich eine merkwürdige Verkehrung des Verhältnisses zu vollziehen. Denn dann wird der Mythos zum vorwissenschaftlichen, nicht-rationalen Denken des archaischen Menschen, das durch die *ratio* bzw. das *calcule* aufgehoben wird, weil im Sinne dieses *ratio*-Begriffes nur noch wahr sein darf, was vom Verstand begrifflich begründbar oder verifizierbar ist. Einen solchen Mythos als vorwissenschaftliches Denken hat es aber außer in der Vorstellung des Rationalismus und der abendländischen Wissenschaftsgläubigkeit nie gegeben. – Wenn der Logos nämlich, selbst im Sinne des lateinischen *ratio*-Verständnisses, im menschlichen Lebensvollzug aus der Tiefe seines Wesens spricht, dann steht er nicht im Gegensatz zum Mythos, sondern birgt ihn in sich. Denn nur der mythische Logos setzt, das Seiende zur Sprache bringend, die Wirklichkeit, die begrifflich-rational von der Vernunft reflektiert wird und zu der sich der Mensch verhalten kann, indem er ihr in mythischer Vermittlung begegnet. Er allein ist als ursprünglicher Logos Sprach- und Erfahrungsentwurf von Existenz.
Und so ist es schon bei Platon nicht wahr, daß Mythos und Logos einander ausschließen, daß der Logos den Mythos aufhebt; und in Indien, wo wir Mythos und mythische Theologie immer noch am Werk finden, gilt dies noch weniger. Das Zeugnis Indiens ist hier deshalb nicht unwichtig, weil nur in Indien der lebendige Mythos in Verbindung mit einer der europäisöchen gleichwertigen Theologie und Philosophie vorgefunden wird und gerade diese Verbindung unser Mythenverständnis wertvoll bereichert.
Schon in Manus Erzählung von der Entstehung der Welt zeigen die dort zur Charakterisierung des Urzustandes und des selbstentstandenen Urwesens verwendeten Adjektiva, daß in ihr begrifflich rationales Denken mit am Werk war. Aber nicht nur diese. Der Selbstseiende, der das Dunkel vertreibend machtvoll hervortritt, enthält alles Seiende gleichsam unentfaltet in sich und bringt es kraft seines Gedankens, beginnend mit den großen Elementen, nämlich Erde, Wasser, Feuer und Luft, aus dem Zustand des Unentfaltetseins zu gestalthaftem Sein. Es bedürfte nicht späterer Aussagen des Kontextes, um hier das Echo einfachen naturphilosophischen Denkens zu erkennen, das jedoch den Gesamtcharakter der mythischen Rede nirgends zerstört, sondern mit seiner begrifflichen Rationalität in den Mythos, ihn bereichernd, eingeht.
Deutlicher noch als bei Manu zeigt sich Jahrhunderte später das Verhältnis von Mythos und Rationalität im gleichen Zusammenhang. In Praśastapādas naturphilosophischer Darstellung der Weltwerdung entstehen die Elemente

---

9. Zu »ratio« und »logos« im abendländischen Denken vgl. *M. Heidegger:* Der Satz vom Grund, Pfüllingen 1957, S. 167 ff.

Erde, Wasser, Feuer und Luft durch das Wollen »Gottes, des Herrn« (*īśvaraḥ*), wie der Text sagt, aus den qualitativ verschiedenen Atomen, entsprechend einer scholastisch ausgearbeiteten Kausalitätslehre. Aus diesen Elementen entsteht dann, – und dies ist beachtenswert – ähnlich wie bei Manu, das Weltei, das den Gott Brahmā, den Urvater der Wesen, in sich birgt. Anders jedoch als bei Manu ist hier der Mythos in den rationalen Zusammenhang einer Naturphilosophie eingefügt. Das komplementäre Nebeneinander von Rationalität und Mythos kann daher nicht, wie man vielleicht noch bei Manu hätte annehmen können, auf einer äußerlichen Kontamination der ursprünglichen Mythe durch abgesunkenes philosophisches Gedankengut beruhen, sondern ist bewußter philosophisch-theologischer Reflexion entsprungen, die ohne die mythischen Geschehenselemente, wie das machtvolle Wollen Gottes, des Herrn, und ohne die Bildung des Welteies mit dem Urvater der Wesen in seinem Inneren dem religiösen Daseinsverständnis des Autors nicht genügt hätte.

Es kann kein Zweifel sein, daß hier eine Art Entmythologisierung vor sich geht, wenn etwa die gesamte Darstellung der Weltentstehung sich als Naturphilosophie versteht und den Mythos, soweit es die Entstehung der Elemente betrifft, begrifflich-scholastisch ausarbeitet. Dennoch löst diese Art der Entmythologisierung den Mythos als solchen nicht auf, sondern läßt diesen in seiner spezifischen Dimension unangetastet, indem das begrifflich argumentierende Denken seine Grenze dort findet, wo es um die transzendente Wirklichkeit Gottes und der Götter geht. Der Logos der Rationalität erschließt einen denkerischen Zugang zu der durch die Mythisierung in die gläubige Gewißheit vermittelten Transzendenz und dem in Verband damit erzählten Geschehen, gliedert sich aber die Wahrheit des Mythos gleichsam ein, ohne das mythische Geschehen selbst aufzuheben. Dieses bleibt vielmehr kennzeichnend für den existentiellen Glauben und behält seine Gültigkeit als die dem theologischen und philosophischen Denken fraglos vorgegebene Wirklichkeit.

So begegnet zum Beispiel in einem viṣṇuitischen theologischen Text des 9. Jhs. n. Chr. (?) eine philosophisch beachtliche Erklärung der Identität des Gottes Viṣṇu-Nārāyaṇa und seiner Gattin Śrī, die – bereits ein Ergebnis rationaler Durchdringung des Mythos – als Hyposthase göttlicher Macht (*śaktiḥ*) in Weltentstehung und Weltvernichtung das Heil der Seelen wirkt. In dieser theologischen Begründung der Identität der beiden werden die Begriffe »Ich« und »Ichheit« sowie die Identität der durch sie gedachten Realität auf des ontologische Verhältnis von Gott und Göttin übertragen und so deren reale Identität rational begründet[10]. Dennoch kann das rationale

10. Hier die entscheidenden diesbezüglichen Aussagen des Textes: »Die [Göttin] Śrī sprach: ›Es ist das höchste Selbst, das frei von Leid und ohne Grenze ist, das durch Seligkeit gekennzeichnet ist, dessen höchsten Ort die Weisen [der Urzeit] schauen ... Der Gegenstand, der als ›ich‹ gelehrt

Denkschema den mythischen Logos von der Transzendenz als polares Zusammenwirken von Gott und Göttin nicht aufheben, den es als die von ihm gedeutete Wirklichkeit voraussetzt.
Dieses Verhältnis von Rationalität und mythischer Rede wird, um ein letztes Beispiel zu nennen, dann in der Lehre von der Heilstradition als Offenbarung Gottes auch selbst gleichsam zum Denkschema, durch das die Mythe vom Reden Gottes zum mythischen Logos und damit zu einer Theologie der Offenbarung wird. In seinem Kommentar zum Mṛgendratantram, einem autoritativen śivaitischen Text Kashmirs, stellt sich Nārāyaṇakaṇṭha (10. Jh. n. Chr.) die Frage, wie denn das Heilswissen, das dieser Text überliefert, von Śiva her den Menschen zugekommen sei. Die Antwort ist mythische Theologie von beachtlichem Reflexionsniveau: »Am Anfang der Schöpfung wurde vom höchsten Herrn das makellose, d. h. in Form [der] Bewußtheit [in ihm] gegebene Wissen, um der Erreichung des Zieles der Menschen willen, das da ist Wohlergehen und [endgültige] Emanzipation [aus dem Wesenskreislauf], zunächst in Form undifferenzierter Sprachlichkeit (*nādarūpatvena*) hervorgebracht und war daher noch ohne faßbare Differenzierung durch die Bedingungen [des Sprechens]. Daraufhin aber wurde [dieses] Wissen, indem es in fünffacher Strömung nach Oben, Osten, Süden, Westen und Norden überall vollständig hingedrungen war, [in seiner Lautlichkeit] differenziert, [und] damit gewann [dieses] Wissen, das er in Gestalt Sadāśivas (des immerwährend Gnädigen) ›offenbarendes‹ Wesen erlangen ließ, konkrete Gestalt. So ist die Abfolge [seines Hervorgehens in worthafter Form].«[11]

---

wird, der wird als das Selbst bezeichnet. Das ›Ich‹, das unbegrenzten Wesens ist, nennt man das höchste Selbst. Von wem dieses alles [hier], welches geistigen und ungeistigen Wesens ist, umschlossen wird, dieses Sein, das als ›Ich‹ gelehrt wird, ist das ewige höchste Selbst. Dieses wird als Vāsudeva, der Erhabene, als der höchste ›Kenner des Feldes‹ gewußt, wird Viṣṇu, Nārāyaṇa, Viśva, Viśvarūpa genannt.
Von seiner ›Ich-heit‹ ist die ganze Welt hier ›betreten‹, das Wirkliche und das Unwirkliche. Es gibt nichts, was nicht von [seiner] ›Ich-heit‹ betreten wäre. Was von der Dies-heit berührt ist, ist von seiner ›Ich-heit‹ betreten ... Was seine höchste Kraft *(śaktiḥ)* ist, die dem Glanz des Mondlichtes gleich ist, die Göttin, die – in jeden Zustand eingegangen – ihn, der ihr Selbst ist, nicht verläßt, die ›Ich-heit‹ dieses Brahmas, das bin ich, die ewige. Als das Selbst aller Wesen wird Hari gelehrt, der das ›Ich‹ ist. Die ›Ich-heit‹ aller Wesen bin ich, die ewige. Das Sein dieses seienden Gottes, durch das Vāsudeva, der Ewige, ist, ich bin es ... Das Seiende ist Gott Nārāyaṇa, das Sein bin ich die höchste Lakṣmī. Daher ist das ewige Brahma Lakṣmī-Nārāyaṇa genannt. Denn der Ich-Gegenstand ist [immer nur] als von ›Ich-heit‹ betreten gegenwärtig wirklich; und die ›Ich-heit‹ wird gelehrt als sich zeigend im Ich-Gegenstand ... Die Verbindung zwischen beiden, zwischen mir und dem Herr, wisse als Identität. Denn ohne ›Ich-heit‹ ist das ›Ich‹, das [dann] ohne Ausdruck wäre, nicht wirklich, und ohne Ich-Gegenstand ist die ›Ich-heit‹, sofern sie [dann] ohne Träger wäre, nicht wirklich‹« (Lakṣmītantram II, 1–19 ab).
11. *Madhusudan Kaul Shāstrī* (Hg.): Śrī Mṛgendra Tantram with the commentary of Nārāyaṇakaṇṭha (Kashmir Series of Texts and Studies 50), Bombay 1930, S. 42, 10–16. Die Stelle ist Antwort auf die zuvor formulierte Frage: »Wie ist dieses Wissen . . . aus dem höchsten Herrn, der [unbewegt] friedvollen Wesens ist und ohne Teile, aus Śiva, (dem Gnädigen), hervorgegangen? Denn das Wissen hat doppelte Gestalt: die Gestalt der Bewußtheit und die Gestalt des Wortes. Das [Wissen]

Der Text ist knapp, aber nicht unverständlich. Das, worum es geht, ist der Übergang des in Śiva als Bewußtsein gegebenen Wissens zu einer in Sprache rezipierten Offenbarung, die in der Überlieferung eines bestimmten Textes tradiert wird. Zu diesem Zweck wird mit dem Begriff der »undifferenzierten Sprachlichkeit« eine in unserem Text nicht weiter ausgeführte Philosophie des Sagens eingeführt, die im inneren, intentionalen Sprachewerden eines noch unartikulierten Sagens die Möglichkeitsbedingung einer kategorial vermittelten Offenbarung entdeckt. In dieser intentionalen Sprachlichkeit durchbricht das makellose Wissen Śivas die Immanenz des göttlichen Bewußtseins und kann so, der Möglichkeit nach überall anwesend, in Sprache »Wissen für andere« werden. Dank dieses Ansatzes wird das Mythologem von der Offenbarung als Reden Gottes in der philosophischen Reflexion des Sagens rational vermittelt, ohne daß die Dimension mythischer Rede aufgehoben werden würde. Denn die Sprachverwiesenheit des sich mitteilenden Wissens Śivas konkretisiert sich für das Mṛgendratantram, um gesprochene Sprache zu werden, im mythischen Vorgang göttlicher Verkündigung: »Unter den Großherren des Mantra wie Ananta usw. und den Herren des Mantra wie die Beherrscher der kosmischen Regionen sichtbar geworden«, sagt der Text, »verkündete der Gott [ihnen] ›dieses‹, nämlich das Wissen, das anschließend [im überlieferten Text] dargelegt wird.«[12] Diese Verkündigung des Heilswissens ist mythischer Logos, nicht Erzählung eines trivialen Geschehens. Denn hier wird der mythische Gedanke auf gleicher Stufe mit der philosophischen Reflexion zur Erhellung des Offenbarungsgeschehens herangezogen. Die göttliche Verkündigung ist nämlich der letzte Schritt des Sprachewerdens des göttlichen Heilwissens und noch nicht Anfangsereignis der textlichen Überlieferung einer kategorialen Offenbarung. Denn die Herren und Großherren des Mantra sind nicht die Adressaten der Heilsverkündigung – das sind die Menschen –, sondern sie sind die Partner in einer mythischen Sprechsituation, die erforderlich ist, damit das von Anfang an auf Sprache hingeordnete Wissen Śivas in der Dimension göttlicher Seinsweise tatsächlich konkret ausgesprochen wird, so daß es dann, in menschlicher Sprache überliefert, Offenbarungstext śivaitischer Heilstradition werden konnte.
Kehren wir rückblickend zur Rationalität des Mythos zurück, zur Frage nach der *ratio,* der begrifflichen Verantwortung des Mythos aus seinen Gründen. In der doppelten Frage nach seinem »Woher« und nach seinem »Wozu« haben wir versucht, den Mythos als ein notwendiges »Existential« des menschlichen Geistes auszuweisen. Wo immer sich der Mensch der Wirklichkeit – der

---

in der Gestalt der Bewußtheit gelangt zu allen [Wesen], wenn es die Gestalt des Wortes angenommen hat. Wie wurde dort im Anbeginn dieses Wissen vom höchsten Herrn her empfangen, [das] in der Gestalt der Bewußtheit [in ihm] war? Und wie entfaltete es sich in vielfacher Spaltung, nachdem es Wortgestalt erlangt hatte?« (ebd. S. 41, 13 bis 42, 1).

12. Ebd. S. 45, 1–3.

eigenen sowohl wie der der ihn umgebenden Natur oder der seines Mitmenschen – im konkreten Lebensvollzug öffnet, begegnet er ihr notwendig in einem mythischen Erfahrungsentwurf, gewinnt so Welt und sinnhaftes Dasein und setzt damit immer schon den Mythos frei. Und wenn diese Wirklichkeit allein im bezeugenden Wort gegenwärtig wird, weil sich der Mensch zu ihr eben nur im Einholen eines worthaften Entwurfes ihrer Erfahrung verhalten kann, stiftet der Mythos in einem damit auch den Raum, in dem die Theologie zu ihrem Gegenstand findet.
Solcher Art wird auch die Mythe als archaische Erzählung nicht jenes komplementäre Gegenüber der Rationalität, in dessen Spannungsfeld die theologische Reflexion hineingestellt ist. Als aposteriorische Erzählungen lassen die einzelnen Mythen nur das archaische Weltbild, die Gesetze vorwissenschaftlicher Logik oder die Dynamismen des menschlichen Unterbewußtseins erkennen; sie sprechen aber, ohne auf ihre apriorischen Wurzeln hin befragt zu werden, nicht vom Mythos, der jenseits des erzählten Stoffes, dessen Fraglosigkeit gründend, Transzendenz in die Gegenwart einer Begegnung vermittelt[13]. Kommt aber die mythische Rede im Fragen nach den Bedingungen ihrer Möglichkeit als aktueller Vollzug des Mythos in den Blick, sofern dieser apriorischer Entwurf menschlicher Existenz im Horizont der Transzendenz ist, dann öffnet sich die Dimension des Mythos, befreit aus der Enge religionsgeschichtlicher Mythensammlungen, zur vollen Weite sprachlicher Existenz.
Dann allerdings kann die Mythe als wahre Erzählung von dem, was sich exemplarisch und sinnstiftend außerhalb der Geschichte »im Anfang« zugetragen hat, nicht mehr unterschieden werden von jenem anderen Sagen des »Eschaton«, das in gleicher Weise exemplarisch und sinnstiftend außerhalb der Geschichte als ihre Erfüllung am Ende steht, weil eben »Protologie« und »Eschatologie« letztlich demselben mythischen Logos entspringen; dann umfaßt dieser Logos aber auch jenes Sagen, in welchem Visionen erzählt werden oder Geschichte im prophetischen Wort für das Handeln des Gottes und der Götter epiphan wird, und in gleicher Weise auch die Rede des Mystikers, die zum Erfahrungsentwurf individueller Erfahrung des Jenseits des Seienden wird.

---

13. Hier müßte man allerdings auf die mögliche Ambivalenz des Mythos hinweisen, die ihm eigen ist, wenn die in ihm vermittelte mythische Gegenwart der Transzendenz nicht durch die Intentionalität der (jeder echten Spiritualität eigenen) Mystik auf eine tatsächliche Begegnung hin überstiegen wird. Sofern der Mythos nämlich im Erzählen von Mythen konkret wird, wird die in ihm vollzogene Mythisierung der Transzendenz zwar zu einer Vermittlung des gläubigen Subjektes in eine Begegnung mit ihr und stiftet so Religion des Menschen, indem sie ihm ein sich Verhalten zur Transzendenz zum Heil möglich macht; doch wenn die Mythisierung nicht mehr auf die Gegenwart der Transzendenz selbst hin überstiegen wird und zum mythologischen Erzählstoff literarisch »verkommt«, dann kann der Mythos dem Menschen ebenso auch zum Entwurf einer transzendenzfremden Immanenzerfahrung werden. Angesichts dieser Ambivalenz ist dann nicht die Rationalität der komplementäre Gegensatz zum Mythos, sondern die aus dem Glauben aufbrechende Mystik!

Der Mythos, der Logos und das spezifisch Religiöse
Drei Elemente des christlichen Glaubens

Kurt Hübner

Als Bultmann seine »entmythologisierte« Theologie vorlegte – ein Ereignis hohen Ranges, das heute noch mächtig nachwirkt –, da standen die Ergebnisse moderner Mythos-Forschung und moderner Wissenschaftstheorie noch bevor. Bultmann war also in seinem Versuch, Mythisches aus dem Neuen Testament (NT) zu entfernen, soweit es ihm für den von der Wissenschaft geprägten Menschen des 20. Jahrhunderts unannehmbar schien, nicht nur auf ein noch unklares Bild vom Mythos angewiesen, sondern auch auf eine noch eher naive Vorstellung vom Geltungsbereich der Wissenschaft.

Die Geschichte der Mythos-Forschung zeigt ein höchst merkwürdiges und interessantes Kapitel der Geistesgeschichte. Ursprünglich, wenn wir von ihren antiken Ansätzen absehen, in der Zeit der Aufklärung betrieben, um den Fortschritt der Menschheit aus Unwissenheit und Aberglauben zum Lichte wissenschaftlicher Erkenntnis nur um so deutlicher hervortreten zu lassen, entdeckte sie zunehmend unter dem Druck des mehr und mehr zutage tretenden Tatsachenmaterials, wie wenig solche Voreingenommenheit dem Gegenstand angemessen war. Es zeigte sich nämlich, daß es sich beim Mythos nicht, wie zunächst angenommen, um eine lose Kette phantasievoller Märchen, naiver Naturerklärungen oder irrationaler Wirklichkeitsvorstellungen handelt, sondern um ein System der Erfahrung, das allerdings von dem uns heute weitgehend leitenden, eben demjenigen der Wissenschaft, grundlegend verschieden ist.

Das Sonderbare ist nun dieses: Je weiter wir in der Entwicklung der wissenschaftlich-technischen Welt fortschreiten, je mehr wir geradezu von einem »technischen Zeitalter« reden dürfen, welches das unsrige ist, mit desto größerem Ernst und stärkerem Gewicht tritt der Mythos seinen Erforschern entgegen – nur daß dies die breitere Öffentlichkeit entweder gar nicht bemerkte oder wenigstens in seiner weittragenden Bedeutung nicht begriff[1].

I.

Die Erkenntnisse moderner Mythos-Forschung beziehen sich freilich nicht auf einen *bestimmten* Mythos, genausowenig wie sich unser sog. wissenschaftliches »Weltbild« auf bestimmte wissenschaftliche Theorien bezieht. Sie richtet sich vielmehr auf eine *Struktur.* Eine solche Struktur liefert die Definition dessen, was Mythos oder was Wissenschaft ist. Dies läßt sich am einfachsten

---

1. Vgl. *K. Hübner:* Die Wahrheit des Mythos, München 1985, insbesondere Kapitel III; *ders.:* »Die nicht endende Geschichte des Mythischen«, in: Scheidewege, Jahrgang 16 (1986/87).

an einem Beispiel verdeutlichen. Wenn man ein Buch über geschichtliche Ereignisse zur Hand nähme, worin das Wirken numinoser Mächte zum Zwecke der Erklärung dieser Ereignisse bemüht wird, so wüßten wir sofort, daß es sich nicht um ein wissenschaftliches, sondern um ein mythisches oder religiöses Werk handelt. Denn die Wissenschaft berschränkt sich auf natürliche Kausalerklärungen; göttliches Wirken kommt in ihrer Wirklichkeitsauffassung nicht vor. Gerade daran kann man aber andererseits u. a. den wissenschaftlichen Charakter eines Werkes feststellen, was auch immer sein Inhalt sein mag. Dies zeigt, daß es auch bestimmte Strukturen gibt, die der Wissenschaft eigentümlich sind.

Damit entkräftet sich von vornherein der häufige Einwand, man könne von *dem* Mythos gar nicht reden, weil es deren viele gäbe. Eine außerdem in sich widersprüchliche Behauptung, denn wenn es auch viele Mythen gibt, so subsumieren wir sie doch alle unter den Begriff »Mythos«, und zwar genau deswegen, weil sie trotz aller inhaltlichen Unterschiede die gleiche Form, die gleiche Struktur haben. Dasselbe gilt für die Wissenschaft. Nur eine sehr naive Vorstellung davon, was diese sei, kann ihr eine nicht nur formale und strukturelle, sondern auch durchgängig inhaltliche Einheit unterstellen; ein Blick auf die Geschichte der Wissenschaft oder das mannigfaltige Neben-, ja Gegeneinander von Theorien und Lehrmeinungen zeigt nur allzu deutlich, daß von einer solchen Einheit nicht die Rede sein kann. Aber alle diese Gegensätze und Widersprüche in den *Inhalten* hindern uns doch nicht, an jener *formalen Identität* festzuhalten, die Wissenschaft als solche kennzeichnet.

Unter Struktur wird hier nun des näheren ein System von Kategorien und Anschauungsformen verstanden. Nehmen wir zum Beispiel die Kategorie »Gegenstand überhaupt«. Wissenschaftlich betrachtet ist ein Gegenstand immer entweder etwas Materielles oder Ideelles, und es ist gerade diese scharfe Unterscheidung, die zu dem bekannten Leib-Seele-Problem geführt hat. Mythisch hingegen ist ein Gegenstand immer etwas Materielles und Ideelles zugleich, da er einen numinosen Gehalt hat oder wenigstens haben kann. So sind wissenschaftlich ein Bach, ein Baum, das Licht Gegenstände der Biologie, der Physik usf., während sich mythisch darin ein Göttliches spiegelt. Oder betrachten wir die Kategorie »Regelhafte Vorgänge in der Natur«. Die Wissenschaft versteht diese als durch Kausalgesetze begründet, während der Mythos darin das Wirken von Ursprungsereignissen sieht, von sog. Archái, wie sie die Griechen nannten. So ist wissenschaftlich der Rhythmus der Jahreszeiten die Folge astrophysikalischer Vorgänge, mythisch aber die Folge eines Urereignisses, das sich beständig wiederholt, wie zum Beispiel die Wiederkehr der Persephone auf die Erde im Frühling und ihre Rückkehr in den Hades im Herbst.

Man kann nun auf Grund des von der Mythos-Forschung bereitgestellten überreichen Materials ebenso die Kategorien und Anschauungsformen auflisten, auf die sich der Mythos stützt (die seine Struktur bestimmen), wie man wissenschaftstheoretisch die Kategorien und Anschauungsformen darlegen kann, auf denen die Wissenschaft beruht (die ihre Struktur bestimmen). Es ist daher erlaubt, eine mythische von einer wissenschaftlichen Ontologie zu unterscheiden[2]. Denn eine Ontologie umfaßt ja nichts anderes als die einer bestimmten Weltdeutung zugrundeliegenden Vorstellungen, worin die allgemeinsten Verhältnisse des Seienden gedacht werden. Damit ist aber auch definiert, was unter einem mythischen oder wissenschaftlichen Erfahrungssystem zu verstehen ist: Ein solches System hat stets in einer bestimmten Ontologie seine Wurzel. Sie ist das Instrument, mit dem Erfahrung organisiert wird; auf ihrer Grundlage werden Fragen an die Wirklichkeit gestellt; in ihrem Lichte wird alles gesehen; sie ist wie ein Koordinatensystem, in das alles eingeordnet wird. So erforscht und bewältigt zum Beispiel der Wissenschaftler das Gegebene, Mannigfaltige und Wahrnehmbare am Leitfaden seiner Kausalitätskategorie, der mythisch denkende Mensch aber am Leitfaden göttlicher Ursprungsgeschichten. Rein formal betrachtet, also in Absehung der Inhalte, besitzt die mythische Ontologie nicht weniger Rationalität als die wissenschaftliche. Denn nicht nur stehen ja auch ihre Kategorien und Anschauungsformen in einem systematischen Zusammenhang, sondern sie ermöglichen ebenfalls eine systematische Erfahrung, nämlich eine solche, die nicht nur sporadisch oder willkürlich verläuft, sondern sich am Koordinatensystem von ontologischen Kategorien ausrichtet[3].

II.

Wenn ich nun am Anfang sagte, Bultmann habe ein noch unklares Bild vom Mythos gehabt, so lag dieser Mangel daran, daß ihm die erst durch die moderne Mythos-Forschung ans Licht gekommene Ontologie des Mythos noch nicht bekannt war. Erst wenn die Ontologie des Mythos explizit erfaßt ist, kann man mytische von nichtmythischen Elementen im christlichen Glauben exakt unterscheiden. Mehr noch: Manches wird überhaupt erst verständlich, wenn man es in seinem mythischen Sinnzusammenhang erfaßt und nicht, wie es oft genug geschieht, auf das Prokrustesbett der wissenschaftlichen Ontologie spannt, womit es zwangsläufig zu etwas Widersprüchlichem, ja, Absurdem wird. Ein einschlägiges Beispiel aus der Genesis mag dies verdeutlichen. Dabei sei daran erinnert, daß die Genesis für das NT die Grundlage bildet. Denn Christus ist der Sohn des Schöpfers von Himmel und Erde, und er hat uns von der Erbsünde erlöst.
Als Gott das Licht von der Finsternis schied, nannte er das Licht Tag und die Finsternis Nacht. Dies, so steht geschrieben, war der erste Tag. Aber erst am vierten Tag schuf er Sonne, Mond und Sterne. Sind es denn nicht die Gestirne, die uns Tag und Nacht unterscheiden lassen? Dieser Widerspruch

---

2. Vgl. *K. Hübner:* Die Wahrheit des Mythos, a. a. O., Kapitel V–X.
3. Vgl. K. Hübner, a. a. O., Kapitel XVII–XXI.

läßt sich jedoch lösen, wenn man zwischen dem Licht des ersten Tages und dem Sonnenlicht des vierten Tages, also zwischen den Schöpfungstagen und den Tagen unserer Alltagserfahrung, unterscheidet. Betrachten wir den Text in 1 Mose 1,14 genauer, dann soll offenbar die Schaffung der Gestirne der Zeiteinteilung der Menschen dienen, hauptsächlich aber der Einhaltung ritueller Feste. Im Gegensatz dazu ist in 1 Mose 1,4 vom Lichte nur als dem Prinzip der Ordnung, des Kosmos, die Rede, der sich aus dem Chaos gebildet hat. (Und die Erde war Wüste und Leere.) Denn das Licht ist die Metapher für alles Gestalthafte, Erkennbare. Modern gesprochen bedeutet daher der vierte Tag die Einführung einer Zeitmetrik. Das Rätsel des Verhältnisses zwischen Schöpfungstag und Sonnentag lautet somit: Wie kann ein Schöpfungstag der Zeitmetrik vorangehen? Diese Frage läßt sich klären, wenn man die Strukturen des Mythos heranzieht.
Der Mythos unterscheidet zwischen einer heiligen Zeit, die sich in einem göttlichen transzendenten Raum abspielt, und einer profanen, deren Bestimmung durch die Zeitmetrik erfolgt. Die heilige Zeit umfaßt nun eben jene Archái und Urereignisse, von denen bereits die Rede war. Ich erwähnte den Mythos vom Raub der Persephone als Ursprungsgeschichte der Jahreszeiten; aber eine Arché war zum Beispiel auch die Geburt eines Gottes, ja, diejenige des Tages und der Nacht, wovon Hesiod in seiner Theogonie berichtet. Der springende Punkt liegt nun darin, daß solche Urereignisse sich nicht innerhalb des kontinuierlichen und unendlichen Flusses der profanen Zeit abspielen und ihre Abfolge nicht auf etwas außerhalb dieser Ereignisse Liegendes reduziert oder daraus abgeleitet oder erklärt werden kann. Sie zeigen vielmehr eine jeweils *nur ihnen* eigentümliche Zeitgestalt und haben eine zyklische Struktur. Das sei noch etwas verdeutlicht.
Bezeichnen wir die Ereignisabfolge einer Arché mit den Buchstaben ABCD. Da es kein Vor-A und kein Nach-D gibt (sie liegen ja gar nicht im Strom der Zeit), ist diese Folge als ein in sich geschlossener Kreis (und nicht als Teil einer ins Unendliche verlaufenden Zeit) vorzustellen. Doch so, daß der Kreislauf nicht wieder von neuem beginnt. Daher wird darin D niemals zu einem Vor-A oder A zu einem Nach-D. Einer solchen Zeitstruktur fehlt also das, was wir in unserer profanen Vorstellung den Zeit*fluß* nennen. Es gibt in den heiligen Zyklen kein ausgezeichnetes Jetzt, auf das ein anderes Jetzt folgte; die Ereignisse »stehen« gewissermaßen von Ewigkeit zu Ewigkeit, obgleich an ihnen das Früher oder Später genauso unterscheidbar ist, wie für uns 1987 früher als 2087 ist, auch wenn wir nicht wüßten, in welchem Zeitpunkt wir gerade leben.
Nach mythischer Vorstellung werden nun die heiligen Urereignisse aus der Sicht des Menschen in die profane, irreversible, fließende Zeit projiziert, wo sie zur irdischen Erscheinung kommen. Was sich im Grunde nie wiederholen kann, weil es keine Rückkehr zu einem identischen Anfang gibt (es müßte ja, um sich wiederholen zu können, ein vom Ursprung Unterscheidbares sein),

das wird nun, vom Menschen aus betrachtet, als ewige Wiederkehr des Gleichen erfahren. Das ist letztlich der sakrale Sinn der Woche, die sechs Arbeitstage kennt, in denen sich die Schöpfungstage widerspiegeln, während wir am siebenten Tage ruhen und des Schöpfungswerkes eingedenk sein sollen. Eine solche Wiederkehr des Gleichen vollzieht sich aber auch außerhalb des Ritus in der Natur, sofern sie menschlicher Erfahrung überhaupt zugänglich ist: Aus der Erde sprießen immer wieder aufs neue die Pflanzen, die Tiere zeugen immer wieder aufs neue Tiere und Menschen Menschen.
Dies war nur ein Beispiel dafür, wie sich am Leitfaden der mythischen Ontologie Mythisches im Alten und Neuen Testament aufdecken und in seinem eigentlichen Sinn aufklären läßt. Da ich an anderer Stelle in dieser Weise die mythische Verfassung einiger der wichtigsten Heilsereignisse des NT gezeigt habe – die Erbsünde, die Fleischwerdung, die stellvertretende Buße, die Sakramente – will ich hier nicht näher darauf eingehen[4]. Nur daran sei noch abschließend erinnert, daß ich in dieser Hervorhebung des Mythos im christlichen Glauben mit Bultmann zwar teilweise übereinstimme, mich dennoch aber in einigen wichtigen Punkten von ihm unterscheide – von der *Beurteilung* des Wertes und der Bedeutung des Mythischen ganz abgesehen.

III.

Das Mythische ist aber nur *eines* der Elemente des christlichen Glaubens. Das zweite ist das, was die Griechen den Logos genannt haben.
Der Logos ist durch die Forderung nach dem λογον διδοναι in die Welt getreten, mit der Forderung also, für alles eine *Begründung und einen Beweis* zu geben. Zwar ist Begründen und Beweisen auch dem mythischen Denken keineswegs fremd, sofern es sich ja innerhalb eines bestimmten Erfahrungssystems bewegt und folglich in dessen Rahmen argumentiert; aber da für dieses Denken die Welt voller Götter ist, um es mit Thales zu sagen, so erwartet es von vornherein nicht von der Wirklichkeit, daß sie in einen logisch geschlossenen Zusammenhang gebracht werden kann. Indem der Logos aber gerade dieses will, gehört es weiter zu seinem Wesen, alles Gegebene auf letzte, Einheit stiftende *Prinzipien* zurückzuführen. Nur Prinzipien können einem streng deduktiven System die notwendige Grundlage vermitteln. Mit solchen Prinzipien tritt schließlich der *Begriff* als eine Abstraktion hervor. So veränderte sich durch den Logos insgesamt das Verhältnis des Menschen zur Wirklichkeit. Denn wer sie in ein System bringen will, der unterwirft sie seiner autonomen Urteilskraft und löst sich aus ihren mannigfaltigen numinosen Beziehungen.
Damit war die Zerstörung des Mythos eingeleitet. So haben die Vorsokratiker die gesamte Welt der Erscheinungen aus dem Wasser, dem Feuer, der Luft oder dergleichen erklärt und damit den mannigfaltigen Zuständigkeitsberei-

4. Vgl. K. Hübner, a. a. O., Kapitel XXIV.

chen numinoser Wesen den Boden entzogen. Die vielen Götter, Kennzeichen des Mythos, verschwanden vor solchem Reduktionismus.
Man kann nun darüber streiten, ob in dem Bemühen der Vorsokratiker die Geburtsstunde wissenschaftlichen Denkens gesehen werden kann oder nicht. Dennoch besteht kein Zweifel darüber, daß dieses Bemühen den Ansprüchen wissenschaftlichen Denkens nicht genügt. Das liegt daran, daß es zwar auf eine streng systematische Erklärung der erfahrbaren Wirklichkeit abzielt, dabei aber rein spekulativ verfährt, also der nötigen empirischen Methoden ermangelt, welche die Verwendung des abstrakten Begriffs flankieren müssen. Wo aber der Logos zwar einerseits entmythisierend wirkt, andererseits jedoch in seinem Versuch, eine rein immanente, auf göttliche Transzendenz verzichtende Weltdeutung zu geben, über bloß abstrakt-spekulative Vorstellungen nicht hinausgelangt, da ist er nur eine vorwissenschaftliche Erscheinung.
Als Beispiel nenne ich die kosmologischen Vorstellungen, die wir in der Genesis 1,6 und 7 finden. Ihnen zufolge ist das Firmament eine Halbkugel, die oben und unten von Wasser umgeben ist. Zwar finden sich ähnliche Gedanken im babylonischen Weltschöpfungsgedicht Enuma elisch sowie anderswo im vorderen Orient, aber im Gegensatz hierzu fehlt der alttestamentarischen Kosmologie alles Mythische; weder das Wasser noch das Firmament werden da mit irgendwelchen Göttern in Verbindung gebracht, sondern sie sind nur Elemente einer rein physischen Konstruktion. Deswegen unterscheidet sich auch in formaler Hinsicht die alttestamentarische Kosmologie nicht von den Kosmologien der Vorsokratiker, etwa denjenigen des Thales, Anaximanders oder Heraklits. Es ist zwar meines Wissens nicht nachzuweisen, daß zwischen den Priestern, die um fünfhundert v. Chr. in der Babylonischen Gefangenschaft Genesis 1 verfaßten, und den Vorsokratikern ein unmittelbarer Zusammenhang bestand. Aber es ist deutlich erkennbar, daß auch die Priester vom Logos ergriffen waren, der damals wie eine Macht allenthalben in Erscheinung getreten sein muß. An dem Beispiel der alttestamentarischen wie vorsokratischen Kosmologien ist das, was ich unter dem *vorwissenschaftlichen Logos* verstehe, vielleicht am deutlichsten zu greifen. Handelt es sich doch in beiden Fällen um eine naive Physik.

IV.

Der Logos tritt aber nicht nur in jener bisher allein behandelten vorwissenschaftlichen Form in Erscheinung, sondern er zeigt sich auch als etwas, was ich *mythische Metaphysik* nennen möchte. Dabei handelt es sich um den Versuch, grundlegende Vorstellungen des mythischen Denkens in ein begriffliches System zu verwandeln. Auch die mythische Metaphysik stützt sich auf das λογον διδοναι, auf Prinzipien, und sucht nach einem durchgehenden logischen Zusammenhang. Aber anders als der vorwissenschaftliche Logos erschöpft sie sich dabei nicht in einer immanenten Welterklärung mit untaug-

lichen Mitteln, sondern sucht das Wirkliche aus dem Transzendenten zu verstehen. In der Deutung dieses Transzendenten kehren jedoch mythische Denkfiguren, nunmehr freilich in begrifflich-abstrakter Form, wieder zurück. Ich erinnere an Platons Lehre von den Ideen, in die sich die mythischen Götter logisch verwandelt haben, oder an den Gott des Aristoteles, der allein die Welt, die auch Götter enthält, ὡς ἐρωμενον, als ein Geliebtes, in Bewegung hält. Ich erinnere aber auch daran, daß sich Platon ausdrücklich auf den Mythos vom Eros als Ursprung und Ende der Metaphysik beruft, von den vielen Mythen abgesehen, die er an wesentlichen Punkten in seine Metaphysik einbaut. Auch Aristoteles hat dem Mythos ausdrücklich bescheinigt, Wahrheit zu haben, wenn sie auch, wie er meint, erst in der Läuterung durch das metaphysische Denken in Reinheit hervortritt. Platons berühmtes »Rettet die Phänomene«, womit er meint, sie müßten auf den Begriff gebracht werden, läßt sich also auch auf den Mythos anwenden: Denn auch dieser soll ja in der mythischen Metaphysik gerettet werden.
Wenn man die Wirkung dieser Metaphysik auf den christlichen Glauben erkennen will, so scheint mir dazu weniger der Logos-Begriff im Johannesevangelium geeignet zu sein als die Lehre von der *Trinität.* Es ist zwar zutreffend, daß diese Trinität im NT eher angedeutet als ausgeführt ist (Mat 28,19; 1 Kor 12,4–6; 2 Kor 13,13; Röm 8,9–11), aber er war unvermeidlich, daß die durch den metaphysischen Geist der Antike hindurchgegangen Christenheit sie auf den Begriff bringen mußte.
Die Geschichte des Trinitätsdogmas ist lang und kompliziert und kann hier nicht einmal in Stichworten zusammengefaßt werden. Es ist aber unverkennbar, daß alle Versuche, es näher zu begreifen, auf der Grundlage bestimmer Kategorien erfolgten. Das läßt sich besonders deutlich an der Trinitätslehre Tertullians erkennen, der sie auf die Formel gebracht hat: Una substantia in tribus personis; oder an der Bestimmung der Trinität durch die Kappadozier, die später in der westeuropäischen Christenheit kanonisch wurde und sich mit den Worten zusammenfassen läßt: Eine Usia und drei Hypostasen oder Prosopa (Personen, was auch mit Morphai, Formae ausgedrückt wurde). Damit sollte die Einheit von Vater, Sohn und Hl. Geist kategorial erfaßt werden, die sich gleichwohl in eine Mannigfaltigkeit zerlegt. Die Kategorie der Substanz und Usia ist aber der aristotelischen Metaphysik, diejenige der Hypostasen dem Neuplantonismus entnommen.
Die Reformatoren, auch Luther, hatten zwar eine Abneigung gegen solche Spekulationen, die ihnen gerade ihrer Abstraktheit wegen verdächtig war, aber auch sie haben letztlich am Trinitätsdogma festgehalten. Ebenso sind spätere Versuche der rationalistischen oder liberalen Theologie, es aufzugeben, gescheitert. Selbst wenn heute die metaphysischen Kategorien der Alten Kirche teilweise vermieden werden, so geschieht es weniger, weil man sie ablehnt, als weil sie zu Mißverständnissen Anlaß geben. Ein Beispiel dafür ist der Ersatz des Begriffes der drei Personen durch denjenigen dreier göttlicher

Seinsweisen, den K. Barth im Hinblick auf den gewandelten, modernen Personenbegriff vorgeschlagen hat.
Es genügt aber nicht, sich die Herkunft der für das Erfassen der Trinität notwendigen Begriffsinstrumente vor Augen zu halten, sondern es muß auch deutlich werden, worin deren mythische Metaphysik besteht, was also mythisch und was metaphysisch daran ist. Mythisch ist, daß drei Personen in der Identität *einer* Substanz verbunden sein können. Das klassische Beispiel dafür ist das mythische Verhältnis, in dem die Mitglieder einer Sippe, Phyle oder dergleichen zueinander stehen. Sie verbindet nämlich eine Identität, die durch den Ahnherrn, Stifter usf. bestimmt ist. Meist ist er ein Gott oder Heros. Jeder der Sippe, Phyle usw. ist zwar für sich eine individuelle Person, aber nicht dies ist dabei das Wesentliche und damit Substantielle, sondern eben jene alle dazugehörigen Mitglieder verbindende Identität. Deswegen ist es auch eine Katastrophe, wenn einer davon sich befleckt, weil damit automatisch *alle* befleckt werden; und andererseits kann entsprechend einer für alle den ursprünglichen heilen Zustand durch eine besondere Tat wiederherstellen.
Diese mythischen Denkformen, die wir ebenso im Ödipus-Dramas vorfinden oder in der alttestamentarischen Vorstellung vom Sündenbock (3 Mose 16), bestimmen auch die Heilsereignisse der Erbsünde und der Erlösung durch Christus. Sie bekommen nun aber in der Trinitätslehre einen metaphysischen Charakter, weil sie dort *erstens* auf eine rein transzendente Sphäre bezogen, *zweitens* in einem Begriffsschema erfaßt und *drittens* als Ergebnis einer nichtempirischen Argumentationskette betrachtet werden. – *Zum ersten:* Dem Mythos ist zwar der Unterschied zwischen einer transzendenten und immanenten Sphäre nicht fremd, sofern ja die Archái und Urereignisse nicht von dieser irdisch-sterblichen Welt, sondern etwas Ewiges sind; aber das Transzendente ist doch andererseits mythisch mit dem Immanenten so unauflöslich verwoben, daß es, zum Beispiel in der Form einer ewigen Wiederkehr des Gleichen, beständig in die profane Welt hineinwirkt. Nun ist zwar Jesus auch ein Teil dieser Welt, weil er in ihr wirkt, und dasselbe gilt für den Hl. Geist; aber nicht nur ist Gott, der Vater, selbst *absolut* transzendent, sondern das gleiche gilt auch für die Trinitäts*beziehung* als solche, die eben deswegen, weil die erste Person darin absolut transzendent ist, niemals ein Gegenstand der Erfahrung sein kann. Wollte man sich nur auf die Erfahrung stützen, so müßte man etwa eine Art Adoptianismus lehren, indem man sich auf die empirische Gestalt Jesu als einen göttlich Erleuchteten beschränkte. Damit unterschiede er sich aber nicht von anderen Erleuchteten dieser Art, wie sie ja auch im Mythos häufig vorkommen. Im übrigen ist der Adoptianismus innerhalb der Kirche immer nur eine Randerscheinung geblieben. – *Zum zweiten:* Das Begriffsschema, dem die Trinitätsidee unterworfen ist, wurde hier schon dargestellt. Niemals würde sich der Mythos, der eher dem Bildhaften und Anschaulichen verpflichtet ist, in dieser abstrakten Weise ausdrücken.

Dem widerspricht es nicht, wenn, wie gezeigt, die Mythos-Forschung zu einer dem Mythos zugrundeliegenden Ontologie geführt hat, die ja aus Begriffen besteht. Denn diese Ontologie zeigt nur die Art, wie wir den Mythos in unserer, eben begrifflichen, Sprache darstellen. Sie ist das Ergebnis einer *Reflexion über* den Mythos, zu welcher der mythische Mensch selbst niemals fähig gewesen wäre. Er *lebte* im Mythos, er dachte daher nicht über ihn nach, wie wir das tun. Aber selbst wenn wir damit den Mythos immer nur in der Außenbetrachtung erfassen können, nämlich durch die Brille unserer Begriffe, so ist doch damit die Vorstellung, die wir uns von ihm machen, noch nicht falsch. Sie beschreibt im Gegenteil korrekt, wie er uns erscheinen *muß*: nämlich weil es seine Wirklichkeit ist, die ihn uns, unter den Bedingungen dieser Brille, so und nicht anders erscheinen läßt. Die Darstellung des Mythos in der modernen Mythos-Forschung mittels einer begrifflichen Ontologie übersetzt ihn also zwar gewissermaßen in eine andere Sprache; aber in dieser Sprache wird er beschrieben, wie er ist. – Und schließlich *zum dritten* der das Metaphysische kennzeichnenden Punkte: Ein Begriffsschema, wie es dem Trinitätsdogma eigentümlich ist, schließt systematisches Argumentieren für seine Begründung ein. Was ein solches Argumentieren bedeutet, zeigt die lange Geschichte dieses Dogmas, in der sich, auf einigen wenigen Hinweisen im NT fußend, der Gedanke der Trinität allmählich Schritt für Schritt herausgebildet hat. Damit ist freilich nicht der Nachweis der Existenz und Realität der Trinität gemeint – die immer nur im Glauben erfaßt werden kann –, sondern die begriffliche Bestimmung ihres Wesens und ihrer *Qualität.*
Ich fasse zusammen: Das trinitarische Dogma wird mit kategorialen Mitteln ausgedrückt, die einer antiken Metaphysik entnommen sind. Diese Methaphysik hat mythische Inhalte argumentierend und systematisierend dem Begriffe anverwandelt. Dies gelang jedoch nur durch eine dem Mythos unbekannte scharfe Trennung des Transzendenten vom Immanenten. Eben diese Trennung machte die Anwendung jener Metaphysik auf den christlichen Glauben möglich.

V.

Dieser Glaube erschöpft sich aber offenbar nicht in dem Zusammenwirken von Mythos und Logos. Er wird zu einer Religion erst durch ein weiteres Element, das ich, im Gegensatz zu Mythos und Logos, die er historisch vorfand und aus deren Denkformen er sich entwickelt hat, das *spezifisch Religiöse* im christlichen Glauben nenne. Ich bestimme es durch sieben Punkte, ohne damit Vollständigkeit zu beanspruchen.
Erstens: Weder der Mythos noch die Metaphysik kennen den *einen persönlichen Gott.* Der Mythos ist polytheistisch, auch wenn ein Gott der primus inter pares sein mag. Ganz anders als etwa Zeus ist der christliche Gott absoluter Monarch. Die Metaphysik aber spricht zwar vom Hen (dem Einen), der Usia (der Substanz), der Idee des Guten oder dem sich selbst denkenden Wesen, aber das ist doch eine vergleichsweise abstrakte Redeweise.

Zweitens: Es gibt im Mythos viele Erscheinungen vieler Götter in Menschen und Heroen, es gibt viele Hypostasen und Emanationen des Hen innerhalb der mythischen Metaphysik, aber im christlichen Glauben ist Gott nur *einmal* und nur in *einem* Menschen sinnlich in Erscheinung getreten und damit Fleisch geworden.
Drittens: Der Mythos kennt mannigfaltige Weisen der unmittelbaren Beziehung zum Göttlichen und ihrer Wiederherstellung, wo sie gestört ist; das gleiche gilt für die mythische Metaphysik, wofür die Gnosis ein Beispiel liefert, die ja, wie schon der Name sagt, die Erlösung durch rechte Erkenntnis des einzelnen für möglich hält. Aber es ist wieder etwas spezifisch Christlich-Religiöses, daß die Erlösung nur durch die Vermittlung einer einzigen göttlichen Person gelingen kann.
Viertens: Etwas ausschließlich Religiöses ist auch das Wunder der Auferstehung. Das Wunder ist des Glaubens liebstes Kind, läßt Goethe Faust sagen. Der Mythos ist ja wesentlich eine Deutung der phänomenalen Wirklichkeit, er ist, wie gesagt, ein Erfahrungssystem und wo in ihm Wunderbares vorkommt, da ist es eher Bestandteil der Mythologie als des Mythos. Aber auch dem Logos in der Metaphysik ist das Wunder letztlich fremd, weil es sich dem von ihm doch stets gesuchten Erklärungszusammenhang widersetzt.
Fünftens: Die Grundlage des Glaubens ist die Offenbarung durch das Wort und damit die Hl. Schrift. Derartiges ist sowohl dem Mythos wie dem Logos fremd. Denn der Mythos beruft sich auf die immanente Erfahrung, der Logos auf das Begründen und Beweisen.
Sechstens: Die Offenbarung durch Christus ereignet sich innerhalb der geschichtlichen und damit profanen Zeit. Darin liegt zwar einerseits ebenfalls ein mythisches Element, andererseits aber auch ein spezifisch Religiöses. Das Mythische zeigt sich daran, daß Eucharistie, Kreuzigung und Auferstehung in der gottesdienstlichen Feier archetypische Formen annehmen: Jede Eucharistie wiederholt in gewissem Sinne das heilige Abendmahl, an jedem Karfreitag wird Christus erneut gekreuzigt, und an jedem Ostersonntag ist Christus wieder auferstanden. Das spezifisch Religiöse dagegen kommt hier dadurch zum Ausdruck, daß alle diese Heilsereignisse in der Spannung zum Eschaton, zum Jüngsten Gericht stehen, das zugleich das Ende der profanen Zeit bedeutet. Eine solche ausgezeichnete Zeitrichtung ist aber sowohl dem Mythos wie dem Logos fremd. Der Mythos nämlich denkt, wie gezeigt, zyklisch, und dies gilt im wesentlichen auch für den Logos – man erinnere sich nur an Platons Lehre von dem Kreislauf der Seele zwischen der Welt der Usia und der Welt der Genesis und an die Aristotelische Vorstellung vom ewigen Kreislauf des Kosmos. Wo aber der Logos, wie in der Gnosis, von der Erlösung spricht, da geschieht es ohne Beziehung auf das Eschaton, weil sich, wie schon bemerkt, die Erlösung nach Auffassung der Gnosis durch die Erkenntnis und Erleuchtung des je einzelnen vollzieht. Man muß also, um Verwirrungen zu vermeiden, scharf zwischen der zyklischen Zeitvorstellung

unterscheiden, die der alttestamentarischen Schöpfungsidee zugrunde liegt, und der Zeitidee, die mit der Heilsgeschichte verbunden wird. Die in der Schöpfungsidee sich äußernde Zeitvorstellung ist, ich betone es noch einmal, mythisch; die in der Heilsgeschichte wirksame dagegen ist etwas spezifisch Religiöses.

Siebentens: Für den Glauben ist die Schöpfung an sich gut und nur durch den Fall Adams verdorben worden. (Man denke an die mit den meisten Schöpfungstagen verbundene Billigungsformel der Art: Und Gott sah, daß es gut war.) Mythisch ist das Göttliche aber jenseits von Gut und Böse, weil es in der elementaren Macht des Sinnlichen in Erscheinung tritt. (Weswegen von den Göttern sowohl Heil wie Unheil kommt.) Die mythische Metaphysik des Logos schließlich neigt dazu, das Sinnliche radikal gegenüber dem Transzendenten abzuwerten. Ich erinnere wieder an Platon und vor allem an die Gnosis, für die ja sogar der Weltschöpfer und Demiurg ein gefallener Gott ist.

Eine solche Kennzeichnung der aufgeführten Elemente im christlichen Glauben als etwas spezifisch Religiöses bedarf noch einer Erklärung. Sie ist dadurch gerechtfertigt, daß sich diese Elemente größtenteils verallgemeinern lassen und damit definieren, was überhaupt unter einer Religion, sie sei eine christliche oder eine andere, verstanden werden kann. In diesem Betracht hat zum Beispiel der Islam, wenn nicht in allen Punkten, so doch weitgehend die *gleiche Struktur* wie das Christentum: Auch er ist streng monotheistisch im Sinne eines persönlichen Gottes, auch er geht von einer Offenbarung in geschichtlicher Zeit aus, usf. Dies ist der Grund, weswegen wir ihn, wie das Christentum, als eine Religion bezeichnen[5].

Wer aber eine solche Definition des Religiösen zu sehr auf die Offenbarungsreligion eingeschränkt sieht, dem möchte ich entgegnen, daß diese Beschränkung ausschließlich von der Absicht bestimmt ist, eine allzu große Ausweitung meines Themas zu vermeiden.

VI.

Nach dieser Herausarbeitung der drei Grundelemente des christlichen Glaubens müssen wir sie nun in ihrem Zusammenhang betrachten.

Ich beginne mit der These, daß es zwar einen Mythos ohne Religion (im hier definierten Sinne) geben kann – der antike Mythos beweist es –, nicht aber eine Religion ohne Mythos. Das liegt daran, daß eine Religion ohne religiöse Erfahrung nur eine fides mortua wäre – darin haben die Pietisten ganz recht gehabt –, religiöse Erfahrung aber immer zugleich mythischer Art ist – was

---

5. Diejenigen der hier aufgeführten Punkte, die sich nicht verallgemeinern lassen wie zum Beispiel Punkt drei, stellen nur ein *christliches* Spezificum innerhalb des Religiösen dar. Dafür genügt der gegebene Hinweis, daß das in Punkt drei Aufgeführte zwar keine Entsprechung in der Jüdischen Religion findet, auf jeden Fall aber weder etwas Mythisches ist noch dem Logos angehört.

ihnen freilich entging. Erfahrung ist ja immer auch etwas Sinnliches, sie stützt sich auf Wahrnehmungen. Religiöse Wahrnehmungen aber können nur darin bestehen, daß etwas Gegebenes eine numinose Bedeutung hat.
Dieses Numinose kann sich zur unmittelbaren Erscheinung des göttlichen Wesens verdichten, wie es bei einer Epiphanie der Fall ist; es kann aber auch seinen bloßen Zeichen- und Verweisungscharakter beibehalten. In jedem Falle ist das Numinose stets ein uns Entgegentretendes und damit buchstäblich Gegen-ständliches, und zwar ein solches, worin Materielles wie Ideelles unlöslich miteinander verbunden sind. Das aber ist, wie ich schon zu Anfang gesagt habe, die typische Verfassung *mythischer* Gegenständlichkeit.
Im christlichen Glauben ist sie unmittelbar hauptsächlich in den Sakramenten gegeben. Das Wasser der Taufe, Brot und Wein in der Eucharistie, werden nicht als bloß materielle Substanzen verstanden, sondern sind gewissermaßen numinos aufgeladen. Will das eine aufklärerische oder liberale Theologie bestreiten, dann müßte sie dieses Numinose mindestens dem verkündeten Wort zusprechen und damit der materiell-ideellen Einheit des Wortes (Laut und Sinn) einen Gehalt geben, der seine profane Bedeutung weit übersteigt. Ohne die Sakramente und ohne das Wort bliebe aber das christliche Heilsgeschehen nur eine abstrakte Vorstellung. Wie sehr sich nun die damit verbundenen religiösen Erfahrungen formal mit mythischen decken, zeigt sich schon daran, daß auch im Mythos die heilige Speisung im Mittelpunkt des Kultes steht. Was für den Christen die Eucharistie, das war für den Griechen die Theoxenie, wo der Gott mit zu Tische kam und mit ihm Wein, Brot und andere Opfergaben geteilt wurden. Und doch ist trotz dieser formalen Gleichheit zwischen Theoxenie und Eucharistie der Inhalt jeweils ein gänzlich anderer. Der Gott, der in der Theoxenie empfangen wird, ist immer nur einer aus dem Kreise der mythischen Götter, der Gott der Eucharistie aber ist der Sohn des einen, absolut transzendenten Gottes im Mysterium der Trinität. Noch einmal also: Sofern und soweit das Religiöse zur sinnlich faßbaren Erscheinung kommt und damit zu einem Gegenstand der Erfahrung wird, nimmt es eine mythische Gestalt an; sofern aber diese Erfahrung zugleich auf das Numen für eine absolute Transzendenz und auf das Numen für ein heilsgeschichtliches Eschaton bezogen wird, ist sie als eine religiöse vom Mythos verschieden.
Fassen wir nun noch das Verhältnis von Religion und Logos ins Auge. Wie schon gesagt, wirkt der vorwissenschaftliche Logos innerhalb der Hl. Schrift vor allem entmythisierend. Es wäre ein Irrtum, wollte man meinen, diese Entmythisierung bedürfte gar nicht der Bemühung des Logos, sie ergäbe sich bereits zwangsläufig aus dem religiösen Element des Glaubens, weil dieses Element eine Vielgötterlehre nicht zulasse. Aber es widerspräche doch nicht dem transzendenten Monotheismus, wenn die von Gott geschaffene Welt eine durchgängig lebendige, weil von numinosen Lebensmächten erfüllte wäre. Auch bliebe trotz allem ein solches Göttliches in ihr dem vergänglichen Schein alles Irdischen verfallen, wodurch es für immer von der absoluten

Transzendenz Gottes geschieden wäre. Die Götter des Mythos werden zwar, verglichen mit den Menschen, Unsterbliche genannt, aber handeln nicht ihre Archái allesamt von ihrer Geburt, und schweben sie nicht trotz allem Glanze immer in Gefahr, von anderen Göttern vernichtet, zumindest aber ihrer Macht beraubt zu werden? Erinnern wir uns daran, daß der Polytheismus innerhalb der Hl. Schrift keineswegs gänzlich erloschen ist, sondern sich nur in eine niedere Dämonologie rein immanenter Mächte verwandelt hat (zum Beispiel Mat 12, 28). Die Entmythisierung durch den vorwissenschaftlichen Logos ist daher eher aus der historischen Lage zu verstehen, in der die für das NT so wichtige und den Geist des Logos ausstrahlende Genesis entstanden ist.
Was schließlich das Verhältnis des Religiösen zum Logos als mythische Metaphysik angeht, so ist es demjenigen zwischen Religion und Mythos analog. Denn wie das Religiöse nur gewisse Strukturen des Mythos übernimmt, so bedient sich das Religiöse, wie wir am Beispiel der Trinität gesehen haben, nur der *Mittel* der mythischen Metaphysik, um seine spezifischen Inhalte zum Ausdruck zu bringen. Daher wird der Gott, der in der Trinität gedacht wird, eben doch nicht zum Gott der Philosophen, um es mit Pascal zu sagen.

VII.

Wenn ich nun hier die drei Grundelemente des christlichen Glaubens, den Mythos, den Logos (in seiner zweifachen Gestalt) und das spezifisch Religiöse, herausgearbeitet und in ihrem Zusammenhang dargestellt habe, so nicht nur deswegen, weil dies exegetisch von Vorteil sein könnte, sondern vor allem deswegen, weil damit überhaupt erst die Voraussetzung für die Antwort auf die alles entscheidende Frage geschaffen ist: die Frage nämlich nach der Wahrheit der christlichen Botschaft. Auf diese Antwort, der ein eigener Vortrag gewidmet sein müßte, kann ich abschließend nur in einer kurzen Zusammenfassung, einer Art Ausblick darauf, was sich zeigen und beweisen ließe, eingehen.
Die Frage nach der Wahrheit der christlichen Botschaft wurde in einer ganz neuen und radikalen Weise aufgeworfen, als im Zeitalter der Renaissance und Aufklärung die empirischen Wissenschaften entstanden. Auf diese Wissenschaften stützte sich fortan hauptsächlich die Kritik am christlichen Glauben, mit ihrer Hilfe wurde er erschüttert, in Zweifel gezogen, ja, verworfen. Die Geschichte der Theologie von damals bis heute, wo wir nach weitverbreiteter Meinung endgültig im wissenschaftlich-technischen Zeitalter aufgegangen sind, erscheint mir wie ein einziger Versuch, dieser Situation Herr zu werden. Gerade Bultmann, mit dem ich nicht ohne Grund diesen Vortrag begann, ist dafür ein hervorragendes Beispiel. Ich betone aber noch einmal: Wenn ich hier und im folgenden von Wissenschaft rede, so meine ich stets die empirischen Wissenschaften, nicht etwa die Philosophie oder die Metaphysik, und ich beschränke mich deswegen auf diese Wissenschaften, weil vor allem sie

es sind, die so tiefgreifend unser heutiges Wahrheits- und Wirklichkeitsbild prägen.
Will man aber der aus der Sicht der empirischen Wissenschaften geübten Kritik am christlichen Glauben begegnen, dann muß man zunächst klarstellen, worauf sie sich bezieht: auf den Mythos im Glauben, auf den Logos im Glauben oder auf das spezifisch Religiöse? Das habe ich gemeint, als ich vorhin sagte, die Herausarbeitung dieser Elemente sei eine für die Beantwortung der Frage nach der Wahrheit des Glaubens entscheidende Voraussetzung.
Bezieht sich diese Kritik auf das mythische Element im Glauben, so scheitert sie am Ergebnis der Mythos-Forschung und an dessen wissenschaftstheoretischer Auswertung[6]. Denn wie diese Forschung die ontologischen Grundlagen des Mythos enthüllt hat, so hat die Wissenschaftstheorie gezeigt, ohne daß ich das hier im einzelnen ausführen kann, daß, entgegen einer weitverbreiteten Meinung, zwischen der Ontologie des Mythos und derjenigen der Wissenschaft gerade dann weder eine theoretische noch eine praktische Entscheidung möglich ist, wenn beide nach wissenschaftlichen Maßstäben gegeneinander abgewogen werden. Ontologien sind ja, wie ich schon sagte, Instrumente, mit denen Erfahrung organisiert wird; sie sind das Koordinatensystem, in das alles eingeordnet wird – also können sie nicht selbst auf Erfahrung beruhen, sondern stellen das jeweilige *Apriori* einer Weltdeutung dar, sie sei zum Beispiel eine mythische oder eine wissenschaftliche. Ein solches Apriori besitzt aber eben nicht jene noch von Kant vermutete absolute Gültigkeit, sondern kann auf mannigfaltige Weise entworfen werden. So entsteigt es eher dem dunklen Schoße des Geschichtlichen, als daß seine begriffliche Notwendigkeit nachgewiesen werden könnte, von der schon erwähnten Unmöglichkeit seiner Begründung durch Erfahrung ganz zu schweigen, die dieses Apriori ja stets voraussetzte.
Anders steht es mit dem vorwissenschaftlichen Logos. Wie der Name schon sagt, bewegt er sich teilweise bereits auf dem Boden der wissenschaftlichen Ontologie. Er besitzt also nicht jene Immunität vor wissenschaftlicher Kritik wie der Mythos. Ich erwähnte die mit den vorsokartischen Entwürfen vergleichbare physische Konstruktion des Kosmos in Gen 1. Sie ist heute für niemanden mehr annehmbar, der nicht mit irrationaler Blindheit die Fortschritte ableugnen will, welche die Physik auf der ontologisch teilweise gleichen Grundlage bei der Erforschung des Weltalls erzielt hat. Für die mythische Metaphysik gilt ähnliches, *soweit* sie sich auf den vorwissenschaftlichen Logos stützt. Ein Beispiel dafür ist der mit der Frage der Trinität verknüpfte Streit, der im Mittelalter zwischen Nominalisten und Realisten ausgefochten wurde. Es sei nur darauf verwiesen, daß die dabei auftretende

6. Vgl. *K. Hübner:* Die Wahrheit des Mythos, und *ders.:* Kritik der wissenschaftlichen Vernunft, 3. Aufl., Freiburg 1986.

Substantialisierung rein logischer und damit zum Bereich der Wissenschaft gehöriger Kategorien heute ebenso mit zwingenden Gründen zurückgewiesen werden muß wie das alttestamentarische Bild des Universums. Mit diesem oder ähnlichen Beispielen ist aber keineswegs gesagt, daß die mythische Metaphysik *grundsätzlich* aufgegeben werden muß und somit auch der dogmatische Trinitätsbegriff des christlichen Glaubens zurückzuweisen wäre. Die mit der mythischen Metaphysik verbundenen erkenntnis- und wissenschaftstheoretischen Fragen sind meines Erachtens noch keineswegs in demselben Maße geklärt wie diejenigen von Mythos und Wissenschaft.

Wie das Mythische ist aber auch das spezifisch Religiöse wissenschaftlicher Kritik verschlossen. Zum Teil stellt ja das spezifisch Religiöse nichts anderes als einen Grenzfall des Mythischen dar, weil es mythische Kategorien wie Gotteskindschaft, Sündenbock oder göttliche Offenbarung auf einmalige historische Ereignisse reduziert; wo sich das Religiöse aber auf das absolut Transzendente bezieht, nämlich auf den persönlichen Gott und das Eschaton der Geschichte, oder auf die Welt im ganzen, nämlich als das Gute der Schöpfung, da ist es kein Gegenstand der Erfahrung. Ja, selbst mythisch-religiöse Erfahrung bedarf doch des Glaubens als notwendiges Komplement, um auf dieses Transzendente, dieses Eschaton und die Welt als das Gute der Schöpfung hinzuführen. Was aber gar nicht Gegenstand der Erfahrung sein kann, entzieht sich jeglicher Kritik, die auf dem Boden empirischer Wissenschaften steht. Schließlich ist das Wunder keineswegs wissenschaftlich widerlegbar, wie immer noch viele meinen. Wer das annimmt, hat die wissenschaftliche Ontologie in ein ihr wesensfremdes Dogma verwandelt, denn damit behauptete er ja im Gegensatz zu dem, was die Wissenschaftstheorie gezeigt hat, daß diese Ontologie notwendig gelte, also für *alles* zuträfe und nichts außerhalb ihrer möglich sei.

Das Ergebnis ist: Niemand begeht ein Sacrificium intellectus, der glaubt; niemand begeht aber auch ein Sakrileg, der bestimmte vor allem dem vorwissenschaftlichen Logos verpflichtete Elemente in der Hl. Schrift fallenläßt. So könnte man eher sagen, man sollte die Hl. Schrift *entlogisieren* als entmythisieren.

Der Philosoph freilich, der solches feststellt, ist sich seines sehr begrenzten Auftrages voll bewußt. Seine Analyse ist ja im Grunde eine erkenntnistheoretische, und auch das historische oder theologische Material diente ihm nur dazu, die *erkenntnistheoretisch* formulierte Frage nach der Wahrheit des Glaubens zu beantworten. Diese Antwort ist jedoch rein negativ, weil sie nur die wissenschaftliche Kritik am Glauben zurückweist. Aber es ist freilich etwas ganz anderes, ob man auch von der Gnade des Glaubens erfüllt wird.

Kurzbericht über die Diskussion
Klaus Koch

Magister: Wilfried Härle
Teilnehmer: Brian Hebblethwaite, Otto Kaiser, Ulrich Luck, Kurt Lüthi, Richard Schröder, Rainer Volp

Ein erster Gesprächsgang widmet sich der Begriffserklärung und den verschiedenen *Zugangsweisen des modernen Menschen* und der modernen Wissenschaft zum Mythos; dabei zeigen einige der Voten Zweifel an den Möglichkeiten einer Aktualisierung mythischer Gehalte, während andere seine zu Unrecht übersehene Gegenwartsmacht betonen. – Die Reflexion über den Mythos ist dem mythischen Menschen selbst nicht möglich, sondern geschieht durch uns; wie weit vermag eine solche Übersetzung aber legitim zu sein (Härle)? Der Zugang wird uns weithin durch die Ethnologie eröffnet, die aber auf Funktionen im Leben der primitiven Gesellschaft verweist, zu denen es für uns kein Zurück gibt (Schröder). Kann das Christentum heute den Mythos wieder einfach aktualisieren (Luck)? Demgegenüber wird von anderen betont, daß Kunst und Tiefenpsychologie erweisen, wie sehr Mythen noch heute lebendig sind (Lüthi, Volp). Der Referent allerdings bezweifelt die zutreffende Deutung mythischer Gehalte durch Ethnologen und Tiefenpsychologen; er hebt hervor, daß jeder von uns selbstverständlich auch mythische Erlebnisse erfährt, schon ein Spaziergang am Meer, aber auch Liebe, Tod, Heiligkeit stehen dafür als Zeugnis.

Bedingungen und Möglichkeiten einer *sachgemäßen Erkenntnis* von Mythen werden in der Fortsetzung erörtert. – Der Begriff Mythos wurde im Vortrag einerseits rein formal gefaßt, andererseits aber wurde er mit dem Erlebnis des Numinosen verbunden; ist dieses aber nicht notwendig inhaltlich bestimmt und also die rein formale Definition in Frage gestellt (Härle)? Die heutige Philosophie ist alles andere als einheitlich, auch in ihrer Deutung des Mythos; wo liegen dann die Kriterien für einen sachgemäßen Zugang (Hebblethwaite)? Die Interpretation müßte stärker der Vielschichtigkeit der Mythologumena Rechnung tragen, z. B. der *multiplicity of approaches,* den Strukturen der heiligen Zeit; dazu aber ist eine funktionale Interpretation notwendig (Kaiser). Das mythische Zeitverständnis als Wiederkehr des Gleichen zu deuten ist eine Einseitigkeit. Das Zeitverständnis des Alten Orients weist zwar zyklische Züge auf, doch diese sind keineswegs absolut geltend; vgl. die im ägyptischen Kult gebrauchten Dynastienlisten (K. Koch, aus dem Plenum). Der Mythos lebt von der ungebrochenen Anwesenheit des Göttlichen in der Welt, christlicher Glaube aber geht von der Erfahrung der Abwesenheit Gottes aus (Luck). – Der Referent bezweifelt, daß Abwesenheit Gottes erfahrbar wird, wenn nicht vorher seine Anwesenheit erlebt ist. Entscheidend für jedes Verständnis des Mythischen durch uns bleibt die Einheit von Ideellem und Materiellem in der mythischen Substanz, die der Logos durch seine Distinktionen ablehnt. Dieser Einheitsschau sind alle anderen Varianten im Mythischen zuzuordnen. Das Verhältnis des Mythos zur Urgeschichte muß nicht immer zyklisch sein, doch es bedeutet immer gegenwärtige Teilhabe an der mythischen Substanz; wo immer Krieg ist, ist Ares.

Weitere Fragen behandeln das Verhältnis von *Mythos und Rationalität.* – Einige historische Voraussetzungen des Vortrags überzeugen nicht. Die Vernunft als Logos zielt nicht in jedem Falle auf ein zusammenhängendes System, und Mythos wird nicht immer schon von der Vernunft vorgefunden und geprüft. Bei Platon stellt *logon didonai* den mittleren Teil seiner philosophischen Bemühungen dar, der Anfang und das Ende sind jeweils mythisch (Schröder). Der Vortrag hat sowohl dem Mythos wie der rationalen Wissenschaft eine Ontologie zugeschrieben; von welchem dritten Standpunkt aus läßt sich über die unterschiedlichen Ontologien sachgemäß urteilen (Ullmann, aus dem Plenum)? In seiner Erwiderung unterscheidet der Referent zwischen Logos als einer bestimmten geistesgeschichtlichen Erscheinung und Vernunft. Deren Rationalität bedeutet, sich in einem gegebenen Zusammenhang logisch zu bewegen, ist also rein formal zu begreifen. Versucht wird, eine Philosophie als eine Art Metatheorie zu entwickeln, welche sowohl die mythische wie die wissenschaftliche Ontologie übergreift.

Die letzte Runde des Gesprächs behandelt das Verhältnis von *Mythos und christlicher Theologie.* – Im Vortrag wird das Woraufhin der Interpretation des Mythos nicht als Problem gesehen und erörtert, insofern wird ein schon durch Bultmann erreichter Stand hermeneutischer Reflexion nicht erreicht (Hübner-Göttingen, aus dem Plenum). Versinkt unter den Voraussetzungen des Gesagten nicht jede theologische Rationalität im Mythischen (Hebblethwaite)? Theologie steht ständig vor der Notwendigkeit, die Heilige Schrift in ihren mythischen Elementen neu zu interpretieren (Kaiser). Der Theologe hat unterscheidend zu prüfen, wo Mythen wirklich Befreiung vermitteln und wo sie es nicht tun (Lüthi). – Die letzten Voten versuchen, zum Anliegen des Vortrags zurückzulenken und die Notwendigkeit einer Beschäftigung mit mythischen Aussagen zu betonen. Jedes Sagen-Wollen von Glauben nötigt zum Mythos (Volp). Das Erzählen von Geschichten ist unverzichtbar für das Leben und für christliche Religion (Schröder). Wenn der Weltzusammenhang für allen christlichen Glauben unverzichtbar vorgegeben ist, wird ihm auch der Mythos in gewisser Weise unverzichtbar (Härle). Der Referent stimmt im Schlußwort der Aufgabe zu, das Evangelium wieder und wieder neu zu interpretieren und bestreitet darüber hinaus, daß es eine spezifisch theologische Rationalität geben kann.

Der Mythos vom Logos (Johannes 1) Überlegungen zur Sachproblematik der Entmythologisierung

Hans Weder

»Geschrieben steht: ›Im Anfang war das Wort!‹
Hier stock ich schon! Wer hilft mir weiter fort?
Ich kann das Wort so hoch unmöglich schätzen,
Ich muß es anders übersetzen,
Wenn ich vom Geiste recht erleuchtet bin.
Geschrieben steht: Im Anfang war der Sinn.
Bedenke wohl die erste Zeile,
Daß deine Feder sich nicht übereile!
Ist es der Sinn, der alles wirkt und schafft?
Es sollte stehn: Im Anfang war die Kraft!
Doch auch indem ich dieses niederschreibe,
Schon warnt mich was, daß ich dabei nicht bleibe.
Mir hilft der Geist! auf einmal seh ich Rat
Und schreibe getrost: Im Anfang war die *Tat*! –«[1]

Die Begegnung des faustischen Menschen mit dem johanneischen Mythos vom Logos gestaltet sich als ein Übersetzungsversuch, der von einer seltsamen Dynamik beherrscht ist. Der faustische Mensch wird immer mehr abgetrieben vom Wort, das am Anfang war. Über den Sinn, der ihm zuwenig schöpferisch ist, treibt es ihn zur Kraft. Auch sie verwirft er, sie ist ihm zu sehr bloße Möglichkeit. So endet er bei der Tat, erst sie macht ihn getrost. Kann man sich eines Geistes trösten, der die ganze Welt auf die Tat gründet und insofern die Menschenwelt ganz auf die Tat zurückwirft? Ist, was hier als Übersetzung erscheint, in Wahrheit nicht eine Verabschiedung des Wortes? In einem Text von vierzehn Zeilen steht nicht weniger als zehnmal »ich«. Kaum sind die ersten paar Worte gelesen – hier stock ich schon –, fällt das Ich dem Gesagten ins Wort. Sollte es einen Zusammenhang geben zwischen dem zur Tat drängenden Ich und dem Ich, das zuvorkommendes Wort nicht ausreden läßt? Sollte es einen Zusammenhang geben zwischen dem neuen Mythos der Tat, der da unversehens an die Stelle des alten Mythos vom Logos tritt, und der neuen Zeit, wo das Ich dem Gesagten ungeniert ins Wort fällt?
Wie dem auch sei, für den Moment kehren wir vom faustischen Menschen zum biblischen Wort zurück. In den folgenden Überlegungen wird der Johannesprolog herangezogen als Paradigma für das Thema Mythos und Rationali-

1. *J. W. von Goethe:* Faust I, S. 180f. (in diesem Text lautet das erste Wort: »Geschirben«).

tät. Als Mythos vom Logos soll dieser Text betrachtet werden[2]. Dadurch entsteht ein neues Spannungsfeld: Mythos – Logos – Rationalität. Ich werde nicht bei allgemeinen Theorien[3] einsetzen, sondern das Verhältnis von Mythos, Rationalität und Logos anhand des Johannesprologs, anhand eines gegebenen Einzelphänomens also, bedenken[4]. Man mag dies als ein Signal dafür verstehen, daß Denken sich mit Vorteil als Nachdenken über das Gegebene vollzieht – auch dies schon ein Beitrag zum Thema Mythos und Rationalität.

Mit dem Nachdenken über Mythos ist in unserem Jahrhundert der Name Bultmanns verbunden. Sein Programm der Entmythologisierung, genauer: das Sachanliegen dieses hermeneutischen Unternehmens, wird deshalb mit im Vordergrund stehen. Es ist unvermeidlich, eine – wenn auch vorläufige – Definition des Mythos als Ausgangspunkt zu wählen, obwohl sich dieses

---

2. Diese Betrachtungsweise ergibt sich ungezwungen, wenn man beachtet, daß hier eine mythische Geschichte erzählt wird, deren durchgehendes Subjekt der Logos ist. Man könnte freilich sagen, der Johannesprolog gehöre zum Kerygma und sei daher nicht als Mythos zu bestimmen. Zur Unterscheidung von Mythos und Kerygma vgl. *Müller,* in: ZThK 83 (1986), S. 405–435, bes. S. 408–411. Müller macht insbesondere auf das Weiterwirken mythischer Motive im biblischen Kerygma aufmerksam (»Animatisation bei der menschgemäßen Wirklichkeitsvermittlung« und »Begründung durch ein geschichtliches ἐφάπαξ in Analogie zur Begründungsfunktion der Urzeit im Mythos« a. a. O., S. 408).

3. Dies geschieht auf eindrückliche Weise in *Hübners* Arbeit: Die Wahrheit des Mythos, München 1985. Hübner kommt zum Schluß, daß »wissenschaftliche und mythische Erfahrung ... die *gleiche Struktur*« haben (a. a. O., S.287). Beide haben gleichermaßen eine rationale Struktur, und daß die eine gegenüber der andern dominant ist, betrachtet Hübner als historische Kontingenz (ebd.). Beide Weisen der Erfahrung enthalten »vorrationale« (so die terminologische Entscheidung Hübners im Gegenüber zum »Irrationalen«, a. a. O., S. 288) Voraussetzungen, ohne daß dadurch ihre eigene Rationalität in Abrede gestellt werden könnte. Zu präzisieren ist freilich, daß Rationalität und Rationalismus nicht dasselbe sind. Unter dem Rationalismus »ist eine philosophische Richtung zu verstehen, die bestimmte Axiome oder Prinzipien (...) als Ausdruck einer absolut und damit intersubjektiv für immer bindenden Vernunfteinsicht betrachtet. Wenn man so will, kann man die gesamten vorangegangenen Untersuchungen (sc. die Hauptuntersuchungen der Arbeit) als eine einzige Widerlegung dieser weder historisch noch systematisch haltbaren Denkrichtung ansehen« (a. a. O., S. 289). Rationalität ist demgegenüber anders definiert (vgl. die Definition Hübners, a. a. O., S. 239–242), so daß sie durchaus auch dem Mythos zuerkannt werden kann.

Mit einem an so großräumigen Überlegungen orientierten Ansatz sind erhebliche Probleme verbunden. Die Frage, ob die Rationalität der Wissenschaft oder diejenige des Mythos den Vorrang hat, ist nicht bloß eine Sache historischer Kontingenz (auch historisch Gewordenes hat übrigens einen Sachaspekt, der die historische Entwicklung transzendiert) und auch nicht bloß eine Frage der Axiomatik. Die Frage beispielsweise, ob die Wellen des Meeres mit Neptun oder mit den Hauptsätzen der Thermodynamik angegangen werden, ist weder historisch noch axiomatisch zu entscheiden, sondern im Blick auf das, was tatsächlich der Fall ist.

4. Wenn es sinnvoll ist, hier von einem Mythos zu sprechen, dann ist zu erwarten, daß die genaue Beobachtung dieses Mythos und seiner Pragmatik auch etwas erkennen läßt über das allgemeine Phänomen des Mythischen. Hier wird der Zugang nicht über die Definition des Mythischen, die aus der Abstraktion von den Mythen entsteht, gesucht, sondern über die Wirkungen, die sich an diesem konkreten Mythos beobachten lassen, über seine Wirklichkeit also.

Phänomen immer wieder der begrifflichen Erfassung entzieht. Mythisches Denken ist dadurch definiert, daß es die Dimension der vorliegenden Welt überschreitet und von Dingen zu erzählen weiß, die nicht beschrieben werden können in den Kategorien von »der Fall sein« oder »nicht der Fall sein«[5].

1. Beobachtungen zum Johannesprolog

In diesem Text wird ein Mythos erzählt, der den Logos zum Thema hat. Mythos und Logos sind also eng aufeinander bezogen. Diese Verbindung impliziert eine Kritik an der selbstverständlich gewordenen Annahme, der Mythos schreite durch Aufklärung fort zum Logos, die Mythologie müsse durch das Licht der Vernunft in Rationalität verwandelt werden[6]. Wer einem Mythos vom Logos nachzudenken hat, wird es schwer haben, dem Fortschritt vom Mythos zum Logos das Wort zu reden[7].

---

5. Sehr brauchbar ist nach wie vor R. Bultmanns Definition, auch wenn sie nicht einhellige Zustimmung gefunden hat: »Der Mythos redet von der Macht oder von den Mächten, die der Mensch als Grund und Grenze seiner Welt und seines eigenen Handelns und Erleidens zu erfahren meint. Er redet von diesen Mächten freilich so, daß er sie vorstellungsmäßig in den Kreis der bekannten Welt, ihrer Dinge und Kräfte, und in den Kreis des menschlichen Lebens, seiner Affekte, Motive und Möglichkeiten, einbezieht. ... Er redet vom Unweltlichen weltlich, von den Göttern menschlich« (*Bultmann*: NT und Mythologie, S. 22). Bultmann ist sich wohl bewußt, daß diese Definition sich von der »modernen« abhebt (vgl. ebd; Anm. 2). Schon die Definition ist – entsprechend dem Hauptanliegen Bultmanns – auf den hermeneutischen Umgang mit der Mythosproblematik abgezielt. Zur Kritik an diesem Mythosbegriff vgl. zuletzt *Müller*: Mythos, S. 405–411, eine Kritik, die Bultmanns Anliegen und eigentliche Stoßrichtung nicht ganz trifft. Mythisches Denken interpretiert die vorliegende Welt jedenfalls so, daß es die Dimensionen von Raum und Zeit überschreitet.

Im ganzen läßt sich feststellen, daß bisher kein einheitlicher Begriff des Mythos gefunden werden konnte. Zu vielfältig sind die Definitionen, je nachdem ob sie inhaltlich, funktional, linguistisch oder ästhetisch angesetzt sind. Wichtig ist jedenfalls das Moment des Erzählerischen, das seit Aristoteles, Poetik, 1450 a 3–5 zu den wesentlichen Merkmalen des Mythischen gezählt wird (bei Aristoteles steht das Wort μῦθος für die Erzählung überhaupt). Zum Problem vgl. *Horstmann:* Mythos, S. 300–318; *Hübner:* Wahrheit, S. 48–92.93–235; *Blumenberg:* Wirklichkeitsbegriff, S. 11–66.

6. So eine der einflußreichsten Arbeiten des zwanzigsten Jahrhunderts, *W. Nestle:* Vom Mythos zum Logos. Sie vertritt die These, daß das Griechentum »auf der einmal eingeschlagenen Bahn vom Mythos zum Logos unaufhaltsam« weiterschreitet (a. a. O., S. 539), ganz so, als ob die mythische Wahrnehmung der Welt durch ihre logische Beherrschung zunehmend und irreversibel ersetzt worden wäre.

7. Dieser Fortschrittsgedanke wird bei Hegel konsequent durchgeführt: »Die Mythe gehört zur Pädagogie des Menschengeschlechts. Ist der Begriff erwachsen, so bedarf er derselben nicht mehr« (zit. nach *Horstmann:* Mythos, S. 291). Sprachtheoretisch gesehen verbirgt sich in dieser These die Annahme, das mythische Reden sei eine bloße Einkleidung einer auch begrifflich aussagbaren Sache (ähnliches wird ja auch vom Metaphorischen angenommen); philosophisch verbirgt sich in ihr die Annahme von der Superiorität der Philosophie gegenüber der Religion. Wer diesen Fortschrittsgedanken nicht teilt – und es sprechen sowohl sprachtheoretische als auch philosophische Gründe dagegen –, wird das Selbstverständnis der modernen Wissenschaft kritischer betrachten, die überzeugt ist davon, »die Form der religionslosen Rationalität, die sie repräsentiert, sei, eben weil sie sich von den Göttern emanzipiert hat, die wahre, unanfechtbare,

1.1 Mythische Dimensionen im Johannesprolog

Daß der Anfang des Johannesevangliums ein Mythos sei, ist nicht allgemein anerkannt. Das neuzeitliche Urteil, Mythen seien minderwertig, wirkt sich aus im exegetischen Interesse, den Johannesprolog vom Mythos abzusetzen[8]. Er hat indessen deutlich mythologische Züge.

Mythologisch ist zunächst das Zurückgehen auf die ἀρχή, auf den Uranfang. »Im Anfang war das Wort[9]. Und das Wort war auf Gott hin bezogen[10]. Und Gott

---

die aufgeklärte und autonome Vernunft« (*Picht:* Kunst und Mythos, S. 486). Freilich ist es nicht angemessen, den erkenntnistheoretischen Atheismus der Wissenschaft als solchen zu kritisieren; er hat sich innerhalb der Grenzen bestimmter Fragestellungen ausgezeichnet bewährt. Von diesem Atheismus ist indessen der Totalitätsanspruch zu unterscheiden, der die Phänomene nicht nur weltlich interpretiert, sondern innerweltlich abschließt (zum Problem vgl. *Weder:* Hermeneutik, S. 130–133). Zur Abgründigkeit der aufklärerischen Theologie, die sich beeilte, »ihre mythische Vorgeschichte in wissenschaftliches Bewußtsein aufzuheben«, vgl. *Sparn*, in: ThR 49 (1984), S. 185: »Verstummen und Selbstauflösung der Theologie liegen am Ende des so eindeutig erschienenen Weges *vom Mythos zum Logos.*«

8. Schon *Bultmann:* Johannes, S. 1, urteilt zurückhaltend: »Seinem Inhalte nach wäre der Prolog auf den ersten Blick als *Mythos* zu charakterisieren; denn er redet von einem Gottwesen, seinem Tun und Geschick.« Bultmann begründet sein literarisches Urteil, daß hier kein Mythos im eigentlichen Sinne vorliege, mit dem Anredecharakter der *»kultisch-liturgische(n) Dichtung«* (a. a. O., S. 2), der bei einem erzählenden Mythos sonst fehle. *Blank:* Johannes, S. 74f., bestimmt die literarische Gattung des Prologs als »Christus-Hymnus«, der in den Zusammenhang ähnlicher neutestamentlicher Hymnen zu stellen ist. Diese literarische Bestimmung läßt indessen die Frage offen, ob mythisches Reden vorliegt. Folgte man dem neutestamentlichen Sprachgebrauch, so käme die Bezeichnung eines neutestamentlichen Textes als μῦθος überhaupt nicht in Frage. Denn im Neuen Testament werden die Mythen ganz in den Bereich der Lüge verwiesen, während das Kerygma kraft seiner geschichtlichen Verankerung der ἀλήθεια verpflichtet ist (vgl. *Stählin,* in: ThWNT IV, S. 793, 10–799, 18). Unbestritten bleibt, daß die neutestamentlichen Texte stets von einem Ereignis in der Geschichte sprechen. Dennoch läßt sich nicht verkennen, daß sie (etwa im Falle der Christus-Hymnen) weit über das hinausgehen, was geschichtlich der Fall war. Exegetisch wird die fundamentaltheologische Frage, ob das Kerygma mit dem minderwertigen Mythos überhaupt vergleichbar sei, verhandelt als Frage nach der Abhängigkeit des Logoshymnus vom gnostischen Mythos (vgl. *Schnackenburg:* Johannesevangelium, S. 268f.). Diese Diskussionsebene vermengt die religionsgeschichtliche Frage nach der Genese des Hymnus mit der hermeneutischen Frage der poetischen Gestalt und ist deshalb nicht adaequat.

9. Mit dieser Wendung wird deutlich an Genesis 1,1 angeknüpft. Im Unterschied zur Genesisstelle wird aber gleichsam vor den Schöpfungsanfang zurückgefragt, zu einem Anfang, der in keiner Richtung mehr weiter hinterfragbar ist. Zur Auslegung vgl. *Blank:* Johannes, S. 81 f. Zu vergleichen ist das Urteil von *Gese:* Johannesprolog, S. 161: »mit dieser zeitlichen Aussage ist die inhaltliche des Vor-der-Schöpfung-Seins gegeben«. Der Johannesprolog spricht – im Unterschied zur Weisheitstheologie – gerade nicht von der Erschaffung des Logos, weil er dessen Gleichzeitigkeit mit Gott festhalten will. »Der Logos weilt von Anfang an bei Gott, beide sind gleich ursprünglich, und Gott ist nicht ohne sein Wort zu denken« (*Schnelle:* Christologie, S. 233).

10. Die Übersetzung trägt dem philologischen Sachverhalt Rechnung, daß das Sein des Logos mit πρὸς τὸν θεόν näher bestimmt wird. Πρός mit Akkusativ antwortet auf die Frage »Wohin?«, vgl. Bauer s. v. III. Anders dagegen *Schnelle:* Christologie, S. 233, der auf die Auswechselbarkeit von πρός τινα, ἐν und παρά τινι in der Koine hinweist.

von Art[11] war das Wort« (Joh 1,1). Dieser Auftakt des Prologs spricht von einer Zeit vor der Schöpfung, einer Zeit, in der es die Welt noch nicht gab.[12] Was im Anfang war, das Vorweltliche, gehört zu den Grundlagen der Welt. Der Rückgang auf den Anfang spricht das Grundlegende, das für das Sein der Welt Maßgebende, aus. Mythologisch ist diese Rede, sofern damit ein *Rückgang auf das Unvordenkliche*[13] vollzogen ist[14]. Mythologisch beschreibt der Prolog ferner den Logos in seiner Beziehung zu Gott. Das Sein des Logos ist dem Sein Gottes gleichursprünglich. Gott kann nicht ohne sein Reden gedacht werden. Das vorweltliche Sein des Logos war πρὸς τὸν θεόν, auf Gott hin, ausgerichtet. Und es hat die gleiche Qualität wie das Sein Gottes selbst. Mythologisch beschrieben wird weiter, wie der Logos bei der Schöpfung mitwirkte: »Alles ist durch ihn geschaffen worden, und außer ihm entstand nichts, nicht eins, das geschaffen wurde« (Joh 1,3)[15]. Das Wort ist nicht der Schöpfer; es ist nicht Sache des Wortes, alles zu wirken und zu schaffen. Aber es gibt allen Dingen der Schöpfung sein Gepräge. Durch das Wort ordnet der Schöpfer die Welt, so wie menschliches Dasein durch das Wort geordnet wird. In dieser mythologischen Sicht wird die ganze Welt zu einer die Menschen anredenden Veran-

---

11. In diesem Satz ist ο λόγος als Subjekt, θεός als Prädikatsnomen zu betrachten, vgl. *Haenchen:* Johannesevangelium, S.118. Ob daraus eine Unterordnung unter Gott abgeleitet werden kann (so *Becker:* Johannes, S. 72), erscheint sehr fraglich. Wenn »Gott« als Prädikatsnomen zu betrachten ist, dann bedeutet der Satz einfach, daß der Logos die Qualität Gott hat, wobei diese Qualität eine Singularität ist (ähnlich dem Satz: Dieser Stein ist Materie, mündlicher Hinweis von B. Bonsack). Zum Verständnis braucht nicht unbedingt die philonische Unterscheidung von ὁ θεός und θεός herangezogen zu werden (anders *Becker,* ebd.). *Miller,* in: EvQ 53 (1981), S. 65–77, plädiert wieder für eine definite, statt eine qualitative Bedeutung. Die Abwesenheit des Artikels bedeutet nach Miller lediglich, daß Johannes die völlige Gleichsetzung von λόγος und θεός vermeiden wollte. *Reim,* in: NTS 30 (1984), S. 158–160, sieht ein messianisches Verständnis von Ps 45 im Hintergrund, so daß in johanneischen Kreisen die Gottesbezeichnung für den Logos notwendig gewesen sei.

12. Gegen *Becker:* Johannes, S. 72.

13. Vgl. *Blank:* Johannes, S. 82: »Es geht hier nicht um die ›erste Tat Gottes‹ der Schöpfung, sondern um jenen qualitativ unendlich verschiedenen ›Anfang‹, der nicht mehr in die Verfügbarkeit, Vorstellungsmöglichkeit und Begreifbarkeit menschlichen Denkens fällt, weil er in den Tiefen der Gottheit selber liegt.« Die Unvordenklichkeit wird hier also im Modus des Entzugs gedacht: weil das Denken an diesen Ursprung nicht gelangen kann, ist er dem Denken entzogen.

14. Dazu zum Beispiel *Müller,* in: ZThK 83 (1986), S. 407: Der Mythos führt »in eine Urzeit, von der her alles Gegenwärtige, so es rechtens ist, seine Legitimation und Norm empfängt«. Zu fragen wäre freilich, ob die Wahrnehmungsdimension – gegenüber der Legitimation und Normierung – nicht viel größeres Gewicht verdient. Ursprungsmythen dürften deshalb auch geschichtlich gesehen zu den ältesten Mythen der Menschheit gehören, vgl. *Eliade:* Geschichte, S. 35–37.

15. Gegen *Bultmann:* Johannes, S. 19, und Aland wird das ὃ γέγονεν zum ἕν von V.3 gezogen. Es wäre eher ein pluralisches Relativpronomen zu erwarten, wenn sich das »was geworden ist« auf das »in ihm war Lebendigkeit« beziehen würde. Gleiches Urteil – wenn auch mit anderer Begründung – bei *Schnackenburg:* Johannesevangelium, S. 215–217.

staltung Gottes. Nichts gibt es in der Welt, das vom göttlichen Logos unberührt wäre, keine Spur von widergöttlichen Gegenwelten – eine bemerkenswerte Aussage an die Adresse aller Dualisten[16]. In mythologischer Sprache wird schließlich vom Verhältnis des Wortes zur ζωή, zur Lebendigkeit, und zu den Menschen geredet: »In ihm war Lebendigkeit[17], und die Lebendigkeit war das Licht der Menschen« (1,4). Im unvordenklichen Wort hatte die Lebendigkeit ihren Daseinsraum, in ihm war Leben gleichsam beschlossen. »Es war das wahre Licht, das jeden Menschen erleuchtet, der zur Welt kommt« (1,9). Diese Lebendigkeit ist das Licht für jeden Menschen, der das Licht der Welt erblickt[18]. Sie erhellt jedes Menschen Dasein. Die Lebendigkeit, mit der jeder Mensch begabt ist, wird also verstanden als ein Widerschein jenes Lichtes, das dem Logos seit unvordenklicher Zeit eignet.

Spätestens jetzt ist daran zu erinnern, daß solches Reden vom Logos Tradition hat. Ganz ähnliche Aussagen finden sich von der σοφία, der Weisheit, in der Weisheitstheologie des hellenistischen Judentums[19]. Auch von der Weis-

---

16. Dies distanziert das Johannesevangelium scharf von jeder gnostischen Weltsicht und Theologie: »Die Strategie des gnostischen Mythos bleibt immer dieselbe: um die mythische Einheit wiederherzustellen, um die Grenze zu überschreiten, die die Lehre von der Schöpfung zwischen Gott und Mensch setzt, muß gegen den Schöpfergott der *Genesis* angegangen werden: ... Dies geschieht im dogmatischen Mythos der Gnosis. Der überwelt-/liche Gott, zum Demiurgen degradiert, ließ Raum für den gegenweltlichen Gott, der im pneuma, im Selbst des Menschen, sein Korrelat gewinnt« (*Taubes:* Mythos der Gnosis, S. 155 f.). Zur Struktur des gnostischen Denkens gehört ein Dualismus, der wesentlich »antikosmisch« ist und eine »eindeutig negative Bewertung der sichtbaren Welt einschließlich ihrer Urheber« impliziert; dazu *Rudolph:* Gnosis, S. 69–75. Von hier aus sind dualistische Interpretationsansätze des Johannesevangeliums im Sinne Ernst Käsemanns (Jesu letzter Wille), Luise Schottroffs (Der Glaubende und die feindliche Welt) oder Siegfried Schulz' (Johannes) als unangemessen zu qualifizieren.

17. Zu unterscheiden ist ζωή von βίος in dem Sinne, daß nicht bloß das physikalische Leben, sondern die Gabe qualifizierter Lebendigkeit gemeint ist, vgl. *Becker:* Johannes, S. 73, die im Johannesevangelium als ζωὴ αἰώνιος die Gabe des Erlösers schlechthin ist (vgl. z. B. Joh 3,15 f.; 5,24; 17,2). Auch von der Weisheit wird immer wieder gesagt, daß Leben erlangt, wer sich an sie hält; vgl. z. B. Prov 3,18.22; 4,13.22 f.; 8,35.

18. Ausdrücklich wird die Wahrheit dieses jedem Menschen gegebenen Lichts festgehalten, eine anthropologische Entsprechung zur Ablehnung des kosmologischen Dualismus. Im Unterschied etwa zum Dualismus der Gnosis, die das Leben scharf vom materiellen Existieren trennt (dazu *Rudolph:* Gnosis, S. 75 f.), beginnt das Licht des Lebens genau in dem Moment zu leuchten, in welchem der Mensch in die (als Einheit von Materie und Geist verstandene) Welt eintritt. Die Aussage bedeutet nicht, dieses Licht sei »für jeden Menschen notwendig« (gegen *Schnackenburg*: Johannesevangelium, S. 229), sondern es sei jedem Menschen beim Zur-Welt-Kommen gegeben.

19. In jüngster Zeit beginnt sich die religionsgeschichtliche These allgemein durchzusetzen, wonach die jüdisch-hellenistische Weisheitstheologie (und also weder die Gnosis noch das AT) die geistige Welt ist, aus der auch die Gedanken des Johannesevangeliums bis zu einem gewissen Grade verständlich werden. Als Beispiele für viele Arbeiten seien genannt: *Becker:* Johannes, S. 71 f., und *Blank:* Johannes, S. 36–56. Anders dagegen (immer noch) *Gese:* Johannesprolog, S. 152–201, der nach wie vor mit den alttestamentlichen Belegen auskommen möchte, obwohl auch er sich auf die alttestamentliche Weisheit konzentriert.

heit wird gesagt, sie sei vor der Zeit schon gewesen, als Liebling Gottes, und sie habe sich erfreut an der Erschaffung der Welt[20]. Auch die Weisheit ist die Schöpfungsmittlerin, die allem Geschaffenen das Gepräge gibt[21]. Auch die Weisheit gibt denen Leben, die sich an sie halten[22]. Zu erinnern ist ferner an den entscheidenden Schritt von der älteren zur jüngeren Weisheitstheologie. In gewisser Weise kann darin der Schritt vom *Logos zum Mythos* gesehen werden[23]. In der älteren Weisheitstheologie wurde die Weisheit sozusagen begrifflich wahrgenommen, als das, was aus den Dingen und den weltlichen Abläufen zu lernen ist[24]. Sentenzen stellen sich heraus, welche die Weisheit der Natur und der Geschichte auf den Begriff bringen. Die ältere Weisheitstheologie sprach von einer Weisheit, die in den Dingen und den Erfahrungen ist[25]. Auf sie stößt, wer die Welt wissenschaftlich, gleichsam rational, zu begreifen unternimmt.

---

20. So in Prov 8,22ff., wo von der Weisheit gesagt wird, sie sei als Anfang der Werke Gottes vor der Schöpfung geschaffen worden. Bei der Erschaffung der Welt war die Weisheit dabei (8,30, masoretischer Text). Die Frage ist dort, wie »›mwn« wiederzugeben ist. Mit Blick auf Thren 4,5 dürfte »gestützt, getragen, aufgezogen« die wahrscheinlichste Bedeutung des Partizips sein, so daß hier so etwas wie »Pflegling« angenommen werden kann; vgl. *Gese:* Johannesprolog S. 177f. (»ich war bei ihm auf dem Schoß [gehalten]«), der auf die Parallele Weish 9,4 (»Mitthronerin«) hinweist. In Sir 24,3 wird das Vor-der-Welt-Sein der Weisheit in Parallele zu Gen 1,2 als dunkler Urnebel beschrieben.

21. Ihr Dabeisein bei der Erschaffung der Welt wird in Prov 8,22–31 noch nicht wie Weish 7,21 (22); 8,6 (wo sie τεχνῖτις genannt wird) im Sinne der Mitschöpferin verstanden. Ihr Dabeisein bedeutet vielmehr, daß sie der geschaffenen Welt, als Mitthronerin Gottes, das Gepräge gibt; sie ist die »den Kosmos durchwaltende Ordnung« (mit *Gese:* Johannesprolog, S. 177). In der LXX-Version wird die Weisheit als ἁρμόζουσα (»die zusammenfügende, die in Ordnung setzende«) beschrieben, was darauf hinweisen kann, daß die Weisheit die Gestalt der Welt insofern prägt, als sie die Dinge zusammenpaßt. In Sir 24,3–6 erscheint die Weisheit dann ausdrücklich als Schöpfungslogos; mit *Gese:* Johannesprolog, S. 179.

22. Prov 2,19; 3,10.16.18; 5,6; 6,23; 8,35; 9,11; 10,17; 15,24; 16,22. Diese Aussagen bringen die Weisheit einerseits in die Nähe Gottes, von dem alles Leben kommt (Ps 36,10), und andererseits in die Nähe des Gesetzes, das dem Täter ebenfalls Leben verheißt. Nicht zufällig ist in Sir 24,23 die Weisheit mit dem Gesetz identifiziert. In Sir 24,19–21 erscheint sie als Ernährerin, die die Menschen mit allen Gütern des Lebens ausstattet.

23. Kennzeichnend für diesen Schritt ist die Personifikation der Weisheit, die vormals als »Logik« des Geschaffenen diesem implizit war. Es tritt nun eine Person, die einen Willen und ein Schicksal hat, den Dingen gegenüber. Dies ist charakteristisch für mythisches Erzählen, vgl. *Müller:* in: ZThK 83 (1986), S. 406f. Zum Problem vgl. *Gese:* Johannesprolog, S. 175: »Diese (sc. in Hi 28 beschriebene) präexistente und transzendente Weisheit steht dabei eigenartig als selbständiges Wesen, als ›Hypostase‹ Gott gegenüber (vgl. Hi 28,27) – und gerade dadurch sich von der Schöpfung als dem Objekt des Erschaffens unterscheidend, ja es ergibt sich eine Mittlerstellung zwischen Gott und der Schöpfung: die Weisheit vermittelt Gott an die Welt.«

24. »Die frühantike Weisheit, ein internationales Phänomen, ..., ist die Frühform der Wissenschaft. Der Mensch geht den Gesetzmäßigkeiten und Regeln natürlichen und menschlichen Lebens nach und stellt in induktiver, sammelnder Weise die Erfahrungen und Beobachtungen, vor allem in Form von Sprüchen, zusammen« (*Gese:* Johannesprolog, S. 173).

25. Zu beachten ist dabei, daß in Israel kein Gegeneinander von »natürlicher« Theologie und Offenbarungstheologie bestand. Dies wurde schon durch den Schöpfungsgedanken verhindert;

In der jüngeren Weisheitstheologie dagegen wird mythologisch von der Weisheit geredet. Sie tritt jetzt heraus aus den Dingen, wird eine Person, die auf Marktplätzen und Straßen anzutreffen ist[26]. Man erzählt von ihr als einer mythischen Person, die eine Wohnstatt sucht in der ganzen Menschenwelt, ohne daß es ihr vergönnt wäre, bei den Menschen Ruhe zu finden[27]. In uranfänglicher Zeit schritt sie die ganze Schöpfung ab, angefangen bei den Himmeln über die Gegenden der Erde bis hin zu den Tiefen des Meeres und der Unterwelt[28].

Was ist das Thema der Weisheitstheologie? Es geht ihr um die Grundlegung der Welt im weisen Willen des Schöpfers. Die Sinnhaftigkeit der Schöpfung, die sinnvolle Einrichtung des Lebens herauszustellen und zu benennen, ist ihr Thema[29]. Alle Räume durchmißt die Weisheit, also ist kein Erfahrungsraum von ihrem guten Geist verlassen[30]. Sie vertritt die Menschen im Uranfang, indem sie sich am Geschaffenen freut, eine persongewordene Freude an der Welt, jene Freude, die die Weisheitstheologie erneut zum Zuge zu bringen trachtet[31]. Es geht – so könnte man sagen – um die Weisheit, um die

---

wenn Gott der Schöpfer der Welt ist, so kann die Erkenntnis der Weltordnung nicht Gegnerin der Gotteserkenntnis sein; vgl. *Gese:* Johannesprolog, S. 174f.

26. Vgl. besonders Prov 1,20ff.; 8,1ff.; Sir 24,6–17.

27. Während sie nach Sir 24 ihre Ruhestatt zwar nicht bei den Menschen, aber schließlich im Gesetz findet, geht sie – nachdem sie von den Menschen zurückgewiesen wurde – nach äthHen 42 wieder in den Himmel zurück, nicht ohne vorher ihre Offenbarung der Henochgruppe übergeben zu haben. Es ist ein elementares Merkmal der Weisheit in Sir 24, daß sie auf die Menschen zugeht, sie anspricht, die Attraktivität ausspielt, die sie hat. Die Weisheit steht demnach nicht bloß für das Mittelwesen zwischen Gott und Welt, sie steht vielmehr für das Zugehen Gottes auf die Welt, für den Anspruch, den Gott an die Menschen stellt. In dieselbe Richtung könnte Sir 24,3 weisen, wo die Weisheit aus dem Munde Gottes hervorgeht (in Parallele zu Isis-Aussagen in Ägypten). Zu Recht formuliert *Schmid:* Wesen, S. 151: »Sie ist präexistent, Offenbarungsmittlerin, ›eschatologische‹ Größe; ja fast: die dem Menschen zugewandte Seite Gottes.« In äthHen 42 dagegen gab die Weisheit ihre Aktivitäten unter den Menschen auf, als sie sich in den Himmel zurückzog. An die Stelle der Weisheit in Person ist nun das Wissen von ihr getreten.

28. So Spr 8,22–31; Sir 24,3–6.

29. Nach *Schmid:* Wesen, S. 152, greift diese neue theologische Bemühung ein altes weisheitliches Postulat auf, das Postulat von der Einheit der Wirklichkeit. »Jetzt wird das Weltganze in der systematischen Verbindung und Summierung aller Erscheinungen der Wirklichkeit sichtbar. Um dieser Sichtbarkeit willen ist die Weisheit personifiziert worden.«

30. Dies ist die Stoßrichtung jener Sätze, nach denen die Weisheit alles durchschritten hat. Prov 8,24–29 nennt die vertikale (die Wasser oben und unten, V.24) und die horizontale (Berge, Hügel, Erde, Fluren, V.25f.) Dimension; das bedeutet: alles, was es gibt, ist in Gegenwart der Weisheit geschaffen worden. Der Text schreitet dann fort zur Gegenwart der Weisheit bei der Erschaffung der Lebenswelt (V.27–29), insbesondere bei der Abgrenzung dieser Lebenswelt vom drohenden Chaos. In ähnlicher Weise wird auch Sir 24,4–6 die umfassende Weltpräsenz der Weisheit geschildert.

31. In Prov 8,30f. spielt die Weisheit zuerst vor Gott, dann auf dem Erdenrund, freut sie sich zuerst vor Gott, dann an den Menschenkindern. Sie personifiziert die Freude Gottes an der Schöpfung, und als solche Person vertritt sie den Menschen, der sich an der Ordnung und Stabilität der Lebenswelt freuen kann.

Rationalität der Lebenswelt[32]. Was bedeutet es, daß die Weisheit aus den Dingen heraustreten muß, um sich persönlich an die Menschen zu wenden? Zwischen der älteren und der jüngeren Weisheitstheologie tut sich der Bruch der Zeiten auf. Die Erfahrungsweisheit war in die Krise gekommen, die Weisheit in den Dingen drohte aus dem Blick zu geraten[33]. Ebendeshalb tritt sie heraus aus den Dingen, um persönlich unter den Menschen aufzutreten. Das Ziel dieses Umschlags vom Logos in den Mythos ist es, das Andenken an die sinnvolle Einrichtung des Lebens zu bewahren, auch in kritischer Zeit, auch inmitten der verwirrenden Diffusität der Erfahrungswelt. Das mythologische Erzählen über Frau Weisheit sorgt dafür, daß die Weisheit ob dem Gemenge des Lebendigen nicht aus dem Blick verloren wird. In der Welt sieht es weder ein Chaos noch ein satanisches Reich, sondern einen verwilderten Garten.

An diese Tradition knüpft der johanneische Mythos vom Logos an. Auch sein Ziel ist die Wahrnehmung des Logos im Kosmos, der Lebendigkeit im Leben, des göttlichen Lichts im Licht der Welt[34]. Ziel ist also gerade nicht die Hinterwelt, wie dies dem Mythos nicht selten unterstellt wird. Seine Intention ist es, die Welt im Horizont des Logos zur Wahrnehmung zu bringen. Und weil der Logos nicht selbstverständlich *in* den Dingen ist, tritt er auch hier persönlich auf im Vordergrund der Welt. Der Mythos vom Logos sorgt dafür, daß der Christus in den Weiten weltlicher Erfahrungsräume wahrnehmbar – auch kritisch wahrnehmbar – wird.

---

32. Dazu *Schmid:* Wesen, S. 151 f., und *Hermisson:* Studien, S. 140: »Es handelt sich dabei um die Erkenntnis einer in der Welt herrschenden Ordnung, die freilich nicht zu einer rationalen Durchsichtigkeit der Welt als ›Kosmos‹ fortschreitet, sondern in einer Fülle von Einzelphänomenen jeweils neu zu entdecken ist.«

33. Zum Bruch zwischen der älteren und der jüngeren Weisheit vgl. *Schmid:* Wesen, S. 173–196; *Gese:* Johannesprolog, S. 175–177, sieht dagegen eine kontinuierlichere Entwicklung, da die Hypostasierung der Weisheit vornehmlich durch die Personalität Jahwes bedingt sei. »Die Transzendenzerfahrung einer allem Sein zugrundeliegenden Ordnung kann nur eine Erfahrung des sich so vermittelnden, offenbarenden Gottes sein« (a. a. O., S. 176).

34. In dieser Hinsicht muß der Hymnus ganz von seiner weisheitlich-theologischen Voraussetzung her verstanden werden. Es geht ihm gerade nicht um »Spekulation«, sowenig es der Weisheit um Spekulation geht. Insofern ist die Rede von »jüdisch-hellenistischer Weisheitsspekulation« als Hintergrund des Prologs etwas mißverständlich; gegen z. B. *Schnackenburg:* Johannesevangelium, S. 207. Deshalb sind die Vorstellungen, die im Prolog erscheinen, keine künstlichen Mythologeme, sondern »gründen unmittelbar in der Wahrnehmung der Wirklichkeit«; mit *Gese:* Johannesprolog, S. 191. Ein anderes Problem indessen ist, ob die spätere Weisheitstheologie in der Tat eine Tendenz zur Ungeschichtlichkeit und Überzeitlichkeit aufweist; so *Schmid:* Wesen, S. 151–153. Falls dieser Aspekt für die Weisheit kennzeichnend ist, muß festgestellt werden, daß er vom Johannesprolog nicht übernommen werden konnte, da es diesem um den aufs äußerste gesteigerten Bezug zum geschichtlichen Augenblick des Kommens Jesu ging.

1.2 Die Bewegung des Logos

Den Johannesprolog durchdringt ganz die Bewegung des Logos. Es war schon die Rede davon, daß im Logos das Leben beschlossen ist. Dieses Leben ist Licht der Menschen; als dieses Licht bewegt sich der Logos auf die Menschen zu, um ihr Dasein zu erhellen[35]. Als dieses Licht erleuchtet er jeden Menschen[36], der das Licht der Welt erblickt. Licht ist Bewegung, es scheint in der Finsternis (1,5)[37]. Später heißt es vom Logos, er sei in sein Eigentum gekommen (1,11), er habe Menschen ermächtigt, als Kinder Gottes zu existieren (1,12). Auch hier wieder dieselbe Bewegung. Der Mythos vom Logos ist von allem Anfang an durchwirkt von der Dynamik des Logos, von der Dynamik seiner Zuwendung zu den Menschen[38]. Zwar wird er immer wieder nicht in Empfang genommen, sei es durch die Finsternis, die das Licht ablehnt, sei es durch die Welt, die – sein Gepräge tragend – ihn nicht erkennt, sei es durch die Menschen, die – seine Eigenen geheißen – ihn wie einen Fremden abweisen. Jede Abwendung beantwortet der Logos mit erneutem Zugehen, wiederholter Zuwendung[39]. Man könnte sagen: Dieser Logos stellt Gott in seiner Zugewandtheit zu den Menschen dar. Seine Dynamik ist darin begründet, daß Gott seiner Zuwendung treu bleibt.

Die Dynamik der Zuwendung erreicht ihren Gipfelpunkt in Joh 1,14: »Der Logos wurde Fleisch.« Dies ist gleichsam die letzte Antwort des Logos auf die

---

35. Die Erhellung ist die Relation, die das im Logos beschlossene Leben zu den Menschen gewinnt, so daß die Menschen als Erhellte, als von der Bewegung des Lichts betroffene zur Sprache kommen, vgl. *Bultmann:* Johannes, S. 22–26.

36. Die Universalität dieser Aussage ist zu unterstreichen. Dazu *Blank:* Johannes, S. 92f. Es geht nicht primär darum, daß alle Menschen nach dem Lichte *fragen* und das wahre Licht verfehlen können, sondern vielmehr darum, daß die Lebendigkeit kein falsches, sondern das wahre Licht jedes Menschen ist; gegen *Bultmann:* Johannes, S. 32.

37. Dieser Aspekt wird verstellt durch eine dualistische Wahrnehmung des Verses, ganz so, als ob es bloß darum ginge, das Gegenüber von Licht und Finsternis festzustellen. Die Finsternis entsteht vielmehr allein durch die Ablehnung des Lichtes. »So entsteht Finsternis als Negation des Lichtes« (*Becker:* Johannes, S. 74). Diese Asymmetrie widerstrebt jeder dualistischen Konzeption; ähnlich *Schnackenburg:* Johannesevangelium, S. 223f. Zum Motiv der abgelehnten (oder nicht erkannten) Weisheit vgl. Sir 24; Bar 3,15–23; äthHen 42.

38. Auch hier befindet sich der Prolog in großer Nähe zur Weisheitstheologie, ist doch die Weisheit die personifizierte Zuwendung Gottes zu den Menschen; vgl. *Schmid:* Wesen, S. 151, und oben Anm. 27.

39. Dieser Zug ist wohl dadurch bedingt, daß der Hymnus schon von der Inkarnation in Jesus Christus aus denkt. Sie ist der Zielpunkt, von dem aus gesehen alle Zuwendung des Logos das Hauptthema wird. In dieser Hinsicht unterscheidet sich der Prolog sowohl von der apokalyptischen Weisheitstheologie des äthHen (42), wo die Weisheit ihre Ablehnung mit dem Rückzug in den Himmel beantwortet, als auch von der gesetzestheologischen Weisheitsvorstellung in Sir 24. Wenn die Weisheit ins Gesetz eingeht, so bleibt sie – trotz ihres Nahekommens – insofern dem Menschen fremd, als dieser selbst – durch sein gesetzesgemäßes Handeln – der Weisheit zu Wirklichkeit verhelfen muß. In dieselbe Richtung weist Joh 1,17, wo das Gesetz und der Christus gegenübergestellt werden: Das Gesetz ist durch Mose gegeben, während die Gnade durch Christus verkörpert (ἐγένετο) ist.

menschliche Geschichte der Abwendung. Zwar ist der kommende Gott ein Grundmotiv des mythischen Erzählens[40], aber auf dem Gipfelpunkt[41] macht dieser Mythos eine Aussage, die bisher keine Parallelen in Mythen hat. Er spricht nicht bloß von Epiphanie, von der flüchtigen Verkleidung des Gottes in die Gestalt eines Menschen[42]. Nein, der schlechthin nichtweltliche Logos wird zur schlechthin weltlichen Person[43]. Der Unkörperliche ist hier und jetzt verkörpert. Der Ungreifbare ist ins Greifbare eingegangen, so sehr, daß ihn sogar die Hände seiner Henker greifen konnten. Gegenüber dem gewohnten mythischen Reden vom kommenden Gott waltet eine qualitative Differenz. Dieser Logos kommt ins weltliche Fleisch, ohne im geringsten anzudeuten, seine Distanz zum Fleisch bleibe trotz allem gewahrt. Der Logos verkörpert sich als Fleisch, reiner kann seine Zuwendung zur Welt nicht gedacht werden. Daß hier eine qualitative Differenz zum Gewohnten besteht, zeigt sich nicht zuletzt in der ungeheuren Arbeit, die die Alte Kirche an der Denkbarkeit dieser Aussage zu leisten hatte – man denke an die Ausbildung der christologischen Bekenntnisse. Daß diese Aussage über den göttlichen Logos an die Grenzen dessen geht, was man vom Göttlichen überhaupt denken kann, zeigt nicht

---

40. *Bultmann:* Johannes, S. 38 f., weist auf die große Verbreitung des Motivs in Antike, Orient und Gnosis hin. Zu beachten ist freilich, daß stets von der Erscheinung, nicht aber von der Fleischwerdung des Gottes gesprochen wird. Das Motiv des kommenden Gottes ist demzufolge charakteristisch, auch für die »Neue Mythologie«; vgl. *Frank:* Der kommende Gott, passim.

41. Zu dieser Bewertung von 1,14 vgl. *Schnackenburg:* Johannesevangelium, S. 241 (»Der Logoshymnus erreicht nun seinen Höhepunkt«). Gegen *Becker:* Johannes, S. 81 f., der einen vorchristlichen Hymnus ohne die Inkarnationsaussage annehmen möchte. Dies ist schon deshalb unwahrscheinlich, weil sowohl in der gesetzestheologischen als auch in der apokalyptischen Lösung jeweils ein weiterer Schritt auf die allgemeine Gegenwart der Weisheit in der Welt folgt (Eingehen ins Gesetz, bzw. Rückzug in den Himmel). Auch eine Zuweisung von V. 14 zur Redaktion des Evangelisten (z. B. Käsemann) oder der Kirchlichen Redaktion (Richter) entbehrt der sachlichen Begründung, vgl. *Schnelle:* Christologie, S. 241.

42. Die Epiphanie ist von der Fleischwerdung strikte zu unterscheiden, sofern sie ein Nahekommen des Göttlichen bei gleichzeitiger Distanziertheit ist. Die ἐπιφάνεια meint ein Geschehen, in welchem ein Gott hilfreich eingreift, oft in der Gestalt eines Menschen. Dazu *Bultmann/Lührmann* in: ThWNT IX, S. 8,14–10,22. Grundlegend für die Epiphanievorstellung ist die Unterscheidung der göttlichen Kraft von ihrem jeweiligen Träger. Epiphanie kann das sein, was beispielsweise ein Mensch *gibt,* nicht was er *ist* (im Unterschied zum ἐγένετο von Joh 1,14). Zum Problem vgl. *Picht:* Kunst und Mythos, S. 451, der darauf hinweist, daß sich die Götter Griechenlands »durch ihr Wirken oder durch Zeichen«, also in ihrer Epiphanie zeigen. Gerade wenn sich die Götter zeigen, verbergen sie sich oft in einer fremden Gestalt; »die sichtbare Gestalt ist dann die Form, in der sich die Götter *unkenntlich* machen«. Der Gegensatz zum Fleischwerdungsgedanken ist kaum mehr schärfer vorzustellen. Nach Joh 1,14 ist es genau die wahrnehmbare Gestalt, in welcher sich der Logos *erkenntlich* zeigt.

43. Zur Bedeutung von ἐγένετο vgl. *Schnelle:* Christologie, S. 241 f. Die Relativierung dieser klaren Aussage im Sinne von bloßer Berührung mit dem Irdischen, Mindestmaß an Ausstattungsregie, oder Kommunikationsmittel zwischen Himmel und Erde ist unangemessen (mit *Schnelle,* ebd.).

zuletzt die mannigfache Zurücknahme des Fleischwerdungsgedankens in der gnostischen Christologie[44].

Was ist hier geschehen? Der Mythos vom Logos erzählt den Übergang des Mythischen ins Weltliche. Er erzählt die Geschichte der göttlichen Zuwendung und redet dabei vom Menschen Jesus. Die Berührung von Gott und Welt in diesem Fleischgewordenen ist punktuell[45], so wie eine Tangente einen Kreis berührt. Der eine Berührungspunkt gehört gleichermaßen ganz zu Gott und ganz zur Welt. Und mit der Geschichte, die der Mythos hier erzählt, erzählt er seinen eigenen Übergang vom Mythischen ins Weltliche. Der Mythos wird seinerseits in die Kehre geführt. Denn der Mythos reicht nicht mehr aus; er sagt zuviel, als daß er auf die Fortsetzung des Evangeliums verzichten könnte, wo die weltliche Geschichte des Fleischgewordenen erzählt wird. Der Mythos wird nun zur Ouvertüre[46] einer weltlichen Geschichte. Und andererseits sagt er zuwenig, als daß er seine mythische Eigenständigkeit bewahren könnte. Nun ist er angewiesen auf die Erzählung von den greifbaren Taten und den hörbaren Worten des Jesus von Nazareth[47]. Der Mythos wird nun zum Horizont einer weltlichen Geschichte. Er wird zum Horizont von Dingen, die der Fall waren.

Die Dynamik der Weltzuwendung Gottes, von der der Mythos erzählt, kommt auf den Gipfelpunkt in der Inkarnation. Und zugleich erfaßt diese Dynamik auch den Mythos selbst und setzt das mythische Denken in Bewegung in

44. Etwa in der dreigestaltigen Protennoia NHC XIII (*Schenke*, Protennoia): »Zum drit[te]nmal offenbarte ich mich ihnen [i]n ihren Zelten, existierend als Logos« (NHC XIII 47, 13–15, a. a. O., S. 47). Hier wohnt nicht der Logos selbst unter den Menschen, sondern er offenbart sich in ihren Wohnungen. Er trug »ihrer aller Kleidung« (47, 17), »verbarg« sich »selbst in ihnen« (47, 18; vgl. 47, 22 f.). »Ich habe Jesus angezogen. Ich trug ihn weg von dem verfluchten Holz, und ich versetzte ihn in die Wohnungen seines Vaters« (NHC XIII 50, 12–15, a. a. O., S. 51). Hier erscheint der gekreuzigte Jesus als eine bloße Verkleidung des Logos. Als weiteres Beispiel sei NHC II/3,57, 29–58, 10 genannt (dazu *Rudolph:* Gnosis, S. 173 f.; Rudolph gibt die Stelle falsch an). Gegen die Verwischung der Grenzen zwischen christlicher und gnostischer Theologie ist gerade Rudolph nicht genügend gefeit; daß dies nicht zuletzt auf Kosten der johanneischen Theologie geht, zeigt seine Wiedergabe von Joh 1,14 (»›ins Fleisch‹ gekommen [sic!]«, *Rudolph:* Gnosis, S. 175).

45. Zu diesem Problem vgl. *Müller*, in: ZThK 83 (1986), S. 432. Müller führt die Notwendigkeit einer bloß punktuellen Berührung zurück auf die prinzipielle Unterscheidung von Gott und Welt. »Der transzendente Gott kann, solange in gegenständlichen Vorstellungen von ihm geredet wird, die Welt immer nur berühren, wie eine Tangente den Kreis berührt oder vielmehr nicht berührt; er ist in der denkbaren Gegenstandswelt allenfalls als punctum mathematicum anwesend.« Im Unterschied zu Müller würde ich die punktuelle Berührung nicht auf ein allgemeines hermeneutisches Defizit der Neuzeit, sondern eher auf die Eigenart des allgemeinen Menschwerdungsgedankens zurückführen.

46. *Bultmann:* Johannes, S. 1, in Anlehnung an Heitmüller.

47. Zur Kritik der verschiedenen Versuche, den Prolog vom Korpus des Evangeliums abzusetzen, vgl. *Schnelle:* Christologie, S. 231 f. Der Prolog muß als »Eröffnung des Evangeliums in sachlicher und zeitlicher Hinsicht« (a. a. O., S. 232) angesehen werden.

Richtung Vordergrund der Welt[48]. Insofern bearbeitet dieser Mythos gerade die menschliche Weltflucht. Er begleitet seine Hörer stets von neuem herunter aus den mythischen Höhen des göttlichen Logos zu den weltlichen Tiefen des Fleischgewordenen. Die Arbeit dieses Mythos besteht darin, die in die Höhen schweifende religiöse Phantasie in den Vordergrund der Welt zu geleiten. Insofern markiert dieser Mythos vom Logos die Kehre seiner selbst.

1.3 Die Grundlage des mythischen Redens

Auf dem Höhepunkt – der Inkarnation – wird zugleich klar, auf welcher Grundlage dieser Mythos redet. Im ursprünglichen Hymnus[49] lautete die Gedankenfolge so: (1) Der Logos wurde Fleisch und nahm Wohnung unter uns (1,14 a). (2) Wir sahen seine Würde, eine Würde, wie sie ein Einziggeborener von einem Vater hat[50], voll von Gnade und Wahrheit (1,14 b). (3) Denn aus seiner Fülle haben wir alle empfangen, und zwar Gnade über Gnade (1,16)[51].

---

48. Hier könnte mit *Müller*, in: ZThK 83 (1986), S. 428, der entscheidende Übergang vom Mythischen in das Kerygmatische gesehen werden. »Bezeichnet das Kerygma vom jeweiligen Eingreifen Gottes am Schauplatz der Not seines Volkes die Mitte des Alten Testaments, so ist die endgültige Ankunft Gottes in der Welt des Menschen das Zentralmotiv der Christusbotschaft; hier und dort kommt Gott, um in der Geschichte zu handeln, sich also *in* der Welt *von* der Welt zu unterscheiden, während umgekehrt das Mythische zwar das Sein der Welt von dessen außerweltlichem Ursprung her rechtfertigt, aber gerade so nicht dessen integralen Zusammenhang verläßt.« Zu präzisieren wäre freilich, daß Gott sich nicht bloß in der Welt von der Welt unterscheidet, sondern daß seine Unterscheidung selbst den Charakter des Zur-Welt-Kommens hat. Gott unterscheidet sich – nicht mehr wie im Mythos, wo die Entzogenheit des erscheinenden Gottes diesen vom Weltlichen unterscheidet – dadurch von der Welt, daß er selbst ein von allen Menschen unterschiedener, wahrer Mensch wird. Die Grundlage des inkarnatorischen Redens ist demnach gerade nicht der Rückgang auf das Unsagbare, sondern die Würdigung der Unvordenklichkeit des *gegebenen* Wortes. Zu präzisieren wäre ferner, daß Gottes *Handeln* in der Geschichte, wie es das Kerygma des Alten Testaments verkündigt, qualitativ unterschieden ist von Gottes *Sein* in der Geschichte, wie es der Mythos vom Logos erzählt.

49. Im folgenden wird davon ausgegangen, daß mindestens die Täuferstellen 1,6–8.15 auf einer traditionsgeschichtlich jüngeren Stufe in den Prolog eingetragen worden sind. Sie haben die Aufgabe, den Akzent der weltlichen Konkretheit der Fleischwerdung stärker herauszustreichen. Dies erreichen sie durch den (auch sprachlich wahrnehmbaren) Kontrast zwischen den hymnischen Dimensionen des himmlischen Logos und dem prosaischen Sprung in die Tagesereignisse am Jordan. Zur Scheidung von Redaktion und Tradition vgl. zuletzt *Schnelle:* Christologie, S. 243 f., der auf den fast einhelligen Konsens der exegetischen Literatur hinweist.

50. Die Artikellosigkeit dieser Wendung legt es nahe, zunächst einen metaphorischen Gebrauch von μονογενής anzunehmen: der einzige Sohn ist alles, was der Vater hat, und zugleich legt der Vater alles in diesen Sohn hinein. Die Metapher verweist deshalb einerseits auf die enge Beziehung zwischen Gott und dem Logos (vgl. 1,1) und andererseits auf die Fülle der Gottesgegenwart in Christus. Zum Problem vgl. *Wengst:* Gemeinde, S. 125 f. mit Anm. 394.

51. Zu beachten ist, daß V.16 (ὅτι) die Aussagen von V.14 begründet. Dies stellt auch *Käsemann:* Aufbau, S. 179 f. heraus (im Anschluß an Harnack und Schlier). Ungenau ist freilich Käsemanns Annahme, schon V.14 b diene zur Begründung der Fleischwerdungsaussage. Der Gedankengang lautet vielmehr: (1) Fleischwerdung – (2) Sehen der göttlichen Fülle als δόξα des Fleischgewordenen, die als χάρις und ἀλήθεια näher bezeichnet wird – (3) Grund für dieses Sehen und insofern auch jene Fleischwerdungsaussage: die Erfahrung der Gnade (V.16). Es geht V.14.16 dann

V.16 spricht aus, was zum mythischen Reden von der Inkarnation ermächtigt. Es ist die Erfahrung, Gnade über Gnade empfangen zu haben. Diese Erfahrung begründet, daß die Würde des einziggeborenen Sohnes in diesem Fleischgewordenen gesehen wurde[52]. Und dies setzt wiederum voraus, daß der göttliche Logos Fleisch wurde und seine Zelte unter den Menschen aufschlug.

Am Ursprung des hier vorliegenden mythischen Redens steht nicht die Spekulation über die tiefsten Hintergründe der Welt, sondern eine Erfahrung[53] im Vordergrund der Welt: die Lebenserfahrung, die in der johanneischen Gemeinde mit dem Wort Jesu gemacht wurde. Diese Lebenserfahrung wird als χάρις, Gnade, identifiziert. Zur Erfahrung kam also gnädig Gewährtes, Leben, das die Empfänger nicht erwirkt hatten. Für diese Lebensgewährung gab es keinen weltlichen Grund. Indem die Erfahrung mit dem Wort Jesu als Gnade erkannt wird, tritt in den Vordergrund, was im Hymnus das Erleuchtende am Leben genannt worden ist. Christus verkörpert eben auch die gnädige Zuwendung, die aus jedes Menschen Leben hervorleuchtet[54]. Anlaß zu mythischem Reden war die Erfahrung des gnädig Gewährten im Vorder-

---

allerdings um die »praesentia Christi« (a. a. O., S. 179), nämlich um das Gewicht, das die mit dem Wort Christi gemachte Erfahrung der Gnade hat.

52. Im Vordergrund steht dabei nicht die Exklusivität (gegen *Bultmann:* Johannes, S. 47 f.), die für den Christus beansprucht wird, sondern vielmehr die Reinheit, die die Erfahrung der Gnade hier erreicht hat.

53. Das mythische Reden ist seinerseits nicht aus der Spekulation geboren, sondern aus dem Versuch, Erfahrenes angemessen zu begreifen. *Picht:* Kunst und Mythos, S. 441 ff., zeigt dies am Beispiel der Götter »Phobos« und »Eris«. Picht spricht in diesem Zusammenhang von einer »eigentümliche(n) Sachgerechtigkeit des mythischen Denkens« (a. a. O., S. 445), die darin besteht, daß der mythische Ausdruck die Phänomene der Furcht und des Streites in ihrer intersubjektiven und nicht auf Affekte reduzierbaren Erscheinungsweise zu würdigen vermag. Die mythische Rede vom Gott Phobos vermag immerhin den Unterschied zu machen zwischen der Macht, die in einem Affekt (wie Furcht) *erlitten* wird, und diesem Affekt selbst (vgl. a. a. O., S. 446 f.). Mythisches Reden verdankt sich demnach der sensiblen Wahrnehmung eines Phänomens, was generell an den »Personifikationen« zu explizieren wäre. Die moderne Kritik gegenüber solchen Personifikationen, daß sie in Wirklichkeit bloß Affekte seien, beruht auf einem Selbstmißverständnis der Rationalität: »Die Götter sind nicht ein Produkt der Personifikation, sondern jeder Personifikation geht die Erscheinung eines Gottes voraus« (a. a. O., S. 447 im Anschluß an K. Reinhardt). Eine ähnliche Annahme liegt auch der Äußerung von *Hübner:* Wahrheit, S. 337 f., zugrunde, daß die Erscheinung des Göttlichen ihre Sinnlichkeit verliere, wenn das mythologische Reden aufgehoben wird.

54. Wir können hier beobachten, welchen Ertrag der mythologische Horizont der vordergründigen Erfahrung mit dem Wort Jesu bringt. So gelingt es, die mit diesem Wort gemachten Erfahrungen in den Zusammenhang des Lebens zu stellen. Dabei werden weitere Erfahrungsräume für den Christus erschlossen: Die Gnade, die in diesem Wort erscheint, wirft ihr Licht auf die Lebendigkeit, mit der jeder Mensch begabt ist: Diese Lebendigkeit beginnt nun ihrerseits zu leuchten. Die mythische Wahrnehmung des Christus erschließt neue Erfahrungen mit dem Leben selbst. Ganz in diesem Zusammenhang wären auch die ἐγώ-ειμι- Worte zu sehen. In ihnen geht es ja nicht bloß darum, daß die Erfahrungsphänomene wie Brot, Licht, Weinstock oder Weg das erschließen, was mit dem ἐγώ (Christus) gemeint ist. Sondern umgekehrt erschließt das

grund der Welt. Deshalb auch der unvermittelte Sprung von hymnischen Höhen in die Tagesereignisse am Jordan[55]. Dieses Gewährte vernünftig zu denken, war Anlaß für den Rückgang auf das Unvordenkliche. Wie könnte seine weltliche Grundlosigkeit anders zur Sprache kommen als in einem Mythos, der es in der unvordenklichen Zugewandtheit Gottes zu den Menschen gründet[56]?

Das mythische Reden hat – wie wir sahen – seine konkrete Erfahrungsgrundlage in einem Wort, das im Vordergrund der Welt gesprochen wurde. Dieses ist mitverantwortlich dafür, daß der Logos an die Stelle der Weisheit trat[57]. Die Erfahrung, daß Jesus in eminenter Weise als anredendes Wort – als ein Gnade austeilendes Wort – zur Erfahrung kam, war ein Grund dafür, daß jetzt der Mythos von der Sophia als Mythos vom Logos, vom Reden, vom Wort Gottes, erzählt wird.

Dieser Mythos vom Logos gibt Einblick in die Grundlagen des mythischen Redens überhaupt. Mythisches Reden verdankt sich der Wahrnehmung, in unserem Fall einer Wahrnehmung, die sich konkret als Empfangen (λαμβάνειν)

ἐγώ auch die Dimension der göttlichen Gabe in den als Metaphern verwendeten Phänomenen; dazu *Weder*, in: ZThK 82 (1985), S. 340 f.

55. Auch wenn die Verse 6–8 und 15 als Einschub einer späteren Stufe zu gelten haben, ist ihre Einfügung alles andere als inkonsequent. Der Sprung in die Tagesereignisse dokumentiert – ebenso wie der Sprung von der Poesie zur Prosa – die Kehre, in welche dieser Mythos vom Logos sich selbst geführt hat.

56. Mythisches Reden hat deshalb nicht zufällig erzählende Grundstruktur. Damit gibt es sich als ein Reden zu erkennen, das das Gegebene als etwas Gewordenes zur Sprache bringt, ohne daß es in der Lage wäre, das Nichtsein des Gewordenen begründet (notwendig, rational) auszuschließen. Die Erzählung ist die jenen Dingen angemessene Sprachform, die letztlich grundlos gegeben sind (vgl. *Fellmann:* Ende, S. 115–138). Im Unterschied zur Geschichtserzählung, welche das Gegebene als Zufälliges begreift (dazu *Lübbe:* Geschichtbegriff, S. 54–68), erlaubt es das mythische Erzählen, zufällig Gegebenes als gnädig Gewährtes zur Sprache zu bringen. Das Verifikationsproblem, das sich durch diese mythische Interpretation des Gegebenen unweigerlich stellt, ist einzig auf der Ebene der Erfahrung anzugehen. Das mythische Reden deutet Erfahrung, also ist allein durch diese Erfahrung verifizierbar, inwiefern das zufällig Gegebene gnädig Gewährtes zu heißen verdient. Andernfalls käme es zu einem Terror des Mythischen, das Erfahrungen nicht mehr deutet, sondern postuliert.

57. Gewiß hatte auch das Reden vom Logos schon Tradition. In diesem Zusammenhang wird gerne Philo genannt, welcher von einem λόγος spricht und ihn δεύτερος θεός nennt, vgl. *Mack:* Logos, S. 136 ff. (die Stelle ist Quaest in Gn II 62, vgl. S. 168). Allerdings ist der Gebrauch des Logosbegriffs durch diesen motivgeschichtlichen Zusammenhang nicht hinreichend erklärt. »Die Herleitung des Titels aus ... philonisch-theologischer Tradition vermag nicht zu überzeugen«, namentlich aufgrund dessen, daß die rationalen Züge Philos im Johannesevangelium fehlen, so *Gese:* Johannesprolog, S. 179. Ebenfalls nicht hinreichend ist freilich die Erklärung von Gese selbst, der an das Schöpfungswort des Alten Testaments denkt und die Notwendigkeit zum Logosbegriff in der heilsgeschichtlichen Aussage der Christologie sieht (*Gese:* Johannesprolog, S. 180 f.). Gewiß mag dies mitgespielt haben, doch ist dieses Argument immer noch zu formal. Wenn der Ausgangspunkt des Logoshymnus die Erfahrung mit Christus ist, dann dürfte die Tatsache, daß diese Erfahrung wesentlich den Charakter des Hörens hat, der zureichende Grund dafür sein, daß die Sophia durch den Logos ersetzt wurde.

vollzieht. Die Wahrnehmungsdimension des Mythischen erscheint ferner im ϑεᾶσϑαι, im Schauen, von dem dieser Mythos auf seinem Gipfel erzählt. Dieses Schauen ist freilich nicht die kalte Beobachtung von Protokollführern oder Videokameras, mit denen Augenzeugen sich zu dokumentieren pflegen[58]. Es ist ein Schauen, das in den Menschen Jesus mehr hineinsieht, als er weltlich gesehen ist: Die Zeugen blicken auf den Menschen Jesus und sehen in ihm die δόξα, die Würde des göttlichen Logos. Dieses Schauen sieht nicht weniger als das, was der Fall ist, sondern mehr. Daran erkennen wir eine charakteristische Leistung des mythischen Redens. Es nimmt die wirklichen Dinge in ihrem wahren Gewicht wahr[59]. Mythischem Reden eignet die Dimension des Würdigens, der Zuschreibung von Würde an das, was vor aller Augen ist. Der Mythos gibt dem Wahrgenommenen die Würde, die es als gnädig Gewährtes hat[60]. Deshalb könnte man sagen: Der Mythos vom Logos ist der Versuch, den Gnade austeilenden Logos vernünftig zu verstehen als das Phänomen, in welchem die unvordenkliche Zuwendung Gottes verkörpert ist[61]. Insofern gewährt er Einblick in die Unvordenklichkeit dessen, was im Vordergrund der Welt gnädig gegeben ist.

---

58. Exegetisch stellt sich die Frage, ob die Sehenden von 1,14 als Augenzeugen zu betrachten seien, vgl. *Bultmann:* Johannes, S. 45 f. Weder geht es um die Augenzeugenschaft im Sinne der protokollarischen Dokumentation noch um das »geistige Sehen« im Sinne der religiösen Ideenschau. Vielmehr geht es (mit Bultmann) um ein *Sehen des Glaubens.* Freilich gilt es festzuhalten, daß der Glaube zwar mehr sieht, als vor Augen liegt, daß er dieses Mehr aber dennoch nur in dem sieht, was vor aller Augen ist, eben im Inkarnierten, in Jesus von Nazareth.

59. Dem mythischen Reden wird gewöhnlich die pragmatische Funktion zugeschrieben, das Gegebene zu *legitimieren.* »Die oder eine Leistung des Mythos, wo immer er nicht als toter Bildungszierat überliefert wird, liegt im normativen Bereich und hat zu tun mit der Frage der Rechtfertigung von Lebenszusammenhängen in sozialen Einrichtungen« (*Frank:* Der kommende Gott, S. 10–12). Auch Müller bestimmt die Funktion des Mythos einseitig als Legitimation des Seienden, vgl. *Müller,* in: ZThK 80 (1983) S. 9–13. Es soll nicht bezweifelt werden, daß Mythen auch eine legitimierende Funktion erhalten können. Immerhin wäre zu fragen, ob die Funktion, Gegebenes allererst in seinem Gewicht wahrzunehmen, nicht elementarer ist. Die Legitimitätsfrage entsteht doch erst dann, wenn Seiendes nicht mehr in seiner Zuträglichkeit wahrgenommen werden kann. Der Mythos vom Logos jedenfalls dient nicht der Legitimation des Christus, sondern vielmehr der Wahrnehmung der δόξα Jesu.

60. Dieser Grundzug wiederholt sich in 1,17, einem Satz, der vermutlich schon zur nachträglichen Interpretation des Logoshymnus gehört (so z. B. auch *Bultmann:* Johannes, S. 53; *Schnackenburg:* Johannesevangelium S. 252, und zuletzt *Schnelle:* Christologie, S. 244). In diesem Satz, der übrigens keine Adversativpartikel enthält, geht es um die Gegenüberstellung des Gesetzes, das durch Mose *gegeben* ist, und der Gnade und Wahrheit, die durch Christus *geworden* ist. Dabei steht nicht der »strikte Gegensatz« (so Schnelle) im Vordergrund, sondern vielmehr die Unterscheidung zwischen dem Gesetz, das eine Gabe des Mose ist, und der Gnade, welche durch Christus verkörpert ist. Die Unterscheidung heißt konkret: Mose gab das Gesetz, das den Tätern Leben bloß verspricht, Christus dagegen wurde die Gnade, die das Leben der Glaubenden ist.

61. Diese neu in den Blick gekommene Unvordenklichkeit entsteht nicht etwa dadurch, daß das Denken nicht mehr weiter zurückkommt, sondern vielmehr dadurch, daß dieser Logos insofern unhintergehbar ist, als er als gegebener dem Denken prinzipiell vorausgeht.

2. Entmythologisierung?

Was kann in diesem Zusammenhang Entmythologisierung bedeuten? Wir hatten beobachtet, daß dieser Mythos sich selbst in die Kehre zum Logos führt, ohne freilich in den Logos umzuschlagen. Verlangt also der Mythos seine eigene Entmythologisierung[62]? Ist sie das hermeneutische Postulat, das dem Schritt des Logos in die Welt des Greifbaren entspricht? Wird Bultmanns Programm der Entmythologisierung von diesem Mythos gerade ins Recht gesetzt? Diesen Fragen gilt der zweite Hauptteil meiner Überlegungen.

2.1 Das Sachanliegen der Entmythologisierung

Bultmann geht bekanntlich davon aus, daß die neutestamentliche Botschaft prinzipiell geprägt ist durch das mythologische Weltbild[63]. Im mythologischen Weltbild ist die Erfahrungswelt – das mittlere Stockwerk – durchsetzt von Einwirkungen aus dem Himmel und aus der Unterwelt. Daraus folgt für Bultmann, daß das mythische Reden zur weltanschaulichen Signatur des Neuen Testaments wird. Die weltanschauliche Situation hat sich in der Neuzeit insofern verändert, als das Weltbild eindimensional geworden ist[64]. Die

---

62. Auf dem Hintergrund der Weltbildproblematik stellt dies schon *Bultmann*: NT und Mythologie, S. 22f., fest: »Der eigentliche Sinn des Mythos ist nicht der, ein objektives Weltbild zu geben; vielmehr spricht sich in ihm aus, wie sich der Mensch selbst in seiner Welt versteht; der Mythos will nicht kosmologisch, sondern anthropologisch – besser: existential interpretiert werden« (S. 22). Es ist allerdings die Frage, ob man dem vorliegenden Mythos mit dem Gegensatzpaar »objektivierend – existential« tatsächlich beikommt. Gewiß geht der Logoshymnus aus von den Erfahrungen des Empfangens, also von – wenn auch nicht existentialen so doch – existentiellen Phänomenen. Insofern geht es ihm nicht um den Entwurf eines Weltbildes. Dennoch haben die Aussagen zum ewigen Sein des Logos, zu seinem Leuchten in der Lebendigkeit jedes Menschen, nicht bloß die Funktion, das Selbstverständnis menschlicher Existenz zum Ausdruck zu bringen. Sie wollen vielmehr auch »gegenständlich« genommen werden, ohne daß sie unter das Verdikt der Objektivierung fallen. An der Gegebenheit des menschlichen Lebens wird die Dimension der Erleuchtung entdeckt, eine Dimension, die nicht auf das weltliche Vorhandensein des Lebens verzichten kann.

63. Der mythische Charakter des neutestamentlichen Weltbildes ergibt sich aus der Dreistufigkeit (Himmel, Erde, Unterwelt) der Welt und der durch übernatürliche Mächte bewegten Geschichte, vgl. *Bultmann:* NT und Mythologie, S. 15. Die neutestamentliche Verkündigung interpretiert das Heilsgeschehen dadurch, daß sie es als Eingriff himmlischer Macht und Kampf gegen unterweltliche Mächte darstellt (S. 15f.). *»Dem mythischen Weltbild entspricht die Darstellung des Heilsgeschehens, ...«* (S. 15). Wesentlich ist dabei, daß das mythologische Weltbild es erlaubte, den göttlichen Eingriff in die Welt rational zu denken. Nach dem Verschwinden des mythologischen Weltbilds stellt sich deshalb die Frage, wie der göttliche Eingriff angesichts der eindimensional gewordenen Welt gedacht werden könne, jedenfalls solange man theologisch zu sprechen beansprucht.

64. Zu erinnern ist in diesem Zusammenhang an den überaus treffenden Satz Karl Barths im Referat über F. Overbeck: »Freilich: Um diese *Welt* zu begreifen, ..., vermeiden (wir) auch ›den leisesten Duft von Theologie‹« (*Barth:* Unerledigte Anfragen, S. 6; vgl. *Overbeck:* Christentum und Kultur, S. 5: »Für Nachkommen der Aufklärer ist darin [sc. in der Erklärung der Geschichte] fortan nicht mehr der leiseste Duft von Theologie zu dulden«). Barth interpretiert das genannte Werk Overbecks als Plädoyer gegen die Selbstverständlichkeit, Theologie zu treiben, und legt es an

Erfahrungswelt ist neuzeitlich nur als Zusammenspiel weltlicher Phänomene denkbar[65]. Sie ist nicht mehr mythisch, sondern nur noch weltlich oder rational beschreibbar. Das entscheidende Problem für die neutestamentliche Botschaft besteht nicht in ihrem mythologischen Charakter als solchem, sondern darin, daß mythisches Reden nicht mehr als solches wahrgenommen und demzufolge mit dem rationalen Reden verwechselt wird. In der Neuzeit wird das Mythische verwechselt mit den Protokollen über das, was in der Welt der Fall ist[66].

Da in dieser Verwechslung die Leistung des Mythischen verlorengeht, verlangt es die neuzeitliche Situation, daß der alte Mythos interpretiert wird[67]. Diese Interpretation heißt bei Bultmann die Entmythologisierung der neutestamentlichen Botschaft und vollzieht sich konkret als existentiale Interpretation[68]. Die existentiale Interpretation holt die ins Objektive verflüchtigte Aus-

---

jedes Menschen Herz; vgl. *Barth:* Unerledigte Anfragen, S. 4; zum Problem vgl. *Weder:* Hermeneutik, S. 54–57.

65. Klar formuliert dies Troeltsch im Blick auf die maßgebenden Prinzipien historischer Erkenntnis, vgl. *Troeltsch:* Über historische und dogmatische Methode, S. 105–127. Das Prinzip der Kritik fordert, daß die Tradition keine apriorische Autorität beanspruchen kann, sondern daß ihre Wahrheit anhand des neuzeitlichen Wissens kritisch etabliert werden muß. Das Prinzip der Analogie fordert, daß Ereignisse dann und nur dann historische Wahrscheinlichkeit beanspruchen können, wenn sie Analogien in der Gegenwart oder mindestens gut bezeugte Analogien in der Vergangenheit haben. Das Prinzip der Korrelation schließlich fordert, daß die Geschichte als ein lückenloser Zusammenhang weltlichen Geschehens begriffen werden muß. Die Säkularität ist demnach nicht ein Ergebnis des Erkennens, sondern vielmehr eine erkenntnistheoretische Voraussetzung. Dasselbe erkenntnistheoretische Postulat gilt auch für die naturwissenschaftliche Erkenntnis der Welt; vgl. *von Weizsäcker:* Garten des Menschlichen, S. 91–99; *Bultmann:* NT und Mythologie, S. 16–21, der die Weltlichkeit der Wahrnehmungsbedingungen eindrücklich beschreibt.

66. Nachdem »unser aller Denken unwiderruflich durch die Wissenschaft geformt worden ist« (*Bultmann:* NT und Mythologie, S. 17), müßte vom Menschen ein sacrificium intellectus verlangt werden, wollte der Glaube an der Objektivität des mythischen Weltbilds festhalten. Im Rahmen des naturwissenschaftlich geformten Weltbilds und des als geschlossene Einheit verstandenen Menschen muß der Mythos, wenn er eigentlich genommen wird, als weltbildhafte Aussage mißverstanden werden.

67. Dies gilt solange, als der neutestamentlichen Botschaft eine Wahrheit zugestanden wird, die unabhängig vom Weltbild besteht. *Bultmann:* NT und Mythologie, S. 16, stellt genau diese Frage, »ob die Verkündigung des Neuen Testaments eine Wahrheit hat, die vom mythischen Weltbild unabhängig ist«. Wäre dies der Fall, so wäre es »die Aufgabe der Theologie, die christliche Verkündigung zu entmythologisieren« (ebd.). Fraglich ist allerdings, ob diese Frage auf der Ebene der existentialen Ontologie überhaupt zu beantworten ist. Denn die Wahrheit des Kerygmas kann sich nur dadurch einstellen, daß der Adressat sie im Kerygma erkennt.

68. Dazu *Bultmann:* NT und Mythologie, S. 26: »Auch diese Mythologien (sc. der jüdischen Apokalyptik und des gnostischen Erlösermythos, von denen das Neue Testament charakteristischen Gebrauch macht) haben ihren Sinn nicht in ihren objektivierenden Vorstellungen, sondern müssen auf das in ihnen liegende Existenzverständnis hin, d. h. existential, interpretiert werden, wie das Hans Jonas für die Gnosis vorbildlich getan hat.« Bultmann macht auch im Abschnitt »Der Vollzug der Entmythologisierung in Grundzügen« (a. a. O., S. 27ff.) vollkommen klar, inwiefern die »entmythologisierende Interpretation (!)« (a. a. O., S. 26) konkret existentiale Interpretation ist.

sage des verwechselten Mythos zurück in ihre Bindung an menschliche Wahrnehmung, an die Betroffenheit des menschlichen Subjekts. Man könnte auch sagen: Die existentiale Interpretation bringt den Logos des Mythos, der aus weltanschaulichen Gründen in die religiöse Hinterwelt verbannt ist, zurück in den Vordergrund menschlichen Daseins[69]. Insofern vollzieht die existentiale Interpretation genau jene Bewegung zum Menschen, die wir als grundlegende Dynamik unseres Mythos vom Logos erkannt haben. Diese Interpretation sorgt dafür, daß die Sache des Mythos auch in veränderter Situation auf die Wahrnehmung angewiesen bleibt, daß sie erkenntlich bleibt als eine Würdigung des Gesehenen, die über das Weltliche hinausgeht. Das Sachanliegen der Entmythologisierung ist es mithin, auch unter veränderten Bedingungen am Mythos zu entdecken, welchen Ertrag er für die Rationalität erbringt. Daß dieses Sachanliegen Bultmanns nicht immer verstanden worden ist, soll hier nicht beschönigt werden[70]. Dies mag zum Teil auf die Hammerschläge zurückzuführen sein, mit denen Bultmann sein Programm vorgetragen hatte[71]. Die Hauptursache jenes Mißverständnisses liegt jedoch meines

---

Dieser Zusammenhang wurde von der Mehrheit der Kritiker Bultmanns nicht wahrgenommen, lauten doch ihre Vorhaltungen zumeist auf kritische Reduktion, ein Verfahren, das Bultmann ausdrücklich ablehnt (vgl. a. a. O., S. 21 f., 23–26).

69. Instruktiv ist Bultmanns Beispiel der Sünde. Die Philosophie erkennt durchaus die »Verfallenheit« des menschlichen Lebens, sofern sie um die Eigentlichkeit des Daseins weiß (*Bultmann:* NT und Mythologie, S. 36). Im Unterschied zur Theologie jedoch ist sie der Meinung, »*daß den Menschen das Wissen um seine Eigentlichkeit ihrer schon mächtig mache*« (a. a. O., S. 37). Entgegen dieser kognitiven Verharmlosung der Verfallenheit denkt das Neue Testament diese so radikal, daß es auch das Wissen nicht mehr soteriologisch interpretieren kann (ebd.). Gerade im (auch philosophischen) Trachten nach Eigentlichkeit erscheint demnach die Eigenmächtigkeit des Menschen, welche das Neue Testament als Sünde zur Sprache bringt (a. a. O., S. 37 f.). Im Horizont dieser Eigenmächtigkeit kann die neutestamentliche Rede von der Sünde dem Menschen nur als »mythologische Rede« erscheinen (a. a. O., S. 38). Dies ändert sich erst in dem Augenblick, »da dem Menschen Gottes Liebe begegnet als die ihn umfangende und tragende Macht, die ihn gerade auch in seiner Eigenmächtigkeit und Verfallenheit trägt« (ebd.). Daraus folgt: die Sünde kann erst existential interpretiert werden, wenn das Kerygma den Menschen in der Weise existentiell betrifft, daß »*er von sich selbst befreit wird*« (a. a. O., S. 39). Das anredende Kerygma von der Vergebung der Sünde als einem göttlichen Eingriff verwandelt die Sünde aus einem objektivierten Mythos in eine existentielle Wahrheit.

70. Das Mißverständnis wird erneut dokumentiert durch *Hübner:* Wahrheit, S. 335–342, der anhand von fünf Überlegungsgängen Bultmann so interpretiert, als ob es bei der Entmythologisierung gerade um eine Reduktion der neutestamentlichen Botschaft ginge. Hübner gelangt wiederholt zum folgenden Schluß: »Wo lebendig geglaubt und nicht nur philosophisch-wissenschaftlich argumentiert wird, da wird auch mythisch erlebt, man drehe und wende es wie man will« (a. a. O., S. 341, vgl. S. 338). An diesem Punkt, wo Hübners Überlegungen *zu Ende kommen,* beginnt Bultmanns Reflexion erst.

71. Man denke etwa an das wiederholte »Erledigt«, das Bultmann manchen liebgewordenen Vorstellungen prädiziert, vgl. *Bultmann:* NT und Mythologie, S. 17 f., oder an den vielzitierten Satz a. a. O., S. 18: »Man kann nicht elektrisches Licht und Radioapparat benutzen, in Krankheitsfällen moderne medizinische und klinische Mittel in Anspruch nehmen und gleichzeitig an die Geister- und Wunderwelt des Neuen Testaments glauben.« Dieser gewiß provokative Satz enthält immer-

Erachtens darin, daß verkannt wurde, inwiefern Entmythologisierung mit existentialer Interpretation identisch ist. Das Sachanliegen der Entmythologisierung ist gerade nicht der Abschied vom Mythos im Namen der Säkularität, sondern der Versuch, auch in säkularer Zeit ein vernünftiges Verhältnis zum Mythischen zu gewinnen. Dieses Sachanliegen scheint mir unaufgebbar zu sein.

2.2 Entbehrlichkeit des Mythos?

Dennoch muß die Frage gestellt werden, ob die Entmythologisierung als hermeneutischer Vorgang den Mythos als entbehrlich erweise. Sprachtheoretisch betrachtet heißt das: Ist die begriffliche Sprache existentialer Ontologie in der Lage, die poetische Sprache des Mythos ohne Verluste zu ersetzen? Wir haben gesehen, daß es die Leistung des Mythos vom Logos ist, das Gewicht des gesagten Wortes auszusprechen. Daran schließt sich die hermeneutische Grundfrage an, ob die Würdigung des Wortes Jesu je ohne den mythischen Rückgang auf das Unvordenkliche auskommt[72]. Das ist die Frage, ob der im Vordergrund der Welt angesiedelte Logos nicht viel zu leicht gewichtet wird, wenn er nicht im Horizont des göttlichen Logos wahrgenommen wird. Diese Frage hängt mit der fundamentaltheologischen Frage zusammen, ob Theologie an ihrem Ursprung dem Begrifflichen oder dem Poetischen verpflichtet ist[73]. Das Begriffliche ist die Sprache, in welcher beschrie-

---

hin die unbestreitbare Wahrheit, daß das moderne Weltbild nicht etwa durch theoretische Reflexion, sondern vielmehr durch das Alltagsverhalten gewonnen wird, was es gegenüber weitergehender Reflexion beinahe völlig immunisiert.

72. In Bultmanns Terminologie wäre dies die Frage, ob das Kerygma die Getragenheit des menschlichen Lebens verkündigt oder ob es den Menschen auf das Gewicht des Tragenden aufmerksam machen will. Analog ist die Frage, ob die Geschichte, von der das Kerygma spricht, übersetzbar ist in die Geschichtlichkeit, die die existentiale Interpretation zum Thema macht. Immerhin deuten Bultmanns Ausführungen zum Geschichtsproblem darauf hin, daß der Mensch (bedingt durch das Modell der Geschichtlichkeit des Daseins) zu sehr in die Position der Entscheidung gegenüber der Geschichte gerät, und daß er insofern nicht mehr in den Blick bekommt, daß die Geschichte nicht nur die Rolle des Gesetzes zu spielen hat. Zum Problem vgl. *Weder:* Kreuz, S. 106–108, mit Verweisen auf Bultmanns Arbeit über Geschichte und Eschatologie.

73. Dazu ist der höchst aufschlußreiche Aufsatz *Bader:* »Theologia poetica«. Begriff und Aufgabe, in: ZThK 83 (1986), S. 188–237, zu vergleichen. Ausgehend von der großen Bedeutung der theologia poetica in der Renaissance erforscht Bader deren Vorgeschichte in der Spätantike und der Antike. Er macht aufmerksam auf Augustins dreiteilige Unterscheidung der theologia in poetica, naturalis und civilis, wobei alle drei als »Erzeugnisse des Heidentums« gelten, während Augustin seine eigenen Kompendien christlicher Lehre nie als Theologie bezeichnete (a. a. O., S. 210 f.). Von Augustin in die Antike zurückgehend erbringt Bader den Nachweis, daß »Theologia poetica ... die früheste und ursprüngliche Schicht von Theologie« ist (a. a. O., S. 233). Damit ist Theologie selbst neu definiert: ursprünglich ist sie nicht »Bezug der Sprache auf Sprache«, sondern »Bezug der Sprache auf das, was nicht mehr Sprache ist«; dieser Übergang ist es, »der den Gesichtspunkt des Theologischen immer nur in eins mit dem des Poetischen hervortreibt« (a. a. O., S. 235). Wenn Theologie an ihrem Ursprung Poesie ist, dann ist in ihr Gott »nicht an sich

ben wird, was der Fall ist. Das Poetische dagegen ist die Sprache, in welcher das Gewicht dessen gewürdigt wird, was der Fall ist. Das Mythische schließlich ist die Sprache, in welcher das Gewicht des Weltlichen im Horizont des Göttlichen wahrgenommen wird[74]. Deshalb steht zu vermuten, daß die Theologie sich ursprünglich dem Poetischen verdankt und daß eine Theologie, die das wahre Gewicht der Dinge wahrnehmen will, ohne das Mythische niemals auskommt. Der neuzeitlichen Verwechslung des Mythischen mit dem Begrifflichen könnte wohl dadurch gewehrt werden, daß die Theologie einen *metaphorischen Umgang mit dem Mythischen* pflegt. Am Ursprung der Christologie stand die mythologisch ausgesprochene Würde des eingeborenen Sohnes. Ihr versuchte sie dann mit allen Mitteln der Rationalität gerecht zu werden. So ist meines Erachtens die Logik der Christologie auf die Mythik der biblischen Erzählung bezogen. Auf die theologische Hermeneutik angewendet, bedeutet dies, daß die Angewiesenheit des Denkens auf das Unvordenkliche in jedem Denkvorgang erneut mitvollzogen werden müßte. Konkret geschieht dies als ein Nachdenken über das schon gesagte Wort, in Abkehr von der denkerischen Illusion, es könnte auch noch der Stoff des Denkens durch dieses erschaffen werden.

Auf solche Überlegungen kommt, wer das Sachanliegen der Entmythologisierung gerade ernst nehmen will. Die Geschichte der Exegese seit Bultmann zeigt indessen, daß dieses Sachanliegen nicht immer mit der wünschenswerten Klarheit im Blick geblieben ist. In der neutestamentlichen Exegese zeigt sich meines Erachtens weithin eine Entwicklung, die ich »kalte Entmythologisierung« nennen würde. Eine kalte Entmythologisierung verabschiedet das Mythische unbewußt und unversehens, ohne sich der Sache des Mythos

---

schon Sprache von Art, sondern wird es allererst, indem die Poetizität der Sprache gelingt und somit θεο-λογία entsteht« (ebd.). Die Tragweite dieser Erkenntnis ist darin zu sehen, daß die Theologie sich von ihrem Ursprung abkehrt, wenn sie zu einem begrifflichen Unternehmen wird. Dabei ist zu vermuten, daß sie dies nicht ungestraft zu tun vermag; die Abkehr ist zugleich der Übergang von Theologie zum Theologisieren. Bleibt sie ihrem Ursprung treu, wird sie nicht zuletzt ein neues Verhältnis zum Metaphorischen, das eine Grundform theologischer Rede darstellt, gewinnen müssen (a. a. O., S. 235). Sie steht dann nicht dem Wort gegenüber, sondern unmittelbar der »stumm sprechende(n) Wirklichkeit« (a. a. O., S. 236), die zur Sprache zu bringen die ursprüngliche Tätigkeit des Theologen ist. Zur Nähe der poetischen Theologie zum Mythos vgl. a. a. O., S. 236 f.

74. *Bader*, in: ZThK 83 (1986), S. 237, unterscheidet in folgender Weise zwischen mythischer und poetischer Theologie: »Denn im Poetischen erscheint dasjenige in freier spielender Sprachaktivität, was im Mythos schlechthin gesetzt und zwingend war«. Fraglich ist an dieser Unterscheidung, ob sich der Mythos auf seine autoritäre Wirkung, auf seinen »Horror« (a. a. O., S. 236) fixieren läßt. Immerhin schimmert auch in dieser meines Erachtens unsachgemäßen Unterscheidung noch durch, daß der Mythos dadurch charakterisiert ist, daß er die Phänomene in den Horizont des Göttlichen stellt (was als Zwingendes aufgefaßt wird). Die Pointe ist dabei jedoch nicht das Zwingende, sondern vielmehr die Bemühung, die Erscheinung des Göttlichen im menschlichen Erfahrungsbereich zur Sprache zu bringen. Daneben teilt wohl der Mythos die Charakteristika des Poetischen.

überhaupt zu stellen. Die kalte Entmythologisierung hat verschiedene Gesichter, die jetzt in knappen Strichen gezeichnet werden sollen.
In der Exegese zeigt sich die kalte Entmythologisierung beispielsweise mit historischem Gesicht. Die sachintensive Interpretation dieses Mythos vom Logos kann verdrängt werden durch die historische Beschreibung, in der Weise religionsgeschichtlicher Einordnung, historischer Lokalisierung oder literarkritischer Schichtung[75]. Die Beschreibung dessen, was der Mythos sagte und wo er sich herbedingte, tritt an die Stelle der Auslegung dessen, was der Mythos sagt und was seine Herkunft zu verstehen gibt. Das mythische Reden erscheint als bloß historisch bedingt[76], und dessen Aussage wird zu

---

75. Dies ist meines Erachtens die vorherrschende Tendenz in der Kommentarliteratur; als Beispiel seien genannt *Becker:* Johannes, S. 67–86 (hier wird die Konzentration auf die Sache des Hymnus fast völlig verdrängt durch die Bemühungen um religionsgeschichtliche und literarkritische Fragen), und *Hofrichter:* Im Anfang (da wird der religionsgeschichtlichen Rekonstruktion des Prologs ein ganzes Buch gewidmet, ohne daß näher auf die Sachproblematik des Mythischen eingegangen wird). Die Notwendigkeit derartiger Untersuchungen soll hier nicht bestritten werden. Dennoch haben sie Anteil an einer allgemeinen Tendenz in der neutestamentlichen Exegese, die hermeneutisch nicht unbedenklich ist.
In Analogie dazu ist die Analyse von *Picht:* Kunst und Mythos, S. 498ff., zu sehen, der den religionswissenschaftlichen Umgang mit dem Mythos fundamental kritisiert. »In allen diesen (sc von Picht analysierten) Richtungen hat die Religionswissenschaft die paradoxe Gestalt einer Wissenschaft, deren einziger Ehrgeiz es ist, ihren Gegenstand zum Verschwinden zu bringen« (a. a. O., S. 503).
76. Diese Gefahr besteht auch beim Ansatz von *Wengst:* Gemeinde. Wengst kritisiert am Interpretationsansatz Bultmanns die »auf den ideellen Bereich abhebenden Formulierung(en)« (a. a. O., S. 99). Bultmann hatte den Gedanken des ὁ λόγος σὰρξ ἐγένετο dahingehend verstanden, daß er »die Erschütterung und Negierung des Selbstverständnisses der Welt« bedeutete (a. a. O., S. 98). Diesem »ideellen Bereich« nun setzt Wengst die »reale Ungesichertheit« der johanneischen Gemeinde entgegen (a. a. O., S. 99). Die Ungesichertheit entsteht nach Wengst durch die Gegner der johanneischen Gemeinde. Aus dieser historischen Konstellation leitet Wengst ab, daß es dem Evangelisten nicht um »Infragestellung« gehen könne, sondern »ganz im Gegenteil um Vergewisserung« (a. a. O., S. 99f.).
Wengst geht davon aus, daß zwar die theologischen Aussagen des vierten Evangelisten nicht »von seiner historischen Situation völlig determiniert« werden, daß sie aber »Antworten« auf ihre Situation waren (a. a. O., S. 7). Dieser Zusammenhang erlaubt es dann, auch die höchsten christologischen Aussagen zu erklären aus der Funktion, die sie in der historischen Situation der Gemeinde hatten. Der Prolog wird dann auf den Begriff der Exklusivität der Gottesgegenwart gebracht; diese Exklusivität wiederum hat die Funktion, einer Gemeinde als Vergewisserung zu dienen, die im Begriffe war, den Glauben an Jesus zu verlieren (vgl. a. a. O., S. 102f.). »Mit dieser Leseanweisung (sc. dem Prolog) treibt der Evangelist keine mythologische Spielerei oder metaphysische Spekulation, sondern mit Hilfe der ihm zur Verfügung stehenden Ausdrucksmittel ein Stück notwendiger Dogmatik« (a. a. O., S. 103). Abgesehen einmal von der abwesenden Verhältnisbestimmung von Mythologie, Metaphysik und Dogmatik – was macht diesen Prolog »notwendig«, wenn nicht die »reale« historische Situation der Gemeinde? Er wird zum »Ausdrucksmittel«, das eine historisch bestimmbare Funktion hat und deshalb kein Sachproblem mehr stellt. Selbstverständlich müssen Texte zu ihrer historischen Ursprungssituation in Beziehung gesetzt werden. Aber darf dies so geschehen, daß bloß noch nach ihrer Funktion gefragt wird? Oder darf dies so geschehen, daß dabei der Überschuß an Sinn, den sie in Zukunft gewinnen werden, dem »ideellen Bereich« zugewiesen und im Namen des »Realen« abgewertet wird?

einem historischen Fossil. Der Mythos, der über das hinausgeht, was der Fall ist, wird nun selbst zu einem Ding, das der Fall war, und somit ist das hermeneutische Problem des mythischen Redens auf dem Wege der kalten Entmythologisierung aus der Welt geschafft.
Dieser Vorgang zeigt sich in der Exegese auch mit soziologischem Gesicht. Soziologisch gesehen ist die Frage nicht mehr, welche Sache der Mythos zur Sprache bringt, sondern das Interesse gilt den sozialen Bedingungen seines Entstehens. Die Frage nach dem, was der Mythos meint, wird verwandelt in die Frage nach der Meinung derer, die ihn schufen. Die Frage nach der Dynamik, von der der Mythos durchdrungen ist, wird verwandelt in die Frage nach der sozialen Dynamik derer, die ihn schufen. Das mythische Reden erscheint mithin als Ausdrucksform einer gesellschaftlichen Gruppe[77], eine Ausdrucksform, die sich von den sozialen Bedingungen und der soziologischen Funktion her erklärt[78]. Unversehens ist das mythologische Ausschreiten über das Weltliche hinaus zur sprachlichen Ausschreitung einer Gruppe geworden. Die Exklusivität, mit der der Mythos den Fleischgewordenen bedachte, wird unversehens zu einem Indiz für die Exklusivität einer frühchristlichen Randgruppe[79]. Auch hier bedarf es keiner bewußten Entmythologisierung mehr, denn sie ist auf kaltem Wege bereits vollzogen. Ähnliches

---

77. So *Kysar*, in: CThMi 5 (1978), S. 348–364, der die Aussagen des Prologs erklärt aus der Kontroverse johanneischer Christen mit den Juden der örtlichen Synagoge.

78. Als Beispiel für eine gegenwärtig stark wachsende Tendenz der soziologischen Interpretation neutestamentlicher Texte sei genannt: *Meeks*: Funktion, S. 245–283. »Es ist erstaunlich, daß die Versuche, das johanneische Rätsel zu lösen, die Frage nach der *sozialen* Funktion der Mythen fast völlig außer acht gelassen haben« (a. a. O., S. 252). Diesem Defizit will Meeks in seinem Aufsatz begegnen. Zuerst bestimmt er die soziale Situation der johanneischen Gemeinde fundamental von ihren Abgrenzungsbedürfnissen her (ebd.) und zeigt dann, daß »*eine* Funktion des ›symbolischen Uni/versums‹, das in diesem bemerkenswerten literarischen Corpus übermittelt wird, darin bestand, allen diesen Aspekten der Geschichte dieser Gruppe Sinn zu geben« (a. a. O., S. 252f.). Auf diesem Hintergrund – man befürchtet Schlimmes! – ist es nicht verwunderlich, daß die johanneischen Mißverständnisse bloß im Rahmen ihrer die Außenstehenden ausschließenden Funktion zur Sprache kommen. Die Dialoge können nicht mehr aus sich selbst verstanden werden, beispielsweise als Arbeit am inkarnatorischen Verständnis Jesu. Und auch die Christologie wird interpretiert als Stärkung der »soziale(n) Identität der Gemeinschaft«, wobei dann die christologischen Sachfragen ad acta gelegt sind. »Glaube/an Jesus meint im vierten Evangelium ein Verlassen ›der Welt‹, weil es den Übergang in eine Gemeinschaft bedeutet, die totalitäre (sic!) und exklusive Ansprüche erhebt« (a. a. O., S. 280f.). Es ist klar, daß bei einem solchen Zugang zur Christologie weder die Inkarnation noch die Exklusivität der Gottesgegenwart in Christus ein sachliches Problem darstellt. Zu kritisieren ist nicht, daß nach den faktischen Funktionen der Texte gefragt wird (auch wenn man sich viel vorsichtigeres Fragen wünschte), sondern daß die Frage nach der sozialen Funktion der Texte zugleich die Sachanliegen derselben aus der Welt schafft. Zur soziologischen Reduktion religiöser Phänomene vgl. *Picht:* Kunst und Mythos, S. 501f. (Durkheim).

79. Dies ist grundsätzlich problematisch, einmal noch ganz abgesehen von der Sachfrage, ob die johanneische Gemeinde tatsächlich einer Binnenmentalität verfallen war. Daß es auch gute Argumente für ein ganz anderes Gemeindeverständnis gibt, zeigt *Lindemann:* Gemeinde und Welt, S. 133–161.

wäre zu sagen zum psychologischen Gesicht dieses Vorgangs. Hier werden die Aussagen über die Welt und Gott zu Aussagen einer Innenwelt, die religionspsychologisch beschrieben werden kann. Aus dem unvordenklichen Logos, der der ganzen Welt das Gepräge gibt und sie dadurch zur ansprechenden Veranstaltung Gottes erklärt, wird innere Empfindung[80], sich von der Welt angesprochen zu fühlen, ein Gefühl, das je nach Modell mit der Archetypik des Unbewußten[81] oder mit der Unerträglichkeit der Hilflosigkeit[82] erklärt werden kann.

Die kalte Entmythologisierung trägt schließlich ein linguistisches Gesicht, das Gesicht einer Linguistik, die gerade den Mythos als bevorzugten Untersuchungsgegenstand gewählt hat. Mittels strukturalanalytischer Methoden[83] verlagert sich das Interesse vom Mythos selbst auf dessen Tiefengrammatik[84], deren akzidentieller Ausdruck der konkrete Mythos ist. Hier wird das Gesagtsein des Mythos im Namen der zeitinvarianten Strukturen hintergangen.

---

80. Dazu z. B. *Harsch:* Tiefenpsychologisches, S. 32–41. Harsch kritisiert an Bultmanns Programm das rationale Menschenbild, das alle überschießenden Momente eliminierte (a. a. O., S. 37). »Die tiefenpsychologische Interpretation konzentriert sich dagegen wesentlich auf die im Text enthaltenen unbewußten Inhalte, die oft verdrängt und nur verschlüsselt erkennbar aber damit nicht weniger wirksam sind« (ebd.). Aus den mythischen Aussagen des Neuen Testaments werden Bilder des Traumes und anderer unbewußter Phantasien.

81. So versteht etwa C. G. Jung den Mythos als Produkt des kollektiven Unbewußten (vgl. *Harsch:* Tiefenpsychologisches, S. 38 f.). In diesem Zusammenhang wird dann Christus zur höchsten Darstellung des Selbst und die Inkarnation zur Versöhnung von Geist und Leib. Dazu *Harsch,* a. a. O., S. 40: »Die höchste Darstellung des Selbst fand Jung in Christus, der Gottheit und Menschheit, Geist und Leib, Oben und Unten in sich selbst versöhnte und im Corpus Christi mysticum den zerteilten Kosmos der Menschenwelt zu einer neuen Einheit auferbaut.« Man sieht, wie aus der Darstellung Gottes, die nach Joh 1,18 Sache des Logos war, die Selbstdarstellung des menschlichen Wesens wird, eine Aussage, die dem Menschen so vertraut ist, daß sie keiner Entmythologisierung mehr bedarf.

82. So im Rahmen der Religionstheorie Freuds; vgl. *Freud:* Zukunft einer Illusion, S. 323–380.

83. Diese sind namentlich durch den französischen Strukturalismus in den Mittelpunkt des Interesses gerückt; vgl. *Schiwy:* Sturkturalismus; *ders.,* in: ThPh 41 (1968), S. 523–541. Diese Problematik eignet überhaupt jeder linguistischen Betrachtung religiöser Texte: So betrachtet »etwa die moderne Linguistik die Sprache ›rein‹ als Sprache ..., ohne auf die in dieser Sprache ausgesagten Inhalte zu reflektieren« (*Picht:* Kunst und Mythos, S. 4). Picht sieht darin die »Indifferenz« der Moderne, »eines der hintergründigsten Phänomene der modernen Zivilisation« (a. a. O., S. 5).

84. Vgl. z. B. die Unterscheidung von Mythos und Mythen, wie sie Lévi-Strauss vornimmt: Der Mythos ist der Inbegriff der syntaktischen, semantischen und pragmatischen Funktionen, die Mythen erfüllen (*Lévi-Strauss:* Struktur der Mythen, S. 238 f.). Nach *Barthes:* Mythen des Alltags, S. 88–96, ist die Tiefengrammatik der Mythen konstituiert durch anthropologische Grundstrukturen, deren unbewußter Reflex die konkreten Mythen sind. Offensichtlich ist, wie der Charakter der Unvordenklichkeit sich verschiebt auf die anthropologischen Grundstrukturen, die zum entscheidenden Erklärungsfaktor für mythisches Reden geworden sind. Zur Bemühung um die Erarbeitung einer Tiefengrammatik für biblische Texte vgl. *Chabrol/Marin:* Erzählende Semiotik; *X. Léon-Dufour:* Exegese im Methodenkonflikt; und vor allem die Arbeiten von *Güttgemanns* (z. B): Einleitende Bemerkungen.

Unvordenklich ist gerade nicht der Logos, von dem dieser Mythos zu erzählen weiß, unvordenklich ist vielmehr die Struktur des Logischen, die auch diesen Mythos regiert[85]. Damit hat eine Emanzipation vom Vordergrund der Welt stattgefunden, die auch das Interpretationsproblem des mythischen Redens aus der Welt schafft.
Es soll nicht bestritten werden, daß alle diese methodischen Zugänge interessante Ergebnisse versprechen. Im Blick auf das Mythosproblem freilich scheint mir, daß sie ihm gerade aus dem Wege gehen. Demgegenüber ist die Entmythologisierung, vollzogen als existentiale Interpretation, ein Umgang mit dem Text, der dessen Sache methodisch und hermeneutisch reflektiert wahrzunehmen versucht. Statt Produktionsbedingungen zu analysieren, konzentriert sie sich auf die Wahrnehmung dessen, was der Mythos zu verstehen gibt. Diese Konzentration allein wäre Grund genug, an der Entmythologisierung als hermeneutischer Aufgabe der Exegese bis auf weiteres festzuhalten. Und es wäre zu fragen, ob die hermeneutischen Defizite der existentialen Interpretation vermieden werden könnten durch einen metaphorischen Umgang mit dem Mythischen[86].

2.3 Die Arbeit des Mythos vom Logos im Rahmen johanneischer Theologie

Wenden wir zum Schluß unseren Blick erneut auf das, was ich die Arbeit des Mythos nannte. Der johanneische Mythos vom Logos ist durchdrungen von der Dynamik der Zuwendung, die den göttlichen Logos auszeichnet. Diese Dynamik ist ein Fingerzeig auf die Arbeit, die der Mythos an den Menschen zu leisten verspricht[87]. Er verspricht, dem Menschen das Gewicht jenes Logos

---

85. Damit ist eine grundsätzlich neue Fragestellung entstanden. Die Frage ist nicht mehr, was Mythen sagen (sachintensive Interpretation), wie sie es sagen (formale Semantik), oder welche Funktion ihr Reden erfüllt (psychologischer oder soziologischer Funktionalismus), sondern die Frage ist, welche Struktur sie mit Inhalt, Form und Funktion vollziehen; dazu *Lévi-Strauss:* Struktur der Mythen, S. 226–254.

86. Die metaphorische Interpretation des mythischen Redens erlaubt es jedenfalls, die Weltlichkeit der Welt uneingeschränkt zu denken und dennoch das Hinausgehen über das, was der Fall ist, in seinem Sachanspruch (und also nicht bloß historisch, funktional oder fundamentalanthropologisch) ernst zu nehmen; zum Problem vgl. *Weder:* Hermeneutik, S. 418–425.

87. Der Begriff der Arbeit wird hier verwendet für das, was man auch pragmatische Dimension der Texte nennt. In theologischer Begrifflichkeit würde man dies die soteriologische Dimension nennen. Wichtig ist dabei, daß wir aufmerksam werden auf das, was der Text an seinen Lesern tut, statt bloß auf das, was die Leser mit dem Text und im Anschluß an den Text tun. Dieser Aspekt geht ausgerechnet bei solchen Ansätzen völlig verloren, die ihrem Selbstverständnis nach dem (einzig) Konkreten, nämlich dem Materiellen verpflichtet sind. So etwa bei *Füssel:* Materialistische Lektüre, S. 20–36; oder bei *Gollwitzer:* Historischer Materialismus, S. 13–59. Im Gegenzug zur »idealistischen« Vorstellungsweise der historisch-kritischen Exegese drängen die Texte den materialistischen Ausleger »zur Parteinahme im heutigen gesellschaftlichen Leben« (*Gollwitzer,* a. a. O., S. 15). Wo bleibt die Frage, wofür der Text selbst Partei nimmt? »Gott hat (besser: will haben) keinen anderen Mund als unseren Mund« (a. a. O., S. 35). Wo bleibt da die christologische Einsicht, daß der Logos Gottes in Christus verkörpert ist? Die Vollmacht Jesu, »Gott anzusagen«,

nahezubringen, der inmitten der Tagesereignisse Palästinas die Gnade austeilte, die den Menschen seit unvordenklichen Zeiten als Lebendigkeit gewährt wird. Die Arbeit dieses Mythos ist es, seine Adressaten einzuüben in das Angewiesensein auf diesen Logos. Er vollzieht die Zuwendung, die seit Urzeiten das Dasein begleitet. Deshalb kommt in diesem Mythos Menschsein nicht primär als Arbeiten, sondern vielmehr als Bearbeitetwerden in Betracht. Und es wäre paradox, angesichts dieses Mythos vom Logos nach der menschlichen Arbeit am Mythos zu fragen, statt nach der Arbeit des Mythos am Menschen[88]. Damit würde gerade jener Dynamik der Zuwendung der Weg verbaut, die der Mythos vom Logos der menschlichen Existenz voraus hat.

Die Dynamik des Arbeitens für die Menschen, die im Prolog ihren Anfang nimmt, setzt sich im ganzen Johannesevangelium fort. Zwei Beispiele seien herausgegriffen. Das Mensch gewordene Wort steht unvermittelt vom Essen auf, um die Sklavenarbeit der Fußwaschung an seinen Jüngern zu tun (Joh 13,1–17)[89]. Gott hat alles in seine Hände gegeben, deutet der Erzähler. Diese Hände vollbringen den Dienst Gottes an den Jüngern[90]. Sie tun die

---

wird reduziert auf die Ansage des Willens Gottes: »Weil dieser Gotteswille sich auf das reale Leben der Menschen – ... – bezieht, also nicht nur auf das Glaubensverhältnis des Einzelnen zu Gott (Wäre dies etwa »irreal«?), ..., darum müssen diese faktischen ... Lebensbedingungen in dieses Verstehen des Gotteswillen hereingenommen werden, sowohl ihr gegenwärtiger Zustand, in dem je und je das Wort Gottes die Menschen antrifft, wie deren Veränderung, zu der sie durch Gottes Wort als Glaubende aufgerufen werden« (a. a. O., S. 44). Wo bleibt da die kreative Kraft des Wortes Gottes, das selbst neue Geschöpfe werden läßt, statt bloß zu Veränderungen aufzurufen?

88. Gegen *Blumenberg:* Arbeit am Mythos. Blumenberg wählt nicht zufällig den Prometheusmythos aus, um die Geschichte der Arbeit am Mythos zu schreiben. Schon den Mythos selbst legt er zu sehr auf emanzipative Dimensionen fest, wenn er dessen Aufgabe als »Arbeit am Abbau des Absolutismus der Wirklichkeit« (a. a. O., S. 13) bestimmt. Diese Dimension wird von Blumenberg zum Leitfaden für die ganze Darstellung. Unter diesem Aspekt erweist sich die Geschichte der menschlichen Arbeit am Mythos schlicht als Geschichte der menschlichen Selbstbehauptung gegenüber dem Mythos. »Es gibt keine/andere Modalität der Erinnerung an den Mythos als die Arbeit an ihm; ...« (a. a. O., S. 684f). Damit wird jeder Rezeption, die nicht Selbstbehauptung ist, das Existenzrecht abgesprochen. Wenn Blumenberg von Prometheus sagt, er sei an der »Menschwerdung des Menschen« beteiligt (a. a. O., S. 682), so ist diese Bestimmung so lange zu formal, als nicht gefragt wird, was für ein Mensch da wird, wenn Prometheus (und nicht Christus) ihn begleitet. Prometheus »steht schlechthin für menschliche *Selbstbehauptung*« (*Sparn*, in: ThR 49 [1984], S. 187), während ja andere Formen der Menschwerdung auch denkbar wären.

89. Zur historischen Einordnung dieser Perikope vgl. *Becker:* Johannes, S. 419f., der – ausgehend von den beiden Deutungen in 6–10 a und 12–15 – eine literarkritische Scheidung annehmen will. Die Entscheidung darüber, welche Deutung älter sei, fällt in den meisten Arbeiten aufgrund einer allgemeinen These, ob soteriologisches oder ethisches Denken im Urchristentum historisch Priorität habe.

90. 13,1–3 ist so etwas wie ein Prolog zu dieser Geschichte, der ihre entscheidenden Dimensionen angibt: Hinweis auf die Stunde des Kreuzestodes, welche zugleich die der Erhöhung ist, vgl. 3,14f.; Qualifizierung des Weges zum Kreuz als Liebe εἰς τέλος (dazu *Kleinknecht*, in: ZThK 82 [1985], S. 364f.); Hinweis darauf, daß der Vater alles in seine Hände gegeben hat, bzw. daß die Verbindung zum Vater unzweifelhaft ist (v. a. V.3). Damit gibt dieser »Prolog« der Fußwaschungsgeschichte dieselbe Dimension, die der Logoshymnus dem ganzen Evangelium gibt: es gilt, im

Arbeit Gottes an der Reinheit, der Eindeutigkeit menschlichen Lebens. Nach getaner Arbeit wendet sich der Herr Petrus zu, der sich den Dienst von höchster Adresse nicht gefallen lassen mag[91]. Und zum Schluß hilft er dem Verstehen der Jünger auf die Sprünge[92]. Sie sollen das Gewicht des Geschehenen erkennen: »Wenn also ich, der Lehrer und Herr, euch die Füße gewaschen habe, so seid auch ihr es schuldig, einander die Füße zu waschen« (13,14)[93]. Das Gewicht des Geschehens zu erkennen heißt, an den Ort zu gelangen, wo die Zuwendung zueinander selbstverständlich geworden ist. Im weiteren Verlauf der Interpretation dieser Geschichte wird die Liebe als dieser Ort der Zuwendung bezeichnet: »Ein neues Gebot gebe ich euch, daß ihr einander liebt, so wie ich euch geliebt habe, damit auch ihr einander liebt« (13,34)[94]. Der Menschgewordene arbeitet an der Einführung des Menschen in den Zusammenhang der Menschen, er gibt die Anweisung zum Leben in der Liebe. Nicht nur der Mythos vom Logos geleitet die religiöse Phantasie vom Himmel auf die Erde herunter. Die Arbeit auch Jesu ist es, das menschliche Dasein herunterzugeleiten von den mythologischen Höhen des Herrschens in die weltliche Tiefe des Liebens. Hier kündigt sich eine *neue Ebene* unserer Thematik an. Dringlicher als die Entmythologisierung des Mythos ist es, das

---

Tun Jesu das Tun Gottes wahrzunehmen. Zur Interpretation von Joh 13,1–3 vgl. *Kohler:* Kreuz, S. 196–205.

91. Petrus wird darauf hingewiesen, daß er Gott zuwenig zutraut, und zugleich, daß seine totalen Forderungen an dem Fragment der göttlichen Liebestat vorbeigehen, vgl. *Kohler:* Kreuz, S. 210–218. Die Reinheit beziehungsweise Eindeutigkeit des menschlichen Lebens (vgl. V.10 a) entsteht nicht durch eigene Arbeit, sondern dadurch, daß Petrus sich den Dienst Gottes gefallen läßt. Gerade diese Erzählung bestätigt, daß die Kategorie der Arbeit im Einklang mit dem Text des Johannesevangeliums steht.

92. Der Neueinsatz in V. 12 ist unübersehbar; er markiert indessen nicht eine literarkritisch auswertbare Bruchstelle, sondern vielmehr einen Neueinsatz in der Interpretation. Ging es vorher um die Erkenntnis der soteriologischen Dimension, so geht es jetzt um die (ethische) Verpflichtung, die sich aus der Arbeit Gottes am Menschen ergibt. Zum Zusammenhang beider Deutungen, die häufig literarkritisch auseinandergerissen werden, vgl. *Kleinknecht*, in: ZThK 82 (1985), S. 368.

93. Zu beachten ist, daß die Prädikation κύριος nicht etwa aufgegeben wird. Daraus folgt, daß die Herrschaft in die Gestalt des Dienens gebracht wird, ohne daß sie als Herrschaft eliminiert wird. Durch diese zuvorkommende Arbeit entsteht unter den Jüngern eine Schuldigkeit, die es außerhalb der Relation zu diesem Herrn nicht gibt. Jede Abschwächung des eschatologischen Ernstes dieses Dienens müßte zur Verflüchtigung der Aussage führen, der Dienst des Herrn würde verwandelt in eine »huldvoll von oben gewährte Gunst eines Potentaten« (mit *Wengst:* Gemeinde, S. 111).

94. Der Zusammenhang von 13,34 und 13,14f. ist evident, vgl. zuletzt *Kleinknecht,* in: ZThK 82 (1985), S. 366, oder schon *Bultmann:* Johannes, S. 362, der in 13,15 die Vorwegnahme des Liebesgebotes und in 13,1–20 »überhaupt ein Vorspiel für die folgenden Reden« sieht. *Kohler:* Kreuz, S. 226, sieht die Neuheit des Gebots insbesondere darin, »daß es dem Nächsten gibt, was ihm entspricht«. Auffallend ist tatsächlich die Differenz zum synoptischen Doppelgebot der Liebe, wo sich die Liebe nicht nur auf die Menschen sondern auf Gott und die Menschen richtet. Freilich könnte auch gefragt werden, ob die Neuheit nicht in der neuen Weise des Gebens besteht: im Unterschied zum Gebot des Gesetzes, das die Liebe fordert, entsteht die Schuldigkeit des Liebens aus der zuvorkommenden Arbeit des Herrn.

ins Herrschen verstiegene Menschsein, auch die ins Herrschen verstiegene Rationalität, zu entmythologisieren[95].
In die gleiche Richtung weist das zweite Beispiel: Jesus – Abschied nehmend – spricht in mythologischer Sprache[96] von den vielen Wohnungen, die im Hause des Vaters bereitstehen, und dem Raum (τόπος), den er den Jüngern bereiten will (14,2). Wer keine Wohnung hat, muß sich eine erwerben, wer keinen Raum hat, muß sich einen erkämpfen[97]. Der Kampf des Menschen um Raum offenbart sich als mythische Weise des Existierens. Hier mutet sich der Mensch zu, sich den Raum noch einmal zu erwirken, den Gott schon bereitet hat. Die Arbeit des Abschied nehmenden Jesus ist es demgegenüber, die Menschen zum Bleiben im schon bereiteten Raum der Liebe zu bewegen[98]. Er arbeitet an der Entmythologisierung des Menschseins. Diese Arbeit kann freilich nur gelingen, wenn in der Arbeit Jesu die Arbeit des göttlichen Logos gesehen wird. Zur Entmythologisierung des Menschen kommt es nur, wenn Christus im mythischen *Horizont* belassen wird.
Der Blick auf das Johannesevangelium bestätigt also die Perspektive, die wir schon am Mythos vom Logos gewonnen haben. Dieser erzählt von der Menschwerdung der göttlichen Zuwendung. Ihre Folge ist die Menschwerdung des Menschen im geschaffenen Raum der Liebe. Diese Arbeit bliebe ungetan, würde sich der Mensch auf die emanzipative Arbeit am Mythos festlegen[99].

---

95. Diese Entmythologisierung des Menschen erfolgt freilich nicht in der Gestalt der Aufklärung über das wahre Menschsein, sondern vielmehr in der Gestalt der Arbeit am wahren Menschsein. Zum Problem vgl. *Weder:* Hermeneutik, S. 405–411.

96. Dazu *Bultmann:* Johannes, S. 463.

97. Wiederum in mythischer Gestalt erscheint dieser Kampf des Menschen um den himmlischen Lebensraum in der Apokalyptik, wo himmlische Wohnungen nur für die Gerechten bereitstehen (äthHen 39,4f.; 41,2; slavHen 61,1–3; syrBar 51,10f.). Man geht fehl, wenn man den irdischen Kampf um Gerechtigkeit (der eine himmlische Wohnung verspricht) formal ineinssetzt mit dem Glauben an Christus, der einem eine ebensolche Wohnung verschafft. Im Horizont des Gesetzes arbeitet der Mensch, im Horizont des Christus wird für den Menschen gearbeitet. In diesem Sachverhalt widerspiegelt sich erneut der Unterschied zwischen νόμος und χάρις (vgl. Joh 1,17). Eine ähnliche Auffassung erscheint in der Vorstellung, daß den aufsteigenden Seelen je nach ihrer τιμή Platz bereitgestellt wird; vgl. *Bultmann:* Johannes, S. 465, Anm. 3.

98. Hier läge ein Vergleich mit der Weinstockmetapher von Joh 15,1–17 nahe. Auch dort bezeichnet Christus den zuvorkommenden Lebensraum, welcher die Menschen zum Bleiben bewegt. Auch dort wird dieser Raum interpretiert als Raum der Liebe, in welchem die Glaubenden bleiben und welchen sie ausgestalten in der Bruderliebe. In diesem Bleiben ist die elementare Einsicht aufbewahrt, daß menschliches Leben nicht das Produkt des Subjekts ist, sondern seine Gestalt wesentlich durch den ihm gewährten Raum gewinnt. Im Wohnen liegt auch das »Konstitutive, das der Ort des Daseins für dasselbe hat, sein Angewiesensein auf ihn: das Leben *muß wohnen* und ist seinem Wo zugehörig; ... es wird von seinem Wo bestimmt – d. h. es selber ist ein ursprünglich raumhaftes Phänomen und lebt aus seinem Raume her« (*Jonas:* Gnosis, S. 101).

99. Man könnte sich fragen, ob schon die existentiale Interpretation, wie sie Bultmann als Übersetzung in existentialontologische Kategorien vollzieht, in der Gefahr solcher Emanzipation stehe. Es wäre möglich, daß auch sie schon die Gestalt der Aufklärung hätte und also die Arbeit

3. Zum Schluß

Der Mythos vom Logos in Joh 1 setzt an bei der Unvordenklichkeit des mythischen Anfangs, den der Logos bei Gott hat. Er führt sich selbst in die Kehre, indem er die Unvordenklichkeit nun dem im Vordergrund der Welt gesagten Wort Jesu zuschreibt. Unvordenklich ist dieses Wort nicht, weil es dem Denken entzogen wäre, unvordenklich ist es, weil es dem Denken schon vorgegeben und also aufgegeben ist. Insofern bereitet der Mythos vom Logos Raum für eine Rationalität, die statt Gegnerin Tochter jenes Logos Jesus ist. Als Gegnerin wirkt die Rationalität, wenn sie die Unvordenklichkeit des Gesagten denkerisch hintergeht. Als Tochter lebt sie, wenn sie auf das gegebene Wort angewiesen bleibt. Als Gegnerin kommt sie unter Produktionszwang, denn sie muß reproduzieren, was sie hintergangen hat. Als Tochter lebt sie in der Nachdenklichkeit, im Nachdenken dessen, was der Logos ihr als fundamentalen Stoff gewährt. Auch eine kritische Tochter kann kein Interesse haben, ihren Vater umzubringen. Deshalb wird die Rationalität alles Interesse daran haben, daß dieser Mythos den Logos in lebendiger Erinnerung hält. Die Krise der Rationalität sind nicht die technischen Produkte, die sie auch hervorbringt, ihre Krise ist vielmehr die Zerstörung des Stoffs, der ihr den Raum der Nachdenklichkeit auftut. Ihre Krise ist die Zerstörung ihrer Lebensgrundlagen im Wahn, sie reproduzieren zu können. Ihre Krise ist die Kultur der Kritik, die sie an die Stelle der Kultur der Rezeption setzt.

Die Rationalität wird also, wenn sie sich selbst treu bleibt, das Wort nicht hoch genug schätzen können. Der Mythos vom Logos geht ihr den Weg in der Würdigung des Wortes voran. Er bewahrt das Andenken an das Reden Gottes und die Sensibilität für die Arbeit des Himmels am Leben der Irdischen[100]. Wird diese Arbeit nicht mehr geleistet, wird die Vernunft an ihre Produkte gebunden, und die Menschen werden an ihre Arbeit gekettet. Diesen Zusammenhang auszudrücken war dem faustischen Menschen nicht gegeben, wohl aber dem Dichter, dessen Sensus für das Mythische in die Weltliteratur eingegangen ist. Er soll am Schluß das Wort haben:

---

verspielte, die der Mythos (auch im Kerygma) leistet. Diese Gefahr mag wohl gegeben sein, immerhin hat Bultmann selbst sie scharf gesehen, wenn er gerade hier den Unterschied zwischen Philosophie und Theologie sieht: während in der Philosophie schon das Wissen um Eigentlichkeit ihrer mächtig macht, hält das Neue Testament die Lage des Menschen insofern für aussichtslos, als er ausschließlich auf das Handeln Gottes für ihn angewiesen ist (*Bultmann:* NT und Mythologie, S. 37–39).

100. »Wenn unser Bewußtsein sich der Welt des Mythos entzieht und dessen substantielle Gehalte verdrängt, wird auch das Licht der Offenbarung unsichtbar« (*Picht:* Kunst und Mythos, S. 9). Man könnte in diesem Zusammenhang gar vermuten, daß die emanzipative Rationalität, deren Kultur die Kritik und nicht die Rezeption ist, selbst mythische Züge trägt. »Die Rationalität der Neuzeit ist in den Ritualen, in denen sie ihren ursprünglichen Frevel, die Losreißung vom Mythos, als perpetuierte Verleugnung des Mythos zwanghaft wiederholen muß, selbst mythisch« (a. a. O., S. 13).

»Aber droben das Licht, es spricht noch heute zu Menschen,
Schöner Deutungen voll und des großen Donnerers Stimme
Ruft es: denket ihr mein? und die trauernde Wooge des Meergotts
Hallt es wieder: gedenkt ihr nimmer meiner, wie vormals?
Denn es ruhn die Himmlischen gern am fühlenden Herzen;
...
Aber weh! es wandelt in Nacht, es wohnt, wie im Orkus,
Ohne Göttliches unser Geschlecht. Ans eigene Treiben
Sind sie geschmiedet allein, und sich in der tosenden Werkstatt
Höret jeglicher nur und viel arbeiten die Wilden
Mit gewaltigem Arm, rastlos, doch immer und immer
Unfruchtbar, wie die Furien, bleibt die Mühe der Armen.«[101]

Verzeichnis zitierter Literatur

G. Bader: »Theologia poetica«. Begriff und Aufgabe, in: ZThK 83 (1986), S. 188–237.
K. Barth: Unerledigte Anfragen an die heutige Theologie, in: *ders.:* Die Theologie und die Kirche. Gesammelte Vorträge II, München 1928, S. 1–25.
R. Barthes: Mythen des Alltags, Frankfurt a. M. 1964 (es 92).
J. Becker: Das Evangelium nach Johannes. Kapitel 1–10, Gütersloh/Würzburg 1979 (ÖTK 4/1).
J. Blank: Das Evangelium nach Johannes, 1. Teil a, Düsseldorf 1981 (Geistliche Schriftlesung 4/1 a).
H. Blumenberg: Arbeit am Mythos, Frankfurt a. M. 1979.
– Wirklichkeitsbegriff und Wirkungspotential des Mythos, in: *M. Fuhrmann (Hg.):* Terror und Spiel. Probleme der Mythenrezeption, München 1971 (Poetik und Hermeneutik IV), S. 11–66.
R. Bultmann/D. Lührmann: Art. ἐπιφαίνω κτλ., in: ThWNT IX 8, 14–10,22.
R. Bultmann: Das Evangelium des Johannes, Göttingen, 19. Aufl., 1968 (KEK II).
– Neues Testament und Mythologie. Das Problem der Entmythologisierung der neutestamentlichen Verkündigung, in: Kerygma und Mythos I, Hamburg-Bergstedt, 5. Aufl. 1967, S. 15–48.
C. Chabrol/L. Marin (Hg.): Erzählende Semiotik nach Berichten der Bibel, deutsche Übersetzung, München 1973.
M. Eliade: Geschichte der religiösen Ideen I: Von der Steinzeit bis zu den Mysterien von Eleusis, Freiburg/Basel/Wien 1978.
F. Fellmann: Das Ende des Laplaceschen Dämons, in: *R. Koselleck/W.-D. Stempel (Hg.):* Geschichte – Ereignis und Erzählung, München 1973 (Poetik und Hermeneutik), S. 115–138.
M. Frank: Der kommende Gott. Vorlesungen über die Neue Mythologie, I. Teil, Frankfurt 1982 (es 1142).
S. Freud: Die Zukunft einer Illusion, in: *ders:* Gesammelte Werke chronologisch geordnet XIV, London/Frankfurt a. M., 3. Aufl. 1963, S. 323–380.
K. Füssel: Materialistische Lektüre der Bibel. Bericht über einen alternativen Zugang zu biblischen Texten, in: *W. Schottroff/W. Stegemann (Hg.):* Der Gott der kleinen Leute. Sozialgeschichtliche Bibelauslegungen, Bd. I: Altes Testament, München/Gelnhausen 1979, S. 20–36.
H. Gese: Der Johannesprolog, in: *ders:* Zur biblischen Theologie. Alttestamentliche Vorträge, München 1977 (BEvTh 78), S. 152–201.
J. W. Goethe: Faust. Eine Tragödie, in: *ders.:* Gedenkausgabe der Werke, Briefe und Gespräche V, hg. von E. Beutler, Zürich/Stuttgart, 2. Aufl. 1962.
H. Gollwitzer: Historischer Materialismus und Theologie. Zum Programm einer materialistischen Exegese, in: *W. Schottroff/W. Stegemann (Hg.):* Traditionen der Befreiung, Bd. I: Methodische Zugänge, München/Gelnhausen 1980, S. 13–59.

---

101. *Hölderlin:* Der Archipelagus, in: *ders.:* Sämtliche Werke II/1, S. 110, Zeilen 231–235.241–246.

E. Güttgemanns: Einleitende Bemerkungen zur strukturalen Erzählforschung, LingBibl 23/24 (1973), S. 2–47.
E. Haenchen: Das Johannesevangelium. Ein Kommentar, aus den nachgelassenen Manuskripten hg. von Ulrich Busse, Tübingen 1980.
H. Harsch: Tiefenpsychologisches zur Schriftauslegung, in: *G. Voss/H. Harsch (Hg.):* Versuche mehrdimensionaler Schriftauslegung. Bericht über ein Gespräch, Stuttgart/München 1972, S. 32–41.
H.-J. Hermisson: Studien zur israelitischen Spruchweisheit, Neukirchen-Vluyn 1968 (WMANT 28).
F. Hölderlin: Sämtliche Werke II/1, hg. von F. Beißner, Stuttgart 1951.
P. Hofrichter: Im Anfang war der »Johannesprolog«. Das urchristliche Logosbekenntnis – die Basis neutestamentlicher und gnostischer Theologie, Regensburg 1986 (BU 17).
A. Horstmann: Art. Mythos, Mythologie, in: Historisches Wörterbuch der Philosophie VI, Sp. 283–318.
K. Hübner: Die Wahrheit des Mythos, München 1985.
H. Jonas: Gnosis und spätantiker Geist I: Die mythologische Gnosis, Göttingen, 2. Aufl. 1954 (FRLANT 51).
E. Käsemann: Aufbau und Anliegen des johanneischen Prologs, in: *ders.:* Exegetische Versuche und Besinnungen II, Göttingen 1964, S. 155–180.
– Jesu letzter Wille nach Johannes 17, Tübingen 1966.
K. Th. Kleinknecht: Johannes 13, die Synoptiker und die »Methode« der johanneischen Evangelienüberlieferung, in: ZThK 82 (1985), S. 361–388.
H. Kohler: Kreuz und Menschwerdung im Johannesevangelium. Ein exegetisch-hermeneutischer Versuch zur johanneischen Kreuzestheologie, Zürich 1987 (AThANT 72).
R. Kysar: Christology and Controversy. The Contributions of the Prologue of the Gospel of John to New Testament Christology and their Historical Setting, in: CThMi 5 (1978), S. 348–364.
X. Léon-Dufour (Hg.): Exegese im Methodenkonflikt. Zwischen Geschichte und Struktur, München 1973 (deutsche Übersetzung).
C. Lévi-Strauss: Die Struktur der Mythen, in: *ders.:* Strukturale Anthropologie, Frankfurt a. M. 1967, S. 226–254.
A. Lindemann: Gemeinde und Welt im Johannesevangelium, in: *D. Lührmann/G. Strecker (Hg.):* Kirche. FS G. Bornkamm, Tübingen 1980, S. 133–161.
H. Lübbe: Geschichtsbegriff und Geschichtsinteresse. Analytik und Pragmatik der Historie, Basel/Stuttgart 1977.
B. L. Mack: Logos und Sophia. Untersuchungen zur Weisheitstheologie im hellenistischen Judentum, Göttingen 1973 (StUNT 10).
W. A. Meeks: Die Funktion des vom Himmel herabgestiegenen Offenbarers für das Selbstverständnis der johanneischen Gemeinde, in: *ders. (Hg.):* Zur Soziologie des Urchristentums. Ausgewählte Beiträge zum frühchristlichen Gemeinschaftsleben in seiner gesellschaftlichen Umwelt (TB 62), München 1979 (deutsche Übersetzung), S. 245–283.
E. L. Miller: »The Logos was God«, in: EvQ 53 (1981), S. 65–77.
H.-P. Müller: Mythos – Anpassung – Wahrheit. Vom Recht mythischer Rede und deren Aufhebung, in: ZThK 80 (1983), S. 1–25.
– Mythos und Kerygma. Anthropologische und theologische Aspekte, in: ZThK 83 (1986), S. 405–435.
W. Nestle: Vom Mythos zum Logos. Die Selbstentfaltung des griechischen Denkens von Homer bis auf die Sophistik und Sokrates, Stuttgart, 2. Aufl. 1975 (Offsetnachdruck der 2. Aufl. 1941).
F. Overbeck: Christentum und Kultur. Gedanken und Anmerkungen zur modernen Theologie, aus dem Nachlaß herausgegeben von C. A. Bernoulli, Darmstadt, 3. Aufl. 1973.
G. Picht: Kunst und Mythos, *Constanze Eisenbart/Enno Rudolph (Hg.):* Georg Picht. Vorlesungen und Schriften, Stuttgart 1986.
G. Reim: Jesus as God in the Fourth Gospel: The Old Testament Background, in: NTS 30 (1984), S. 158–160.

K. Rudolph: Die Gnosis. Wesen und Geschichte einer spätantiken Religion, Göttingen, 2. Aufl. 1980.
G. Schenke: Die dreigestaltige Protennoia, Nag-Hammadi-Codex XIII. Herausgegeben, übersetzt und kommentiert, Berlin 1984 (TU 132).
G. Schiwy: Der französische Strukturalismus. Mode, Methode, Ideologie, Reinbek bei Hamburg 1969 (rde 310–311).
– Strukturalismus und Theologie, ThPh 41 (1968), S. 523–541.
H. H. Schmid: Wesen und Geschichte der Weisheit. Eine Untersuchung zur altorientalischen und israelitischen Weisheitsliteratur, Berlin 1966 (BZAW 101).
R. Schnackenburg: Das Johannesevangelium I, Freiburg/Basel/Wien, 5. Aufl. 1981 (HThK IV/1).
U. Schnelle: Antidoketische Christologie im Johannesevangelium. Eine Untersuchung zur Stellung des vierten Evangeliums in der johanneischen Schule, Göttingen 1987 (FRLANT 144).
L. Schottroff: Der Glaubende und die feindliche Welt. Beobachtungen zum gnostischen Dualismus und seiner Bedeutung für Paulus und das Johannesevangelium, Neukirchen-Vluyn 1970 (WMANT 37).
S. Schulz: Das Evangelium nach Johannes, Göttingen, 12. Aufl. 1972 (NTD 4).
W. Sparn: Hans Blumenbergs Herausforderung der Theologie, in: ThR 49 (1984), S. 170–207.
G. Stählin: Art. μῦθος, in: ThWNT IV 793, 10–799, 18.
J. Taubes: Der dogmatische Mythos der Gnosis, in: *H. Blumenberg:* Wirklichkeitsbegriff, a. a. O., S. 145–156.
E. Troeltsch: Über historische und dogmatische Methode in der Theologie, in: *G. Sauter* (Hg.): Theologie als Wissenschaft. Aufsätze und Thesen, München 1971 (TB 43), S. 105–127.
H. Weder: Das Kreuz Jesu bei Paulus. Ein Versuch, über den Geschichtsbezug des christlichen Glaubens nachzudenken, Göttingen 1981 (FRLANT 125).
– Die Menschwerdung Gottes. Überlegungen zur Auslegungsproblematik des Johannesevangeliums am Beispiel von Joh 6, in: ZThK 82 (1985), S. 325–360.
– Neutestamentliche Hermeneutik, Zürich 1986 (Zürcher Grundrisse zur Bibel).
C. F. von Weizsäcker: Der Garten des Menschlichen. Beiträge zur geschichtlichen Anthropologie, München/Wien 1977.
K. Wengst: Bedrängte Gemeinde und verherrlichter Christus. Der historische Ort des Johannesevangeliums als Schlüssel zu seiner Interpretation, Neukirchen-Vluyn 1981 (BThSt 5).

Votum zum Vortrag von Hans Weder
Wolfgang Harnisch

1. Mutmaßungen zum theologischen und philosophischen Ort des Entwurfs

Was den Vortrag von Hans Weder auszeichnet, ist die Intensität einer theologischen Reflexion, die insofern zu denken gibt, als sie sich der Aufgabe einer Kritik der Kritik mythischen Redens stellt. Sie hält zwar an R. Bultmanns Programm der Entmythologisierung fest, verwahrt sich aber zugleich entschieden gegen den Versuch, die Kategorie des Mythischen aus dem Zusammenhang einer theologischen Hermeneutik zu eskamotieren. Weder weiß sich mit Bultmann darin einig, daß es gilt, der eigentlichen Absicht des Mythos ansichtig zu werden. Wie Bultmann formuliert, will der Mythos »von einer jenseitigen Macht ... reden, welcher Welt und Mensch unterworfen sind«[102] Dies Interesse mythischer Rede aufzuspüren, ist das erklärte Ziel der Entmythologisierung. Sie hat es nicht auf eine Eliminierung, sondern auf eine kritische Interpretation der mythisch geprägten Texte des Neuen Testaments abgesehen. Kritisch ist diese Interpretation insofern, als sie den objektivierenden Charakter mythischer Aussagen decouvriert, der ein Vernehmen der eigentlichen Redeabsicht des Mythos verstellt oder sogar vereitelt.
Weder läßt das damit genannte Motiv der Entmythologisierung im Sinne Bultmanns gelten. Es hat

102. Neues Testament und Mythologie, in: *H.-W. Bartsch (Hg.),* Kerygma und Mythos I. Ein theologisches Gespräch, 3. Aufl., Hamburg 1954, S. 23.

indessen den Anschein, als sei für ihn das Programm einer kritischen Aneignung mythischer Rede weniger durch eine Objektivierungstendenz auf seiten der mythischen Rede selbst als vielmehr durch eine solche auf seiten des Adressaten dieser Rede provoziert. Unfähig, das im Mythos Bekundete zu hören, sieht sich der zum Hören Berufene veranlaßt, die Kunde als einen möglichen Gegenstand des Hörens allererst ins Werk zu setzen, sie sich vorzustellen. Nach dem Urteil M. Heideggers bedeutet Vor-stellen hier: »das Vorhandene als ein Entgegenstehendes vor sich bringen, auf sich, den Vorstellenden zu, beziehen und in diesen Bezug zu sich als den maßgebenden Bereich zurückzwingen«[103]. Das Wahrzunehmende »wird jetzt so genommen, daß es erst und nur seiend ist, sofern es durch den vorstellend-herstellenden Menschen gestellt ist«[104]. Für Weder hat es die theologische Hermeneutik in erster Linie mit einer Objektivierungstendenz dieser Art zu tun. Damit wird eine Einsicht geltend gemacht, auf die sich schon E. Fuchs im Einverständnis mit Heidegger berief: »Die Front, gegen die ... gedacht werden muß, ist die jeden von uns beherrschende alltägliche Sprache der Subjektivität *und* der Objektivität, denn das, was wir Subjektivität zu nennen pflegen, ist nur eine versteckte Form der Objektivierung: der Mensch usurpiert die Begründung seiner Existenz, indem er Objekte ›bildet‹, ›vorstellt‹, die ihn des Rechts seiner Subjektivität ›objektiv‹ gewiß machen sollen. Das hat seine Analogie in der vom Evangelium abgewiesenen ›Werkgerechtigkeit‹«[105].
Wenn Weder am Schluß seines Vortrags »das ins Herrschen verstiegene Menschsein« als den eigentlichen Gegenstand der Entmythologisierung ausgibt, geht er über Bultmann hinaus und könnte auch und gerade in dieser Hinsicht der lebhaften Zustimmung von Fuchs sicher sein. So fragt Fuchs im Rahmen einer Reflexion über die Eigenart johanneischer Sprache: »Wer ist jetzt der Gegenstand der Entmythologisierung?« Seine Antwort lautet: »Weder Gott, noch Jesus, noch die Welt ..., sondern der in ein verkehrtes Verhältnis zu sich selbst verstrickte Mensch des Stillstands, ... der gar nicht weiß, daß er von einer Bewegung lebt, die durch sein übliches Verständnis eines stillgelegten Raumes und einer nur scheinbar umlaufenden Zeit schrecklich abgeblendet ist. Es gilt nicht, die Offenbarung einem stillgelegten Raum und einer nur scheinbar umlaufenden Zeit zu unterwerfen, sondern es gilt, sich durch das Evangelium dorthin zurückholen zu lassen, wo sich Raum und Zeit aus einer Bewegung von Weg und Gang als Raum für andere und Zeit für uns verstehen lassen«[106].
In diesem Zusammenhang liegt es nahe, auf eine philosophische Sachparallele zur theologischen Fragestellung Weders aufmerksam zu machen. Weders Programm einer Kritik der Mythenkritik besitzt nämlich eine bemerkenswerte Analogie im Denken P. Ricœurs. Dies zeigt sich z. B. daran, daß Ricœur zwischen dem Vorgang der ›Entmythologisierung‹ und dem einer ›Entmythisierung‹ streng unterschieden wissen will: »Jede Kritik ›entmythologisiert‹, insofern sie Kritik ist: d. h., sie treibt die Abgrenzung des Historischen ... und des Pseudo-Historischen immer weiter; denn eben den *Logos* des *Mythos* sucht die Kritik immerfort auszutreiben (so die Vorstellung des Universums als eine Schichtung von Orten ...); ... aber gerade indem die moderne Hermeneutik den ›Entmythologisierungs‹gang beschleunigt, enthüllt sie die Dimension des Symbols als eines ursprünglichen Zeichens des Heiligen.«[107] Anders gesagt: »Die Auflösung des Mythos als eines Erklärungsversuchs ist der notwendige Weg zur Wiedereinsetzung des Mythos als eines Symbolgefüges.«[108] Auch wenn zu beachten bleibt, daß es sich bei diesen Erwägungen um philosophisch verantwortete Aussagen handelt, ist die sachliche Nähe zum Interesse des theologischen Entwurfs Weders doch nicht zu übersehen. Wie Weder einer theologischen Hermeneutik den Kampf ansagt, die ihrer eigenen Voraussetzung verlustig zu gehen droht, so kritisiert Ricœur eine philosophische

103. *Martin Heidegger:* Die Zeit des Weltbildes, in: Holzwege, 6. Aufl., Frankfurt/M. 1980, S. 84.
104. A. a. O., S. 82.
105. *Ernst Fuchs:* Hermeneutik, 4. Aufl., Tübingen 1970, S. 64.
106. A. a. O., S. 281.
107. *Paul Ricœur:* Symbolik des Bösen. Phänomenologie der Schuld II, Freiburg/München 1971, S. 401.
108. A. a. O., S. 398.

Hermeneutik, die meint, sich ohne Voraussetzungen etablieren zu müssen: »Eine Philosophie, die aus der Fülle der Sprache heraus beginnt, ist eine Philosophie mit Voraussetzung. Ihre Redlichkeit besteht darin, ihre Voraussetzungen auseinander(zu)legen, sie als das Geglaubte auszusprechen, das Geglaubte als Einsatz ins Spiel zu bringen und dann zu versuchen, den Einsatz ins Verstehen einzuholen.«[109]

2. Kritische Rückfragen

Sofern damit der Ort der Überlegungen Weders zutreffend umschrieben ist, tritt das Unabweisbare der thematisierten Problemstellung um so deutlicher zutage. Es dürfte schwerfallen, sich der theologischen Provokation des Erwogenen zu entziehen. Dies gilt zumal dann, wenn man Weders Urteil über die sog. ›kalte Entmythologisierung‹ teilt (dieser Rubrik läßt sich übrigens auch die deskriptive Phänomenologie zuschlagen, die mit den genannten vier anderen Deutemustern mythischer Rede darin übereinstimmt, daß sie die Wahrheitsfrage suspendiert[110]). Gleichwohl bleiben Fragen. Sie betreffen zum einen die Charakteristik des Mythischen selbst, zum anderen die Bezugnahme auf den Johannesprolog. Für mich steht die Überzeugungskraft des Ganzen besonders insofern zur Debatte, als zweifelhaft ist, ob Joh 1 tatsächlich ein geeignetes Paradigma für die Erörterung der Mythosproblematik darstellt. Ich kann meine Vorbehalte nur in der Form knapp gefaßter Einwände formulieren, die zugleich mögliche Diskussionspunkte signalisieren.

a) Zur Wahrnehmung des Textes

Es ist auffällig, daß die Aussagefolge des Johannesprologs in Weders Entwurf äußerst selektiv Berücksichtigung findet. Ausdrücklich reflektiert werden nur die V.1–5.9–12 sowie 14 und 16. Dabei handelt es sich um eben jene Textpartien, die in unterschiedlicher Weise als Elemente einer im Text verarbeiteten Vorlage in Betracht gezogen werden. Nun unterliegt keinem Zweifel, daß Weder den Prolog im Kontext des Evangeliums diskutieren will. Er hat nicht den isolierbaren Stoff einer Quelle, sondern Joh 1 als Ouvertüre der Gesamterzählung im Blick. De facto orientiert sich seine Erörterung aber eben keineswegs am vorliegenden Text, sondern an einer daraus extrapolierten Aussagereihe. So bleiben insonderheit die Täuferaussagen (V.6–8.15) ausgeblendet.

Dieser Sachverhalt provoziert eine Reihe kritischer Rückfragen. Läßt sich die Aussageabsicht des Prologs tatsächlich ohne Beachtung der übergangenen Textmomente (vgl. auch die V. 13.17f.) erheben? Müßte nicht geklärt werden, welche Funktion den Täuferpassagen innerhalb der Textbewegung zukommt, wenn die Intention des Ganzen zur Debatte steht? Einmal angenommen, es träfe zu, daß sich im Johannesprolog mythische Rede artikuliert – was besagt es dann für die Eigenart dieser Rede, daß sie episodisch durch narrative Bezugnahmen auf eine historische Figur unterbrochen wird? In diesem Zusammenhang stellt sich die Frage nach Stil und Struktur des Textes. Weder scheint der Auffassung, daß die von ihm für den Mythos vom Logos reklamierte Aussagefolge den Charakter einer Erzählung besitzt. Wie verhält sich diese Annahme zu der weithin anerkannten These, daß der Anfang des Johannesevangeliums (abgesehen von der doppelten Bezugnahme auf die Zeugenrolle des Täufers) das Gefüge eines Gesangs darstellt, wobei noch einmal zwischen hymnischen und homologischen Stücken zu differenzieren wäre (vgl. die V.1–5.9–13 mit den V.14[15 b.c?.] 16)? Inwiefern tangiert die Beobachtung der hymnisch-homologischen Sprache des Prologs die Würdigung seiner mythischen Qualität? Was gibt die Verschränkung von Lobpreis und Bekenntnis in hermeneutischer Hinsicht zu verstehen? Der Sachverhalt wäre noch komplexer, wenn man (mit W. Schmithals) voraussetzen dürfte, daß der Täufer nicht erst in V.15 b.c.(16?), sondern bereits in den V.9–13 selbst zu Wort kommt[111]. In diesem Fall müßte die Interpretation in Rechnung stellen, daß sowohl die hymnische Prädikation der Eingangspassage als auch die homologische Antwort der Gemeinde jeweils im Echo des Täuferzeugnisses reflektiert werden. Wir hätten es mit dem Phänomen einer Spiegelung zu tun,

109. A. a. O., S. 406.

110. Vgl. *P. Ricœur*, a. a. O., S. 401 f.

111. Vgl. Der Prolog des Johannesevangeliums, ZNW 70 (1979), S. 42 f.

die eine Steigerung des Hymnischen, eine Art Komparativ hymnischer Sprache signalisiert. Erwägungen dieser Art beeinflussen die Wahrnehmung des Gesagten und haben weitreichende Folgen für die Bestimmung der Aussageabsicht des Textes. So erschiene es unter der genannten Prämisse als verfehlt, die Sequenz der V.1–5 und 9–13 im Sinne einer in sich geschlossenen Erzählfolge zu begreifen, die in V.14 ihren Gipfelpunkt erreicht. Zu prüfen wäre vielmehr, ob die Abschnitte nicht als Variationen ein und desselben Themas aufgefaßt sein wollen.
Fazit: Was ich in Weders Ausführungen vermisse, ist die vorgängige Analyse der Struktur des Prologs, die mit Erwägungen zum sprachlichen Charakter der sich abhebenden Textpartien einhergehen müßte und das Problem ihrer Wechselbeziehung zu klären hätte. Erst im Rahmen einer derartigen Charakteristik der Textform läßt sich m. E. die Frage nach der mythischen Qualität des Gesagten sinnvoll und aussichtsreich erörtern.

b) Zur Charakteristik des Mythischen

In Weders Beschreibung des Mythischen spielen sowohl positiv als auch negativ qualifizierte Gesichtspunkte eine Rolle. So ist einerseits vom Moment eines unvordenklich Eingeräumten, andererseits von dem eines Kampfs um Raum die Rede. Beide Charaktere werden freilich ganz unterschiedlichen Erscheinungsformen des Mythischen zugeschrieben. Kennzeichnet das erste Merkmal die Eigenart mythischer Rede, so das zweite die »mythische Weise des Existierens«. Es fragt sich, ob diese Sonderung dem Phänomen des Mythischen gemäß ist. Muß nicht eine Wirksamkeit der beiden widersprüchlichen Momente schon auf der Seite der mythischen Rede in Anschlag gebracht werden? In diesem Sinne urteilt z. B. E. Fuchs, wenn er eine innere Zwiespältigkeit des Mythos namhaft macht und am Mythos zwei Tendenzen unterscheidet: »Die eine Tendenz des Mythos dringt im Unterschied vom Logos zum Unsäglichen vor und hält das Wissen um das Unsägliche, das Fremde, wach. Die andere Tendenz des Mythos will genau wie der Logos die Gewalt einfangen, um die es im Äußersten des Lebens geht.«[112] Agiert der Mensch im Mythos einerseits »an einem ursprünglichen Ort seiner Existenz, dort, wo das Recht des *Grundlosen* herrscht«[113], so erliegt er im Mythos am selben Ort andererseits der Verführung, das Grundlose zu usurpieren und in den Griff zu nehmen. Im Mythos selbst ist also die Perversion seiner ursprünglichen Absicht angelegt. Als Kunde vom Angewiesensein des Menschen auf eine außerweltliche Macht entworfen, wird er unversehens zu einem Mittel menschlicher »Selbstbemächtigung in Weltbemächtigung«[114]: Der Mythos teilt mit, »was ›im Grunde‹ der Fall ist«[115].
So erhebt sich die Frage, ob Weder das Moment einer Objektivierungstendenz auf seiten der mythischen Rede nicht vorschnell abgeblendet hat. In der Absicht zu zeigen, daß es gilt, sich »jenseits der Wüste der Kritik« aufs neue ansprechen zu lassen, bedenkt er wie Ricœur die unüberholbare Kraft mythischer Sprache, trägt dabei aber zuwenig dem Sachverhalt Rechnung, daß uns der Weg in eine ›erste Naivität‹ verlegt ist[116]. Sosehr ich also Weders Interesse an einer Kritik der Mythenkritik teile, sowenig kann ich mir ein kurzschlüssiges Verfahren dieser Kritik zu eigen machen.
In diesem Zusammenhang wäre zu diskutieren, ob nicht schon Weders Basisdefinition des Mythischen die problematische Seite des Phänomens unterschlägt. Des weiteren wäre zu prüfen, ob sich die applikative Entfaltung dieser Definition im Kontext der Prologexegese nicht in verhängnisvolle Widersprüche verwickelt. Einleuchtend ist, wenn Weder die Lebenserfahrung der Gnade als den Ursprung des Redens vom Logos, wie es in Joh. 1 laut wird, namhaft macht. Was zur Sprache drängt, ist eine Wahrnehmung, die sich als Innewerden der Wahrheit beschreiben läßt. Nun artikuliert sich dieses Innewerden für Weder im Akt einer Würdigung, welche »die

---

112. *E. Fuchs,* a. a. O., S. 170.
113. A. a. O., S. 169.
114. A. a. O., S. 170.
115. *Manfred Frank:* Die Dichtung als »Neue Mythologie«, in: *K. H. Bohrer (Hg.),* Mythos und Moderne. Begriff und Bild einer Rekonstruktion, Frankfurt a. M. 1983, 17.
116. Vgl. *P. Ricoeur,* a. a. O., S. 397 und 399.

wirklichen Dinge in ihrem wahren Gewicht« erscheinen läßt. Es handelt sich um eine Wahrnehmung, die »in den Menschen Jesus mehr hineinsieht, als er weltlich gesehen ist«. Was an dieser Charakteristik befremdet, ist der darin vorausgesetzte Bezug auf das, »was vor aller Augen ist«. Die als Würdigung interpretierte Wahrnehmung bleibt auf die Dimension dessen, »was der Fall ist«, angewiesen. Noch deutlicher zeigt sich diese Wiedereinsetzung der (in der Basisdefinition abgewiesenen) Kategorie des Vorhandenen in Weders Verhältnisbestimmung von begrifflicher, poetischer und mythischer Sprache. Während das Begriffliche beschreibt, was der Fall ist, würdigen das Poetische und das Mythische das Gewicht dessen, was der Fall ist. Dabei liegt der Mehrwert des Mythischen gegenüber dem Poetischen allein darin, daß es dem Vorliegenden *göttliche* Würde zuschreibt. Beide kommen indessen darin überein, daß sie etwas Augenfälliges qualifizieren. Sie nehmen ihren Ausgang bei dem, was der Fall ist. Ich muß gestehen, daß ich mich mit dieser Beschreibung dichterischer Sprache nicht anfreunden kann. Mit M. Heidegger ist an dieser Stelle im Widerspruch zur These Weders vielmehr geltend zu machen, daß sich die Dichtung als ein »Ins-Werk-Setzen der Wahrheit« zu verstehen gibt, wobei »die Wahrheit zugleich« als »das Subjekt und das Objekt des Setzens« in Erscheinung tritt[117]. Die Poesie läßt das, was sie zur Sprache bringt, allererst sein. Sie zeigt sich insofern als Stiftung, die den Charakter einer Schenkung im Überfluß besitzt[118]. Wie Heidegger zu Recht einschärft, wird die Wahrheit aus »dem Vorhandenen und Gewöhnlichen ... niemals abgelesen«[119]. Von daher gesehen, geraten Weders Ausführungen zur Sprachkraft der Dichtkunst in ein verhängnisvolles Zwielicht. Sie stehen nicht nur in Spannung zur Basisdefiniton des Mythischen, sondern arbeiten mit einer höchst zweifelhaften Alternative. Daraus folgt: Wenn das Mythische tatsächlich am Wesen des Poetischen Anteil hat, wäre die Kraft seiner Sprache wohl anders zu bestimmen, als dies bei Weder der Fall ist.

Es erscheint sinnvoll, die Aussagen des Johannesprologs im Rahmen einer hermeneutischen Besinnung zu würdigen, die der Eigenart der Poesie nachdenkt. Ob dabei zugleich das Phänomen des Mythischen eine grundlegende Rolle spielt, ist m. E. eine offene Frage. Ich bezweifle jedenfalls, daß es sich bei der Wahrnehmung des Glaubens, die sich in den V.14 und 16 von Joh 1 ausspricht, um ein mythisch qualifiziertes Phänomen handelt. Und ich halte es keineswegs für ausgemacht, ob eine Theologie, die sich als Christologie entfaltet, unabdingbar auf das Mythische angewiesen bleibt, ob also Jesus exklusiv im mythischen Horizont zu belassen ist, wenn er als der Logos in Person begegnen soll, und ob schließlich das als Wort Gegebene unerläßlich eines ›qualifier‹ (nämlich des ›Unvordenklichen‹) bedarf, um als etwas Unverwechselbares in Erscheinung zu treten. Damit plädiere ich nicht vorbehaltlos im Sinne Ricœurs für die Aufgabe einer ›transzendentalen Deduktion‹, »welche die Symbole zum Rang existentialer Begriffe erhebt«[120]. In dieser Hinsicht teile ich eher Weders Bedenken. Wohl aber votiere ich für einen hermeneutischen Stil, der die eigentümliche Schwebelage eines Textes wie Joh 1 bewahrt, indem er das hymnisch Gesagte umschreibend wiederholt, und sei es in metaphorischer Rede: »Es könnte ja sein, daß der Weg immer nur von Metapher zu Metapher führt, von abgenutzter, nicht mehr zeitgemäßer zu frischer, uns neu ansprechender, da das Eigentliche, Unsagbare vielleicht gar nicht anders als derart indirekt gesagt werden kann.«[121]

---

117. *M. Heidegger:* Der Ursprung des Kunstwerkes, a. a. O., S. 64.
118. Vgl. a. a. O., S. 62ff.
119. A. a. O., S. 59.
120. A. a. O., S. 404 und 406.
121. *Hans Jonas:* Im Kampf um die Möglichkeit des Glaubens, in: *O. Kaiser (Hg.):* Gedenken an Rudolf Bultmann, Tübingen 1977, 49.

c). Zur Rede von der Kehre des Mythos

Nach Weder führt sich der Mythos vom Logos in die Kehre seiner selbst. Joh 1,14 beschreibt den Übergang vom Mythischen ins Weltliche: Das Prädikat des ›Unvordenklichen‹ wird dem im Vordergrund der Welt gesagten Wort Jesu zugeschrieben. Diese Erwägungen setzen voraus, daß es sich bei V.14 um den Gipfelpunkt des Mythos vom Logos nach Joh 1 handelt. Wie verträgt sich diese These nun aber mit der Behauptung, die Würdigung des Wortes Jesu könne nie ohne den *mythischen Rückgang* auf das Unvordenkliche auskommen? Was soll die Rede von der Kehre, wenn doch der Logos auf den *mythischen Rekurs* angewiesen bleibt? Gerät der Mythos durch den erzählten Gipfel von V. 14 in einen Widerspruch mit sich selbst? Soll etwa angedeutet werden, daß die mythische Bewegung durch die Aussage von V. 14 aufgehoben wird?

Nach meinem Empfinden ist in Weders Erörterung von Joh 1 die Kategorie der Kehre nicht zureichend reflektiert. Passend erschiene sie, wenn wir es mit dem *gnostischen* Mythos zu tun hätten. Wie H. Jonas gezeigt hat, bringt dieser nämlich in der Tat *»die Peripetie seiner selbst«* zur Sprache: »Die Kündung des Mythos, als aktuell werdende Erkenntnis, bezeichnet nicht nur, sondern vollzieht einen Wendepunkt in seinem eigenen Inhalt.«[122] Anders gesagt: das »Erzähltwerden des Mythos« ist »zugleich der Übergangspunkt zu einer neuen Phase des Erzählten«. Dieser Sachverhalt hat seinen Grund darin, »daß Subjekt des mythischen Gesamtprozesses und Angeredeter der mythologischen Offenbarung (Subjekt der Gnosis) letztlich eines sind«[123]. Von einer derartigen Peripetie kann indessen im Blick auf den Johannesprolog nicht entfernt die Rede sein. Was aber läßt sich dann noch zugunsten der Rede von einer Kehre geltend machen? Wird sie überhaupt der Eigenart des Textgefüges von Joh 1 gerecht? Wie wäre es, wenn man V.14 nicht als den Gipfel-, sondern vielmehr als den eigentlichen Angelpunkt der Aussagefolge zu beurteilen hätte? Dann handelte es sich darum, daß die mythisch klingenden Aussagen von V.1 ff.9 ff. dem in den V.14 ff. Gesagten *eingefügt* werden. Dem Verfasser wäre daran gelegen, für das Bekenntnis von V.14 (ὁ λόγος σάρξ ἐγένετο) zu reklamieren, was in den V.1 ff.9 ff. besungen wird. Setzt man ein Aussageinteresse dieser Art voraus, verliert die Rede von der Kehre jede Plausibilität. Dem Mythos vom Logos widerfährt nicht die Peripetie seiner selbst. Er wird vielmehr vom Bekenntnis zu Jesus als dem fleischgewordenen Wort Gottes eingeholt und diesem Bekenntnis einverleibt.

122. Gnosis und spätantiker Geist II/1, 3. Aufl., Göttingen 1964, S. 15 Anm. 1.
123. A. a. O., S. 14 f.

Der mythische Umgang mit der Rationalität und der rationale Umgang mit dem Mythos

Fritz Stolz

Aufgrund einer symmetrischen Überschrift erwartet man eine Symmetrie der Sache; und so könnte der Leser vermuten, daß ihm im folgenden ein symmetrisches Verhältnis zwischen den Phänomenen des Mythos und der Rationalität vorgeführt werden solle. Das Gegenteil ist der Fall. »Mythos« und »Rationalität« sind auf verschiedenen Ebenen angesiedelt. Einen Mythos sollte man erzählen bzw. ihn sich anhören, sich ihm aussetzen; in der Folge jedoch geht es gar nicht um einen einzelnen Mythos, sondern um »den« Mythos, als ob es diesen gäbe, bevor man ihn durch Abstraktion selbst produziert hat. Über den Mythos distanziert nachzudenken und ihn gewissermaßen von außen zu betrachten ist daher von vornherein nicht unproblematisch. Mit der Rationalität verhält es sich anders; ihr ist das Moment der Abstraktion ursprünglich eigen, und sie steht dem erörternden Diskurs daher sehr viel näher als der Mythos. Es geht im folgenden gerade darum, die Asymmetrie, aber auch den ursprünglichen Zusammenhang zwischen Mythos und Rationalität zu rekonstruieren.

Dabei soll es nicht in erster Linie um das Wesen oder das Produkt, um die Denkformen oder die Ontologie des Mythos gehen, sondern um seine Produktion, seine Arbeitsweise, seine Operationsformen. Entsprechend soll auch die Rationalität nicht primär auf ihr Wesen und ihre Produkte, sondern auf ihre Arbeitsweise und auf ihre Operationsformen hin befragt werden. Traut man dem Mythos und der Rationalität orientierende und ordnende Macht zu, so interessieren hier weniger die Orientierung und die Ordnung, die dabei entstehen, als vielmehr die Art und Weise, wie Orientierung und Ordnung hergestellt werden[1].

1. Der Ansatz des vorliegenden Beitrags ist einer funktionalistischen Betrachtungsweise verpflichtet – einem typischen Produkt neuzeitlicher distanzierender Rationalität. Allerdings sollen die Überlegungen dann gerade auch an die Punkte geführt werden, wo sich die Grenzen solcher Analyse zeigen. – Die angegebene Fragestellung zeigt den Unterschied zu anderen Ansätzen der Mythenforschung an – etwa der klassischen Untersuchung von *Cassirer,* 1925 und den vielen grundsätzlich gleich gearteten Untersuchungen nach dem Wesen mythischer Vorstellungs- und Denkformen. Insbesondere liegt hier auch eine grundsätzliche Differenz zur Fragestellung, wie sie *K. Hübner* in seiner 1985 publizierten umfangreichen Arbeit und auch in diesem Band vertritt (dazu *Poser,* 1986), wenngleich im einzelnen manche Berührungspunkte zu verzeichnen sind.

I.

Will die Religionswissenschaft mit dem Begriff des Mythos umgehen, so braucht sie einen möglichst universal anwendbaren Ausgangspunkt[2]. Dabei hat sich in letzter Zeit die Kategorie der »traditionellen Erzählung« zunehmender Beliebtheit erfreut (und das bedeutet schon recht viel – eine allgemein anerkannte Definitionsbasis ist angesichts der Komplexität der Probleme nicht zu erwarten[3]). Die traditionelle Erzählung ist *eine* sprachliche Darstellungsform eines religiösen Symbolsystems, wobei natürlich ihr Stellenwert in der Hierarchie der Darstellungsmöglichkeiten außerordentlich unterschiedlich sein kann[4]. Es gibt Religionen, in welchen die Erzählung eine zentrale, und andere, in denen sie eine marginale Rolle spielt[5].

Der Begriff der traditionellen Erzählung wäre nun zu erläutern. Innerhalb der einzelnen Kulturen hat das Erzählen recht unterschiedliche Gestalten, Themen und Funktionen, was dann zur Ausdifferenzierung einzelner Gattungen führt (man denke an Redeformen wie Mythos, Sage, Legende, Märchen usw.); doch so nötig solche Unterscheidungen im einzelnen sind[6], so wenig lassen sie sich generell transkulturell durchführen[7]. Wir fragen also nach den Regeln, denen traditionelles Erzählen *grundsätzlich* folgt, und nach den Leistungen, die damit verbunden sind. Das wesentlichste Merkmal des Erzäh-

---

2. Zum gegenwärtigen Stand der Mythenforschung vgl. u. a. *Sebeok,* 1955; *Baumann,* 1959; *Henninger,* 1960; *Fontenrose,* 1966; *Cohen,* 1969; *Honko,* 1970; *Di Nola,* 1972; *Olsen,* 1980; *Day,* 1984; *Bolle,* 1984; *Schlesier,* 1985; *Doty,* 1986; *Kirk,* 1978. – Die religionswissenschaftliche Kategorienbildung ist durch charakteristische Probleme gekennzeichnet: »Mythos« stammt aus dem griechischen Raum und ist durch die abendländische Geistesgeschichte geprägt; der Ausdruck trägt entsprechende semantische Qualitäten. Er muß als Begriff religionswissenschaftlicher Metasprache in einer Weise rekonstruiert werden, daß er Sachverhalte in einzelnen religiösen Objektsprachen zu umfassen vermag – ein nicht unproblematischer Vorgang (vgl. *Detienne,* 1984). Damit solche Begriffe überhaupt brauchbar sind, müssen sie einerseits sehr weit und andererseits durch ein Geflecht von Differenzierungen zur Beschreibung der einzelkulturellen Phänomene spezifizierbar sein. Eine Definition wie die von »Mythos« hängt in hohem Maße vom systembildenden Willen des Definierenden ab – den Mythos »gibt« es nicht einfach, sondern man »macht« ihn. Deshalb sollte auch die wissenschaftliche Auseinandersetzung nicht die Frage betreffen, ob »der Mythos« so oder anders sei, sondern wie weit man mit dieser oder jener Definition kommt. Vgl. *Stolz,* 1988 a, S. 111 ff.

3. Des Begriffs der »(traditionellen) Erzählung« bedienen sich z. B. *Baumann,* 1959; *Fontenrose,* 1966; *Kirk,* 1978; *Burkert,* 1979; *Graf,* 1985. – (Vgl. auch den Beitrag von Oberhammer in seiner Eröffnungsrede des Wiener Kongresses, in diesem Band S. 15–26).

4. *Stolz,* 1988 b.

5. Klassisches Beispiel einer Religion mit sehr spärlichen Mythen (im engen Sinne der Erzählung) ist diejenige der Römer.

6. Das Problem wird vielfältig diskutiert; vgl. z. B. *Aarne,* 1964, zu Märchentypen; *Baumann,* 1959, zur traditionellen Erzählung in Afrika; *Smith,* 1984.

7. Gewiß gelingt es immer wieder, parallele Sachverhalte in einzelnen Kulturen zu erhellen und entsprechende Forschungen wechselweise fruchtbar zu machen. Ein Beispiel dafür ist der Gebrauch, den man von Jolles' Forschung an der nordgermanischen Erzählkultur (1930/1958) im Feld alttestamentlicher Exegese gemacht hat. Aber auch solche Parallelen dürfen nicht universalisiert werden.

lens ist, daß es einen *Vorgang* wiedergibt; einzelne bedeutungsvolle Szenen folgen sich in einer bestimmten Folge.
Diese Bestimmung ist nun freilich gleich nochmals zu problematisieren. Denn die Repräsentation eines bedeutungsvollen Vorgangs muß nicht notwendig durch ein Erzählen im engeren Sinne des Wortes realisiert sein. Die Mythen Griechenlands sind zunächst in der Gestalt des Epos, der Lyrik und der Tragödie überliefert; diese Redeformen machen von traditionell bekannten Handlungssequenzen Gebrauch; immerhin mögen dieselben Stoffe auch als Erzählungen tradiert worden sein[8]. Aber der Vorgang muß nicht einmal unbedingt sprachlich in Erscheinung treten. In Ägypten sind die wesentlichen Vorgänge primär als Bild und als Bildersequenz, die von Sprache begleitet sind, dargestellt; wieweit diese bedeutungsträchtigen Vorgänge auch als Erzählung überliefert wurden, ist nicht klar[9]. Das Mahabharata in Indien wird – wiewohl sprachlich überliefert – vielerorts im Tanz zur Darstellung gebracht[10].
Die hier zur Anwendung gebrachte Definition des Mythos erfolgt also auf zwei Ebenen. Dessen Tiefenstruktur[11] besteht in einer irreversiblen Anreihung von Bedeutungsträgern, welche einen Vorgang konstituieren. Diese Tiefenstruktur ist an der Oberfläche in besonders vielen Kulturen durch die Erzählung im engeren Sinne des Wortes, allenfalls durch andere Redeweisen realisiert; doch gibt es auch andere, z. B. visuelle oder handlungsmäßige, Realisierungsmöglichkeiten[12].
Ein Mythos beinhaltet einen Vorgang, welcher von einem Anfang auf einen Schluß zuläuft. Der Vorgang ist nicht umkehrbar; die Veränderungen, welche sich im Hinblick auf Situationen und die daran beteiligten Personen abspielen, haben eine eindeutige Richtung. Der Ausgangspunkt des Mythos läßt Veränderungen zu; er ist also labil. Der Schluß des Mythos kennt keine weiteren Veränderungen mehr; er ist stabil[13]. Der Mythos beinhaltet demnach

---

8. Zum Problem vgl. *Graf,* 1985, S. 58 ff.; *Kirk,* 1980, S. 95 ff.
9. *Assmann,* 1977/1982.
10. Dies gilt etwa für den Bereich der »primitiven« Stämme Indiens, welche zwar nicht an der Erzählkultur des Hinduismus teilhaben, das Mahabharata aber dennoch im Tanz zur Darstellung bringen.
11. Ich lehne mich mit dieser Bezeichnung an das syntaktische Modell von *Chomsky* (1973) an: Ich rechne mit gewissen elementaren religiösen Orientierungsvorgängen und Sinnproduktionen, welche in einzelnen religiösen Symbolsystemen unterschiedliche Gestalt annehmen können.
12. An dieser Stelle zeigt sich besonders deutlich die begrenzte Möglichkeit der Verwendung eines Begriffs wie »Mythos«. Jedenfalls sind ergänzende Distinktionen ganz unabdingbar; vgl. *Colpe,* 1967, S. 49 ff. Geht man von der genannten Tiefenstruktur aus, so ist hinsichtlich der Ebene der Sprache festzustellen, daß der Mythos zur Narration, nicht zur Deskription gehört (zu dieser Unterscheidung vgl. *Weinrich,* 1964). Das Bild hat zunächst keine Affinität zum Vorgang, kann diese aber gewinnen, wenn es einen Ausschnitt aus einem Vorgang darstellt (also »vektoriell« angeschaut werden muß) oder Element einer Bildergeschichte ist. Die Handlung realisiert einen Vorgang; wird sie aber z. B. dauernd wiederholt, so bekommt sie eine Tendenz zum Statischen.
13. Vgl. bereits die klassischen Äußerungen von *Olrik,* 1909.

eine Transformation von der Labilität zur Stabilität. Dem stabilen Schluß kommt eine gewisse Gültigkeit zu; er macht vorhergehende Stationen ungültig.
Diese Transformation vom Ungültigen zum Gültigen ist häufig zu erläutern durch das Begriffspaar irreal-real[14]. Kosmogonische Mythen etwa entwerfen gern einen irrealen Urzustand ohne Differenzierungen, z. B. eine ungestaltete Wasserwelt, welche dann schrittweise in den jetzigen Zustand der differenzierten Realität überführt wird. Paradiesesmythen berichten von einer ursprünglichen Welt, in welcher gewisse prägende Faktoren der Gegenwart ausgeschaltet sind – z. B. der Tod, die Nötigung zur Arbeit, die Sexualität, die Zurechnungsfähigkeit. Was Welt ist, wird dadurch gezeigt, daß sie mit einer Gegenwelt oder mit mehreren Gegenwelten kontrastiert wird[15]. Die Irrealität kann übrigens durchaus ihren Platz außerhalb des gültigen Kosmos behalten; das ungestaltete Meer, das in kosmogonischen Mythen gern erscheint, existiert weiter nach der Schöpfung, ebenso das chaotische Gemenge politischer Feinde. Dabei sind Mythen in der Regel nicht in der Weise umfassend, daß sie alle Bereich der Wirklichkeit thematisieren; vielmehr beziehen sie sich auf einzelne Aspekte, sie stellen die Welt gewissermaßen paradigmatisch dar. Sie rechnen mit einem Kosmos; aber sie erhellen ihn nur partiell[16].
Eine Erzählung, welche vom labilen Ausgangspunkt zum stabilen Schluß verläuft, erzeugt Spannung[17]. Sie zielt auf die Identifikation des Hörers mit dem Geschehen; der Hörer wird in den Mythos hineingenommen, wird gefesselt. Dadurch teilt die Erzählung ihre Intentionen, d. h. ihr Orientierungspotential, mit. Wir können das Gesagte auf die Formel »Orientierung durch Identifikation« bringen.
Natürlich spielt sich dieser Orientierungsvorgang nicht immer auf derselben Ebene ab. Er kann relativ oberflächlich verlaufen, im Sinne bloßer Unterhaltung[18]. Traditionelle Erzählungen können eine kathartische oder moralische

---

14. Dabei ist »Realität« je nachdem unterschiedlich lokalisiert; normalerweise fällt sie mit der gegebenen Welt zusammen. In gnostischen Mythen dagegen ist die gegebene Welt gerade als »irreal« entlarvt, den Mythos zu verstehen heißt, dies zu durchschauen. Mythen der Cargo-Kulte leiten an, die gegenwärtigen Machtverhältnisse als vorläufig und eigentlich irreal zu verstehen.

15. Vgl. *Stolz,* 1988 a, S. 94 ff.

16. Es ist bezeichnend, daß die antiken Hochkulturen vor dem Aufbruch der Philosophie keinen Ausdruck für das haben, was später »Kosmos« heißt. So richtig also alle Beobachtungen zum kosmischen Charakter altorientalischen Weltordnungsdenkens sind (vgl. etwa *Topitsch,* 1972, S. 13–123; *Schmid,* 1968/1974), so wenig ist doch der Kosmos auf den Begriff gebracht – trotz der Existenz umfassender Ordnungskonzepte wie me im Sumerischen, ṣedaqa im Hebräischen und m3't im Ägyptischen.

17. »Eine Erzählung dichtet ein Geschehen von einer Spannung zu einer Lösung« *Westermann,* 1964, S. 40; Vgl. auch *ders.,* in: BK I/1, S. 32 ff.). Hier sei bereits angemerkt, daß die hier angewandte Definition des Mythos auch auf die Erzählungen des Alten und Neuen Testaments angewandt werden kann.

18. *Colpe,* 1967, S. 54 ff., spricht von Mythos mit bzw. ohne mythische Valenz.

Unterhaltungs- und Befriedigungsfunktion haben und etwa unerfüllbare Wünsche artikulieren, welche man im Erzählvorgang durcherlebt – Wünsche nach dem Glück des zu kurz Gekommenen, nach brutaler Durchsetzung der Gerechtigkeit usw. Dergleichen ist im europäischen Märchen recht häufig[19]. Wesentlicher in unserem Zusammenhang ist die tiefergehende Orientierung, die sich insbesondere bei Verwendung der Erzählung im Kontext eines religiösen Symbolsystems, in einem Ensemble mit anderen Kodierungsebenen der Botschaft wie Handlung, Bild usw. einstellt[20]. Der Vorgang der sprachlichen Prägung ist dann mit anderen Kanälen der Sinneswahrnehmungen koordiniert, wobei durchaus offenbleiben kann, ob nicht eine sinnstiftende Handlung oder ein sinnstiftendes Bild tiefer geht als die Erzählung[21]. Bereits im Alten Orient nehmen Mythen ganz unterschiedliche Stellen innerhalb des Gesamtzusammenhangs der Darstellung eines religiösen Symbolsystems ein[22]: Manche Erzählungen sind eng mit Ritual[23] verbunden, andere

---

19. Vgl. zum europäischen Volksmärchen *Lüthi,* 1960.

20. An dieser Stelle ist auf weitverbreitete Zerrbilder einzugehen, welche sich im Gefolge der Mythenforschung der letzten Jahrzehnte eingestellt haben. Verschiedene Tatbestände, welche sich an einzelnen Orten haben beobachten lassen, sind zu Unrecht generalisiert und zum Wesen des Mythos schlechthin stilisiert worden. So ist z. B. die Meinung, daß Mythos immer mit parallel laufendem Ritual verbunden sei, wie dies *Jane Harrison* (1927) für Griechenland und die kultgeschichtliche Schule für den Alten Orient (z. B. *Mowinckel,* 1953; *Gaster,* 1961) behauptet hatten, schon für diesen Bereich nicht vertretbar (vgl. *Kluckhohn,* 1942/1968; *Bascom,* 1957; *Fontenrose,* 1966); andernorts mag sie eher zutreffen (bestimmend für diese Sicht sind die Arbeiten von *Malinowski,* 1926; *Preuß,* 1933; *Jensen,* 1951). Einerseits gibt es z. B. in vielen Bereichen Mythen, die kaum rituell verwendet wurden wie Riten ohne erläuternden Mythos; und andererseits laufen Mythos und Ritual manchmal nicht parallel, sondern komplementär (vgl. *Lévi-Strauss,* 1978, S. 255 ff.). Das Verhältnis von Ritual und Mythos, oder genauer: zwischen erzählendem Sprechen und rituellem Handeln ist in jeder Einzelkultur genau zu bestimmen. – Ebenso unzutreffend sind generelle Bestimmungen, welche dem Mythos die Funktion zuweisen, das Geschehen einer Heiligen Urzeit anzusagen, welche in die profane Zeit und den profanen Raum einbricht (dies im Anschluß an zahlreiche Werke *Eliades,* z. B. 1953/1957). Denn einerseits sind »heilig« und »profan« keine invarianten Differenzierungen: Zwar unterscheiden alle Religionen in dieser oder jener Weise einzelne Wirklichkeitsbereiche, aber diese Unterscheidungen können höchst unterschiedlich ausfallen, und das religiös relevante Reden kann in verschieden qualifizierten Wirklichkeitsbereichen angesiedelt sein (es gibt Erzählungen, die jeder zu jeder Zeit erzählen kann, andere, die nur der Spezialist zu einer bestimmten Zeit erzählen kann usw.). Und andererseits können Mythen höchst unterschiedliche Zeit- und Wirklichkeitsverständnisse implizieren oder herstellen. Auch hier gibt es also keine inhaltlichen Gemeinsamkeiten von Mythen verschiedener Kulturen.

21. Vgl. *Stolz,* 1988 b.

22. Zur Vielfalt von Arten, Funktionen und Leistungen von Mythen im Bereich des fruchtbaren Halbmondes vgl. z. B. *Frankfort* u. a., 1981; *Xella,* 1976; *Assmann/Burkert/Stolz,* 1982.

23. So etwa der bekannte babylonische Neujahrmythos enuma eliš; jüngste Übersetzung der Ritualtexte bei *Farber,* 1987, S. 212 ff.

stehen ihm ferner[24]; manche Mythen wirken – nach unserer Wahrnehmung – eher »seriös«, andere eher komisch[25]; und schließlich werden Mythen im gesamten altorientalischen und ägyptischen Raum nicht nur im Feld der Religion (die ein Stück weit bereits als eigener gesellschaftlicher Bereich ausdifferenziert ist) verwendet, sondern auch im institutionalisierten Bereich der Bildung und Wissenschaft, d. h. in der Schule. Hier dient Mythos nicht in erster Linie der tiefgreifenden religiösen Orientierung, sondern er erfüllt andere Leistungen – er bildet (und langweilt gewiß häufig genug die armen Schüler, welche die Mythentexte kopieren müssen)[26].

In unserem Zusammenhang interessiert der *Stellenwert der Rationalität* dieser Mythen, die hier gewissermaßen in einer *Grundstufe* gegeben ist. Sie läßt sich durch das Stichwort des »wilden Denkens«, das Lévi-Strauss geprägt hat, charakterisieren[27]. Klassifikationen erfolgen nicht durch Abstraktion, sondern anhand konkreter, sinnlich wahrnehmbarer Eigenschaften. Bestimmte Dinge, Verhaltensweisen usw. werden einander zugeordnet[28].

Ich will dies nur andeutungsweise am sumerischen Mythos »Enlil und Ninlil« illustrieren[29]. Hier wird erzählt, wie Enlil ein junges Mädchen vergewaltigt und schwängert – zur Strafe wird er in die Unterwelt verbannt. Ninlil, mit dem Mondgott Sin schwanger geworden, folgt Enlil nach. Alle drei gehen den Weg des Todes – und gehören doch zu den Mächten, die das Leben bestimmen. Enlil begattet dann – in dreifach wechselnder Gestalt – Ninlil noch dreimal; die jetzt geborenen Söhne bleiben in der Unterwelt, als Ersatz für Sin und eventuell auch das Elternpaar, welche die Unterwelt verlassen dürfen. – Der Mythos behandelt eine ganze Anzahl von Problemen. Zunächst das der Heirat: Enlil begattet ganz illegitim ein minderjähriges Mädchen; eine solche Verbindung kann nicht problemlos sein, sie führt zum Tode. Leben und Tod sind ein zweites Problemfeld. Enlil geht den Weg ins Land ohne Wiederkehr; aber als

---

24. Gänzlich losgelöst vom Ritual sind zweifellos die sog. »konstruierten Mythen«, welche nichts anderes sind als politische Propaganda in Mythenform (vgl. *von Soden,* 1985, S. 209 ff.). Zum Wandel des Stellenwerts von Mythen in Mesopotamien vgl. *Lambert,* 1974.

25. Vgl. bereits *Gaster,* 1961, S. 406 ff., der den Mythos von »Šaḥar und Šalim« als »burlesque type« der Mythik vom Wechsel der Jahreszeiten bezeichnet.

26. Zum Funktionswandel von Mythen in Schule und »Wissenschaft« vgl. *Stolz,* 1988 b.

27. *Lévi-Strauss,* 1968.

28. Lévi-Strauss würde im Hinblick auf eine »historische« Kultur wie die Mesopotamiens (und erst recht etwa Israels) seinen interpretatorischen Zugriff allerdings nicht anwenden – weil hier bereits eine Schriftkultur vorliegt und in solchen Fällen die »Mythen einer intellektuellen Operation unterworfen« sind (*Lévi-Strauss,* 1980, S. 76). – Lévi-Strauss und Ricoeur haben sich in ihrer Diskussion leider viel zu schnell wechselweise das Terrain der »schriftlos-ahistorischen« bzw. der »schriftlich-historischen« Kulturen überlassen.

29. Vgl. zum Text *Kramer,* 1961, S. 43 ff.; *Jacobsen,* 1981, S. 167 ff.; *Kirk,* 1978, S. 99 ff. Letzte Bearbeitungen des Textes: *Behrens,* 1982; *Civil,* 1983. – Der Text ist übrigens – wie die sumerischen Mythen fast durchwegs – kaum kultisch gebunden im engeren Sinne (trotz *Behrens,* 1982, S. 254), er dient weitgehend der ästhetischen Unterhaltung im Kontext des religiösen Symbolsystems.

Gott kehrt er dennoch wieder, allerdings nicht ohne Ersatz zu stellen. Der Gott kann also einen Weg gehen, den der Mensch nicht gehen kann; der Mond, welcher der Verbindung entstammt, verkörpert dauernd den Weg in die Unterwelt und wieder zurück; Welt und Unterwelt, oben und unten, werden also in Vermittlung gebracht[30].
Wildes Denken ist implizites Denken; es macht Gebrauch von bestimmten Strukturierungsprinzipien, ohne darüber zu reflektieren. Es funktioniert analog der Beherrschung einer Sprache: Wer sich seiner Muttersprache bedient, kann auch dann korrekt sprechen, wenn er nicht über die Grammatik Auskunft zu geben vermag. Trotzdem macht er von einem Regelsystem Gebrauch. Auch die Rationalität des wilden Denkens läßt sich explizieren; es ist das Verdienst des Strukturalismus, diese Probleme formuliert, geklärt und vielleicht auch ein wenig verklärt zu haben[31].
Wie verhält sich nun aber dieses wilde zu unserem »domestizierten« Denken? Wie verhalten sich implizite und explizite Rationalität? Wie kommt es dazu, daß rationale Strukturen expliziert werden und reflexive, auf sich selbst bezogene und sich selbst zur Darstellung bringende Gestalt annehmen? Das ist die entscheidende Frage, der ich nachgehen möchte.

II.

Dabei ist auffällig, daß es schon im Bereich des Erzählens zu einer bewußten und kritisch gestaltenden Bearbeitung traditioneller Stoffe kommt; wird haben es mit einer *ersten Explikationsstufe der Rationalität* zu tun[32]. Im Gilgamesch-Epos beispielsweise sind die Verhältnisse zwischen Leben und Tod, zwischen Gott und Mensch explizit bearbeitet, und nicht mehr implizit wie etwa in »Enlil und Ninlil«. Ausdrücklich wird gesagt, daß Gilgamesch zu zwei Dritteln Gott, aber eben zu einem Drittel Mensch ist[33]; die Götter sind unsterblich, die Menschen aber sterblich. Die Klassifikation »Leben und Tod« – ein intellektuelles wie existentielles Problem des Menschen! – wird nun nicht mehr erzählend gestaltet, sondern in eine quasimathematische Bestimmung gebracht. Die Ausarbeitung des Problems ist dann freilich traditionell in Form der Erzählung gestaltet.

---

30. Die Themen des Mythos werden auch in anderen Kompositionen variiert – besonders nah verwandt ist der Dilmun-Mythos, wo auch die Probleme von Heirat, Leben und Tod u. ä. variiert werden; vgl. *Kirk*, 1978, S. 101 f.; *Stolz*, 1986.

31. Am tragfähigsten ist m. E. die Interpretation der Asdiwal-Geschichte durch *Lévi-Strauss*, 1964/1973, da sie sich noch in konkretem historischem und sozialem Terrain bewegt; zur Diskussion vgl. die Beiträge von *M. Douglas/N. Yalman/K. O. L. Burridge*, in: *Leach*, 1973, S. 82–163. In seinen späteren Arbeiten (insbesondere in den Mythologica) ist Lévi-Strauss primär an den Möglichkeiten mythischer und überhaupt symbolischer Darstellung interessiert, weniger an deren Wirklichkeit und Wirkung; dies ist einer der Ansatzpunkte von P. Ricœurs Kritik, vgl. *P. Ricœur*, 1973, S. 101 ff. – Vgl. die Darstellung der Mytheninterpretation von Lévi-Strauss durch *Oppitz*, 1975, S. 177–326.

32. *Colpe*, 1967, S. 60, spricht von »Mythos mit Logos«.

33. *Gilgamesch* I, II, 1, in: *Schott-von Soden*, 1966. Dazu *Jacobsen* 1976, S. 193 ff.; *Kirk*, 1978, S. 132 ff.

Hesiod läßt am Anfang der Theogonie die Musen sagen: »Wir wissen trügenden Schein in Fülle zu sagen, dem Wirklichen ähnlich, wir wissen aber auch, wenn es uns beliebt, Wahres zu künden« (Theog. 27). Dieser Anspruch hat eine kritische Funktion: Mythen können sich der Wirklichkeit in verschiedener Weise nähern. Hesiod geht es darum, einheitliche inhaltliche Prinzipien in seiner Mythenzusammenstellung zu verwirklichen; die Herrschaft des Zeus, dessen durchsichtige und rationale Ordnung, beherrscht den Gang der Dinge[34].

Diese Explikation rationaler Ordnung wird bei den Anfängen griechischer Philosophie vollends deutlich; man könnte von einer *zweiten Explikationsstufe* sprechen. Deren Beheimatung in mythischen Konzepten ist immer wieder betont worden im Hinblick auf Vorstellungsinhalte[35]; im folgenden soll es jedoch um die Denkformen gehen. Es ist zu zeigen, inwiefern die Rationalität, bis dahin implizites Strukturmoment mythischer Wirklichkeitsdarstellung, reflexive Gestalt gewinnt und zu einer eigenständigen Operationsform entwikkelt wird.

Ich setze ein mit einer Äußerung, die von Anaximander überliefert ist, wonach die *arche* der Dinge im *apeiron* liege[36]. Die Elemente des Mythos sind deutlich. Am Anfang steht das *apeiron,* das Undifferenzierte. Der Vergleich mit dem Mythos *enuma eliš* ist aufschlußreich. Auch hier ist am Anfang von einem Mangel an Differenzierungen die Rede: Salz- und Süßwasser sind gemischt, die Dimensionen oben und unten sind noch nicht existent; andere Mythen thematisieren weitere Mischungsverhältnisse konkreter, sinnlich wahrnehmbarer Qualität[37]. Im Lauf der mythischen Erzählung tritt dann eine Entmischung ein. An die Stelle dieser am Konkreten orientierten Klassifikationen treten die sehr allgemeinen Begriffe *apeiron* und *peras;* sie stellen die Zusammenfassung einer größeren Zahl konkreter Klassifikationen dar. Man kann also von einem Summierungsprozeß sprechen.

Der Mythos hat eine bestimmte Richtung: Er geht vom Anfang zum Schluß; interessant ist dieser Schluß, er hat orientierenden Charakter. Auch der sog. ätiologische Mythos ist weniger an den Voraussetzungen interessiert, die zu etwas Erklärenswertem geführt haben, als vielmehr an der Klärung des in Frage stehenden Sachverhalts. Die Philosophie dreht die Fragerichtung um; sie interessiert sich für die *arche,* die bei den Vorsokratikern durchwegs von Belang ist[38]. Aber die Umkehrung der Betrachtungsweise geht bei Anaximan-

---

34. Zur Systematik Hesiods *Jaeger,* 1953/1964, S. 19ff.; *Kirk,* 1978, S. 226ff.; *Schmidt,* 1985, S. 73–92.

35. Vgl. die klassische Arbeit von *Nestle,* 1942.

36. *Mansfeld,* Nr. 15.

37. Vgl. *Jacobsen,* 1976, S. 167ff. Zur Rationalität, mit der der mythische Stoff hier bearbeitet ist, vgl. *Stolz,* 1988c.

38. Ob Anaximander – und die Vorsokratiker überhaupt – den Begriff der *arche* wirklich verwendet haben, ist allerdings nicht unumstritten (vgl. die Diskussion bei *Jaeger,* 1953/1064,

der noch weiter; sie ist auf die Lebensvorgänge selbst angewandt: »Woraus sie entstehen, darein vergehen sie auch mit Notwendigkeit. Denn sie leisten einander Buße und Vergeltung für ihr Unrecht nach der Ordnung der Zeit.«[39] Traditionellerweise verbindet man dieses Zitat mit der vorher genannten Überlieferung[40]. Besteht diese Kombination zu Recht, dann bedeutet dies: Die Dinge entstehen aus dem *apeiron* – und sie gehen wieder ins *apeiron* zurück. Wahrscheinlich liegt eine zyklische Konzeption der Weltprozesse vor; man hat Anaximander die Annahme einer unendlichen Zahl von *kosmoi* zugeschrieben, was wohl zyklisch zu verstehen ist[41]. Damit ist eine Reversibilität sowohl für das Denken wie auch für die Lebensvorgänge konzipiert: Das Denken geht dem Geschehen entlang rückwärts bis zu seinem Ursprung; und das Geschehen selbst ist nicht »vektoriell« gesehen, sondern es unterliegt der Umkehrbarkeit, der Reversibilität.
Dabei läuft es nach festen Regeln ab – und zwar nach denen von Schuld und Sühne, was gewiß nicht nur als moralisches Prinzip, sondern als viel genereller wirksames Gleichgewichtskonzept zu verstehen ist[42]. Das *peras,* die Begrenzung, schafft Ungleichgewicht (das sittlich qualifiziert wird – was immer hinter diesem Konzept stehen mag), und das Ungleichgewicht tendiert wieder auf den ursprünglichen Zustand zu. Jedenfalls ist mit einer umfassenden und allgemeinen Ordnung zu rechnen – an Stelle der konkreten Ordnung, die der Mythos setzt. Während die konkrete Ordnungssetzung des Mythos den Hörer direkt betrifft (es ist *seine* Ordnung, in die er eingewiesen wird), geht es jetzt um Ordnung ganz allgemein, wie sie immer und überall gilt. Man kann von einer Dezentrierung sprechen. Reversibilität also im Hinblick auf Zeitstrukturen, Dezentrierung im Hinblick auf den Raum; man könnte diese beiden Bewegungen unter den Begriff der Abstraktion subsumieren[43]. Was hier an Anaximander etwas ausführlicher gezeigt wurde, könnte ebensogut an Heraklit oder anderen Denkern der frühen griechischen Philosophie

---

S. 36 ff.), darf aber doch wohl angenommen werden. Sicher ist, daß der *arche*-Begriff seinen vollen Bedeutungsumfang (Prinzip, Prägekraft, Potenz usw.) erst bei Aristoteles erhält. Die Vorsokratiker haben gewiß nicht einen so gefüllten *arche*-Begriff – und doch ist *arche* für sie auch nicht einfach der bloße (labile und ungültige) Anfang einer Geschichte. Vgl. etwa *Röd,* 1976, S. 38 ff. – Die Interpretation von *arche* als »mythischem Urgeschehen« und geradezu »mythischer Substanz«, die *Hübner,* 1985, S. 135 ff., im Anschluß an *Grönbech,* 1965, S. 208 f., vorlegt, scheint mir unzutreffend. Hier ist anhand von Aristoteles eine mythische Ontologie konstruiert.

39. *Mansfeld,* Nr. 15; *Diels/Kranz,* 12 A 9, B 1; vgl. *Mansfeld,* 4, S. 7; *Diels/Kranz,* 12 A 1, S. 16.

40. Die beiden Aussageelemente sind bei Simplikios bzw. Theophrast überliefert; vgl. *Mansfeld,* 15.

41. Zyklik der Kosmoi bei Anaximander: *Mansfeld,* 12 (DK 12 A 14), 10 (DK 12 A 11, B 2); dazu *Röd,* 1976, S. 42 f.

42. *Graeser,* 1981, S. 18.

43. Die Begriffe von Dezentrierung, Reversibilität und Abstraktion entnehme ich der psychologischen Terminologie von *Piaget,* 1971, wobei keineswegs behauptet sein soll, daß die individuelle kognitive Entwicklung und die kulturgeschichtliche Explikation der Rationalität genau parallel seien.

demonstriert werden. Bei aller Unterschiedlichkeit der Konzepte finden sich analoge formale Umbildungen dessen, was sich im Mythos abspielt. Ich will noch einige weitere Elemente der Umschichtung nennen.

Die Gegenwelt, ein wesentliches Element des Mythos, ist kein Thema mehr. *peiron* ist bei Anaximander nicht Gegenwelt, sondern einfach Stoff, aus dem sich die einzelnen Dinge der Erfahrungswelt bilden. Das Thema der Einheitlichkeit des Seins ist dann aber vor allem bei Parmenides zentral. Seine Überlegungen kulminieren in der Aussage, daß das Nichtsein als nicht existent erklärt wird – gegen allen Anschein[44]. Entsprechende Folgerungen ergeben sich dann im Hinblick auf das Geschehen: Auf der Ebene der Wahrheit, welche den Schein der Sinneswahrnehmung transzendiert, kann von einem Werden gar keine Rede sein[45]. Die Bewegung des Mythos ist damit völlig ausgelöscht, das Werden ist eigentlich nicht existent. Sowohl Transformation als auch Irrealität sind auf den Begriff gebracht – und abgeschafft. Nur die Ebene der Wahrheit ist eindeutig reguliert – und zwar nach rationalen Gesetzen: Parmenides vertritt als erster den Satz vom Widerspruch[46]. Bei Platon könnte man im Hinblick auf die Ideen schon eher von einer Gegenwelt sprechen; aber jetzt ist das Auffällige, daß der Welt der Erfahrung gerade die Orientierungskompetenz abgesprochen wird, sie ist also gewissermaßen »irreal« im Hinblick auf die Ideen.

Auch im Hinblick auf die Sprachformen ergeben sich bedeutende Veränderungen. Parmenides teilt seine Einsichten noch in einem Offenbarungsgedicht mit, das sich an die Stilform Hesiods anlehnt, und auch Empedokles und noch Lukrez bedienen sich dieser Redeweise; im Westen spielt die Stilform der Epik in der Philosophie also noch eine gewisse Rolle. Schon Zenon aber formt die eleatische Lehre auch in Prosa um. Im Osten ist dies offenbar von Anfang an der Fall, ohne daß man die spezifischen Kommunikationsformen genauer bestimmen könnte[47]. In klassischer Zeit kommen dann Dialog und Abhandlung auf – beides Sprachformen der problematisierenden und argumentierenden Erörterung. An die Stelle der Erzählung tritt der Diskurs, der gleicherweise folgernd und begründend argumentiert; die Herausbildung der formalen Logik ist ein Symptom dieses Sprechverhaltens.

Im Hinblick auf den expliziten Umgang mit der mythischen Tradition ist Xenophanes' Religionskritik (bzw. sein »Monotheismus«) aufschlußreich[48]. Er geht von einer theologischen Position aus: Er postuliert die Einheit des

---

44. *Mansfeld,* 11,1 ff.; DK 28 B 8,1 ff.

45. *Mansfeld,* 11,15 ff.; DK 28 B 8,15 ff.

46. Vgl. *Graeser,* 1981, S. 24. – Die explizite Formulierung des Satzes vom Widerspruch wird Antisthenes zugeschrieben; vgl. *Graeser,* 1983, S. 51.

47. Zu den Redeformen: *Kranz,* 1960, S. 109 ff. – Die Überlieferung weiß: »(Anaximander) hat als erster der Griechen, soweit wir wissen, den Mut gehabt, eine Prosaschrift über die Natur des Weltalls zu veröffentlichen« (*Mansfeld* 1,1; DK 12 A 7).

48. Vgl. *Röd,* 1976, S. 75 ff.; *Mansfeld,* 1983, S. 204 ff.

Göttlichen, daher gelangt er zur Ablehnung des Polytheismus; er postuliert die Unanschaulichkeit des Göttlichen, daher gelangt er zur Ablehnung der Anthropomorphismen; er postuliert die Vollkommenheit des Göttlichen, daher gelangt er zur Ablehnung moralischer und anderer Defizite der Götter. Diese Prinzipien sind zwar in der Tradition angelegt, jedoch erst durch das Mittel der Generalisierung gewonnen. Sie werden dann auf die Tradition zurück und geradezu gegen sie verwendet[49].

Die Kritik als Prinzip des Umgangs mit anderen Positionen wird hinfort Leitlinie der Philosophie überhaupt. Mythen können nebeneinander bestehen, auch wenn ihre Geschehenszusammenhänge sich nicht ohne weiteres vereinbaren lassen[50]; philosophische Argumentation geschieht in der Abgrenzung, Auseinandersetzung und Exklusion.

Dies hängt damit zusammen, daß philosophische Systeme von Anfang an umfassende und allgemeingültige Darstellungen der Wirklichkeit geben wollen, im Gegensatz zum Mythos, welcher zwar häufig auch die Welt insgesamt meint, aber trotzdem nur Ausschnitte aus deren Wirklichkeit thematisiert. Der umfassende Anspruch philosophischer Analyse duldet keinen Widerspruch. Durch den Abstraktionsprozeß, wie er oben skizziert wurde, werden alle Aussagen verallgemeinert bis zur Allgemeingültigkeit. Damit kontrastiert eigentümlich die Tatsache, daß verschiedene derartige Entwürfe, die mit demselben Anspruch auftreten, nebeneinander bestehen. Man kann sagen: Der Orientierungshorizont wird zwar umfassend; und trotzdem wird die Orientierungsleistung der Philosophie im Vergleich mit der Religion insgesamt geringer, mindestens, wenn man die philosophische Szene von außen betrachtet; denn es sind verschiedene gleichwertige Optionen möglich, was im Orientierungsvorgang irritiert[51].

Mythos und Philosophie wollen Orientierung über die Wirklichkeit verschaffen. Der Mythos bedient sich impliziter Rationalität – die Philosophie entwikkelt eine explizite, reflexive Rationalität, welche Prinzipien entwickelt und nach Regeln verfährt, diese schlußendlich sogar in der Logik expliziert. Gilt für den Mythos die Formel »Orientierung durch Identifikation«, so könnte man im Hinblick auf die Philosophie die Leitlinie »Orientierung durch Distanz« formulieren. Wie erfolgreich sind die beiden Typen von Orientierungsstif-

---

49. Entsprechende Beobachtungen wären anhand der Entstehung historischer Kritik der Tradition gegenüber anzustellen; vgl. *Cancik,* 1970, S. 24 ff.

50. Gewiß gibt es auch Gegensätze zwischen mythischen Komplexen – etwa in Ägypten zwischen den theologischen Systemen, die an einzelnen Kultzentren gepflegt werden, und entsprechend in Mesopotamien. Aber hier finden ganz vordergründige politische Konflikte ihren Ausdruck, nicht etwa eigentliche Lehrunterschiede.

51. Dabei ist allerdings zu bedenken, daß für den Angehörigen einer Philosophenschule die »Lehre« nicht einfach intellektuelles Spiel ist, sondern mit bestimmten Lebensformen verbunden ist – am deutlichsten bei den Pythagoräern. Der philosophische Lehrer gleicht – nach heutiger Terminologie – also eher dem Guru als dem Professor.

tung? Die Frage ist heikel – ich wage eine provozierende Antwort: Die Konkurrenz verschiedener und sich gegenseitig ausschließender philosophischer Orientierungskonzepte, die Entmächtigung des Mythos wirkt orientierungszersetzend. Distanz orientiert nicht ausreichend.
Dieser Entmächtigungsvorgang hat überraschende Parallelen in den Erfahrungen der Tiefenpsychologie. Ungeachtet der Theoriebildung, die damit verbunden ist, besteht der Erfolg dieser Therapieformen darin, daß sprachliche Bearbeitung störender Orientierungen diese aufzulösen vermag. Diese Orientierungen haben manches mit der Struktur des Mythos gemein; es handelt sich um Bedeutungskomplexe, welche durch die Lebensgeschichte angeordnet sind, mit eindeutigem Gefälle und eigener Logik. Sie prägen die Wahrnehmung der Wirklichkeit umfassend; der durch sie Bestimmte hat keine Distanz dazu und vermag sich ihnen deshalb nicht zu entziehen. Wir haben es freilich mit »stummen Mythen« zu tun; wir kommen auf diese Bezeichnung zurück. Die analytische Arbeit konfrontiert diese Orientierung mit einem bestimmten Typus von Sprache. Affektive und rationale Erinnerung an die orientierende, in diesem Fall: fehlorientierende, Geschichte macht die Steuerung unwirksam; Heilung bedeutet dann Distanzierung von den Bedeutungssetzungen und Sinngebungen der geltenden Orientierung, so daß ein neuer Zugang zur Wirklichkeit möglich wird. Dies läßt sich auf den Übergang von der mythischen zur philosophischen Orientierung übertragen: Die Explikation der Rationalität mit allen den genannte Begleitumständen führt dazu, daß die mythische Orientierung unwirksam wird. An deren Stelle tritt freilich keine äquivalente selbstverständliche und tragfähige Orientierung.

III.

Sind damit einige Leitlinien der Explikation von Rationalität im Bereich des Griechentums zur Darstellung gelangt, so geht es in den folgenden Überlegungen um einen analogen Überblick im biblischen und christlichen Raum. Die nachfolgen Bemerkungen müssen sich auf einige Andeutungen beschränken, welche notwendigerweise ungenügend bleiben; ich habe mich zu diesen Phänomenen an anderen Orten ausführlicher geäußert.
Vorausgesetzt ist dabei, daß in der altisraelitischen Religion der Mythos – im hier vorausgesetzten weiten Sinne des Wortes – durchweg eine tragende Rolle spielt: Das Moment des Erzählens hat in fast allen religiösen Bereichen Altisraels einen hervorragenden Platz[52]. In die Kultur der noch nicht fest

52. Die Äußerung steht im Gegensatz zu den gängigen Lehrmeinungen, welche von einem engen Mythosbegriff ausgehen (als Elemente des Mythos werden in der Regel angegeben: Bindung an den Kult, polytheistische Struktur, zyklisches Zeitverständnis, Bezogenheit auf Gegebenheiten der Natur, insbesondere den Vegetationskreislauf. – Dem werden die durch Geschichtstheologie und Ausschließlichkeit Jahwes bestimmten alttestamentlichen Geschichten entgegengehalten). Von da aus sind die meisten Arbeiten zum Thema »Altes Testament und Mythos« bestimmt, z. B. – als Beispiel für viele andere – *Childs,* 1960, (vgl. zur Forschungsgeschichte *Cazelles,* 1960; *Rogerson,*

angesiedelten Gruppierungen vorstaatlicher Zeit weisen die Vätergeschichten, ursprünglich Familiensagen, zurück[53]. Besonders prägend sind die historischen Sagen der Zeit der Ausbildung israelitischen Selbstbewußtseins, Helden- und Kriegsgeschichten[54]. Daß im israelitischen Kult Mythen laut wurden, welche den in Ugarit überlieferten ähnelten, ist aus dem Psalter zu ersehen – diese Erzählungen sind freilich (in der Gestalt der Erzählung) durch die Zensur des Kanonisierungsprozesses ausgeschaltet worden[55]. Die geschichtstheologischen Schulen der späten Prophetie und Deuteronomistik sammeln und bearbeiten Erzählungen im Sinne umfassender Geschichtskonzepte[56]; und in der Spätzeit weiß man um künftige Vorgänge (auch apokalyptische Entwürfe sind als Erzählung im weiteren Sinne des Wortes zu werten)[57]. Natürlich wurden diese Erzählungen in ganz verschiedenen Situationen gebraucht; der Sitz im Leben ist also recht unterschiedlich. Sie wurden z. T. als volkstümliche, z. T. als elitäre Redeformen verwendet, sie implizieren ganz unterschiedliche Realitäts- und Zeitverständnisse. Gemeinsam ist jedoch, daß durch den Vorgang der Narration Wirklichkeit gesetzt und begründet wird. Insofern halte ich diese Redeformen insgesamt für mythisch.
Auch hinsichtlich der Explikation von Rationalität unterscheiden sich einzelne Erzählbereiche des alten Israel beträchtlich. Für die älteren Sagen darf durchwegs ein Typus »impliziter Rationalität« vorausgesetzt werden; allerdings hat die Überlieferung des Alten Testaments derartige Erzählungen kaum konser-

---

1974). Ganz anders hat sich u. a. *H.-P. Müller,* 1973, 1977, 1983, 1986, verschiedentlich zum Mythos im Alten Testament geäußert, dem er eine konstitutive Funktion für die Ausrichtung alttestamentlicher Botschaft zuweist, dem er jedoch die Möglichkeit abspricht, »Transzendenz« im eigentlichen Sinne zur Sprache zu bringen. Ähnlich positiv beurteilt *W. Pannenberg,* 1972, den Mythos, um dann freilich auch dessen Defizite zur Formulierung des christlichen Wirklichkeitsverständnisses aufzuweisen. In beiden Fällen wird der Form des Mythos ein bestimmtes Wirklichkeitskonzept angelagert, was m. E. problematisch ist. – Viele Parallelen zu den hier dargelegten Ausführungen finden sich bei *C. Westermann,* der den Mythos unter das »Geschichtenerzählen« subsumiert und daraus Konsequenzen für die alttestamentliche und die systematische Theologie zieht. – Eine Aufnahme strukturalistischer Fragestellungen im Hinblick auf den Mythos im Alten Testament findet sich bei *Jensen,* 1983.

53. *Westermann,* 1964, bes. S. 36 ff.; *Koch* 1974, S. 145 ff.

54. *v. Rad,* 1964, S. 154 ff.; *Koch,* 1974, S. 169 ff.

55. Hier geht es um »Mythen« im engeren Sinn des Ausdrucks, wie er in der Regel durch die Alttestamentler verwendet wird. Vgl. z. B. *Otzen/Gottlieb/Jeppesen,* 1980; *Petersen,* 1982.

56. Zur frühen Bearbeitung von Heldensagen u. ä. vgl. *Rendtorff,* 1971, S. 428 ff.; die Literatur zur theologischen Bearbeitung alter Stoffe in der Deuteronomistik und späteren Bearbeitungsschichten ist unübersehbar.

57. Meist wird lediglich darauf hingewiesen, daß die Apokalyptik Material aus dem Mythos schöpfe (z. B. in Jes. 27,1), daß jedoch Zeitstruktur, Wirklichkeitsverständnis usw. in der Apokalyptik ganz anders seien als im (kultisch gebundenen) Mythos – was auch völlig richtig ist. Daß aber die Erzählstruktur und das Konzept eines narrativ repräsentierten wirklichkeitssetzenden Vorgangs erhalten bleiben, wird demgegenüber gern übersehen.

viert, sondern sie intensiver Bearbeitung unterzogen[58]. Wo aber kommt es zu einer Explikation der Rationalität, welche dann schließlich zur theologischen Bearbeitung der Überlieferung geführt hat?
Sucht man im alttestamentlichen Material nach Äußerungen, welche Reflexionsleistungen aufweisen, die mit denen der Griechen einigermaßen vergleichbar sind, so stößt man zunächst auf die Propheten des 8. Jahrhunderts. Die Art und Weise, wie etwa ein Jesaja die faktischen sozialen Verhältnisse kritisch mit den Intentionen der religiös vorgegebenen gesellschaftlichen Ordnung vergleicht, erinnert in manchem an gewisse Tendenzen im philosophischen Aufbruch Griechenlands[59]. Zu breiter Auswirkung kommen solche Ansätze aber erst im Exil, in dem Moment, wo das bis dahin subkulturelle Wertsystem der Prophetie dominant wird und überhaupt nur das Überleben in israelitischer Identität gestattet. Reflexionsleistungen haben jetzt eine genau bestimmbare Aufgabe: Sie sollen es gestatten, die überlieferte religiöse Ordnung auch unter völlig veränderten Verhältnissen orientierungsfähig zu erhalten, sie also umzubilden bzw. Praktiken und Denkfiguren zu entwickeln, welche zwischen den jetzt dominierenden Realitätserfahrungen und dem überlieferten Symbolsystem vermitteln. Ich will diesen Vorgang an zwei Beispielen illustrieren.
Das Klage-Erhörungs-Paradigma funktioniert nicht mehr. Es gelingt dem Kult nicht mehr, die Defiziterfahrungen des Alltags wirksam aufzufangen und Integrationsleistungen in der Weise auszuüben, daß der Leidende mit seinen Problemen fertig würde. Das Thema entsprechender religiöser Literatur ist jetzt nicht mehr die sichtbare Gerechtigkeit Gottes, sondern das des leidenden Gerechten. In dem, was ich »nachkultische Psalmen« nenne, manifestiert sich Reflexion darüber, wie die Figur des leidenden Gerechten zu interpretieren und auf welche Weise das nicht zuhandene Heil dennoch zu vergewissern sei[60].
Herrschaft und Ordnungssetzung Gottes in Analogie zu menschlicher Herrschaft und Ordnungssetzung sind ein altes Thema der Hymnen. Im Exil aber zerbricht diese Analogie. Die menschliche Herrschaftsstruktur ist zerstört – will man an der göttlichen Herrschaftsstruktur festhalten, so bedarf es eines neuen Konzepts der Relation zwischen menschlicher und göttlicher Herrschaft. Aus der relativen Unterschiedenheit Gottes und der Welt wird die absolute Unterschiedenheit; dies macht das Monotheismuskonzept Deuterojesajas aus[61].
Als Grundzug dieser Art von Rationalität wird man formulieren können: Es

---

58. Zum Problem mündlicher und schriftlicher Überlieferung vgl. *Koch,* 1974, S. 97ff.; *Westermann,* in: BK I,2, S. 19ff.
59. *Stolz,* 1973, bes. S. 29. Die Reflexionsleistung der Propheten des 8. Jahrhunderts ist hier durch die Stichworte »Dezentrierung« und »Realitätsprüfung« gekennzeichnet.
60. *Stolz,* 1983.
61. *Stolz,* 1977.

handelt sich nicht um eine Rationalität mit emanzipatorischem Charakter in dem Sinne, daß die Rationalität sich von den vorgegebenen mythischen Orientierungskonzepten ablösen und sich kritisch gegen diese wenden würde; vielmehr hat sie die Funktion, die traditionellen Orientierungskonzepte zu stützen, sie gleichzeitig den neuen Verhältnissen zu adaptieren und sie gegen Infragestellungen abzudichten.

Diesen Ort behält die Rationalität dann wohl auch im Neuen Testament; H. Weders Beitrag in diesem Band wäre einmal auf diese Gesichtspunkte hin zu befragen[62]. In der Begegnung zwischen Christentum und Antike, wie sie sich im Neuen Testament und in der weiteren Geschichte der Kirche abzeichnet, wird die Bewegung der Autonomisierung von Rationalität (die schon im Hellenismus problematisiert worden war) überholt. Das Christentum behält insofern mythische Struktur im Sinne des hier gemeinten Sachverhalts, als seine Verkündigung durch das Moment der Erzählung geprägt ist. Seine Wirklichkeitssetzung erfolgt im Rahmen einer »Gesamterzählung«, welche bei Schöpfung und Fall einsetzt, dann die Unheilsgeschichte der Menschen und die Heilsgeschichte Gottes berichtet, um schließlich auf eine Wirklichkeit hinauszublicken, in welcher die Herrschaft Gottes aus dem Bereich der Zweideutigkeit in den der Eindeutigkeit übergeht. Auch hier sind also irreale Gegenwelten der Wirklichkeit entgegengesetzt, um die angestrebte Orientierung zu realisieren. Die biblische Gesamterzählung stellt einen Summierungsprozeß dar, wie er bereits in altorientalischen Religionen strukturell angelegt ist; aber die Gesamterzählung hebt die Einzelerzählung in ihrer vielfältigen Wirksamkeit nicht auf, und es kommt nicht dazu, daß Abstraktions- und Generalisierungsprozesse das Erzählen zum Erliegen brächten. Auch die Bekenntnisformulierungen, welche die Gesamterzählung zusammenfassen, behalten erzählende Struktur, ebenso die dogmatischen Entwürfe der Theologen. Diese Erzählstruktur repräsentiert einen Vorgang, welcher den Christen prägen soll; er wird in eine Orientierung hineingenommen, die ihm das Wesen dieser Welt deutlich macht und ihn gleichzeitig darüber hinausführt. Natürlich verwendet das gottesdienstliche Handeln der alten und der mittelalterlichen Kirche nicht nur die Ebene der Sprache zur Auslösung des charakteristisch christlichen Transformationsprozesses vom Unglauben zum Glauben, in den die Gläubigen regelmäßig einbezogen werden, sondern auch die Ebene von ritueller Handlung und Bilderwelt[63].

Die Theologie bleibt hier in den Bahnen des Mythos. Ihr Geschäft ist das

---

62. Vgl. oben S. 44–75.

63. In der Geschichte der Alten Kirche manifestiert sich eine Umschichtung der Hierarchien der Darstellungsebenen religiöser Botschaft. Während ursprünglich die Sprache dominiert, gewinnen nun visuelle und handlungsmäßige Ebene an Gewicht. Wenn etwa Ignatius die Eucharistie als *pharmakon athanasias* bezeichnet, so führt nicht mehr nur das Hören von Sprache, sondern auch die Handlung des Essens zum ewigen Leben – was dann natürlich protestantischen Unwillen erregt.

Nach-Denken: Sie besorgt die Anwendung der Rationalität innerhalb des Rahmens, den die mythische Setzung bildet. Die Emanzipation der Rationalität, wie sie sich im Griechentum schon manifestiert hatte, ist noch einmal eingeholt.

IV.

Dies verändert sich allerdings allmählich. Seit dem Mittelalter machen sich Tendenzen bemerkbar, der Rationalität und ihren Verfahrensweisen einen eigenständigen Platz[64], unabhängig von den mythischen Orientierungskonzepten, einzuräumen, und in der Aufklärung setzt sich dies allgemein durch[65]. Damit kommt es zu Vorgängen, welche den für Griechenland beschriebenen strukturell analog sind, wenngleich natürlich zahlreiche Unterschiede bedacht werden müßten. Es ist etwas völlig anderes, wenn sich die Rationalität aus der Frühzeit mythischer Prägung in Griechenland oder aus der theologisch durchreflektierten Phase von Mittelalter, Reformation und Gegenreformation emanzipiert. Zudem ist die Aufklärung in ihrer Wirkung weit über das hinausgegangen, was die griechische Philosophie bewirkt hat; neu ist insbesondere das Aufkommen eines Subjektivismus, wie er in der Antike unbekannt ist. Trotzdem weist der Vorgang Parallelen auf. Es bilden sich Weltkonzepte aus, welche – abgekürzt ausgedrückt – nicht auf mythischer Setzung basieren, sondern auf einer autonomen Rationalität, die sich durch die Stichworte der Abstraktion, der Generalisierung und der Dezentrierung umreißen läßt.

Wiederum kommt es zu nichterzählenden Weltsetzungen: zu philosophischen, welche auf philosophische Prinzipien rekurrieren, später zu naturwissenschaftlichen, welche Naturgesetze suchen. Diese Prinzipien und Gesetze werden mittels Abstraktion und Generalisierung gebildet; weder die Struktur der Transformation noch die der Gegenwelt spielen eine Rolle. Im Hinblick auf die Wahrnehmung von Sachverhalten gewinnen diese neuen Orientierungen sehr bald mehr Gewicht als die religiösen Überlieferungen; letztere werden zunehmend auf den Bereich moralischer Orientierung eingeschränkt. Die zunächst geistigen, später sozialen und technologischen Umwälzungen im Abendland haben zur Ausbildung eines Alltagsweltkonzepts geführt, welches in allen gesellschaftlichen Teilbereichen dominiert und den Raum christlicher Orientierung weitgehend verlassen hat. Der rational gesteuerte und steuernde Mensch erscheint als Schöpfer seiner Welt; die emanzipierte Rationalität ist das Regulativ dieser Welt. Im folgenden interessieren weniger die philosophische oder wissenschaftstheoretische Dimension von Wirklichkeitskonzepten, die sich aus der Aufklärung ergeben haben, sondern das daraus entstandene

---

64. So etwa bei Wilhelm Ockham; vgl. *Imbach,* 1981, S. 220ff.

65. Zu den Transformationen, welche die Religion in und nach der Aufklärung durchläuft, vgl. *Lübbe,* 1986; *Stolz,* 1988 a, S. 135ff.

Weltkonzept, wie es sich im Alltagswissen, in den unreflektierten Selbstverständlichkeiten der Lebenspraxis, konstituiert[66].
In welcher Gestalt begegnet das protestantische Christentum, auf das ich mich konzentrieren will, den Herausforderungen der Aufklärung? In der Reformation hatte sich eine entschiedene Konzentration auf die sprachliche Darstellung christlicher Botschaft vollzogen; die Ebenen der Handlung und der Ikonographie waren demgegenüber stark zurückgedrängt worden. Die Lehre wird auch für den Nichtspezialisten *die* Form, in welcher man mit dem Christentum umgeht. Es ist charakteristisch, daß die Konfirmandenprüfung den Übergang ins Erwachsenenstadium markiert; man vergleiche dies einmal mit den Initiationsriten anderer Religionen, wo man das Symbolsystem auf den verschiedensten Ebenen durcherlebt, durchleidet, am Körper eingraviert bekommt usw[67]. Die Art und Weise, wie der christliche Mythos im Protestantismus präsent ist, könnte man also als »Erzählwissen« bezeichnen; ein Wissen, welches sich auf die Grundform des Erzählens stützt, aber diesem hochgradig reflektierte rationale Strukturen einverleibt.
Die Aufklärung propagiert demgegenüber eine andere Art des Wissens, wie dies beispielhaft bei Spinoza zum Ausdruck kommt[68]. Das Erzählwissen der Religion verkörpert bloß historische Wahrheit, das wohl pädagogische Funktion haben kann, jedoch defizitär ist im Verhältnis zum Wissen, das sich der unmittelbaren Vernunft verdankt. Für den Ungebildeten mag das religiöse Wissen seinen Stellenwert behalten; der Gebildete dagegen ist nicht darauf angewiesen. Was bei Spinoza philosophisch reflektiert in Erscheinung tritt, findet einen breiten Niederschlag im allgemeinen Bewußtsein: Wissen, das sich religiöser Überlieferung verdankt, spielt im Verhältnis zu vernünftig oder wissenschaftlich gewonnenem Wissen eine geringere Rolle. In der Konkurrenz der beiden Wissensarten tritt normalerweise das ein, was Peter L. Berger als »reduktive Reaktion« bezeichnet hat[69]: Die Botschaft des Christentums wird auf einen Bestand reduziert, welcher das Wissen der Aufklärung nicht konkurrenziert und auch nicht einmal ergänzt. Es wird reduziert auf zeit- und erzählunabgängige Wahrheiten, etwa das Konzept eines vernünftigen Schöpfers, der eine gute Welt geschaffen hat, und eines vernünftigen Menschen, der diese Welt gut auszugestalten weiß. So ist es kein Wunder, daß das christliche

---

66. Die Fragestellung ist spezifisch anders als die von K. Hübner in Anwendung gebrachte: Dort geht es um die wissenschaftstheoretischen Voraussetzungen moderner Wissenschaft, hier aber um das Alltagswissen (vgl. z. B. den wissenssoziologischen Zugang von *Berger/Luckmann,* 1969; von einer anderen Seite her *Geertz,* 1963, S. 261 ff.). M. E. sind wissenschaftstheoretische Erörterungen für die Selbstverständlichkeiten des Alltags, welche das primäre Feld für die Bewährung religiöser Konzepte darstellen, eher von zweitrangiger Bedeutung.
67. Vgl. die klassische Darstellung *van Genneps,* 1909; neuerdings z. B. *La Fontaine,* 1985; *Ries,* 1986.
68. *Spinoza,* 1670/1976, Kap. 5, S. 79 ff.
69. *Berger,* 1980, S. 109 ff.

Wissen beim durchschnittlichen Christen auf einen Nullpunkt geschrumpft ist[70].
Diese Reduktion verschränkt sich mit einer moralischen Neuinterpretation der Religion. Wenn Religion schon nicht mehr zu zeigen vermag, was die Welt ist, so kann sie doch vielleicht einen Beitrag dazu leisten, sie zu dem werden zu lassen, was sie nach Maßgabe der Vernunft sein sollte[71]. Religion soll jetzt dazu dienen, die Antriebsenergie bereitzustellen, um dieses oder jenes als vernünftig behauptete Konzept der Welt zu verwirklichen; ob dieses Konzept eher bürgerlich-liberal, sozialistisch, feministisch oder ökologisch geprägt ist, spielt eine geringe Rolle.
Der Transformationsvorgang, welcher dem Mythos (und überhaupt dem Symbolsystem) einer Religion elementar zukommt, verändert sich in auffälliger Weise. Traditionellerweise zeigt diese Transformation an, wie die Welt *ist* (allenfalls wie sie *wird*); die orientierende Realität wird an irrealen Möglichkeiten zur Darstellung gebracht. Jetzt wird dem Menschen die Aufgabe zugemutet, die Welt in das zu transformieren, was sie eigentlich – vernünftigerweise – sein sollte.

V.

Die grundsätzliche Frage, welche sich in diesem Zusammenhang stellt, lautet: Wie erfolgreich war die Ablösung des mythischen, im Vorgang setzender Erzählungen geschehenden Orientierungsvorgangs?
Ich will diesem Problem probehalber kurz im Hinblick auf die Legitimation des Staates nachgehen. Die Staaten der vormodernen Zeit sind auf ihre Weise alle religiös legitimiert, ganz unabhängig von der Staatsform. Ob Könige von Gottes Gnaden eingesetzt sind oder die Eidgenossen ihren Ewigen Bund im Namen Gottes des Allmächtigen abschließen, spielt dabei keine Rolle. Die Legitimation ist rein formaler Art und impliziert keine besondere Staatsform; wesentlich ist der Rekurs auf die religiösen Setzungen[72].
Diese Konzeption wird in der Folge der Aufklärung auf zwei Ebenen ersetzt. Einerseits auf philosophischer Ebene durch das Modell des Gesellschaftsvertrages[73]. Andererseits aber, und historisch viel wirksamer, durch das Aufkom-

---

70. Dies zeigen nicht nur Erfahrungen der Praktiker, sondern auch Untersuchungen wie die von *Schmidtchen,* 1979; vgl. etwa S. 67 ff., wenn auch relativ kirchentreue Protestanten völlig häretische und von keiner Kenntnis belastete religiöse Einstellungen zum Ausdruck bringen (wobei allerdings zuzugeben ist, daß die in den Umfragen verwendeten Items häufig relativ sinnarm sind).
71. Klassisches Beispiel ist Kant (*Vorländer,* 1950).
72. Die christlich-religiöse Begründung der politischen Körperschaften ist entsprechenden Konzepten traditionaler Religionen analog – also etwa dem rituellen Königtum im Alten Orient (das auch keine einheitliche Größe darstellt, sondern ganz unterschiedlich realisiert sein kann). – Vgl. die bei *Biezais,* 1972, gesammelten Arbeiten.
73. Zu diesem besonders von Hobbes zur Wirkung gebrachten und durch Rousseau weitergebildeten Thema vgl. *Euchner,* 1974.

men des Nationalgefühls (oder des – nicht pejorativ verstandenen – Nationalismus)[74]. Die Nationen beginnen jetzt, sich als »Lebewesen« zu entdecken, ihre Sendung zu artikulieren und historisch geltend zu machen. Diese »Sendung« ist nicht in einer Weise begründbar wie der Gesellschaftsvertrag, sie wird nicht einmal ausdrücklich expliziert. Es wird zu fragen sein, welcher Art die Orientierung ist, welche sich etwa im Nationalismus ausdrückt.
Ganz generell wird man sagen können: Wo sich die traditionelle religiöse Orientierung zurückbildet, kommt es in der Regel nicht zu einer ausreichenden Orientierung durch die emanzipierte Rationalität. Wo entsprechende Modelle auch zur Verfügung stehen – wie in der Legitimation des Staates –, sind sie wenig tragfähig. Es entstehen also »Leerstellen« der Orientierung. Natürlich ist dieser Vorgang verstärkt durch die Bedingungen, unter welchen sich die Religion in der Neuzeit entwickelt und die man gern durch das Stichwort der »Säkularisierung« bezeichnet: Im Rahmen der funktionalen Ausdifferenzierung der Gesamtgesellschaft wird Religion in hohem Maße auf ihren Kernbereich der unmittelbaren Darstellung ihres Symbolsystems beschränkt; sie verliert die Kraft, andere Gesellschaftsbereiche mit Sinn und Legitimation zu besetzen, sie hat keine zentrale Deutungskompetenz mehr wie in der stratifizierten Form der Gesellschaft[75]. Religiöse Probleme, welche außerhalb der traditionellen Deutungskonzepte liegen, oder auch religiöse Probleme von Menschen, welche sich der Religion entfremdet haben, werden nicht mehr benannt, gedeutet und bearbeitet. Zwischen der Fülle religiöser Probleme und der Kompetenz, solche Probleme aufzufangen, besteht ein gravierendes Ungleichgewicht. Es bildet sich ein latenter, frei flottierender religiöser Bedarf, welcher gewissermaßen nur auf Formgebungen wartet[76]. So zeigt sich hier ein Aspekt der »Dialektik der Aufklärung«[77].
Diese Formgebungen verdienen nun unser Interesse; es sind Formgebungen vom Typus »Nationalgefühl/Nationalismus«, d. h. eine Art von Religiosität, welche ihr Symbolsystem nicht mehr ausführlich zur Darstellung bringt und nicht mehr reflektiert. Ein theoretisches Konzept, um solche Phänomene zu bearbeiten, ergibt sich im Anschluß an das Bändchen mit den Titel »mythologies« von Roland Barthes[78]. Die »Alltagsmythen«, welche er rekonstruiert,

---

74. Vgl. *Winkler*, 1978/1979; *Dierse/Rath*, 1984.
75. Zu den Bedingungen der Religion in der abendländischen Gegenwart vgl. z. B. *Luhmann*, 1977; *Berger*, 1980.
76. Von diesem Tatbestand her legitimiert sich – mit einigem Recht – die Tendenz, alle möglichen Sachverhalte als »Religion« zu interpretieren, wie dies *bei Luckmann*, 1967, geschieht.
77. *Horkheimer/Adorno*, 1947; im Anschluß daran *Habermas*, 1983.
78. *Barthes*, 1964. – Barthes' bestechende Mythenanalyse ist insofern problematisch, als er nur nach dem (latenten) »Mythos heute« fragt (S. 85), ohne sich um den »Mythos von gestern« – also den noch manifesten – zu kümmern. Als Aufklärer will er den Mythen auf den Leib rücken; aber vielleicht ist nur der manifeste Mythos dem latenten gewachsen, und nicht eine Aufklärung, die ihre eigenen Grenzen nicht zu überblicken vermag. Barthes will eine »Arbeit am Mythos« leisten, die derjenigen *Blumenbergs*, 1979, verwandt ist – mit ebensowenig Aussicht auf Erfolg.

präsentieren mythische Strukturen ohne vollständige Artikulation, ohne zugehörige Erzählung und natürlich ohne zugehörige Reflexionsleistungen. Die mythische Struktur besteht in einer Sequenz von bedeutungsvollen Elementen, die irreversibel angeordnet sind und eine Orientierungsmacht ausüben. Solche Sequenzen bleiben weitgehend latent und sind aus der Latenz heraus wirksam; sie sind »halbstumm«, sie werden nicht vollständig erzählt; man macht von ihnen Gebrauch, da mit einem Satz, dort mit einem Bild, dann wieder mit einer Zeremonie. Alltagsmythen artikulieren sich partiell, sie geben sich nicht in ihrer Gesamtheit preis und werden so nicht im Zusammenhang als Mythos identifiziert. Sie sind daher auch dem kritischen Zugriff des Diskurses und der emanzipierten Rationalität entzogen. Die Redeweise, daß dies oder jenes »zu einem Mythos geworden« sei, ist also in diesem Sinn durchaus sinnvoll. Die erfolgreichen latenten Mythen der Moderne faszinieren und prägen; für sie gilt wieder das Prinzip der »Orientierung durch Identifikation«. Die Wirkung dieser Mythen ist also vergleichbar mit denen, welche vor der Explikation der Rationalität erzählt wurden; im Unterschied zu jenen wird aber die Erzählung jetzt nicht mehr laut; sie wirkt etwa so wie die orientierende Prägung des Neurotikers, der nach seinem Mythos lebt und von ihm Gebrauch macht, ohne ihn zu kennen. Wer der Aufklärung verpflichtet ist, wird versuchen, latente Mythen zu rekonsturieren und zu erzählen.
Ich will einen solchen Versuch unternehmen und einen Mythos erzählen: Der Mensch kam mit allen Möglichkeiten eines vollen harmonischen Lebens auf die Welt. Dann aber erfuhr er Beschädigungen: Die Eltern wirkten auf ihn ein und verformten ihn; die Schule schränkte ihn ein, akzeptierte nur seinen Intellekt und bewirkte, daß er seine wertvollsten Teile abdrängte; die Gesellschaft schließlich zwängte ihn in eine Laufbahn, die er eigentlich nicht gewollt hatte und die ihn nicht befriedigte. So fühlte er sich selbst nicht mehr in Ordnung – er wurde sich selber fremd. Und nun kam einer, der ihm sagte: Du bist okay – und da erwachte er. Er begann, sich selbst zu entdecken und sich selbst zu lieben. Er ging daran, sich selbst zu verwirklichen. Er entdeckte seine verborgenen schöpferischen Fähigkeiten, mobilisierte seine inneren Kräfte. Er fand sich selbst und machte sich zu einem ganzen Menschen.
Man verzeihe mir die platte Geschichte; sie ist voller Clichés, aber sie ist wirksam. Sie vereinigt eine Menge von Leitbegriffen heutiger Vulgäranthropologie: Autonomie, Integration, schöpferische Selbstverwirklichung. Es ist ein aufklärerisch-gnostischer Mythos, welcher nie so erzählt wird, wie ich ihn erzählt habe – er wäre dann an jedem Punkt angreifbar und zersetzbar. Er bleibt stumm, ist so der emanzipierten Rationalität entzogen – und er wirkt. Der Mythos des ganzen Menschen ist in vielen Bereichen der Freizeitkultur wirksam, unter anderem auch im Bereich organisierter Religion: In der Alltagspraxis der Gemeinden übt er wohl mindestens soviel Faszination aus wie die traditionellen Erzählungen, welche die Geschichte des Heils zur Wirksamkeit bringen. Je stärker innerhalb der Kirche die traditionellen Mythen

zum Erliegen kommen, desto stärker wird auch hier das Orientierungsdefizit mit dem Bestand latenter Mythen gedeckt.
Nun erleben wir allerdings in jüngster Vergangenheit auch ein Wiederaufleben expliziter Mythen, welche sich ganz direkt gegen das Alltagsweltkonzept der Aufklärung wenden (auch wenn sie häufig durchaus durch die Aufklärung geprägt sind). Evangelikale Kreise erzählen die Geschichten des Christentums, als ob die Aufklärung nie stattgefunden hätte, oder besser: Sie erzählen sie gegen die Aufklärung[79]. Neue Religionen östlicher und westlicher Provenienz erzählen nicht nur ihre Geschichte, sondern sie beziehen ihre Glieder durch rituelle Vorgänge in derart wirksame Transformationsprozesse ein, daß die Anhängerschaft gleichzeitig Ausstieg aus der Gesellschaft bedeutet. Die New-Age-Spiritualität entwirft Mythen und Rituale, welche eine weitreichende Faszination ausüben.
Der Erfolg dieser neuen expliziten Mythen hängt unmittelbar mit der Krise zusammen, in welche das aufklärerische Alltagsweltkonzept geraten ist; je geringer dessen Evidenz, desto größer die Wirksamkeit dieser Mythen. Sie laden zum Aussteigen ein; sie beziehen ihre Kraft in erster Linie durch die Negation und basieren auf dem weitverbreiteten Orientierungsdefizit. Der obskurantistische Wildwuchs ist bekannt; ich will nicht auf ihn eingehen.
So hat sich die Theologie heute mit einer Reihe von Problemfeldern auseinanderzusetzen:
a) Das Christentum hat sich bei uns als Religion etabliert, die mit den Prinzipien der Aufklärung kompatibel ist. Es räumt einer distanzierenden, dezentrierenden, generalisierenden Rationalität einen selbstverständlichen Stellenwert ein. Ob Christentum und Aufklärung auch in anderen Bereichen der Welt und in Zukunft notwendig zueinandergehören müssen, bleibe dahingestellt[80]. Aber in unserer Gegenwart wäre eine Scheidung nur um den Preis gravierenden Realitätsverlusts zu haben. Wie weit unterzieht sich aber das Christentum dabei dem Alltagsweltkonzept der Aufklärung, welches der Rationalität wirklichkeitssetzende und -begründende Funktion zuweist? Dies ist eine Aufgabe, welcher die emanzipierte Rationalität nie gewachsen war. Die Aufklärung muß sich auf sich selbst zurückbeziehen und auch die Grenzen der von ihr verwalteten Rationalität erkennen; sie muß sich bewußt

---

79. *Stolz*, 1987.
80. Hier stellt sich das Problem der »einheimischen Theologie«: Muß die reflektierende Verarbeitung des Christentums in Bereichen, welche nur äußerlich durch die Aufklärung berührt worden sind (nämlich in Form von Kolonialismus und Modernisierung der Lebensformen im Sinne westlicher Zivilisation und Technologie) die geistesgeschichtliche Problematik Europas (und Amerikas) mit verarbeiten? Ich kann die Frage nicht beantworten, und es wäre vermessen, sie von Europa aus beantworten zu wollen; viele theologische Beiträge etwa aus Indien nehmen zwar Ansätze der hiesigen theologischen Debatte auf, prägen sie aber charakteristisch um (vgl. z. B. *Bürkle*, 1966). Die Zeit, da die europäische Theologie die Denkfiguren der Jungen Kirchen aufnimmt, ist noch nicht gekommen.

werden, daß sie auf Voraussetzungen beruht, die sie nicht selbst geschaffen hat – und diese Voraussetzungen könnte man durchaus als »mythisch« gegeben bezeichnen[81].

b) Die christliche Verkündigung der Gegenwart steht in Konkurrenz mit den stummen Mythen, welche sich der Aufklärung entziehen; dabei wirken diese Mythen nicht nur von außen, sondern sie haben unter der Hand die kirchliche Praxis (und teilweise wohl auch die Theologie) in ihren Bann gezogen[82]. Hier stellt sich für die Theologie die Aufgabe rationaler Bearbeitung und Analyse.

c) Die christliche Verkündigung der Gegenwart steht in Konkurrenz mit den neuen Mythen, welche der Aufklärung spotten, welche ihre Wirklichkeitssetzungen und Transformationsmechanismen ohne jede Hemmung der neuzeitlichen Rationalität zum Trotz, aber recht erfolgreich anbieten. Während etwa die traditionelle christliche Theologie kaum mehr über ewiges Leben, Reich Gottes usw. zu sprechen vermag, während Himmel, Hölle und Teufel fast tabu sind, redet man andernorts ohne Skrupel und zur allseitigen Faszination von Wiedergeburt, vom Leben nach dem Tod usw.[83] Während also der christliche Mythos angesichts des Alltagsweltkonzepts der Aufklärung vielfach leise oder gar stumm geworden ist, erklingen neue Mythen recht ungehindert. Das Wiederfinden des christlichen Mythos hängt mit dem Programm »narrativer Theologie« zusammen[84].

Die Grundfrage ließe sich demnach etwa folgendermaßen formulieren: Wie kann das Christentum seine mythische Struktur geltend machen *und* in Distanz dazu treten? Wie kann es seine Erzählung durchhalten *und* die Erzählung einem Abstraktionsprozeß unterwerfen? Wie kann es seine Transformationen zur Wirkung bringen *und* gleichzeitig diese Transformationen von außen betrachten? Wie kann die Theologie dogmatisch *und* kritisch sein? Dieses »und« kann nicht einfach eine gleichrangige Zuordnung beinhalten; wirklichkeitsbegründende Kraft hat nur die religiöse Setzung der Welt. Im gegenwärtigen Theologiebetrieb dagegen dominiert wohl das jeweils zweite Element, und im christlichen Alltag ist von der setzenden Kraft christlicher Tradition nicht mehr viel zu spüren. Es ginge also darum, die Erzählpotenz des Christentums sowohl im kirchlichen Alltag als auch in dogmatischer

---

81. Ich nehme hier eine Argumentation auf, wie *Lübbe*, 1986, S. 322, sie im Anschluß an Böckenförde im Hinblick auf die Begründung des liberalen Rechtsstaates geltend gemacht hat: »Der liberale Staat lebt von Voraussetzungen, die er nicht selbst garantieren kann.«

82. Es wäre aufschlußreich, einmal die Programme von Pfarrerfortbildungsveranstaltungen, von kirchlicher Akademiearbeit usw. daraufhin zu prüfen, in welchem Maße Themen des »christlichen« oder des »neugnostischen« Mythos zur Sprache kommen.

83. Die Faszination der Beobachtungen und Mutmaßungen von E. Kübler-Ross über das Geschick der Sterbenden und Gestorbenen, aber auch die Attraktivität des Themas von der Wiedergeburt, wie es durch New-Age-Kreise aufgeworfen wird, sind aufschlußreich. Diese Dinge sind wieder alltägliches Gesprächsthema geworden.

84. Vgl. *Metz*, 1973; *Weinrich*, 1973; *Wacker*, 1977.

Reflexion geltend zu machen, dadurch die Reichweite der emanzipierten (und eben doch nicht ganz emanzipierbaren) Rationalität zu bestimmen und diese so zu domestizieren. Oder, um zum Anfang zurückzukehren: Es ginge darum, die Asymmetrie zwischen Mythos und Rationalität denkend zu bearbeiten, obwohl die Symmetrie eine Grundform des Denkens ist[85].

Mythos – Bibliographie

A. Aarne/S. Thompson: The Types of the Folktale, 2. Aufl. 1963.
J. Assmann: Die Verborgenheit des Mythos in Ägypten, in: Göttinger Miszellen 25 (1977), S. 7–43.
Ders./W. Burkert/F. Stolz: Funktionen und Leistungen des Mythos. Drei altorientalische Beispiele, 1982.
R. Barthes: Mythen des Alltags, 1964.
W. Bascom: The Myth-Ritual-Theory, in: JAF 70 (1957), S. 103–114.
H. Baumann: Mythos in ethnologischer Sicht, in: Studium Generale 12 (1959), S. 1–17; 583–597.
H. Behrens: Enlil und Ninlil. Ein sumerischer Mythos aus Nippur, 1978.
P. L. Berger/Th. Luckmann: Die gesellschaftliche Konstruktion der Wirklichkeit, 1969.
P. L. Berger: Der Zwang zur Häresie. Religion in der pluralistischen Gesellschaft, 1980.
H. Biezais (Hg.): The Myth of the State, 1972.
H. Blumenberg: Arbeit am Mythos, 1979.
K. Bolle: Myths and Other Religious Texts, in: Contemporary Approaches to the Study of Religion I, hg. von F. Whaling, 1984, S. 297–363.
W. Burkert: Griechische Religion der archaischen und klassischen Epoche, 1977.
– Mythisches Denken, in: *H. Posher (Hg.):* Mythos und Philosophie, 1979, S. 16–39.
Ders., A. Horstmann: Art. Mythos, in: Hist. Wörterbuch der Philosophie 6, 1984, Sp. 281–318.
H. Bürkle (Hg.): Indische Beiträge zur Theologie der Gegenwart, 1966.
H. Cancik: Mythische und historische Wahrheit. Interpretationen zu Texten der hethitischen, biblischen und griechischen Historiographie, 1970.
E. Cassirer: Philosophie der symbolischen Formen, Teil 2: Das mythische Denken (1925), 7. Aufl. 1977.
H. Cazelles: Le mythe et l'Ancien Testament, in: Dict. de la Bible Suppl. VI (1960), S. 246–61.
B. S. Childs: Myth and Reality in the Old Testament, 1960.
N. Chomsky: Aspekte der Syntax-Theorie, 1969 (als TB 1973).
M. Civil: Enlil and Ninlil: The Marriage of Sud, in: JAOS 103 (1983), S. 43–66.
P. S. Cohen: Theories of Myth, in: Man NS 4 (1969), S. 337–353.
C. Colpe: Das Phänomen der nachchristlichen Religion in Mythos und Messianismus, in: NZSTh 9 (1967), S. 42–87.
M. S. Day: The Many Meanings of Myth, 1984.
M. Detienne: Mythologie ohne Illusionen, in: *C. Lévi-Strauss/J. P. Vernant u. a.:* Mythos ohne Illusionen, 1984.
H. Diels: Die Fragmente der Vorsokratiker, hg. von W. Kranz (6. Aufl. 1951), Nachdruck 1972.
V. Dierse/H. Rath: Art. Nation, Nationalismus, Nationalität, in: Hist. Wörterbuch der Philosophie 6, 1984, Sp. 406–414.
A. Di Nola: Art. Mito in: Enciclopedia delle Religioni 4, 1972, Sp. 485–530.
W. G. Doty: Mythography, 1986.
M. Eliade: Der Mythos der ewigen Wiederkehr, 1953.
– Das Heilige und das Profane, 1957.
– Geschichte der religiösen Ideen I–III, 1978 ff.
W. Euchner: Art. Gesellschaftsvertrag, in: Hist. Wörterbuch der Philosophie 3, 1974, Sp. 476–480.

85. Vgl. die Erwägungen von *Mostert,* 1986.

W. Farber: Rituale und Beschwörungen in akkadischer Sprache, in: Texte aus der Umwelt des Alten Testaments II/2, hg. von O. Kaiser, 1987.
J. Fontenrose: The Ritual Theory of Myth, 1966.
H. Frankfort u. a.: Alter Orient – Mythos und Wirklichkeit, 1981 (Im Frühlicht des Geistes, 1954).
Th. H. Gaster: Thespis. Ritual, Myth, and Drama in the Ancient Near East, 2. Aufl. 1961.
C. Geertz: Common sense als kulturelles System, in: Dichte Beschreibung, 1983, S. 261–288.
F. Graf: Griechische Mythologie, 1985.
A. Graeser: Die Vorsokratiker, in: Klassiker der Philosophie I, hg. von O. Höffe, 1981.
– Die Philosophie der Antike 2, in: Geschichte der Philosophie, hg. von W. Röd, 1983.
V. Grönbech: Hellas I, 1965.
J. Habermas: Die Verschlingung von Mythos und Aufklärung, in: Mythos und Moderne, hg. von K. J. Bohrer, 1983.
A. Halder/K. Kienzler (Hg.): Mythos und religiöser Glaube heute, 1985.
J. Harrison: Themis. A Study in the Social Origins of Greek Religion, 2. Aufl. 1927, Wiederabdruck zus. mit Epilegomena to the Study of Greek Religion, 1962.
J. Henninger: Le mythe en ethnologie, in: Dict. de la Bible Suppl. VI, 1960, S. 225–246.
L. Honko: Der Mythos in der Religionswissenschaft, in: Themenos 6 (1970), S. 36–67.
M. Horkheimer/Th. W. Adorno: Dialektik der Aufklärung, 1947.
A. Horstmann: Art. Mythos (zus. mit *W. Burkert),* in: Hist. Wörterbuch der Philosophie 6, 1984, Sp. 281–318.
K. Hübner: Die Wahrheit des Mythos, 1985.
S. E. Hyman: The Ritual View of Myth and the Mythic, in: Th. A. Sebeok (Ed.): Myth, 1955, S. 84–94.
R. Imbach: Wilhelm Ockham, in: Klassiker der Philosophie I, hg. von O. Höffe, 1981, S. 220 ff.
Th. Jacobsen: Mesopotamien, in: *H. Frankfort u. a.:* Alter Orient – Mythos und Wirklichkeit, 1981, S. 136–241.
– The Treasures of Darkness, 1976.
W. Jaeger: Die Theologie der frühen griechischen Denker, 1953/1964.
A. E. Jensen: Mythos und Kult bei den Naturvölkern, 1951.
H. J. L. Jensen: Mythenbegreben i den historik-kritiske og i den strukturalistiske forskning, in: DTT 47 (1983), S. 1–19.
A. Jolles: Einfache Formen, 1930 (Neudruck 1958).
I. Kant: Die Religion in den Grenzen der bloßen Vernunft, hg. von K. Vorländer, 3. Aufl. 1951.
G. S. Kirk: The Nature of Greek Myths, Penguin Books, 1980.
– Myth. Its meaning and functions in ancient and other societies, 1978.
C. Kluckhohn: Myths and Rituals: a General Theory, in: HTR 35 (1942), S. 45–79 = Studies on Mythology, hg. von R. A. Georges, 1968, S. 137–167.
K. Koch: Was ist Formgeschichte?, 3. Aufl. 1974.
S. N. Kramer: Sumerian Mythology, 2. Aufl. 1961.
W. Kranz: Geschichte der griechischen Literatur, 4. Aufl. 1960.
J. La Fontaine: Initiation, 1985.
W. G. Lambert: Der Mythos im Alten Mesopotamien, sein Werden und Vergehen, in: ZRGG 26 (1974) S. 1–16.
E. Leach (Hg.): Mythos und Totemismus, 1973.
H. Lenk (Hg.): Zur Kritik der wissenschaftlichen Rationalität. Zum 65. Geburtstag von K. Hübner, 1986.
C. Lévi-Strauss: Strukturale Anthropologie I (stw 226), 1978.
– Die Sage von Asdiwal, in: *C. A. Schmitz (Hg.):* Religionsethnologie, 1964, S. 154–195, ebenso in: *E. Leach:* Mythos und Totemismus, 1973, S. 27–81.
– Mythos und Bedeutung, hg. von A. Reif, 1980.
– Das wilde Denken, 1968.
– Mythologica I–III, 1971 ff.
H. Limet/J. Ries (Eds.): Le mythe, son langage et son message, 1983.

– *(Eds.):* Les rites d'initiation, 1986.
H. Lübbe: Religion nach der Aufklärung, 1986.
Th. Luckmann: The Invisible Religion, 1967.
N. Luhmann: Funktion der Religion, 1977.
M. Lüthi: Das europäische Volksmärchen, 2. Aufl. 1960.
B. Malinowski: Myth in Primitive Psychology, 1926.
J. Mansfeld: Die Vorsokratiker I/II, 1983/1986 (Reclam-Ausgabe).
J. B. Metz: Kleine Apologie des Erzählens, in: Concilium 9 (1973), S. 334–341.
W. Mostert: Religion als Verhältnis Mensch-Gott. Gleichgewicht im Ungleichgewicht, in: Gleichgewichts- und Ungleichgewichtskonzepte in der Wissenschaft, hg. von Fritz Stolz, 1986, S. 173–185.
S. Mowinckel: Religion und Kultus, 1953.
H.-P. Müller: Mythos – Tradition – Revolution, 1973.
– Zum alttestamentlichen Gebrauch mythischer Rede. Orientierungen zwischen Strukturalismus und Hermeneutik, in: Religiöse Grunderfahrungen, hg. von W. Strolz, 1977, S. 67–93.
– Mythos – Anpassung – Wahrheit. Vom Recht mythischer Rede und deren Aufhebung, in: ZThK 80 (1983), S. 1–25.
– Mythos und Kerygma. Anthropologische und theologische Aspekte, in: ZThK 83 (1986) S. 405–435.
W. Nestle: Vom Mythos zum Logos, 2. Aufl. 1942.
A. Ohler: Mythologische Elemente im Alten Testament, 1966.
A. Olrik: Epische Gesetze der Volksdichtung, in: Zschr. f. Deutsches Altertum und Deutsche Literatur 51 (1909), S. 1–12.
A. M. Olson (Hg.): Myth, Symbol, and Reality, 1980.
M. Oppitz: Notwendige Beziehungen, 1975.
B. Otzen/H. Gottlieb/K. Jeppesen: Myths in the Old Testament, 1980.
W. Pannenberg: Christentum und Mythos, 1972.
C. Petersen: Mythos im Alten Testament. Bestimmung des Mythosbegriffs und Untersuchung der mythischen Elemente in den Psalmen, 1982.
R. Pettazzoni: Die Wahrheit des Mythos, in: Paideuma 4 (1950), S. 1–10 (The Truth of Myth, in: Essays on the History of Religions, 1954, S. 11–23).
J. Piaget: Psychologie der Intelligenz, 1971.
H. Poser (Hg.): Mythos und Philosophie. Ein Kolloquium, 1979.
– Die Rationalität der Mythologie, in: *Lenk,* 1986, S. 121–132.
K. Th. Preuss: Der religiöse Gehalt der Mythen, 1933.
G. von Rad: Der Anfang der Geschichtsschreibung in Israel, in: *ders.:* Gesammelte Studien zum Alten Testament, 1964, 154 ff.
R. Rendtorff: Beobachtungen zur altisraelitischen Geschichtsschreibung, in: Probleme biblischer Theologie (FS G. von Rad), 1971, S. 428–439.
P. Ricoeur: Die Struktur, das Wort und das Ergeignis, in: Hermeneutik und Strukturalismus, 1971, S. 101–122.
W. Röd: Die Philosophie der Antike 1 (Geschichte der Philosophie, Bd. I), 1976.
J. W. Rogerson: Myth in Old Testament Interpretation, 1974.
R. Schlesier (Hg.): Faszination des Mythos, 1985.
H. H. Schmid: Gerechtigkeit als Weltordnung, 1968.
– Altorientalische Welt in der alttestamentlichen Theologie, 1974.
J.-U. Schmidt: Die Ehen des Zeus, in: WuD NF 18 (1985), S. 73–92.
G. Schmidtchen: Was den Deutschen heilig ist, 1979.
A. Schott/W. von Soden: Das Gilgamesch-Epos, 1966.
Th. A. Sebeok (Ed.): Myth. A Symposium, 1955.
P. Smith: Stellungen des Mythos, in: *C. Lévi-Strauss/J.-P. Vernant u. a.:* Mythos ohne Illusionen, 1984, S. 47–67.
W. von Soden: Einführung in die Altorientalistik, 1985.

B. de Spinoza: Theologisch-politischer Traktat, hg. von Günter Gawlick, 1976.
F. Stolz: Der Streit um die Wirklichkeit in der Südreichsprophetie des 8. Jahrhunderts, in: WuD NF 12 (1973), S. 9–30.
– Jahwes Unvergleichlichkeit und Unergründlichkeit. Aspekte der Entwicklung zum alttestamentlichen Monotheismus, in: WuD NF 14 (1977), S. 9–24.
– Funktionen und Bedeutungsbreite des ugaritischen Ba'alsmythos, in: *J. Assmann/W. Burkert/F. Stolz:* Funktionen und Leistungen des Mythos, 1981.
– Psalmen im nachkultischen Raum, 1983.
– Das Gleichgewicht von Lebens- und Todeskräften als Kosmos-Konzept Mesopotamiens, in: Kosmos – Kunst – Symbol, Hg. von A. Zweig und M. Svilar, 1986, S. 47–67.
– Fundamentalismus, Evangelikalismus und Enthusiasmus – Formen kommender Religiosität? in: Neue soziale Bewegungen, Hg. von M. Dahinden, 1987, S. 127–145.
– Grundzüge der Religionswissenschaft, 1988 a.
– Hierarchien der Darstellungsebenen religiöser Botschaft, in: *H. Zinser (Hg.):* Grundfragen der Religionswissenschaft, 1988 b.
– Tradition orale et tradition écrite dans les religions de la Mésopotamie antique, dans: *Ph. Borgeaud (Ed.):* La mémoire des religions, 1988 c.
E. Topitsch: Vom Ursprung und Ende der Metaphysik, 1958/1972.
A. van Gennep: Les rites de passage, 1909.
B. Wacker: Narrative Theologie?, 1977
H. Weinrich: Tempus. Besprochene und erzählte Welt, 1964.
– Narrative Theologie, in: Concilium 9 (1973), S. 329–334.
C. Westermann: Arten der Erzählung in der Genesis, in: Forschung am Alten Testament I, 1964, S. 9–91.
– Genesis (BK I–III), 1966 ff.
– Genesis 12–50 (Erträge der Forschung 48), 1975.
H. A. Winkler (Hg.): Nationalismus, 1978.
– */Th. Schnabel:* Bibliographie zum Nationalismus, 1979.
P. Xella: Problemi del mito nel Vicino Oriente antico, 1976.

Kurzbericht über die Diskussion
Kurt Rudolph

Magister: Klaus Koch
Teilnehmer: Manfred Haustein, Hans-Joachim Klimkeit, Ekkehard Mühlenberg, Walter Sparn, Fritz Stolz, Jacques Waardenburg, Klaus Winkler
Einleitend stellte der Magister die drei Diskussionsschwerpunkte auf: 1. Was ist Mythos, 2. der religionsgeschichtliche Beitrag, vor allem von der äußereuropäischen Seite, 3. die gegenwärtige Bedeutung von Mythos im Spannungsfeld der Rationalität?
Zum ersten Punkt »Mythos« gab der Magister noch einmal drei Themen an, die im Anschluß an den Vortrag diskutiert werden sollten: die Gattungsfrage, d. h.: Sind Mythen in besonderen literarischen Gattungen überliefert worden? Zweitens die Funktion des Mythos, besonders seine Beziehung zum Kultus und die daraus resultierende Stabilität, drittens die Reflexionsebene des Mythos, besonders im Hinblick auf die Mythenauslegung von Claude Lévi-Strauss (z. B. sumerische Mythen zeigen Abstraktionscharakter). Die folgende Aussprache zu diesem Punkt kreiste einmal um die Form des Mythos als Epos, das als ethisch-normgebende Orientierung später durch die Biographie und im Christentum durch Märtyrergeschichten und Legenden abgelöst wurde (Mühlenberg), zum anderen um das Verhältnis von Mythos und Kunst (Ästhetik): Erst moderne Mythen leben stärker aus dem Ästhetischen und Ethischen, wie bei Richard Wagner, während der Mythos von Haus aus unabhängig von moralisch-ästhetischer Orientierung gewesen sei (Sparn). Daß die Kategorie der Narrativität nicht genügt, um den Mythos zu bestimmen, hob Klimkeit hervor, ebenso wie die kultische Verwurzelung und bildliche Darstellung von Mythen

(z. B. in den altorientalischen Religionen). Die Antworten des Referenten betonten demgegenüber den grundsätzlichen Unterschied zwischen den objekt- und metasprachlichen Gegebenheiten, die einen Ausgang aus der Sprache erlauben und Mythos grundsätzlich als Darstellung, Erzählung und Beschreibung verstehen lassen. Funktionell kann der Mythos mit und ohne Handlung bestehen. Ethisierung und Ästhetisierung ist dabei wichtig. Eine Rationalisierung ist mit und im Mythos gegeben; sie ist keinesfalls nur nachmythisch.

Das zweite Thema wurde durch Klimkeit mit der Hervorhebung der »Daseinsverhältnisse« als prägende Kraft für die Mythen eingeleitet, wobei er sich auf die Deutung der Gnosis durch Hans Jonas bezog. Verschiedene Grundformen des Mythos haben auch unterschiedliche Daseinsformen zur Voraussetzung, d. h., der Rahmen von Kultur, Lebensauffassung, Geschichte usw. bestimmt den Mythos wesentlich (vgl. z. B. China). Dem wurde von Koch zugestimmt durch den Verweis auf den Buddhismus, wo Mythen als bloße Illustrationen auftreten, allerdings sind dabei, wie Klimkeit einwandte, die Unterschiede zwischen den verschiedenen Formen und Verbreitungsgebieten zu beachten. Das Thema des Islam und seiner von Haus aus antimythischen Haltung wurde von Waardenburg in die Diskussion eingebracht: Die von Mohammed aufgenommenen mythischen Traditionen seien völlig umgebildet und der Ratio dienstbar gemacht worden, was nicht verhindert hat, daß der Islam in der späteren Tradition »mythologisiert« wurde. Auf die Frage von Koch, ob nicht die Offenbarung im Islam mythisch zu verstehen sei, antwortete Waardenburg, daß dies ein theologisches, kein religionswissenschaftliches Problem sei; zwar kann ein »Offenbarungsereignis« im religionswissenschaftlichen Sinne mythisch genannt werden, aber dann hat »Mythos« eine andere Bedeutung, als ihn die Theologie verwendet. Stolz reagierte am Schluß darauf, daß Islam und Judentum als Besitzer von »narrativen« Gesamttraditionen durchaus als mythisch zu bezeichnen seien. In der Funktion sind natürlich die mythischen »Narrativitäten« verschieden (zur Frage Klimkeit).

Der dritte Diskussionspunkt drehte sich vor allem um den heutigen Umgang mit Mythen und Mythologien. Nach Winkler ist trotz des emanzipatorischen, aufklärerischen Trends eine neue Mythosrezeption zu beobachten; das Pendel schlägt momentan von der rationalen Auslegung des Mythos zur Mythologisierung der Ratio. Dahinter sieht Haustein ein kulturpathologisches oder »dialektisches« Problem. Für letzteres spricht die Mythosrezeption bei DDR-Autoren, wie Franz Fühmann (»Ich mußte den Schritt zum Mythos tun, denn der Mythos ist Leben«) oder Christa Wolf (»Störfall«). Die politische Verwendung des Mythischen kann daher mobilisierend oder stabilisierend sein; seine Wahrnehmungsfunktion bringt eine erkenntnistheoretische Erweiterung (vgl. K. Hübner). Daß dabei ein Widerspruch zwischen Analyse und Therapie in der Mythosverwendung zu beobachten ist, bemerkte Stolz. Eine Rückkehr zum Mythischen ist nach Ansicht von Winkler natürlich nicht empfehlenswert, sondern die Rationalität der Aufklärung ist auszuhalten. Noch einmal brachte Mühlenberg die Sprache auf die orientierende Funktion des Mythos; sie kann keine direkte Motivierung bringen (so Platon), sondern es bedarf dafür der Erziehung. Dem stimmte Stolz zu. Die Schlußfrage von Klimkeit nach der »Stimme« des Mythos heute oder nach dessen Kriterium in der Moderne, blieb offen. Wahrscheinlich zeigen sich hier die unterschiedlichen Positionen von Theologie und Religionswissenschaft, wie Stolz abschließend vermerkte, die als streitende Parteien die Problemstellungen der Tagung mitbrachten, ohne sie einer gemeinsamen Beantwortung zuführen zu können.

Die weltgründende Funktion des Mythos und der christliche Offenbarungsglaube

Wolfhart Pannenberg

Knapp vierzig Jahre ist es her, daß mit dem Erscheinen des ersten Bandes von »Kerygma und Mythos« die Diskussion um das Entmythologisierungsprogramm Rudolf Bultmanns in die breite theologische Öffentlichkeit gelangte und von da an für zwei Jahrzehnte die Tagesordnung der evangelischen Theologie bestimmte. Das Stichwort »Mythos« fungierte dabei als Inbegriff einer Weltauffassung, die durch das moderne, von Naturwissenschaft und Technik geprägte Weltbewußtsein überholt ist. Mit der Forderung nach Entmythologisierung der christlichen Botschaft verband sich daher die Aussicht auf eine neue, zeitgemäßere Gestalt des Evangeliums, die es zugleich reiner in seiner Eigenart erfaßt durch Befreiung von der Vermischung mit Elementen mythischer Weltauffassung, Elementen, die der Entstehungszeit des Christentums angehörten, aber mit dem Kern des Evangeliums, wie man meinte, nur äußerlich verbunden waren. Auch als die Blütezeit der existentialen Interpretation des Evangeliums 1968 ein abruptes Ende fand, weil man sich in den Jahren der Studentenrevolution plötzlich des Subjektivismus dieser Theologie als Schranke bewußt wurde, galt der Mythos weiterhin als »erledigt«. So ist es denn schon merkwürdig, daß wir seit einigen Jahren erleben, wie Erörterungen mythischer Weltauffassung in zunehmendem Maße öffentliches Interesse finden. Man könnte geradezu von einer Art Umkehrung der Sachlage sprechen, weil heute die mythische Weltauffassung in bei weitem höherem Maße des öffentlichen Interesses würdig zu sein scheint als das Evangelium selber.

Dieser Vorgang sollte in der evangelischen Theologie zunächst einmal mit Betroffenheit wahrgenommen werden. Worauf beruht das neue Interesse für die angeblich erledigte mythische Weltauffassung? Sollte die Theologie der Entmythologisierung einen Sachverhalt, der für dieses neue Interesse am Mythos maßgeblich ist, unbeachtet gelassen haben? Dann müßte die Theologie versuchen, diesem Sachverhalt jetzt besser gerecht zu werden. Das muß nicht bedeuten, daß sie die modische Aufwertung des Schlagworts »mythisch« undifferenziert übernimmt. Noch weniger wird es ausreichen, eine bloß verbale Anpassung zu vollziehen und nunmehr die biblische Überlieferung als im ganzen mythisch und – o Wunder – eben darum zeitgemäß auszugeben.

Mit dem neuen Interesse am Mythos ist in der Tat ein Sachverhalt verbunden, der in der Theologie der Entmythologisierung übersehen worden ist. Das ist das zunehmende Unbehagen am Anspruch der modernen, wissenschaftlichen Welterklärung auf alleinige Zuständigkeit für das Verständnis der Welt-

wirklichkeit. Dieses Unbehagen hat viele Wurzeln. Es bekundet sich am deutlichsten in bezug auf die Auswirkungen technologischer Anwendung der Naturwissenschaften. Zu seinen Bedingungen gehört aber auch die Erschütterung des positivistischen Wissenschaftsideals in den wissenschaftstheoretischen Diskussionen der letzten Jahrzehnte sowie ein wachsendes Bewußtsein von der Teilhabe der modernen wissenschaftlichen Rationalität an den Sinndefiziten der säkularen Kulturwelt. Es ist bezeichnend, daß ein bisher als Wissenschaftstheoretiker hervorgetretener Philosoph wie Kurt Hübner eines der am meisten beachteten Plädoyers für eine neue Besinnung auf die »Wahrheit des Mythos« verfaßt hat (1985).
Die Theologie der Entmythologisierung konnte sich darauf beschränken, die Weltdeutungen des Mythos als durch die moderne Wissenschaft »erledigt« hinzustellen, weil sie ihrerseits an den Themen der Weltinterpretation gar nicht interessiert war. Ihre Kritik an der mythologischen Vorstellungsweise richtete sich ja besonders darauf, daß der Mythos »das Unweltliche, Göttliche als Weltliches, Menschliches« darstellt[1], und die existentiale Interpretation zielte darauf, hinter die weltbildhafte Gestalt der mythologischen (oder mythischen) Aussagen zurückzugehen, um sie als Ausdruck menschlichen Selbstverständnisses zu deuten. Bultmann war der Meinung, daß eine solche Interpretation auch dem eigentlichen Sinn der mythischen Vorstellungen selber entspreche. Im gnostischen Mythos wie in den urchristlichen Aussagen ging es nach seiner Meinung eigentlich um das Selbstverständnis des Menschen, nicht um das Weltverständnis, und während die welthaften Vorstellungen, deren sich das urchristliche Kerygma bediente, nach seinem Urteil für uns unwiderruflich vergangen sind, betrachtete er das darin ausgedrückte Selbstverständnis als eine Möglichkeit auch »für den unmythologisch denkenden Menschen von heute«[2]. Diese Trennung von Selbstverständnis und Weltverständnis war für das Programm der existentialen Interpretation fundamental. Bultmann wollte nicht etwa die veralteten weltbildhaften Vorstellungen der Bibel übersetzen in eine heute plausible Weltauffassung. Vielmehr konnte er den Anspruch der modernen, säkularen Wissenschaft auf Alleinzuständigkeit in Fragen der Welterklärung als Theologe akzeptieren, weil es für ihn beim Glauben allein um das Selbstverständnis ging.
Gerade an dieser Stelle dürfte nun aber das schwerste Defizit der Theologie der Entmythologisierung liegen. Selbstverständnis und Weltverständnis lassen sich nicht als eigenständige Größen voneinander ablösen. Sie stehen im Verhältnis korrelativer Entsprechung zueinander. Das Selbstverständnis entspricht auf die eine oder andere Weise dem jeweiligen Weltverständnis. Darum kann man schwerlich das Weltverständnis des Urchristentums für historisch unwiderruflich erledigt erklären, gleichzeitig aber das Selbstver-

1. *R. Bultmann,* in: *H. W. Bartsch (Hg.):* Kerygma und Mythos I, Hamburg 1948, S. 23, Anm. 2.
2. Ebd., S. 28.

ständnis der neutestamentlichen Schriftsteller für die Gegenwart festhalten wollen. Die bei solchem Verfahren unterstellte Weltlosigkeit der Subjektivität entspricht zwar dem Selbstverständnis einer einflußreichen Strömung in der modernen protestantischen Frömmigkeit und Theologie, nämlich der Erwekkungsfrömmigkeit und ihrer allein um die moralische Lebensproblematik, vor allem um die Themen von Schuld und Vergebung kreisenden Theologie. In der Theologie Albrecht Ritschls, deren durch Wilhelm Herrmann vermittelte Grundgedanken Bultmanns Denken geprägt hatten, war der Religion im Bunde mit der Moral die Aufgabe einer Stärkung der Selbständigkeit des Menschen gegenüber der Naturwelt zugewiesen worden, und bei Herrmann war diese Tendenz unter dem Einfluß seiner Erweckungsfrömmigkeit eher noch verstärkt worden. Es ist aber zu fragen, ob der moderne protestantische Subjektivismus mit der Konzentration seines Selbstverständnisses auf den Themenkreis von Schuld und Vergebung nicht seinerseits Korrelat eines ganz bestimmten Weltverständnisses gewesen ist, nämlich Korrelat des modernen Säkularismus und der ihm verbundenen naturwissenschaftlichen Rationalität, von der man um die Jahrhundertwende annehmen konnte, sie habe endgültig Gott aus der Erklärung der Naturwelt ausgetrieben, so daß das Feld des moralischen Selbstverständnisses der letzte Zufluchtsort des Gottesglaubens sei.

Ohne diesen Hintergrund ist die Trennung von Selbstverständnis und Weltverständnis in Bultmanns Programm der existentialen Interpretation des Mythos kaum verständlich. Wenn nun aber das neue Interesse am Mythos gerade mit seiner Funktion für das Weltverständnis zusammenhängt angesichts eines Gefühls der Erschütterung der Alleinzuständigkeit der modernen Naturwissenschaft für die Weltauffassung und auf der Suche nach einer neuen Verbundenheit von Selbst und Welt so, wie sie im mythischen Denken zum Ausdruck kommt, dann ist die Tatsache, daß sich das Verlangen nach einer alternativen Orientierung dem Mythos und nicht etwa der christlichen Überlieferung zuwendet, auch ein Anzeichen für die Schwäche einer weltlos gewordenen christlichen Frömmigkeit und Theologie. Damit ist eine Herausforderung der christlichen Theologie gegeben, der diese nicht schon damit begegnen kann, daß sie sich als narrative Theologie stilisiert: Es klingt ja so einleuchtend, daß es sich bei den biblischen Überlieferungen um Erzählung handelt. Mythen sind auch Erzählungen. Schon hat man einen gemeinsamen Nenner für Heilsgeschichte und Mythos, und wenn dann noch hervorgehoben wird, daß die Sprache der Mythen poetisch zu verstehen sei und beileibe nicht als Feststellung von Sachverhalten, dann kann der Vergleich biblischen Erzählens mit der Sprache des Mythos sogar noch hilfreich sein, um das zu erreichen, was der moderne theologische Subjektivismus auf jeden Fall erreichen muß, nämlich die mit Behauptungen von Sachverhalten verbundenen Wahrheitsansprüche loszuwerden, auf die der theologisch unbelastete Leser der Bibel auf Schritt und Tritt stößt, in der alttestamentlichen Geschichtstheologie und erst recht im Christuskerygma des Neuen Testaments. Es gehört schon viel theologischer Scharfsinn zu dem Nachweis, daß die Wahrheitsansprüche etwa des christlichen Osterkerygmas gar nicht so gemeint sind, daß es sich dabei gar nicht um Behauptungen von etwas, was der Fall ist, handelt, sondern eben nur um Erzählung. Vielleicht aber reicht aller theologische Scharfsinn nicht aus, um den Zweifel an solchen Interpretationen auszutreiben und den Verdacht zu zerstreuen, daß es bei den biblischen Texten eben doch um Behauptung sogenannter Fakten geht.

Der theologische Subjektivismus sucht jeden Konflikt mit den wirklichen oder vermeintlichen Geltungsansprüchen der wissenschaftlichen Welterklärung zu vermeiden. Der Mythos aber stellt sich als Basis einer alternativen Form der Welterklärung dar. Auch wenn die Aussagen der Mythologie dieser oder jener alten Kultur nicht ohne weiteres durch den modernen, in den säkularisierten Industriegesellschaften lebenden Menschen als objektiv gültige Weltbeschreibung rezipiert werden können, so können sie doch als Hinweis auf eine für uns entschwundene Verbundenheit von Welt und Mensch und auf die Schranken der naturwissenschaftlichen Welterklärung wirken. Wenn gerade darauf die Anziehungskraft der Mythen in der durch die moderne Wissenschaft geprägten säkularen Kulturwelt beruht, dann ist es verständlich, daß dem Mythos ein Interesse entgegengebracht wird, das die heute vorherrschende Auslegung des Christentums nicht zu erwecken vermag. Denn immerhin geht es beim Mythos zumindest dem Anspruch nach um Wirklichkeit, nicht nur um subjektive Glaubenseinstellungen oder um Erzählungen, von denen versichert wird, sie seien mißverstanden, wenn man annehme, es sei auch der Fall, was dort erzählt wird.

Die Mythen der alten Hochkulturen sind sicherlich auch Erzählungen, aber »Erzählung« ist ein viel zu schwammiger Ausdruck, als daß damit schon etwas Spezifisches über den Mythos gesagt wäre. Die Näherbestimmung, es handle sich um »traditionelle Erzählungen«[3], hilft auch nicht viel weiter. Märchen, Familienerinnerungen und ein Großteil des schulischen Unterrichts bestehen auch aus »traditioneller Erzählung«. Man muß sich schon auf die Unterscheidung von Märchen, Sage und Mythos einlassen, um der Besonderheit des Mythos näherzukommen, auch im Unterschied zur novellistischen oder zur Geschichtserzählung. Die moderne Religionswissenschaft hat seit B. Malinowski[4] Mythen als Erzählungen von der urzeitlichen Gründung der Weltordnung, sowohl im Naturgeschehen als auch in der menschlichen Gesellschaft, durch Stammesväter, Urzeitheroen oder Götter gekennzeichnet. Nach M. Eliade ist der Mythos als »exemplarisches Modell« sowohl der Weltordnung als auch »für alle Riten und alle wesentlichen Tätigkeiten des Menschen« zu

---

3. *W. Burkert*, in: Hist. Wörterbuch der Philosophie 6, 1984, S. 281.
4. *B. Malinowski:* Myth in Primitive Psychologie, London 1926.

verstehen[5]. Insofern kommt dem eigentlichen Mythos nicht so sehr eine Erklärungsfunktion als vielmehr die Funktion von Begründung zu, wie nach dem Vorgang von Malinowski besonders Eliade betont hat, im Unterschied zu C. Levi-Strauss. Eine vergleichbare Funktion scheint der Begriff der »Orientierung«, die durch Mythen vermittelt wird, bei Fritz Stolz zu spielen. Dadurch ist nach A. E. Jensen und H. Baumann[6] die ätiologische Erzählung vom Mythos im engeren Sinne unterschieden. Die ätiologische Erzählung will in der Tat gegenwärtig zugängliche Sachverhalte, und zwar bestimmte Einzelfakten, *erklären* durch Rückgang auf ein Ursprungsgeschehen, von dem sie berichtet. Dem Mythos dagegen geht es um die Begründung der Ordnung der Welt im ganzen oder in Teilaspekten. Das macht auch verständlich, weshalb im Mythos meist Götter als Ursprüngsmächte eine zentrale Rolle spielen. Auch die im Mythos berichteten Vorgänge und Handlungen haben als singuläre Ereignisse zugleich paradigmatische Bedeutung. Darin ist, wie Eliade hervorgehoben hat, das Auftreten eines zyklischen Zeitverständnisses in Verbindung mit den Mythen begründet. Die Korrektur der Festlegung mythischen Bewußtseins auf ein ausschließlich zyklisches Zeitverständnis darf nicht blind machen für die ihm immerhin zukommende Bedeutung im Zusammenhang von Mythos und Kult. Die kultische Begehung vergegenwärtigt im Kreislauf des Jahres das urzeitliche Geschehen der Grundlegung der kosmischen und gesellschaftlichen Ordnung und der Einsetzung der zu ihrer Bewahrung erforderlichen Riten[7].

Daß das mythische Denken eine eigene Rationalität besitzt und als eine Form der Welterkenntnis gewürdigt werden muß, und zwar mit dem Bemühen um eine Erkenntnis der Welt im ganzen, das hat schon Ernst Cassirer im zweiten Band seiner Philosophie der symbolischen Formen (1926) dazustellen versucht. Kurt Hübner hat darüber hinaus behauptet, daß die Rationalität des Mythos prinzipiell derjenigen der modernen Wissenschaft gleichwertig sei, es sich nicht um eine der Wissenschaft unterlegene, sondern nur um eine andersgeartete Rationalität handle. Verlockend ist der Gedanke, daß die ganzheitliche, Mensch und Welt verbindende Betrachtungsweise des Mythos kompensatorisch die Mängel des säkularen Weltbewußtseins unserer Kultur ausgleichen könnte, für die die spezifische Rationalität des naturwissenschaftlichen Weltbildes zwar nicht verantwortlich ist, deren Exponent sie aber ist. Eine Kompensation der Einseitigkeiten des säkularen Bewußtseins durch die Welt mythischer Urbilder bleibt allerdings doch wohl ein etwas anachronistischer und nostalgischer Traum. Wir mögen ein ästhetisches Verhältnis zu den mythischen Urbildern vergangener Kulturen entwickeln, aber irgendeinen

5. *M. Eliade:* Das Heilige und das Profane, Hamburg 1957, S. 57.
6. *A. E. Jensen:* Mythos und Kult bei Naturvölkern, Wiesbaden 1951, S. 87 f., S. 91 ff.; *H. Baumann:* Mythos in ethnologischer Sicht, in: Studium Generale 12 (1959), S. 1–17 u. S. 583–597, bes. S. 7 f.
7. *K. Hübner:* Die Wahrheit des Mythos, München 1985, S. 140, S. 142.

dieser Mythen als verbindlichen Kanon der Weltauslegung für die Welt, die wir erfahren, zu rezipieren bleibt für uns unerschwinglich. Nicht umsonst war schon Hölderlin sich eines nicht überbrückbaren Abstands zur Welt des Mythos bewußt, sogar in seiner uns noch nächstliegenden Gestalt, im Mythos der griechischen Antike.
Ein Anspruch auf Verbindlichkeit ist mit dem Mythos durchaus verbunden. Mythen und ihre Götter stehen nicht einfach tolerant im Raume des archaischen Bewußtseins nebeneinander, ohne sich zu stoßen. Ihre Ansprüche auf Begründung der erfahrenen Welt stehen vielmehr in einem Verhältnis der Konkurrenz. Sie müssen sich nicht in jedem Falle ausschließend zueinander verhalten wie bei der Begegnung zwischen Jahwe und Baal, ihr Verhältnis zueinander kann durch Identifikation oder Subordination der Gottesgestalten geklärt werden, mit denen die Mythen verbunden sind. Im Prinzip aber beansprucht das Wort des Mythos ebenso verbindliche Geltung wie das wirklichkeitsetzende Wort der Gottheit selber. Die Verbindlichkeit des Mythos ist freilich nicht universal. Sie scheint auf den Umkreis der jeweiligen Kulturgemeinschaft oder auch der kultisch begründeten Gemeinschaft politischer Herrschaftsbereiche oder Kulturen beschränkt zu sein. Bei anderen Völkern gelten andere Mythen. Für den reisenden Kaufmann, der viele Völker und Kulturen kennenlernt, besonders auf den Wegen des Seehandels, kann das zum Anlaß werden, die Mythen der Völker zu vergleichen und nach einem gemeinsamen Kern ihrer Vorstellungen vom göttlichen Ursprung zu fragen, wie das im 6. Jahrhundert in Milet der Fall gewesen zu sein scheint.
Die Orientierung des mythischen Bewußtseins an der Anschauung von Ursprungsmächten, die die Ordnung der Welt und des Geschehens bestimmen, dürfte nun sowohl für das Verständnis der Anfänge der griechischen Philosophie in ihrem Verhältnis zur mythischen Überlieferung entscheidend sein als auch für eine Klärung des Verhältnisses des biblischen Glaubensverständnisses zum Mythos. Die Anfänge der Philosophie scheinen gekennzeichnet zu sein durch eine vielleicht aus dem Vergleich der verschiedenen Mythen und Götter im Hinblick auf ihre Funktionen motivierte *Umkehrung* der von den mythischen Archetypen ausgehenden Weltdeutung zur Frage nach der wahren Gestalt der göttlichen *arché* selber auf der Basis der überall gleichen Gegebenheiten der Welterfahrung. Die Mythen setzen im allgemeinen die Kenntnis der göttlichen Ursprungsmächte voraus, auch wenn sie die Götter in genealogische oder sonstige Beziehungen zueinander bringen. Gerade die Beziehungen zwischen den Göttern und zwischen Göttern und Menschen sind ja ein Hauptthema der Mythen. Die philosophische Umkehrung besteht darin, daß nun die Gestalt der Ursprungsmacht selber zum Thema wird, und zwar im Hinblick auf ihre Eignung als Ursprung der Weltwirklichkeit, wie sie sich in der Erfahrung darstellt.
Das biblische Gottesverständnis hat das mythische Bewußtsein an einer anderen Stelle verändert. Der biblische Gott ist zwar auch Ursprungsmacht,

aber in erster Linie im Hinblick auf den sozialen Verband und als die in geschichtlicher Erwählung und Führung sich äußernde Macht. Der Schöpfungsglaube ist der biblischen Gottesgestalt erst sekundär zugewachsen, weil der ausschließliche Anspruch Jahwes auf göttliche Verehrung keinen anderen Schöpfergott neben sich dulden konnte. Ursprünglicher als der Schöpfungsglaube scheint der biblischen Gottesgestalt ihre Funktion als Quelle der Rechtsordnung im Gemeinschaftsleben zuzugehören. Aber auch diese Funktion ist in erster Linie mit den Motiven geschichtlicher Erwählung und Führung verbunden. Daraus erwuchs offenbar eine Veränderung der mit dem göttlichen Wirken verbundenen Zeiterfahrung: Ihr Akzent rückte von der urzeitlichen Begründung der Welt- und Lebensordnung auf die Erfahrung geschichtlicher Veränderungen mit dem Ausblick auf eine künftige Vollendung der Weltherrschaft Jahwes und des Heils seiner Erwählten, aber auch darüber hinaus in der ganzen Schöpfung. Ansätze dazu hat es im Verheißungsglauben Israels schon früh gegeben. Zum Durchbruch kam die Zukunftsorientierung des Gottesverhältnisses aber erst in der Prophetie mit der Ankündigung eines Gerichtshandelns, das die alten Heilsgaben Gottes an sein Volk zerstören wird, und eines neuen Heilshandelns, das durch das Gericht hindurch das Verhältnis des Volkes zu seinem Gott auf eine neue Grundlage stellen wird.

Wegen dieser Umorientierung der Zeitlichkeit des Gottesverhältnisses und damit auch der Welterfahrung auf Zukunft hin kann das Glaubensbewußtsein des alten Israel nicht im ganzen als mythisch gekennzeichnet werden, wenn anders mythisches Bewußtsein an der bleibend normativen Bedeutung des urzeitlichen Geschehens hängt. Mircea Eliade hat diesen Sachverhalt eindringlich dargestellt, und trotz mancher Vereinfachungen in der Durchführung bleibt seine Grundthese richtig: In Israel tritt an die Stelle der Urzeitorientierung des mythischen Bewußtseins die Anschauung der »Geschichte als Epiphanie Gottes«[8]. Eliade hat dabei durchaus gesehen, daß das Glaubensbewußtsein Israels nicht »endgültig auf die überlieferte Vorstellung von den Archetypen und der Wiederholungen zu verzichten« vermochte, und dazu ist über das von ihm Gesagte hinaus noch vieles hinzuzufügen. Aber »das *Neue* der jüdischen Religion im Verhältnis zu den überlieferten Strukturen« altorientalischer Mythologie ist nun eben doch nach Eliade die Geschichtstheologie: »Der historische Vorgang wird zu einer Theophanie, in der sich der Wille Jahwes ebenso wie die *persönlichen* Bindungen zwischen ihm und dem Volk offenbaren, das er sich auserwählt hat«[9]. Die Nähe dieser Grundaussage Eliades zur alttestamentlichen Exegese jener Zeit, besonders zu den Darstellungen von Ernest Wright und Gerhard von Rad zur Theologie des Alten Testaments, braucht an dieser Stelle nicht hervorgehoben zu werden. Aller-

---

8. *M. Eliade:* Der Mythos der ewigen Wiederkehr, Düsseldorf 1953, S. 152.
9. Ebd., S. 155, S. 161.

dings hat von Rad sich noch weniger als Eliade Rechenschaft gegeben von dem Nebeneinander und Ineinander von mythischen Denkformen und Geschichtstheologie in den alttestamentlichen Überlieferungen. Das Mythische erschien ihm doch wohl als ein der Religion Israels grundsätzlich Fremdes[10], und auch damit mag die Erschütterung durch die zunehmende Einsicht in die Bedeutung weisheitlichen Denkens in Zusammenhang stehen, die die Spätphase der exegetischen Arbeit von Rads kennzeichnet.
Es ist für die Urteilsbildung über das Verhältnis von Mythos und biblischem Glaubensbewußtsein wichtig, daß mythische Denkformen keineswegs nur in Verbindung mit fremdreligiösen Stoffen in das Denken Israels Eingang gefunden haben, daß vielmehr das Verhältnis Israels zu seinen eigenen Überlieferungen weitgehend durch mythische Bewußtseinsstrukturen geprägt blieb. Ich habe diesen Sachverhalt im Jahr 1971 eingehend darzustellen versucht[11] und kann mich daher hier auf das Allerwichtigste beschränken. Gerade das Zeitbewußtsein Israels blieb im Zusammenhang des kultischen Lebens offenbar noch lange eingebunden in die mythische Orientierung an einer stiftenden Urzeit und hat diese Bindung auch niemals ganz überwunden. Vor allem fungierte die Erinnerung an die für das Leben des Volkes grundlegende Geschichte von Exodus und Landnahme und ihre Vergegenwärtigung im Kultus ganz entsprechend der Ursprungsgeschichte des Mythos. Auch wenn es sich dabei nicht unmittelbar um den Ursprung des Kosmos und um die Beziehungen von Göttern untereinander handelt, sondern um das Handeln des einen Gottes an seinem Volk (qol ma'aseh Jahwe: Jos 24,31; Ri 1,7 und 10), so erscheint diese Zeit doch als »qualitativ von der nachfolgenden ›Jetztzeit‹ abgehoben« und: »Die derart abgeschlossen erscheinende Heilsgeschichte entspricht der stiftenden Urzeit in den Nachbarreligionen«[12]. Dementsprechend ersetzt das jahwistische Geschichtswerk »die bei den altorientalischen Nachbarn üblichen mythischen Urzeitüberlieferungen durch geschichtliche, die in einen einzigen fortlaufenden Zusammenhang gebracht werden«[13]. Auch damit ist die der mythischen Urzeit analoge Funktion der Heilgeschichte noch nicht entscheidend modifiziert worden. Das geschieht vielmehr erst dort, wo die Geschichte des Gotteshandelns nicht mehr als in

10. So auch noch *B. S. Childs:* Myth and Reality in the Old Testament, London 1960, S. 83, S. 93. Im übrigen ist Childs jedoch mehr als andere den Spuren eines mythisch geprägten Wirklichkeitsverständnisses im Alten Testament nachgegangen; siehe dazu auch *H. P. Müller:* Jenseits der Entmythologisierung, 2. Aufl. 1979.

11. Art.: Späthorizonte des Mythos in biblischer und christlicher Überlieferung, in: *M. Fuhrmann (Hg.):* Terror und Spiel. Poetik und Hermeneutik IV, München 1971, S. 473–525; auch erschienen als: *Wolfhart Pannenberg:* Christentum und Mythos, Gütersloh 1972, S. 13–65; bes. S. 491–502 der Erstveröffentlichung. Zu anderen damals vorliegenden Stellungnahmen vgl. bes. ebd., S. 491, Anm. 55.

12. *K. Koch:* Geschichte/Geschichtsschreibung/Geschichtsphilosopie, in: TRE 12 (1984), S. 574.

13. Ebd., S. 575 f.

sich abgeschlossene Gründungsgeschichte dargestellt wird, sondern als eine bis zur Gegenwart und über sie hinaus weitergehende Geschichte, in der immer wieder bedeutsam Neues geschieht und deren Vollendung erst von der Zukunft zu erwarten ist. Eine solche Öffnung des Geschichtsbewußtseins hat sich in der Botschaft der Propheten von Gottes Gerichts- und Heilshandeln an Israel im Zusammenhang der Weltgeschichte vollzogen.

Die entscheidende Bedeutung der Urzeitorientierung des Bewußtseins und der Lebensform für die Beurteilung des Ausmaßes fortdauernder Wirksamkeit einer mythischen Bewußtseinsverfassung in den biblischen Überlieferungen ist von Bultmann bei seiner Frage nach dem Einfluß mythischer Vorstellungsweisen auf die Gestalt des urchristlichen Kerygmas nicht berücksichtigt worden. Die Urzeitorientierung des mythischen Denkens spielte für Bultmanns Begriff des Mythos überhaupt keine Rolle, obwohl sein Denken sich sonst in engem Kontakt mit religionsgeschichtlichen Fragestellungen bewegt hat. Es handelt sich hier um einen sehr folgenreichen Sachverhalt. Wenn die Urzeitorientierung als konstitutiv für die mythische Bewußtseinsform zu gelten hat, dann erhebt sich nämlich die Frage, wie Bultmanns Einbeziehung der eschatologischen Erwartungen und Vorstellungen des Urchristentum und schon des nachbiblischen Judentums in die Kategorie des Mythos zu rechtfertigen ist. Wenn man im Sinne Bultmanns jede welthafte Vorstellung von Gott und göttlichem Handeln bereits als mythologisch klassifiziert, stellt sich diese Frage nicht, wohl aber von der religionsgeschichtlichen und ethnologischen Beschreibung und Eigentümlichkeit des mythischen Denkens her. Daher hat denn auch Mircea Eliade mythisches und eschatologisches Denken mit Recht als Gegensatz behandelt. Eschatologische Erwartung ist als solche nicht mythologisch, sofern sie die Orientierung des Bewußtseins an der Archetypik eines Ursprungsgeschehens durchbricht und sogar umkehrt.

Die Einbeziehung der eschatologischen Vorstellungen in die Kategorie des Mythischen ist bei Bultmann allerdings verständlich im Lichte der These Hermann Gunkels, daß »das Eschatologische dem Urzeitigen gleich sein werde«: »In der Endzeit wird sich wiederholen, was in der Urzeit gewesen ist: der neuen Schöpfung wird ein neues Chaos vorangehen; die Ungetüme der Urzeit erscheinen auf der Erde zum zweiten Male«[14]. In solcher Entsprechung von Urzeit und Endzeit konnte man dann mit H. Greßmann[15] einen Ausdruck der zyklischen Zeitvorstellung des Mythos finden. So ist auch nach Bultmann die jüdische Eschatologie als Ergebnis einer »Übertragung der Periodizität des Jahreslaufes auf das Weltgeschehen« aufzufassen, wobei der Kreislauf des Geschehens als beschränkt auf ein einziges Weltenjahr zu denken wäre[16]. Voraussetzung einer solchen Beurteilung der jüdischen Eschatologie ist die

---

14. *H. Gunkel:* Schöpfung und Chaos in Urzeit und Endzeit, 1895, S. 369f.
15. *H. Greßmann:* Der Ursprung der israelitisch-jüdischen Eschatologie, Göttingen, 1905, S. 160f.
16. *R. Bultmann:* Geschichte und Eschatologie, 2. Aufl., Tübingen 1964, S. 24, S. 26f.

von Gunkel behauptete Gleichheit von Endzeit und Urzeit. Nun zeigt sich jedoch, daß in den eschatologischen Texten der jüdischen und urchristlichen Literatur zwar *Entsprechungen* des endzeitlichen Geschehens zur Urzeit der Schöpfung und des Bundesverhältnisses mit Gott eine Rolle spielen, aber *keine Gleichheit* besteht. Es handelt sich nicht um eine einfache Rückkehr zum Anfang. Das hat schon B. S. Childs betont unter Hinweis auf das geschichtlich Neue der kommenden Heilszeit bei Deutero- und Tritojesaja, aber auch bei Jeremia[17]. Die Eschatologie ist hier vermittelt durch die prophetische Geschichtstheologie, sie bezieht sich auf eine alles Bisherige überbietende Vollendung der Geschichte durch ein neues Gotteshandeln. Entsprechendes hat Jörg Jeremias kürzlich in seiner Untersuchung über die Entwicklung der Auffassung vom Königtum Gottes in den Königspsalmen gezeigt, im Sinne eines über mehrere Phasen verlaufenden Prozesses geschichtstheologischer Umbildung des kanaanäischen Mythos vom Königtum Baals bis hin zu einer im strengen Sinne eschatologischen Fassung des Themas von der Königsherrschaft Jahwes im 97. Psalm[18].
Die geschichtstheologische Vermittlung der Erwartung einer eschatologischen Vollendung erklärt, daß zwischen Endzeit und Urzeit keine qualitative Gleichheit besteht. Dennoch kann die Ausmalung der eschatologischen Erwartung sich der Farben und Motive bedienen, die der Mythos zur Beschreibung der urzeitlichen Vollkommenheit verwendet hat. Bei der eschatologischen Vorstellungswelt verhält es sich also umgekehrt zu dem Befund, der sich für die Funktion der Ursprungsgeschichte Israels im Bewußtsein des Volkes ergab: Während dort nichtmythische Gehalte eine quasimythische Urzeitfunktion gewannen, ist im Falle der Eschatologie die Perspektive der Zukunftserwartung geschichtstheologisch und nicht mythologisch bestimmt, obwohl sich in den Einzelmotiven eschatologischer Vorstellungen Entsprechungen zu mythologischen Vorstellungen nachweisen lassen.
Daraus ergibt sich, daß die geschichtliche Perspektive des biblischen Glaubensbewußtseins den Gebrauch mythischer Motive nicht einfach ausschließt, sowenig sie selbst als Beispiel einer mythischen Form der Wirklichkeitserfahrung zu verstehen ist. Auch im Rahmen der Erfahrung der Wirklichkeit als einer fortgesetzten und auf eine künftige Vollendung zugehenden Geschichte göttlichen Handelns bedurfte es offenbar für die Aussagen der universalen Bedeutung der Geschichtserfahrung in Israel und der eschatologischen Erwartung vollendeten Heils noch der Vorstellungsformen des Mythos.
Das gilt in noch einmal besonderer Weise für die christliche Botschaft vom Anbruch der eschatologischen Vollendung in Gestalt und Geschichte Jesu von Nazareth. Zwar ist weder die Botschaft Jesu von der kommenden Gottes-

---

17. *B. S. Childs,* a.a.O., S. 77ff.
18. *J. Jeremias:* Das Königtum Gottes in den Psalmen. Israels Begegnung mit dem kanaanäischen Mythos in den Jahwe-König-Psalmen, Göttingen 1987.

herrschaft und von ihrem Anbruch in seinem eigenen Reden und Wirken als strukturell mythologisch oder mythisch zu bezeichnen, noch auch die urchristliche Botschaft von der Auferweckung des Gekreuzigten, sowie ebensowenig ihre typologische Interpretation. Der Gedanke einer Antizipation der eschatologischen Vollendung in einer geschichtlichen Person ist zwar paradox, aber an und für sich nicht mythisch. Dennoch hat die Antizipation des Gottesreiches und der Auferstehung der Toten in der Person Jesu, in seiner Botschaft und Geschichte, für die christliche Gemeinde der Folgezeit wieder die Funktion eines mythischen Archetyps gewonnen: Die christliche Liebe wird als Nachvollzug des Verhaltens Jesu begriffen. Mit Christus sterben und auferstehen, so heißt seit Paulus das Leitmotiv christlichen Selbstverständnisses. Vor allem aber erinnert der christliche Gottesdienst frappierend an die kultische Vergegenwärtigung eines urzeitlich-archetypischen Geschehens mit dem Nachvollzug der Taufe, die Jesus auf sich nahm, und des letzten Mahles, das er feierte. Die Notwendigkeit einer Überbrückung der wachsenden Zeitdifferenz zwischen der Gegenwart der Gemeinde und dem für sie wieder zur Vergangenheit gewordenen eschatologischen Geschehen gab offenbar Anlaß für die Erneuerung der Struktur des Zusammenhangs von Mythos und Kultus im Christentum, bis hin zur zyklischen Vergegenwärtigung des Heilsgeschehens im christlichen Kirchenjahr.
Von dieser Funktion kultischer Vergegenwärtigung eines archetypischen Urgeschehens ist zu unterscheiden ein *zweiter* Berührungspunkt des Christentums mit mythischen Denkformen, nämlich die Nähe der christlichen Inkarnationsvorstellung zur mythischen Vorstellung der Epiphanie einer göttlichen *arché*. Auch dieser Sachverhalt ist begründet in dem urchristlichen Zeugnis, daß die Zukunft Gottes in Jesu Auftreten und Geschichte, in Jesu Person, schon Gegenwart wurde. Es gibt sodann Übergänge, die von diesem Ausgangspunkt über die typologische Interpretation der Person Jesu hinüberführen zur Epiphanievorstellung, die dem hellenistisch denkenden Christen die Grundaussage der Gegenwart Gottes in der Person Jesu verständlicher machen konnte. Der wichtigste dieser Übergänge dürfte in der Verbindung des Präexistenzgedankens mit dem biblischen Titel des Gottessohnes liegen – eine Verknüpfung, die die Vorstellung von der Herabkunft eines präexistenten Gottessohnes in der menschlichen Gestalt Jesu ermöglichte, sobald aus hier nicht zu erörternden Gründen der Titel »Sohn Gottes« auf Jesus Anwendung fand. In noch größerer Nähe zur mythischen Epiphanievorstellung steht der Gedanke eines Erscheinens der göttlichen Weisheit bzw. des Logos in der menschlichen Gestalt Jesu. Doch während Epiphanien mythischer Archetypen vielfältig stattfinden können, bleibt der christliche Inkarnationsgedanke durch die Behauptung der definitiven Einmaligkeit des Geschehens von der Epiphanievorstellung verschieden und erweist sich dadurch als Interpretation des mit der Gestalt Jesu von Anfang an verbundenen Anspruchs, daß in ihm die eschatologische Wirklichkeit Gottes schon definitiv gegenwärtig gewor-

den sei. Im übrigen handelt es sich bei der Epiphanievorstellung nicht um einen voll ausgebildeten Mythos, sondern um ein einzelnes Element mythischen Denkens, und durch die Verwendung eines solchen Einzelelements in anderem Kontext, etwa im Johannesprolog, wird aus einem solchen Text noch kein Mythos im vollen Sinne des Wortes. Darum ist von der Übernahme von Einzelvorstellungen mythischer Herkunft in andere Kontexte ebenso wie von der mythosanalogen Funktion andersgearteter Sachverhalte ein dritter Befund zu unterscheiden, nämlich die Beziehung ganzer Mythenstoffe auf die Person Jesu.

Eine solche Beziehung überlieferter Mythen auf Jesus ist in nachneutestamentlicher Zeit belegt durch die Beziehung etwa des Heraklesmythos oder auch der Gestalt des Dionysos und seines Todes durch die ihn in Stücke reißenden Mänaden auf die Gestalt Jesu. Auch die Sagengestalt des Odysseus ist auf Jesus bezogen worden, allerdings vor allem im Hinblick auf die eine Szene seiner Fesselung an den Schiffsmast, um ihn gegen die Verlockung durch die Sirenen zu schützen, eine Szene, die christlich als vorlaufende Andeutung des Kreuzes Christi gedeutet wurde. Das alles hat Hugo Rahner in seinem Buch »Griechische Mythen in christlicher Deutung« neben vielen anderen Beispielen dargestellt. Eine Sonderstellung kommt jedoch der christlichen Inanspruchnahme der antiken Sonnenverehrung und mit ihr verbundener Mythologeme zur Veranschaulichung der Gottheit Christi zu. So wurde schon früh, vielleicht schon bei Ignatios von Antiochien[19], jedenfalls aber bei Justin, die Feier des Sonntags als Tag der Auferstehung Christi mit dem Aufgang der Sonne verknüpft, und seit dem 4. Jahrhundert wurde der Tag der Neugeburt der Sonne, der Tag der Wintersonnenwende des römischen Kalenders und des *sol invictus*, als Tag der Geburt Christi gefeiert. Das christliche Weihnachtsfest ist das eindrucksvollste Zeugnis dafür, daß der Kreislauf der Sonne den Christen zum sichtbaren Gleichnis Christi, der wahren Sonne, wurde, deren Aufgang als »Sonne der Gerechtigkeit« der Prophet Maleachi (4,2) angekündigt hatte.

Von der für das christliche Kirchenjahr bestimmend gewordenen Verbindung der Geschichte Jesu Christi als der »wahren Sonne« mit dem Jahreskreislauf der sichtbaren Sonne unterscheidet sich die christliche Inanspruchnahme anderer antiker Mythen dadurch, daß deren Gestalt in der christlichen Deutung zur symbolischen Darstellung der Geschichte Christi wurde, was nur unter Voraussetzung der schon vorangegangenen *allegorischen* Interpretation der mythologischen Tradition möglich gewesen sein dürfte. Es dürfte sich überhaupt empfehlen, im Interesse größerer Präzision des Redens vom Mythos genau zu unterscheiden zwischen der ursprünglichen, kultisch gebundenen Gestalt des Mythos in den Formen liturgischer Sprache vor allem

19. Ign. Magn. 9,1; dazu *H. Rahner:* Griechische Mythen in christlicher Deutung, 3. Aufl., 1957, S. 101 f.

des Hymnus einerseits und seiner vom kultischen Vollzug abgelösten, literarischen Umformung und Weiterbildung andererseits: Erst die Ablösung von der kultischen Bindung dürfte eine zunehmende poetische Freiheit erzählender Ausgestaltung und Umgestaltung mit sich gebracht haben. Die Freiheit bei der poetischen Variation der mythischen Motive dürfte ebensowenig wie die narrative Form der Überlieferung zu der mit dem Kultus verknüpften Urgestalt des Mythos gehören. Erst die Freiheit literarischer Deutung und Erfindung aber, die schließlich auch zur allegorischen Interpretation führen konnte, ermöglichte wohl die christliche Aneignung antiker Mythen. Diese hätte dann von vornherein eine literarisch-ästhetische Funktion. Sowohl der Kultmythos als auch der literarisch verfügbar gewordene mythische Stoff sind aber von der Frage nach dem Wirklichkeitsverständnis zu unterscheiden, das im Mythos – vor allem in seiner ursprünglichen Gestalt – vorausgesetzt ist. In diesen ontologischen Bedingungen mythischer Erfahrung, wie sie von Kurt Hübner dargestellt worden sind, sind solche enthalten, die die spezifische Form mythischen Ursprungsgeschehens kennzeichnen, aber auch Auffassungen und Einstellungen viel allgemeineren Charakters, die dem Ursprungsmythos mit anderen Phänomenen gemeinsam sind. Sie alle sind untereinander dadurch verbunden, daß ihr Wirklichkeitsverständnis von dem der neuzeitlichen naturwissenschaftlichen Weltbeschreibung verschieden ist. Aber nicht alles, was nicht der spezifischen Rationalität der modernen Naturwissenschaft zuzurechnen ist, muß deshalb schon mythisch heißen. Ich fürchte, ein so weitgefaßter Sprachgebrauch muß zu einer Inflation des Begriffs des Mythischen führen, die ihn unbrauchbar werden ließe zur Beschreibung spezifischer, unterscheidbarer Sachverhalte, wie sie in kultisch gebundenen Ursprungsmythen vorliegen, aber auch noch in deren Weiterwirken durch Epos, Tragödie und freie literarische Deutung und Erweiterung. Zu den allgemeinen Zügen einer vom naturwissenschaftlichen Denken verschiedenen Wirklichkeitsauffassung, die nicht schon mythisch heißen sollten, gehört etwa die Präsenz einer Gesamtkonstellation in ihren Teilfaktoren, wie sie Kurt Hübner zu Beginn seines Buches am Beispiel Hölderlins beschrieben hat. Die Herausarbeitung einer solchen Auffassung konkret erfahrener Wirklichkeit, die heutiger Alltagserfahrung nicht mehr selbstverständlich ist, kann auch dem modernen Menschen noch den Erfahrungshorizont verständlich machen, aus dem der Mythos lebt. Sie benennt aber noch nicht das nur für den Mythos Spezifische. Ähnliches gilt für eine Weltauffassung, die damit rechnet, daß das Transzendente, Göttliche, in der Welt- und Lebenswirklichkeit der Menschen in Erscheinung tritt. Auch hier handelt es sich sicherlich um eine Voraussetzung, ohne die Mythen unverständlich würden, aber doch noch nicht um das Spezifische des Mythos selber. Wäre das der Fall, dann müßte allerdings alle Religion, und also auch das Christentum insgesamt, als mythisch bezeichnet werden. Dagegen braucht man keine grundsätzlichen theologischen Vorbehalte zu haben. Aber ein solcher Sprachgebrauch dürfte, wie gesagt, zu einer Inflation des Mythosbegriffs führen, die ihn deskriptiv unbrauchbar machen würde. Außerdem führt sie zu Mißverständnissen, weil der Ausdruck »Mythos« doch zugleich immer auch in jenem spezielleren Sinne verwendet wird, der es nicht erlaubt, die christliche Botschaft pauschal als Mythos zu kennzeichnen.

Darum dürfte es sich empfehlen, den Begriff des Mythos genauer einzugrenzen. Sein spezifisches Kennzeichen wird in der Untersuchung von Kurt Hübner erreicht mit der Beschreibung des Mythos als eines archetypischen Ursprungsgeschehens. In diesem Sinne des Begriffs Mythos aber ist die christliche Religion im ganzen nicht als mythisch zu bezeichnen, obwohl schon die biblischen Überlieferungen in vielen Einzelheiten mythische Bestandteile, Mythologeme, im Zusammenhang anders geprägter Kontexte enthalten, obwohl vor allem auch, in bestimmten Bereichen, die biblische Überlieferung ebenso wie das gottesdienstliche Leben der Kirche einer dem Mythos analogen Einstellung zu einer gründenden Urzeit verpflichtet sind, wenngleich es sich dabei nicht um Mythen handelt.

Die ausdrückliche Rezeption mythischer Überlieferung als solcher, ganzer Mythen und nicht nur einzelner Mythologeme, ist, wenn ich recht sehe, im Christentum auf ihre symbolische Beziehung auf das Heilsgeschehen in Jesus Christus beschränkt. Der Anspruch der christlichen Verkündigung auf universale Wahrheit wird dagegen nicht mehr in den Formen des Mythos ausgedrückt. Am ehesten scheint das noch der Fall bei der Deutung von Person und Geschichte Jesu als Epiphanie der hypostatisch gedachten Weisheit oder des Logos. Aber die Ersetzung der Weisheit durch den Logos schon in der Vorgeschichte des Johannesprologs ist eben auch die Brücke für die Verbindung des Wahrheitsanspruches der Christusverkündigung mit der Wahrheit der Philosophie geworden, so wie die christliche Gottesverkündigung schon bei Paulus die Verbindung mit dem philosophischen Monotheismus gesucht hatte. Die universale Geltung des Heilsgeschehens über den Umkreis jüdischer Tradition hinaus wird durch die Identität des biblischen Gottes mit dem einen Gott der philosophischen Theologie und Religionskritik verbürgt, nicht durch den Mythos. Darum beraubt sich der Heidenchrist der Bedingung seiner eigenen Zugehörigkeit zum Gott Israels, wenn er meint, hinter die Identität des Gottes der Philosophen mit dem Gott Abrahams, Isaaks und Jakobs zurückgehen zu müssen. Nachdem die Tabuisierung des Mythosbegriffs und seiner Anwendung auch auf Teile der biblischen und christlichen Überlieferung gebrochen ist, darf man vielleicht hoffen, daß auch die Tabuisierung der Metaphysik und ihrer Bedeutung für die patristische und scholastische Theologie neu zur Diskussion gestellt wird. Es kann hier nicht näher erörtert werden, wie die Identität des einen Gottes der biblischen Überlieferung mit dem Gott der philosophischen Gottesfrage seit der Zeit der christlichen Patristik aufgefaßt worden ist, nämlich als kritische Aneignung der philosophischen Gottesfrage, nicht als unkritische Übernahme dieser oder jener philosophischen Gotteslehre. Der Mythos jedenfalls hat im Christentum nicht mehr die Funktion, die universale Wahrheit des geschichtlichen Selbsterweises Gottes argumentativ zu bewähren, sondern nur noch die, sie zu veranschaulichen. Diese ästhetische Funktion, die sich mit dem Weiterleben von im Mythos begründeten Einstellungen im gottesdienstlichen Leben verbindet, vermag der Mythos für den christlichen Glauben und das Leben der Kirche zu erfüllen durch seine ganzheitliche und zugleich konkrete Form, und in dieser Funktion bleibt die mythische Bildfreudigkeit wichtig genug: Sie kann dazu beitragen, die christliche Frömmigkeit vor moralistischer Austrocknung und der damit verbundenen Heuchelei zu bewahren und in einer Zeit philosophischer Dürftigkeit an eine größere Weite der Vernunft und der Wirklichkeitserfahrung zu erinnern, als der Wissenschaftspositivismus sie repräsentiert.

Kurzbericht über die Abschlußdiskussion

Wolf Krötke

Magister: Hans Heinrich Schmid

Teilnehmer: Kurt Hübner, Klaus P. Jörns, Wolfhart Pannenberg, Fritz Stolz, Hans Weder

Die Schlußdiskussion der Referenten hatte zwei Schwerpunkte: 1. Zum Begriff des »Mythos«; 2. zur theologischen Relevanz des Themas »Mythos«. Da beide Fragehinsichten sich in der Diskussion mannigfach überschnitten, wird im folgenden eine systematische Zusammenfassung gegeben.

I.

Die Frage nach der Bedeutung des »Mythos« für die christliche Theologie hängt davon ab, welche Spannbreite fundamentaler Wirklichkeitserfahrung des Menschen ihm zugeschrieben wird. Nach Hübners These ist der Mythos eine der Rationalität der neuzeitlichen Wissenschaft durchaus analoge Weise der Wirklichkeitserfahrung, die wesentliche Relevanz für alle Wirklichkeitserfahrung hat und behalten muß. Wenn zu gelten hat, daß die Muster der Welterklärung des Mythos mit ihrem Rekurs auf Vorrationales und Numinoses dem Anliegen einer *ganzheitlichen* menschlichen Wirklichkeitserfahrung dienen, kann es ein wissenschaftliches Verdikt über die Irrationalität mythischer Welterklärung nicht geben. Der Verlust mythischer Erfahrung bedeute vielmehr – so Stolz – eine Verarmung der Sprachfähigkeit des Menschen, eine Verengung seiner Handlungsmöglichkeiten und einen Verlust des Visuellen. Von daher ergibt sich die Frage an Pannenberg, ob er nicht einen zu »engen« Begriff des »Mythos« verwende, wenn er das Spezifische des Mythos allein im Rückgang der Welterklärung auf ein archaisches Ursprungsgeschehen sieht. Nach Weder ist es geradezu die Strategie Pannenbergs, den Mythosbegriff so eng zu fassen, um das Besondere der christlichen Botschaft – nämlich das Eschatologische – vom Mythos distanzieren zu können.

Pannenberg seinerseits sieht in der »Inflationierung des Mythosbegriffs« bei seiner Anwendung auf alles »Nichtwissenschaftliche« die Gefahr, daß der Mythos dann keine »präzise Funktion« im Rahmen eines theologisch zu erarbeitenden Wirklichkeitsverständnisses mehr hat. Diese Gefahr ist um so größer, als der »Same des Mythischen« in der Wirklichkeitserfahrung des neuzeitlichen Menschen wohl gegeben ist, aber die entfaltende Narration dieses Samens fehlt, an die sich die Theologie halten könnte. Auf der anderen Seite vermutet Pannenberg, daß sich hinter der heute »hereinbrechenden Flut« der Rede vom »Mythischen« die »Angst vor der Metaphysik« als Aufgabe rationaler Erschließung der Sachverhalte des christlichen Glaubens verbergen könnte. Pannenberg verteidigt darum den von ihm verwendeten »deskriptiven« Mythosbegriff. Er trifft sich darin in gewisser Weise mit der von Stolz geäußerten Skepsis gegenüber dem Verfahren, Mythen verschiedener Kulturkreise unter einem Allgemeinbegriff zu subsummieren. Nicht ausdiskutiert wird dagegen die Frage, was die erwähnte Präzisierung und Eingrenzung des Begriffs des Mythischen für Pannenbergs grundsätzliche Zustimmung zu Hübners Mythosinterpretation bedeutet.

II.

Fragt man nach der theologischen Relevanz des Mythos, dann ist zu klären, inwieweit »Gott« in den Mythos hineingehört (Jörns). Wenn es stimmt, daß Theologie ohne den Mythos nicht sein kann, dann muß die mythische Wirklichkeitserfahrung etwas mit der Gotteserfahrung zu tun haben. Der Überlegung von Jörns, ob der Mythos nicht mit einer Bewegung des Gottes oder der Götter auf den Menschen zu tun habe und insofern dem christlichen Glauben nahestehe, widerspricht die an R. Bultmann geschulte, mehr mythoskritische Haltung Weders. Weder stellt klar, daß es Bultmann nicht um die »Eliminierung« des Mythos aus der christlichen Botschaft ging, sondern um seine Interpretation. Trotz der Grenzen, die sich bei Bultmanns Programm der Entmythologisierung und der existentialen Interpretation in der Beurteilung des Weltverhältnisses des Glaubenden zeigen, hat Bultmann zu Recht versucht, dem Anliegen des Mythos wieder ein Subjekt zu geben und den Mythos auf diese Weise heute interpretationsfähig zu machen. Es wird nichts »rausgeschmissen« (Hübner), sondern es wird in der Abwehr »verobjektivierender« Rede von Gott ein theologisch verantworteter Umgang mit dem Mythos ermöglicht. Weder fragt Pannenberg, ob seine Geschichtstheologie mit ihrer Tendenz zur Objektivierung von »Tatsachen« nicht selbst mythischen Charakter habe.

Pannenberg bestreitet die Verbindung des christlichen Glaubens mit dem Mythos in seinem Sinne nicht und illustriert das an biblischen Beispielen. Er sieht aber in der grundsätzlichen theologischen Kritik der Aussagen »christlicher Ursprungsmythen« eine verhängnisvolle Folge der Aufklärung. Die Theologie wird genötigt, sich auf den subjektiven Dezisionismus der Glaubenden zurückzuziehen und die Rechtfertigung der Glaubensinhalte vor einem allgemeinen Wahrheitsbewußtsein zu verweigern. Das ist nach Pannenberg ein entscheidender Rückschritt gegenüber der Verbindung des Christentums mit dem griechischen Geiste. Denn diese Verbindung ermöglichte die Frage der Vernunft nach dem Logos in Mythos. Pannenberg wendet sich darum entschieden gegen die »Ängstlichkeit« der von ihm als »subjektivistisch« bezeichneten Theologie, die den Nachweis der »Objektivität« des im Mythos Ausgesagten verweigert. Der Verlust dieser »Objektivität« bedeute den Verlust Gottes selbst. Hübner unterstützt die von Pannenberg geforderte »offensive Haltung« der christlichen Theologie gegenüber dem säkularistischen Wirklichkeitsverständnis, zumal die Kirche heute als einziges »Haus des Mythos« zu gelten habe. Unausdiskutiert bleibt unter solchen Forderungen notwendig die Frage, wie solcher Erweis der »Objektivität« des im Mythos Erzählten in concreto aussehen soll. Außerdem entsteht bei der skizzierten Problemsicht die Aporie, daß der wesentlich zu erzählende Mythos das begriffliche Erfassen immer überschreitet (Weder), so daß bei einer vernünftig-begrifflichen Erfassung der vom Mythos erzählten Wirklichkeit gerade das spezifisch »Mythische« verlorenzugehen scheint.

Man wird überhaupt feststellen dürfen, daß die Schlußdiskussion unter den Referenten mehr Fragen aufgeworfen hat, als sie zu lösen vermochte. Das ist einer solchen Diskussion auch zweifelsfrei angemessen. Mir scheint allerdings, daß noch viel mehr Fragen hätten aufgeworfen werden müssen, wenn man die konkrete Wahrheit, die der christliche Glaube bekennt, auch nur ein wenig intensiver Beurteilungskriterium der Wahrheitsansprüche hätte sein lassen, die heute aufs neue von dem vielschichtigen Phänomen ausgehen, das man »Mythos« nennt.

II. Sektionen

1. Altes Testament
2. Neues Testament
3. Kirchengeschichte
4. Systematische Theologie
5. Praktische Theologie
6. Religions- und Missionswissenschaften

1. Altes Testament

Jan Heller
Siegfried Kreuzer
Edward Noort

Das Ringen der alttestamentlichen Überlieferung mit dem Mythos

Jan Heller

I. Klärung der Begriffe

Die ganze Bibelforschung, in ganz besonderen Maße die Erforschung des AT steht noch heute unter bewußtem oder unbewußtem Einfluß der wichtigen Entdeckung der religionsgeschichtlichen Schule vom Anfang unseres Jahrhunderts, daß die Bibel und ganz besonders das AT nicht in die allgemeine altorientalische Literatur, sondern in die *religiöse* Literatur des Alten Orients gehört.

Daraus folgt: Im AT gibt es Stoffe mythischer Abstammung oder mythischer Art, mit mythischer Ausdrucksweise. Kann man also von der Mythologie des AT oder im AT sprechen? Das hängt davon ab, was man unter dem Begriff Mythos versteht. Zu dieser Frage gibt es reiche Literatur, letztlich kann man aber eine eigene Entscheidung nicht umgehen: Ist das, was wir Mythos nennen, nur eine Formbezeichnung, eine Gattung, oder ist es doch etwas mehr, also eine Welt- und Lebensauffassung, die den religiösen Standpunkt, eine bestimmte Glaubenseinstellung ihrer Tradenten sichtbar macht?

Wenn wir uns für die erste Möglichkeit entscheiden, sind dadurch schon faktisch die Probleme gelöst. Diese Gattung ist da, damals wie heute, weil die bildliche, mythopoetische Ausdrucksweise beim Sprechen über das, was unser Denken übersteigt, transzendiert, einfach unumgänglich ist. Dann braucht man sich aber mit keiner wirklichen Entmythologisierung abzumühen, dann bleibt nur die Frage, wie man das in der alten mythopoetischen Form Gesagte in eine moderne mythopoetische Form bringen soll.

Diese Alternative wird aber in der modernen Forschung nur selten durchgehalten. Viel häufiger begegnet man der Auffassung, mit der vor mehr als hundert Jahren die Positivisten gekommen sind. Danach ist Mythos etwas Vorübergehendes, etwas, was unbedingt mit einer heute abgeschlossenen Kulturetappe in der Geschichte der Menschheit untrennbar verbunden ist, was ein überholtes Weltbild darstellt. Der Mythos wird in diesem Falle nicht nur formal, sondern auch inhaltlich bestimmt: Es ist eine Welt- und Lebensauffassung, die wir nicht mehr teilen, und so ist es nötig, die biblische Botschaft aus der mythischen Hülle herauszuschälen, wenn sie einen aktuellen Sinn haben soll. Und das Problem der Entmythologisierung ist da.

In der tschechischen theologischen Literatur wurde dieses Problem zum erstenmal im Jahre 1920 in der Habilitationsschrift meines Vorvorgängers und Lehrers Slavomil Daněk (1885–1946) laut. Er brachte schon damals die These, die, wie mir scheint, in der alttestamentlichen Weltforschung erst etwas später deutlich zur Sprache kam. Daněk behauptet: Das AT ist kein altisraelitisches mythologisches Kompendium, das erst *wir* und *heute* entmythologisieren müssen, sondern das AT ist ein Niederschlag eines jahrhundertelangen Ringens der Überlieferung mit dem Mythos. Die Überlieferung selbst, ihre Tradenten setzten sich von Anfang an und immer neu mit dem Mythos, mit seiner Substanz, mit seinem Myzel auseinander. Daněk sprach aber nicht von der Entmythologisierung, sondern positiv von der Theologisierung des Mythos oder der mythischen Elemente.

Auf deutschem Boden fand ich die geeignetste Bezeichnung für dieses Phänomen bei meinem Kollegen und Freund H. W. Schmidt in seiner Arbeit »Königtum Gottes in Ugarit und Israel« (BZAW 80, Berlin 1966, S. 97). Diesen Ansatz der Überlieferung selbst, den Mythos innerlich zu überwinden, nennt der dort *»Entmythisierung«.* In der Fußnote 16 bemerkt er dazu wörtlich: »Dieser Begriff möchte Israels Umgang mit dem Mythos von der hermeneutischen Methode der Entmythologisierung unterscheiden«. Es tut mir ein wenig leid, daß sich diese Unterscheidung außerhalb von Prag nicht eingebürgert hat.

II. Umgang mit dem Mythos – verschiedene Auffassungen

Über dieses Thema könnte man sicher ein dickes Buch schreiben. Ich fasse aber hier nur die geläufigsten Möglichkeiten kurz zusammen:

1. Die *traditionelle* Auffassung rechnet nur mit zwei Stadien:
   a) Es geht in den Erzählungen des AT durchweg um Naturerscheinungen, die Gott direkt bewirkt hat.
   b) Das AT ist ein Referat eines Augenzeugen. Höchstens ist man bereit, zuzugestehen, daß das Urreferat später mehr oder weniger, jedenfalls unwesentlich im Laufe der Überlieferung bearbeitet wurde.
   Diese Auffassung rechnet also weder mit dem Mythos direkt noch mit einem mythischen Hintergrund. Die Frage nach dem Mythos wird nicht gestellt. Diese Auffassung wurde aber durch die Funde im Orient problematisiert, ja, in den Augen der meisten Forscher widerlegt. Das berühmteste Beispiel ist der Fund des Gilgamešepos mit der Sintfluterzählung. Daraus hat man die Schlußfolgerung gezogen, daß es schon früher eine mythische Sintflutsage gab, die das AT übernommen hat,. So entstand
2. die *religionsgeschichtliche* Auffassung, die eigentlich nur zweierlei behauptet:
   a) Es gab im Alten Orient einmal einen Mythos, z. B. von der Sintflut, oder vom gespaltenen Meer u. ä.
   b) Diese Mythen wurden vom AT übernommen und mehr oder weniger, meistens aber weniger, dem berüchtigten Rahmen des »ethischen Monotheismus« angepaßt.

   Diese ab und zu noch vorkommende Auffassung verkennt zwei wichtige Probleme: erstens das Problem der Entstehung des Mythos und zweitens das Problem seiner Übernahme in das AT.

Ich kann hier auf diese beiden Fragen nur eine sehr knappe, thesenartige Antwort geben. Erstens: Der Mythos, wohl jeder Mythos, entstand nicht durch poetische Schwärmerei und freies Grübeln, sondern durch ein ernstes Bemühen, das Rätsel des Lebens und des Todes zu beantworten, und zwar so, daß man diese Antwort in einige sonderbare Erscheinungen hineinprojiziert, oder besser gesagt, daß man vermutet, diese davon ablesen zu können. So entsteht die bekannte Ätiologisierung, die Deutung der Phänomene, oder – zusammenfassend gesagt – die Sinngebung des Ereignisses, das sonst sinnlos und toddrohend dastehen würde. Nur ist es im Mythos, und das ist ganz wichtig, letzten Endes immer ein Sinn, der den Menschen rechtfertigt und die Schuld für Leiden und Tod den Göttern oder dem Schicksal in die Schuhe schiebt. So ist der Mythos, wie man ihn besonders im Alten Orient, also in der Umgebung des AT, vorfindet, innerlich gesehen eine große Selbstentlastung des Menschen, der letzten Wirklichkeit gegenüber eine billige Selbstentlastung, die die biblische Botschaft in ihrer Intention nicht übernehmen kann. Gerade diese Intention muß verneint und deshalb das Ganze umgedeutet werden.
So kommen wir zu der zweiten Frage: Warum befaßt sich überhaupt die Überlieferung mit solchen Stoffen? Warum legt sie diese nicht einfach beiseite? Der Mythos, sein Grundinhalt, muß auf eigenem Boden, also innerlich, überwunden werden, nicht nur äußerlich durch rationale Analyse und skeptische Desintegration, wie es später die griechische Philosophie zu tun versuchte. Bei einem solchen Verfahren bleibt kein lebendiger Gott mehr da. In der Bibel aber glaubt man an Gott, an einen lebendigeren freieren und gnädigeren Gott, als man ihn in irgendwelchem Mythos finden kann. Der Weg einer bloß rationalen Analyse des Mythos ist aus diesen tiefen Gründen den Tradenten verschlossen geblieben. So gab es nur den Weg einer Umwertung und Umdeutung, einer Entmythisierung und Theologisierung des Mythos. Was ich darunter verstehe, kommt im dritten Teil dieses Vortrages.

3. Das alles bringt mich zu der dritten Auffassung, die ich hier *theologisierende* oder entmythisierende Auffassung nennen möchte. Im Unterschied zu den vorangegangenen ist mir wichtig, daß man hier drei Phasen voraussetzt:
   a) eine Naturerscheinung, ein sonderbares Phänomen, das den Beobachter zum Fragen brachte;
   b) eine religiöse, mythische Deutung, eine Ätiologisierung dieses Phänomens, die ihm einen Sinn zu geben und ihn so aus der Sphäre des Geheimnisvollen und Bedrohlichen zu heben versucht;
   c) eine bekenntnisartige, theologisierende Umdeutung der früheren mythischen Deutung, die zu einem selbstverständlichen Bestandteil des zeitgenossischen Weltbildes und so unumgänglich geworden ist.

Ich bin mir dessen klar bewußt, daß diese drei Hilfskoordinaten einen sehr komplizierten, dynamischen und eigentlich kaum erfaßbaren Prozeß vereinfachen, der auch mit anderen, wohl noch präziseren Kategorien beschrieben werden könnte. Doch hoffe ich, daß aus dem Gesagten klar ist, worum es mir hier geht.

III. Beispiele für die Entmythisierung im AT

Ich möchte das Gesagte an vier Beispielen darlegen. Es sind:
1. die Sintfluterzählung (Gen 6–9);
2. die Verwandlung der Gewässer in Blut (Ex 7,15–25);
3. der Durchzug durch das Schilfmeer (Ex 14);
4. die Erscheinung Jahwes auf dem Sinai (Ex 19,16–25).

1. Die Sintfluterzählung (Gen 6–9)

Die Erfahrung mit einer bedrohenden, ja tötenden Überschwemmung findet man in den alten Erzählungen in der ganzen Welt. Sie knüpft an bestimmte konkrete Naturerscheinungen an, sie ist aber mit der Zeit zum Archetyp geworden (C. G. Jung). Das Wasser als lebensbedrohendes Element steckt tief in allmenschlicher Erfahrung. So entsteht eine beunruhigende Frage: Warum kommen die vernichtenden Überschwemmungen, warum kam die sagenhafte Sintflut? Auf diese Frage antwortet einerseits der Mythos, andererseits das Alte Testament. Der Mythos, dessen klassische Gestalt wir auf der 11. Tafel des Gilgamešepos finden, antwortet deutlich: Sie kam auf Veranlassung der launischen, unberechenbaren Götter, die willkürlich und unvorsichtig diese Katastrophe entfesselt haben und dann in Angst und Not vor ihren Folgen in den Himmel geflüchtet sind. Der im Grunde unschuldige Mensch ist den launischen und böswilligen Göttern völlig ausgeliefert. Das ist sein erbärmliches Geschick. Die Götter selbst sind für das tragische menschliche Schicksal verantwortlich. So rechtfertigt der Mensch durch den Mythos sich selbst.
Das Alte Testament kennt selbstverständlich diese Erzählung. Es könnte sie auch beiseite lassen. Aber sie ist für den Menschen von damals sehr bedeutsam. So ist es sinnvoll, ja nötig, gerade auf ihrem Grund, mit Hilfe desselben Stoffes, den Zeitgenossen klarzumachen, wie es ist: Der Mensch verdirbt die Welt, so daß ihre Bereinigung, ja ein Neuanfang, notwendig ist. Die verderbende und zersetzende Sünde ist die Sache des Menschen, die Bereinigung und Errettung ist Sache Gottes. Derselbe Stoff bezeugt also in der biblischen Fassung gerade das Umgekehrte als sein mythisches Gegenstück.

2. Die Verwandlung der Gewässer in Blut (Ex 7,15–25)

Auch hier steht im Hintergrund ein ganz konkretes, schwer erklärbares Naturphänomen. Das »rote Wasser« im Nil (vgl. Erman: Ägypten, S. 23ff.) war kaum so deutlich wie das berühmte Röten des Flusses Adonis bei Byblos (Lukian: De dea Syra 8). Dieses Phänomen deutete man im mythischen Rahmen so, daß man darin das Blut des Gottes Adonis sah, den in den Bergen

der Eber – Verkörperung des Bösen – zerrissen hat. Es ist also das göttliche Blut, das in dem Fluß Adonis in bestimmter Jahreszeit fließt.
In einer Verallgemeinerung findet man die Nachricht von der Blutplage im sumerischen Mythos »Inanna und der Gärtner« (vgl. Beyerlin: Rel. Textbuch zum AT, 1975, S. 122f.):

»Welches Unheil (aber) brachte dann die Frau ihres Schoßes wegen!
Inanna – was tat sie ihres Schoßes wegen!
Alle Brunnen des Landes füllte sie mit Blut,
alle Haine und Gärten des Landes sättigte sie mit Blut.
Die Sklaven ... trinken nichts als Blut ...«

Die mythische Deutung des Naturphänomens erzählt von Ereignissen in der Götterwelt, die für die Menschen schicksalhafte Folgen haben. Einmal ist es der mythische Eber, ein andermal der Vergewaltiger von Inanna, die das Böse, die Blutplage, verursachen, und die Menschen tragen die Folgen.
In der biblischen Erzählung von Ex 7 kommt zwar formal dasselbe Motiv zur Sprache, aber wieder mit einem ganz anderen Vorzeichen. Es ist der grausame Pharao, in biblischer Sicht Mensch und nicht Gott, der es wagt, die Nilgottheit mit der Lebenskraft, also mit dem Blut der israelitischen Knaben, zu füttern (Ex 1,22). So will er die für Ägypten unbegreifliche Vermehrungskraft Israels, die natürlich in Jahwes Segen fußt (Gen 13,16 u. ä.), zugunsten Ägyptens verwenden. Er will selbst wie Gott über dem Segen Jahwes herrschen, so stellt er sich auch selbst unter sein unausweichliches Gericht. Er sieht, wie der blutgespeiste Nil dem Bevollmächtigten Jahwes, Mose, nicht widerstehen kann. Der Nil blutet selbst und kann den Ägyptern nicht mehr zum Leben dienen. Es ist wieder die menschliche Sünde und Eigenmächtigkeit, die das Ganze entfesselt hat.

3. Der Durchzug durch das Schilfmeer (Ex 14)

Auch hier ist es gar nicht schwer, sich konkrete Naturerscheinungen vorzustellen, die wohl dahinterstehen. Flut und Ebbe sind im Mittelmeer von geringer Bedeutung. Ein plötzlicher Sturm und Wind (vgl. Ex 14,21) kann aber Ungeheures anrichten. Denken Sie an die Überschwemmungen von Hamburg, an die Niederlande u. ä.! Warum kommt so etwas Schreckliches über die armen Menschen? Da hat wieder der Mythos freien Lauf. Die Antwort ist eindeutig: Es geht um den Götterkampf. Es ist nicht wichtig, ob Marduk mit Tiamat oder Baal mit Jamm kämpft. Das Ergebnis ist gleich: Die Götter kämpfen, die Menschen tragen die Folgen. Von Sünde, Schuld, Gericht und Heil im biblischen Sinne des Wortes ist nicht die Rede.
In der biblischen Überlieferung ist das Meer kein Gott und kein Gegner Jahwes mehr; es ist seine Schöpfung (Gen 1,10), und so muß es dienen, auch unwillig, trotz allem Sichsträuben (vgl. O. Kaiser: Die mythische Bedeutung

des Meeres, 1962). Und Jahwe benutzt diese Macht, auch die Macht der Zerstörung und des Todes, um seine Pläne durchzuführen und durchzusetzen. Den Seinigen bahnt Jahwe den Weg durch das Meer, die anderen finden darin den Tod. Kein Götterkampf, sondern menschliche Not und Sünde und Jahwes Kraft und Gnade kommen zu Wort. Aus der Mythologie wird Theologie.

4. Die Erscheinung Jahwes auf dem Sinai (Ex 19,16–25)

Fast alle Exegeten sind sich darin einig, daß im Hintergrund dieser Erzählung die meteorologischen und vulkanischen Erscheinungen stehen. Die meteorologischen sind überall zu beobachten, die vulkanischen dagegen fanden auf dem Boden Palästinas in der historischen Zeit nicht statt. Doch waren sie dort sicher auch bekannt, bewundert und gefürchtet. Es kann sein, daß der Santorinausbruch um 1400 v. Chr. noch mehrere Jahrhunderte im Gedächtnis blieb und die Bedeutung der vulkanischen Phänomene hervorhob (vgl. G. Kehnscherper: Kreta-Mykene – Santorin, Leipzig 1975, S. 115). Beide Erscheinungen, die meteorologischen wie auch die vulkanischen, waren seit jeher Anlaß einer breiten Mythenbildung. Die geläufigeren meteorologischen benutzte man bei der Beschreibung der Tätigkeit der Vegetationsgötter, die man besonders im vorisraelitischen Palästina häufig als Regenspender darstellte. Die bekannten Feuergottheiten des Alten Orients, Gibil und Nergal in Mesopotamien und Rešef und Melqart bei den Westsemiten, sind viel mehr Unterweltfeuer- oder Sonnenglutgötter als Vulkangötter. Ein typischer Vulkangott ist erst der griechische Hefaitos, der unter dem Ätna seine Werkstatt hat. Da öffnen sich manche noch nicht geklärten Fragen: Hat der Santorin-Ausbruch den Gedanken angeregt, daß die ganze Welt im Feuer ihren Untergang oder auch ihre Erneuerung finden wird? Oder ist es ein Widerhall des Phönix-Mythos?
Jedenfalls geht auch hier die biblische Überlieferung ihre eigenen Wege. Alle Gewitter- und Vulkanerscheinungen sind Zeichen der Präsenz Jahwes, also kein Bestandteil eines mythischen Prozesses. Der völlig freie Gott hat daran Gefallen gefunden, sich so zu offenbaren. Ebenso wie der Kosmos zu seinem Tempel wird (Jes 66,1; vgl. Gen 1), so daß er in seiner Wirkung nicht an den Tempel in Jerusalem gebunden ist, so wird auch der Berg Sinai zu seinem Räucheraltar (Ex 19,16.18). Er meldet sich nicht erst am Karmel (Kön 18,24), sondern schon am Sinau (Ex 19) durch das Feuer. Und das versammelte Volk hat zu hören.

IV. Zusammenfassung

Man kann unter dem Mythos eine zeitbedingte und deshalb heute weitgehend überholte Weltauffassung und Weltdeutung verstehen. Dann kann man aber aufgrund bestimmter Stellen im Alten Testament zeigen, daß das Alte Testament die Mythen, mythische Bilder oder Begriffe (pattern), nicht einfach übernimmt und weiterpflegt, sondern mit Hilfe derselben Stoffe und Motive gerade das Umgekehrte dessen aussagt, was ihre mythische Gestalt aussagen wollte. Nicht die Sprache, nicht die Begriffe und nicht die Thematik, sondern die Intention, nämlich das Zeugnis vom freien und doch barmherzigen Gott, ist das Eigentümliche des Alten Testaments. Wer sich zu diesem Zeugnis nicht durchgerungen hat, ist bei seiner Arbeit am Alten Testament auf halbem Wege stehengeblieben.

Identität in den Anfängen
Die alttestamentlichen Bekenntnisse zur Frühgeschichte Israels
Siegfried Kreuzer

Während die Gegenüberstellung oder auch Verbindung von »Mythos und Rationalität« auf dem Hintergrund der neuzeitlichen Aufklärung steht, ist für das Alte Testament die Geschichte bzw. die Bezeugung und Rezeption der Geschichte ein wesentliches Gegenüber zum Mythos – und in gewisser Weise auch zur Rationalität. Dies gilt obwohl und gerade auch, weil in jüngster Zeit erkannt wurde, daß das Alte Testament ›nicht nur ein Geschichtsbuch‹ ist.
Im folgenden soll – am Beispiel der Geschichtssummarien – erstens an einigen Positionen das Problem der historischen Bewertung alttestamentlicher Texte aufgezeigt, zweitens sollen einige Geschichtssummarien dargestellt und drittens einige Schlußfolgerungen gezogen werden.

1. Das Problem der historischen Bewertung alttestamentlicher Texte

Bei einer Gedenkfeier im Jahre 1901 bezeichnete Julius Wellhausen seinen früheren Lehrer und Vorgänger in Göttingen, Georg Heinrich August Ewald, als den »großen Aufhalter ... der durch seinen autoritativen Einfluß bewirkt hat, daß die bereits vor ihm gewonnene richtige Einsicht in den Gang der israelitischen Geschichte lange Zeit nicht hat durchdringen können«[1]. Mit diesen »zuvor gewonnenen Einsichten« meint Julius Wellhausen jene Einschätzung und zeitliche Einordnung der alttestamentlichen Überlieferung, die Wilhelm Martin Leberecht de Wette am Anfang des 19. Jhs. vorgetragen und der Wellhausen am Ende desselben Jhs. den Sieg verschafft hatte. Abgesehen von Modifikationen in der chronologischen Einordnung alttestamentlicher Texte, sind sich beide einig in deren Bewertung: Den alttestamentlichen Texten sind nur Informationen über die Zeit der Autoren zu entnehmen, nicht aber über die ältere Zeit, über die sie berichten wollen. Das heißt etwa, daß die Erzvätererzählungen nur scheinbar die Verhältnisse der Erzväterzeit darstellen, während sie eigentlich nur die Anschauungen frühestens des Jahwisten widerspiegeln. In dem berühmten Wort aus den Prolegomena zur Geschichte Israels heißt es: »Diese spätere Zeit wird ... ins graue Altertum projiziert und spiegelt sich darin wie ein verklärtes Luftbild«[2].
Es braucht nicht weiter verdeutlicht zu werden, welche Folgen dieses Konzept für die Kenntnis, besser gesagt: Unkenntnis, der Frühgeschichte Israels hat.

---

1. *J. Wellhausen:* Heinrich Ewald, in: Grundrisse zum Alten Testament, hg. von R. Smend (ThB 27), 1965, S. 131 f. Allerdings ist zu beachten, daß diese Bemerkung in einem sehr sachlichen Zusammenhang und in einer sehr wohlwollenden Würdigung Ewalds steht.
2. *J. Wellhausen:* Prolegomena zur Geschichte Israels, 6. Aufl. 1927/1981, S. 316.

»Es gibt nichts Neues unter der Sonne«, hatte der Prediger gesagt. Etwa zu der Zeit, als Wellhausen seinen Lehrer als den »großen Aufhalter« bezeichnete, schickte sich die alttestamentliche Wissenschaft an, ihn zu rechtfertigen. Sie tat dies in der Person von Hermann Gunkel und in Gestalt der formgeschichtlichen Methode[3]. Ihr vornehmlicher Gegenstand waren die Psalmen, hinter denen reale Lebensvollzüge greifbar wurden, und die Erzvätergeschichten, die zwar auch in diesem Sinn keine Biographie der Erzväter wiedergeben, die uns aber sehr wohl über die Lebenswelt und die Geisteshaltung jener frühisraelitischen Stämme und Sippen informieren, die sich als die Nachkommen der Erzväter betrachten. Diese Methode geht aus von einer genauen Beschreibung der Form und des Themas eines Textes. Von da schreitet sie fort zum Vergleich mit ähnlichen Texten und Themen und fragt dann nach dem funktionalen Ort dieser Textgattung, nach ihrem ›Sitz im Volksleben‹. Die formgeschichtliche Methode trat ihren Siegeszug an, bis hin dazu, daß Klaus Koch 1964 in seinem Arbeitsbuch »Was ist Formgeschichte« alle exegetischen Methoden unter diesem Oberbegriff zusammenfaßte, und bis hin zur Herrschaft der Formgeschichte auch im NT.
Die Methode der Formgeschichte ist prinzipiell auf jeden Text anwendbar. Jeder Text hat eine bestimmte Form und einen bestimmten Inhalt, und Form und Inhalt stehen in einem bestimmten Verhältnis zur Funktion und zum historischen Ort eines Textes[4]. Diese Komponenten einer bestimmten Textgattung sind um so besser zu bestimmen, je mehr einander ähnliche Texte vorliegen. Es war besonders die größere Zahl von vergleichbaren Texten, die dazu führte, daß die formgeschichtliche Forschung sich anfangs den Psalmen und den Erzvätersagen, im Neuen Testament vor allem den Gleichnissen und anderen Gattungen in den Evangelien zuwandte. Während bei diesen Texten der Zugang von der Seite der Form geschieht, ist es auch möglich, den Zugang von der Seite des Inhalts zu suchen. Diesen Weg versuchte der

---

3. Die erste Auflage von Gunkels Genesis-Kommentar erschien in dem erwähnten Jahr 1901; die »Ausgewählten Psalmen« erschienen 1903.

4. Die enge Verbindung von Form und Inhalt gilt jedenfalls für die geschichtliche Entwicklung der Methode. Gunkel kam von den traditionsgeschichtlichen (bzw. religionsgeschichtlichen) Arbeiten her zu den formkritischen Differenzierungen. Ähnliches gilt für die neutestamentlichen Ansätze zur Formgeschichte bei A. Seeberg (siehe dazu A. *Seeberg:* Der Katechismus der Urchristenheit, 1906, jetzt in: ThB 26, 1966; mit einer Einführung von Ferdinand Hahn). Auch bei *G. von Rad:* Das formgeschichtliche Problem des Hexateuch, 1938, sind die zentralen Elemente letztlich inhaltliche. Die Ansätze, den konkreten Text möglichst gut zu analysieren und möglichst genau darzustellen, sind gegenüber vorschnellen Verallgemeinerungen auf jeden Fall zu begrüßen. Über die Adäquatheit und Effektivität jener Ansätze, die möglichst große Objektivität durch (scheinbare) Absehung vom Inhalt und alleinige Begrenzung auf die Ausdrucksseite erreichen wollen, ist hier nicht zu befinden. Dazu und zur Methodik insgesamt *Klaus Koch:* Linguistik und Formgeschichte. Ein Nachwort, in den neueren Auflagen von *ders.:* Was ist Formgeschichte?; weiter: *G. Sauer:* Formgeschichtliche Forschung, BHH I, S. 493; *H.-P. Müller:* Formgeschichte/Formkritik I: Altes Testament, in: TRE 11, S. 271–285; *H. Köster:* Formgeschichte/Formkritik II: Neues Testament, in: TRE 11, S. 286–299.

Neutestamentler Alfred Seeberg[5], indem er durch Vergleich und Addition älterer Formeln und Bekenntnisstücke im Neuen Testament einen urchristlichen Katechismus zu rekonstruieren versuchte. Dieser hätte zeitlich hinter die neutestamentlichen Schriften zurück- und sogar nahe bis an Jesus und die Urgemeinde herangeführt.

Anton Jirku griff diesen Gedanken auf und legte 1917 eine Zusammenstellung der alttestamentlichen Geschichtssummarien vor[6]. Durch Vergleich und Addition kam er sozusagen zu einem urisraelitischen Geschichtskatechismus. Jirku sagte: Lehrhafte Darstellungen der ältesten Geschichte Israels. Diese lehrhaften Darstellungen enthielten eine Aufzählung der wichtigsten Ereignisse, meist beginnend von der Erzväterzeit bis hin zur Landnahme. Den Mittelpunkt bildet immer die Mosezeit, insbesondere der Auszug aus Ägypten. Diese Geschichtssummarien bzw. diese lehrhaften Darstellungen waren nach Jirku älter als die Pentateuchquellen, und sie wurden in mündlicher Form jahrhundertelang in Israel weitergegeben. D. h., neben den schriftlichen Pentateuchquellen J, E, P gab es immer die mündliche Überlieferung über die Frühgeschichte Israels. Wie alt sind diese lehrhaften Darstellungen? Jirku ist der Meinung, es müsse bereits ein gewisses Maß an Zusammengehörigkeitsgefühl der israelitischen Stämme erreicht gewesen sein, auf dessen Basis eine feste Verknüpfung der Traditionen erwachsen konnte. Diese Zusammengehörigkeit hätte sich erst unter dem Königtum, d. h. unter Saul und David herausgebildet. (Nochmals sei betont: das ist nicht das Alter der einzelnen Traditionen, sondern des Gesamtbildes.)

Mit diesen Argumenten ist die Datierung vom Alter der literarischen Bezeugung losgelöst. Der Inhalt eines Textes kann viel älter sein als der Text, der diesen Inhalt bezeugt. Traditionsalter und literarisches Alter können plötzlich getrennt werden. Bei Jirku betrug der Unterschied ca. 50 Jahre, was durchaus einleuchtend ist. Kurt Galling[7] war zehn Jahre später schon viel zuversichtlicher. Nach ihm kann das Traditionsalter ganz unabhängig vom Alter einzelner Texte erschlossen werden. Für den später so wichtigen Text Dtn 26 könnte das Traditionsalter nach Galling durchaus 200 bis 300 Jahre höher liegen als das des Textes selbst[8].

Bei Jirku war die einigende Kraft des Königtums die Grundlage für die

---

5. Siehe Anm. 4.

6. Die älteste Geschichte Israels im Rahmen lehrhafter Darstellungen, 1917. Siehe dazu: *S. Kreuzer:* A. Jirkus Beitrag zum »formgeschichtlichen Problem« des Tetrateuch (AfO 33), 1986, S. 65–76.

7. Die Erwählungstraditionen Israels, BZAW 48, 1928.

8. Typisch für die nummehr einsetzende Haltung zu Datierungsfragen ist folgende Bemerkung: »Das Urteil über die zeitliche Ansetzung der ältesten Stücke mag im einzelnen fraglich bleiben, jedoch wird sich zeigen, daß das Alter der Tradition als solches davon unabhängig erschlossen werden kann, so daß eine andere Datierung eine Umgruppierung der Stücke, nicht aber eine Verschiebung des Traditionsalters zur Folge hat« (a.a.O., S. 5; zu Dtn 26,7f.).

Verbindung der Traditionen gewesen, für Martin Noth[9] fand sich eine noch ältere Grundlage: der sakrale Stämmeverband Israels in der Richterzeit, die sogenannte Amphiktyonie. In diesem Schmelztiegel der Amphiktyonie fanden die verschiedenen Traditionen der Vorfahren Israels ihre logische Zuordnung und ihre Verbindung. Das Vorhandensein des gesamtisraelitischen Geschichtsbildes wäre damit noch einmal 200 Jahre früher anzusetzen. Je älter dieses Geschichtsbild wurde, um so näher kam es an die Ereignisse selbst heran und um so wahrscheinlicher hatte es historischen Quellenwert. Das mag man als durchaus erfreulich ansehen, führte aber zu gravierenden Konsequenzen und Problemen: Auf der Basis der Arbeiten von Jirku und Galling stellte Gerhard von Rad[10] eine merkwürdige Besonderheit dieser Geschichtssummarien bzw. dieser Geschichtsbekenntnisse oder Credotexte, wie er sie nannte, heraus: Diese Texte erwähnten den Exodus, teilweise die Erzväter und teilweise die Landnahme, nicht aber das doch so bedeutsame Sinaiereignis. Andererseits kam in jenen Texten, in denen Sinai, Bund und Gebote wichtig waren, die Geschichte nicht mehr vor. Er zog daraus den Schluß, die beiden Themen wären bei zwei verschiedenen Festen vergegenwärtigt worden: die (Exodus-)Landnahme-Thematik beim Wochenfest in Gilgal, die Bundes- und Gebotsthematik beim Bundesfest in Sichem. Besonders wirksam wurden diese Thesen durch die Weiterführung bei Martin Noth: Dieser tat den Schritt von den Festen zur Historie: Auszug und Sinai wurden nicht auf zwei verschiedenen Festen gefeiert, sondern waren zwei verschiedene Ereignisse, die von verschiedenen Gruppen erlebt wurden. Der Exodus wäre damit nicht die Vorgeschichte der Sinaiereignisse und der Sinai nicht das Ziel des Exodus. Mose könnte dann nur entweder da oder dort dabeigewesen sein – oder bei keinem von beiden, so die bekannte Nothsche Nulllösung des Moseproblems[11].
In der Folgezeit wurde viel Schweiß darauf verwandt, Exodus und Sinai und Mose wieder zusammenzurücken. Die dabei angewandten Methoden und Überlegungen sind interessant und lehrreich, zum Teil auch verwunderlich, können aber hier nicht weiter verfolgt werden[12].

---

9. Das System der zwölf Stämme Israels, BWANT 52, 1930; Überlieferungsgeschichte des Pentateuch, 1948; Geschichts Israels, 1950.
10. Das formgeschichtliche Problem des Hexateuch, BWANT 78, 1938.
11. Zwar ist zu beachten, daß Noth in der »Überlieferungsgeschichte des Pentateuch« im wesentlichen die Pentateuchquellen analysiert und von dort auf die »gemeinsame Grundlage« (nicht: »-schrift«!) zurückschließt. Die Weichen sind aber doch zum guten Teil von v. Rads Konzept her gestellt. In der »Geschichte Israels« kommt beides zusammen zur Auswirkung, nun eben als Geschichte und nicht nur als Kultgeschichte.
12. Eine Ebene der Diskussion war die um das Bundesformular, vor allem bei *Arthur Weiser:* Einleitung (Abschnitt zur Pentateuchforschung); beachtenswert weiter: *H. B. Huffmon:* The Exodus, Sinai and the Credo, (CBQ 27), 1965, S. 101–113. Von ganz anderen Beobachtungen her beantwortete *A. H. J. Gunneweg:* Mose in Midian, in: ZThK 61 (1964), S. 1–9, das Moseproblem. Siehe nunmehr die Forschungsüberblicke: *W. H. Schmidt:* Exodus, Sinai und Mose. Erwägungen

Für die Credotexte wurde etwas anderes wichtiger: In seiner Analyse des »kleinen geschichtlichen Credo« Dtn 26 brachte Leonhard Rost[13] die traditionsgeschichtlichen Höhenflüge eher unsanft auf den Boden der literarkritischen – vielleicht nicht: Realitäten, aber doch: – Beobachtungen zurück. Nun war der berühmte Credotext nur noch ein dtr-Text der Zeit des Babylonischen Exils. Und mittlerweile werden von den meisten Exegeten alle Credotexte als exilisch oder nachexilisch bewertet. Man könnte Wellhausen mit Variationen aufnehmen: Die Vorstellungen der deuteronomistischen Zeit werden ins graue Altertum projiziert und spiegeln sich darin wie in einem verklärten Luftbild.

2. Texte

Die Forschungsgeschichte zeigte, daß es gewiß möglich ist, die Geschichtssummarien auf ihren historischen Quellenwert zu befragen, und auch, ob sie als eine selbständige Gattung zu sehen sind. Als Basis für weitreichende Rekonstruktionen der frühen Geschichte und Literaturgeschichte Israels aber scheiden sie aus. Ihre neuerliche Untersuchung muß sich von diesen Absichten ebenso frei halten wie von der Voraussetzung, eine einheitliche Gattung mit einheitlichem ›Sitz im Leben‹ vor sich zu haben. Vielmehr wird es darauf ankommen, die einzelnen Texte sorgfältig zu untersuchen und auf ihre jeweiige Aussage und Intention zu achten.
Von den in Frage kommenden Texten sind zu nennen: Gen 15,13–16; Ex 3,7f. 9f.; Num 20,15f.; Dtn 6,20–25; 26,5–10; Jos 24; 1 Sam 12,8ff.; aus den prophetischen Büchern vor allem Hos 2 und 11; Am 2,9f.; Jer 2,1–13; 32; Hes 16.20.23; von den Psalmen vor allem die Geschichtspsalmen 77.78.105.106.135.136. Von diesen Geschichtssummarien[14] sind jene im »Hexateuch« besonders interessant wegen ihrer Rolle in der Forschungsgeschichte und ihrem eventuellen höheren Alter, jene in den prophetischen Büchern wegen der Verwendung von Geschichte in der prophetischen Verkündigung und die Geschichtspsalmen als Zeichen der »Historisierung« eines ganz anderen Bereiches und als ein Ausdruck der zeitgenössischen Rezeption der Frühgeschichte.

---

zu Ex 1–19 und 24 (EdF 191), 1983, und *H. Schmid:* Die Gestalt des Mose. Probleme alttestamentlicher Forschung unter Berücksichtigung der Pentateuchkrise (EdF 237), 1986.

13. In: *ders.:* Das kleine geschichtliche Credo und andere Studien zum Alten Testament, 1965, S. 11–25; vgl. dazu *C. H. W. Brekelmans:* Het ›historische Credo‹ van Israel (TvT 3, 1963, S. 1–10, und die differenziertere Analyse bei *G. Waßermann:* Das kleine geschichtliche Credo (Deut 26,5ff.) und seine deuternomische Übermalung, Theol.-Vers. II, 1970, S. 27–46.

14. Der Begriff ist zunächst als möglichst neutrale Sammelbezeichnung für jene Texte gewählt, die die (Früh)geschichte Israels in wesentlich kürzerer Weise als die Pentateuchquellen wiedergeben und die andererseits eine Folge von Ereignissen und nicht nur eine punktuelle Anspielung beinhalten. Ein solches Summarium kann durchaus in einem größeren Zusammenhang stehen (z.B. J, E, dtr G).

Hier ist es nur möglich, Dtn 26, den wohl noch immer wichtigsten und ergiebigsten dieser Texte, näher zu betrachten und auf einige Beobachtungen an den anderen Texten hinzuweisen.

2.1 Deuteronomium 26,5–10

Dtn 26 steht nicht nur im Deuternonomium, sondern ist zweifellos deuternonomisch bzw. deuteronomistisch. Nach von Rad wäre »die Entfernung der deuteronomischen Übermalung keine allzu gewagte Sache«[15]. Im Kontext ist 26,1–15 deutlich als Nachtrag zum dtn Gesetz zu erkennen und ist somit auch jünger als jenes. Die ersten Verse bringen typisch dtn Themen: das Hineinkommen ins Land, das Land als von Gott gegebenes Erbe, das Einnehmen des Landes und das Wohnen im Land. Typisch ist auch die Apposition zu Jahwe: *'ᵃ̈loheka,* dein Gott. Die folgende Anweisung zum Transport der Erstlinge der Feldfrüchte ist dtn ergänzt: Das Land ist zunächst das konkrete Stück Land des israelitischen Bauern, *'arṣᵉka,* und wird dann theologisch so bewertet wie das Land Israel als Ganzes: »das Land, das Jahwe dir geben wird«. Auch das Weitere ist typisch dtn: »die Stätte, die Jahwe, dein Gott, erwählen wird, daß sein Name dort wohne« ist seit Josias Tagen allein Jerusalem.
Nach der Ankunft an jenem Ort ist ein Bekenntnis zu sprechen und der Korb dem Priester zu übergeben. Bei diesem Bekenntnis wird das Land als das den Vätern von Jahwe nicht nur zugesagte, sondern auch feierlich zugeschworene Land bezeichnet. Diese Formulierung knüpft an eine lange Kette ähnlicher Aussagen an, die in der Genesis beginnt[16]. D. h., diese Wendung setzt die Verbindung des Dtn mit dem übrigen Pentateuch voraus und ist somit nicht nur dtn, sondern dtr.
Merkwürdigerweise folgt auf das Bekenntnis von V.3 nochmals ein – jetzt viel ausführlicheres – Bekenntnis. Noch merkwürdiger aber ist, daß der Sprecher am Ende dieses Bekenntnisses seine Gaben niederlegen soll, wo er sie doch bereits in V.4 dem Priester abgegeben hatte. Wir haben somit zwei Bekenntnisse und jeweils anschließend die Übergabe der Erstlingsfrüchte.
Typisch dtn ist schließlich V.11: »Und du sollst fröhlich sein über alles Gute, das Jahwe, dein Gott, dir und deinem Haus gegeben hat, du und der Levit und der Fremdling, der bei dir lebt.« Die Aufforderung zum Fröhlichsein beim Gottesdienst findet sich bei den Zentralisationsgesetzen von c. 12 und 16, und die Sorge um den Leviten und um den Fremdling ist ebenfalls ein charakteristisches Anliegen des Dtn.

---

15. Das formgeschichtliche Problem ... (Anm. 10), 12; ähnlich im Kommentar zum Dtn, ATD 8, z. St., aber auch dort nicht durchgeführt. Vgl. die »Begründung« von Galling (Anm. 8), die dieses Bemühen erübrigt.

16. Gen 22,16; 24,7; 26,3; 50,24; (Ex 6,8 mit anderem Verbum!); Ex 13,5; 33,1; Num 14,16–21; Dtn 1,8 u. ö. Zum Zusammenhang der Belege und zur Vorgeschichte des Eides Jahwes bei sich selbst siehe *S. Kreuzer:* Der lebendige Gott. Bezeichnung, Herkunft und Entwicklung einer alttestamentlichen Gottesbezeichnung (BWANT 116), 1983, S. 162–171.

Hištaḥªwita, du sollst anbeten, in V. 10, ist dagegen nur scheinbar dtn. Zwar kommt es im Dtn achtmal und in dtr-Texten wie Ri 2 oder 2 Kön 17 in diesem Sinn vor[17], aber immer nur negativ als Kritik bzw. Warnung, andere Götter anzubeten. Dagegen ist das Wort hier eindeutig positiv und auf Jahwe bezogen. Anscheinend liegt hier ein vordeuteronomistisches Element vor.
Wir haben damit – abgesehen von dem noch näher zu analysierenden Bekenntnis V.5–10 – drei verschiedene Schichten im Text: eine relativ umfangreiche und dem dtn-Gesetzeskorpus nahestehende Schicht, eine jüngere dtr-Schicht und eine ältere vordtn-Schicht. Zu dieser vordtn-Schicht gehört *hištaḥªwita* in V.10 und damit der unmittelbare Zusammenhang von V.10. Dieser V.10 – »nun bringe ich« – verlangt eine Vorgeschichte, d. h., es liegt nahe, das Bekenntnis von V.5–10 als zusammengehörig zu betrachten. Dann wird es aber wegen V.10 auch das gegenüber V.3 ältere Bekenntnis sein.
Das Bekenntnis beginnt mit einer merkwürdigen Aussage: »Mein Vater war ein umherirrender Aramäer.« Der hebräische Text ist deutlich rhythmisch geformt: *'Arammi 'obed 'abi.* Wer ist dieser umherirrende Aramäer? Die Antwort fiel bereits den alten Übersetzern schwer, wie sich am aramäischen Targum und an der griechischen Septuaginta[18], erkennen läßt. Der Zusammenhang weist zurück in die Zeit der Erzväter, Abraham, Isaak, Jakob. Jakob flieht nach seinem Betrug an Esau zur aramäischen Verwandtschaft in Nordsyrien. Sein Onkel und späterer Schwiegervater Laban und dessen Vater Betuel werden wiederholt als Aramäer bezeichnet[19], nicht aber Jakob selbst. Die LXX identifiziert aramäisch und syrisch und macht aus der Person des Aramäers das Land Syrien: Mein Vater verließ Syrien, Συρίαν ἀπέβαλεν ὁ πατήρ μου Hieronymus wechselte – wohl unter dem Einfluß seines jüdischen Gewährsmannes[20] – richtigerweise von der Landesbezeichnung wieder zur Person: *Syrus persequebatur patrem meum,* der Syrer, also der Aramäer Laban, verfolgte meinen Vater, also Jakob. Das stimmt zwar mit der Erzählung in der Genesis halbwegs überein, hat aber grammatische und semantische Schwierigkeiten, auf die bereits Ibn Esra hinwies: 1. Das Verbum *'bd* hat sonst nur intransitive Bedeutung, und 2. ist der Subjektwechsel vom Syrer, der den Vater verfolgt, zum Vater, der nach Ägypten hinabzieht, wenig wahrscheinlich. Es ist also zu übersetzen: Ein umherirrender Aramäer war mein Vater, und dieser Vater ist nicht mit Jakob zu identifizieren, auch

---

17. Siehe dazu die Konkordanz und zur Einordnung *S. Kreuzer:* Zur Bedeutung und Etymologie von *hištaḥªwah/yšttḥwy* (VT 25), 1985, S. 51.
18. *J. W. Wevers:* Septuanginta ... Vol. 2: Deuteronomium, S. 281, führt neben dem wahrscheinlichsten Text sechs Varianten für das Verbum an.
19. Gen 25,20 (beide); 28,5; 31,20.24.
20. Vgl. *Targum Onkelos:* »Der Aramäer Laban verfolgte ....«; *A. Sperber:* The Bible in Aramaic I, S. 333.

wenn man das bis zur Gegenwart herauf in den Kommentaren lesen kann[21]. Es muß sich also bei dem umherirrenden Aramäer um einen ansonsten Unbekannten handeln, der als Ahnherr seiner Sippe in Kanaan seßhaft wurde und in Israel Aufnahme fand.
Diese Tradition muß wesentlich älter sein als der dtn-Kontext, in dem sie nun steht. Seit den für Israel sehr leidvollen Aramäerkriegen des 9. Jhs. besteht zwischen Aram und Israel eine Barriere, die ein solches Ereignis oder auch die Bildung einer solchen Tradition nicht mehr zuläßt. Die Situation war zwar im 10. Jh. noch anders, aber wahrscheinlich ebenfalls kein geeigneter Hintergrund für unsere Tradition[22]. D. h., der umherirrende aramäische Stammvater gehört zumindest in die Richterzeit. Andererseits wird man zeitlich nicht allzu hoch hinaufgehen dürfen: Zum ersten Mal erwähnt werden Aramäer in einem Feldzugsbericht von Salmanassar I. um 1270. Noch bedeutsamer ist die Nachricht, daß Tiglatpileser um 1100 28mal den Euphrat überschritten habe, um die Aramäer zu bekämpfen und zu verfolgen[23]. Diese Vorstöße nach Westen und Südwesten führten sicher zu einer Erschütterung der aramäischen Welt und zur Flucht aramäischer Sippen weg von Assur in Richtung Südsyrien und Palästina.
Ich meine, daß der umherirrende Ahnherr in diese Zeit gehört und daß er und seine Sippe um 1100, also in der Richterzeit, in der sich immer mehr herausbildenden Stämmegemeinschaft Israels Aufnahme fand[24]. V.5 und 10 unseres Textes sind das dankbare Bekenntnis der Nachkommen dieses Ahnherrn, das

---

21. Z.B. *A. Bertholet:* Deuteronomium (KHC), z. St.: »Der Vater ist Jakob, seine Mutter Rebekka stammt aus Aram Naharaim ... floh er nach [!] Aram ....«; *C. Steuernagel:* Deuteronomium (H. K.), z. St.: »*'rmj* ist Jakob, sofern er im Aramäerland wohnte und von dort auch seine Vorfahren stammten.« *G. von Rad:* Deuteronomium (ATD), z. St.: » ... rekapituliert der Sprechende die Kette der Heilstaten von Jakob – er ist doch mit dem Aramäer gemeint ....«; ähnlich auch *P. C. Craigie:* Deuteronomy, z. St.:, und trotz ganz anderer Voraussetzungen *A. R. Millard:* A Wandering Aramaen (JNES 39), 1980, S. 153, 155. Trotz der Gleichsetzung mit Jakob denkt von Rad aber auch an Unterschiede, zwar nicht zur Person, aber zu den Gegebenheiten: »Wäre diese Eingangsformel nicht gar so knapp, so würde sie möglicherweise ein Bild von der Väterzeit erkennen lassen, das sich erheblich von dem unserer pentateuchischen Quellen unterscheidet« (ebd.).
22. Vgl. *A. Malamat:* The Aramaens, in: *D. J. Wiseman:* Peoples of Old Testament Times, 1973, S. 134–155; *E. Lipinsky:* Aramäer und Israel (TRE 3), S. 590–599; Lipinsky (S. 591 f.) betont die historischen Gegebenheiten des 10. Jhs. und die damit möglichen Beziehungen und Kenntnisse für die konkrete Gestalt jener Erzählungen, »die die Patriarchen mit den Aramäern in Verbindung bringen«, aber auch er hebt davon Dtn 26, zumindest ansatzweise ab.
23. Siehe dazu Malamat und Lipinsky (Anm. 22); zu den Texten siehe TUAT I/4 (z. B. S. 354 f.: Tilgat-Pileser I). Die Einordnung von Dtn 26,5 ins 13. Jh. bei *A. Lemaire:* La haute Mésopotamie et l'origine des Benê Jacob, in: VT 34, 1984, S. 95–101, erscheint mir fraglich, während sie für andere Gruppen (z. B. Lemaires »Benê Jacob«) zutreffen mag.
24. Vielleicht ergaben Kontakte zu bereits in Mittelpalästina seßhaft gewordenen (aramäischen) Gruppen (s. o., Lemaire) das Ziel der Wanderung; ähnlich wie die Beziehung Moses zu den Midianitern der Flucht aus Ägypten ein konkretes Ziel vorgab.

Bekenntnis zu Jahwe, dem Gott Israels, dem die Bewahrung vor dem Untergang zu danken ist.

Der Text dazwischen ist aber wesentlich jünger. L. Rost[25] hat das Mittelstück als dtr klassifiziert, und das läßt sich noch untermauern durch den Nachweis der Abhängigkeit von jehowistischen und noch jüngeren Ergänzungen in Ex 3 und 4, im Zusammenhang der Berufung des Mose. Allerdings gilt das nur für Teile von V.5f. und Teile von V.8[26].

Dazwischen ist ein älteres Exodusbekenntnis eingefügt, das mit fast gleichem Wortlaut in Num 20,14–16 wiederzufinden ist: »So spricht dein Bruder Israel: Du weißt all die Mühsal, die uns betroffen hat: Unsere Väter zogen nach Ägypten, und wir wohnten in Ägypten viele Tage, und die Ägypter behandelten uns schlecht (und unsere Väter). Und wir schrien zu Jahwe, und er hörte unsere Stimme, und er sandte einen Engel/Boten, und er führte uns aus Ägypten (und siehe, jetzt sind wir in Kadesch ...).« Dieses Bekenntnis wurde am Anfang singularisch umformuliert, um die Verbindung mit dem umherirrenden Ahnherrn herzustellen und mit pleonastischen Formulierungen erweitert (vgl. Anm. 26). Der Engel bzw. Bote könnte im Dtn bewußt ausgelassen sein (vgl. Dtn 7 gegenüber Ex 23,20.23) und erscheint andererseits wegen der nur hier zu findenden Zweistufigkeit der Aktion (er sandte einen Engel, und er führte uns heraus) nicht sehr fest im Text von Num 20,15f. verankert.

Die Analyse führt somit zu dem Ergebnis, daß in Dtn 26 zwei ursprünglich selbständige Bekenntnisse, nämlich das Bekenntnis eines israelitischen Bauern und das Exodusbekenntnis von Num 20, kombiniert wurden. Die verbindenden Formulierungen zeigen, daß die Kombination aber erst dtr, also ziemlich jung ist. Die Art und Weise der Kombination ist nicht die einzig mögliche. Die beiden Heilserfahrungen hätten auch hintereinander gesetzt werden können[27]. Die Bekenntniserzählung hätte dann zwei Gipfel gehabt: die Errettung des umherirrenden Aramäers und die Errettung aus Ägypten. Hier ist aber nicht addiert, sondern eingebaut worden. Durch die Einfügung der Exodustradition wird die Errettung aus Äygpten zum gemeinsamen und einzigen Mittelpunkt beider Ereignisse. Zugleich treten der aramäische Stammvater und der Dank für die Gabe des Landes weit auseinander. Damit

---

25. Siehe Anm. 13.

26. Vor allem die Formulierungen bezüglich der Not und der Errettung; weiters die Umänderung des Hinabziehens vom Plural (Num 20,15) in den Singular des aramäischen Ahnherrn und die Formulierung bezüglich der kleinen Zahl. So gehören etwa die Belege für *mtj*, Männer/Leute (von geringer Zahl), einschließlich Gen 34,30, erst in die babylonische Zeit und kommt *jad ḥazaqa* für sich schon in älteren Texten vor, z. B. Ex 3,19, die Kombination mit *z^{e}ro^a‹n^{e}tuja* aber ist wiederum erst dtr. belegt, z. B. Dtn 4,34; 5,15; 7,19; 11,2; 1 Kön 8,42; Jer 32,21. Für den Einzelnachweis siehe *S. Kreuzer:* Die frühere Geschichte Israels in Bekenntnis und Verkündigung des Alten Testaments, Habilitationsschrift, Wien 1986 (im Druck), »9.5 Die verbindenden Elemente«.

27. Vgl. etwa die Zusammenstellung in 1 Sam 12,8ff. oder den wiederholten Zyklus vom Abfall-Strafe/Not-Hilferuf-Errettung im Richterbuch.

erweckt das Bekenntnis von Dtn 26 den Eindruck eines »Hexateuch im kleinen«. Denn auch dort wird die Verheißung an die Väter in der Genesis erst in der Landnahme des Buches Josua erfüllt. Der Auszug und Mose sind »dazwischen hineingekommen«.

Mit diesem Einbau der Exodustradition[28] geschieht in Dtn 26 auf literarischer Ebene und im 6. Jh. etwas Analoges zu dem, was im 13. und 12. Jh. sich wahrscheinlich historisch mit dem Eindringen der Jahweverehrung in Palästina ereignet hat, was seinerseits wiederum, mittlerweile zu einer Ereignisfolge gestaltet[29], die Grundlage der älteren Pentateuch-Quellen bildete. – Die Unterscheidung dieser drei verschiedenen Ebenen erscheint von fundamentaler Bedeutung und wurde oft zuwenig beachtet. So wurden einerseits von exilischen und nachexilischen Geschichtssummarien her die religiösen und historischen Verhältnisse der vorstaatlichen Zeit rekonstruiert, andererseits wird mit dem eher späten literarischen Auftauchen dieser Summarien die Existenz eines zusammenhängenden Geschichtsbildes bestritten. Beide Extreme gehen auf die fehlende Unterscheidung der Ebenen zurück. Demgegenüber erscheint es richtiger, das Werden eines übergreifenden Geschichtsbildes in der Nähe des Werdens übergreifender Beziehungen der israelitischen Gruppen zu belassen, und sind die vergleichsweise jungen Summarien, die – wie im folgenden noch kurz gezeigt wird – keine festgeformte Gattung darstellen, primär Ausdruck des jeweiligen Verständnisses von und des aktuellen Bezuges zur Geschichte.

Der Vergleich mit Num 20,15f. und vor allem die literarische Einordnung der ergänzenden und verbindenden Elemente lassen keine andere zeitliche Einordnung von Dtn 26,5–10 zu. Der Hinweis auf das Fehlen des Sinai als Widerspiegelung eines älteren Stadiums des Geschichtsbildes und damit als Argument für frühere Datierung wiegt demgegenüber zuwenig und setzt jenes Bild voraus, das G. von Rad von den sog. Credotexten, d.h. nicht zuletzt von Dtn 26, her gewonnen hatte. Der Einbau der Exodusthematik an dieser Stelle ist eher vergleichbar mit der dtr Begründung des Sabbatgebotes (Dtn 5,15), die ebenfalls auf den Exodus verweist.
Natürlich wird man auf der anderen Seite einräumen müssen, daß jener aramäische Ahnherr bzw. auch seine ersten Nachkommen den Jahweglauben wohl nur in Verbindung mit der Exodustradition kennengelernt hatten. Das

---

28. M. E. ist nur mit diesem Begriff der Werdegang von Dtn 26,5–10 beschreibbar und nicht mit einer Verlängerung der Exodustradition nach rückwärts. Damit ist nichts gesagt über die »theologische Leistung des Jahwisten«, für die nach von Rad (Anm. 20) der »Ausbau (nicht: Vorbau) der Vätergeschichte« und der »Vorbau der Schöpfungsgeschichte« neben dem »Einbau der Sinaitradition« die wesentlichen Elemente darstellen. Und natürlich ist, vom Standpunkt der Exodusgruppe aus, die Verbindung mit den Vätertraditionen kaum anders als eine Verlängerung des Geschichtsbildes nach rückwärts zu beschreiben.

29. Das historische Bild der Frühgeschichte Israels ist hier nicht weiter zu entfalten. Jedenfalls führen der Umfang, die Eigenart und die Ortsbezogenheit der Erzväterüberlieferungen zur Annahme einer gewissen Kontinuität von (halbnomadischen) Bevölkerungselementen, denen gegenüber die jahweverehrenden Gruppen ein jüngeres, in bestehende Verhältnisse eindringendes Element darstellen. Ob man dieser Zweistufigkeit wie Noth mit der Unterscheidung von älteren Lea- und jüngeren Rahelstämmen oder mit der These einer vorjahwistischen El-Amphiktyonie (unter Hinweis auf den Namen »Isra-el«, besonders *A. H. J. Gunneweg:* Geschichte Israels) Rechnung trägt, macht hier keinen Unterschied.

bedeutet aber nicht, daß diese Voraussetzung beim Anlaß des Erntedankes expliziert werden mußte. Beide älteren Teile sind vom Anlaß und Anliegen des Dankbekenntnisses geprägt; und der vorliegende Gesamttext will keinen vollständigen Abriß der Heilsgeschichte geben, sondern verdankt sich der Hervorhebung der Exodustradition im 6. Jh.

2.2 Der Einfluß der Toda auf die Exodustradition

Das bereits zitierte Exodusbekenntnis von Num 20,15f. zeigt eine charakteristische Formulierungsweise, die von den Klage- und Dankpsalmen her beeinflußt ist: In den Klagepsalmen beschreibt der Beter seine Not, er ruft zu Jahwe um Hilfe, und er drückt sein Vertrauen aus, daß Jahwe ihn hören und erretten wird. Und in den entsprechenden Dankpsalmen wird vor versammelter Gemeinde von der Not erzählt, in der der Beter steckte, von seinem Schreien zu Jahwe, von der Erhörung und von der Errettung. Genau dies geschieht hier gegenüber dem Brudervolk Edom, und es wird genau das entsprechende Vokabular verwendet: die Schilderung der Not nach der jeweils spezifischen Situation, dann der Hilfeschrei V.16 *ṣ'q,* die Erhörung *šm‹,* die Errettung, hier in Form der Herausführung. Eine genauere Untersuchung[30] dieses in jehowistischem Kontext stehenden Exodusbekenntnisses zeigt, daß es der Struktur der Toda, deren wesentliches Element Bekenntniserzählung ist, entspricht. »Allein konstitutiv für das Bekenntnislied und darum unentbehrlich und unersetzlich ist die Erzählung. Ihr schlichtes Bekennen ist die Urzelle der toda ... So ist die Erzählung in jeder Hinsicht Mitte und Kernstück der Bekenntnislieder«[31]. Die narrative Form und die verwendete Motivik weisen Num 20,15f. als in den vorliegenden Kontext aufgenommene Exodustoda aus. Es würde hier zu weit führen, der Frage nach dem möglichen Alter und den Hintergründen dieser Form der Exodustradition nachzugehen. Es genügt die Beobachtung, daß Num 20,15f. eine Formulierungsstruktur aufweist, die der Exodustradition weithin eigentümlich ist.
Dieses für die Klage- bzw. Dankpsalmen typische Vokabular läßt sich auch in Ex 3 bei dem Geschichtssummarium im Zusammenhang der Berufung des Mose wiederfinden. »Ich habe das Elend meines Volkes in Ägypten gesehen und ihr Geschrei über ihre Bedränger gehört. Ich habe ihre Leiden erkannt.

---

30. Siehe dazu *S. Kreuzer:* Die frühere Geschichte (Anm. 26), »7. Numeri 20«.

31. *F. Mand:* Die Eigenständigkeit der Danklieder des Psalters als Bekenntnislieder, in: ZAW 70 (1958), S. 185–199 (Zitat S. 199). Die von Mand und später von *F. Crüsemann:* Studien zur Formgeschichte von Hymnus und Danklied in Israel (WMANT 32), 1968, unternommene Bestreitung eines Dankliedes des Volkes ist vor allem bei Crüsemann auch ein Problem der Definition (als einmalige Äußerung ist es keine Gattung, als wiederholte Äußerungen gehören sie zum Hymnus) und kann hier auf sich beruhen. Hier kommt es nur darauf an, daß eine Gestaltung nach dem Schema von Not – Ruf um Hilfe – Erhörung – Errettung zugrundeliegt. Dieses Schema entspricht vielfältiger Erfahrung von Einzelpersonen und von Gruppen ebenso, wie diese Erfahrungen in den Klage- und Dankpsalmen ihren Ausdruck fanden.

Ich bin herniedergefahren, um sie zu erretten aus der Hand der Ägypter und um sie herauszuführen« (V.7 f.).

Hier finden sich wieder die Schilderung der Not, das Rufen zu Jahwe, die Erhörung und dann noch ein weiterer für die Klagepsalmen typischer Begriff, nämlich *nsl,* erretten. Diese Beobachtungen zeigen, daß die Exodustradition nach der Struktur Not, Ruf um Hilfe, Erhörung und Errettung formuliert ist. Diese Struktur war den Israeliten sowohl aus häufiger Erfahrung wie auch aus der Struktur der Klage- und Dankpsalmen vertraut. Zugleich bildet diese Struktur einen in sich geschlossenen Zusamamenhang von der Not zur Errettung und kommt darin an ein Ziel, d. h., diese Erzählstruktur kann nicht fortgesetzt, sondern nur wiederholt oder mit anderen Erzählstrukturen verbunden werden. Diese Beobachtung erklärt, warum die Exodustradition immer wieder in einer so überraschenden Geschlossenheit überliefert ist. Etwas Ähnliches ließe sich auch für die Erzvätertradition zeigen: Die Erzvätertradition ist wesentlich geprägt von einer anderen Struktur, nämlich von der Struktur von Verheißung und Erfüllung. Auch diese Struktur hat die Tendenz zu einer gewissen Geschlossenheit. Mit der Erfüllung kommt der mit der Verheißung einsetzende Spannungsbogen zu seinem Ziel. D. h., die Geschlossenheit einer Thematik resultiert zunächst aus den Gesetzen der erzählerischen Darstellung und schließt die Verknüpfung mit anderen Themen nicht eo ipso aus.

Wenn wir die alttestamentliche Geschichtsüberlieferung, wie sie sich in den Pentateuchquellen, aber auch besonders in den Geschichtssummarien, niederschlägt, betrachten, so erkennen wir immer wieder eine Spannung zwischen einer vollständigen Heilsgeschichte, in der die wesentlichen Ereignisse hintereinander aufgereiht stehen, und auf der anderen Seite einer gewissen Geschlossenheit der einzelnen Themen innerhalb dieser Darstellung. Beide Tendenzen widerstreiten einander, und die Verkennung dieser Spannung hat in jüngster Zeit verschiedentlich dazu geführt, die Existenz durchgehender Geschichtsdarstellungen zu bestreiten oder erst sehr spät zuzulassen und nur eine Entfaltung innerhalb der einzelnen Themen anzunehmen. Um es noch einmal mit der jahwistischen Darstellung zu vergleichen: Zweifellos hat der Jahwist eine Erstreckung der Heilsgeschichte von den Erzvätern über die Ägypten- und Wüstenzeit bis hin zur Landnahme im Auge. Der zitierte Text aus Ex 3 endet in V.8 auch entsprechend mit dem Blick auf das gute und weite Land. Trotzdem ist die Exodusthematik sowohl in dieser kurzen Zusammenfassung von V.7 f. und fast noch mehr in der ausführlichen Darstellung von Ex 1–18 in sich geschlossen und kommt in Ex 18[32] mit dem Bericht des Mose an Jetro an ein, wenn auch vorläufiges, Ziel.

---

32. Für diese Abgrenzung siehe besonders *G. Fohrer:* Überlieferung und Geschichte des Exodus (BZAW 91), 1964, der darauf hinweist, daß der nun vorliegende Eindruck der Zäsur bei Ex 15 auf die Einfügung des Schilfmeerliedes zurückgeht.

Diese Beeinflussung durch das Erzählschema von Not – Hilferuf – Errettung und die Gattung und Stimmung der Todaerzählung erleichtert umgekehrt die Aktualisierung und den existentiellen Bezug, was gewiß zum »Erfolg« der Exodustradition beitrug (und beiträgt).

2.3 Der Einfluß aktueller Anliegen: Josua 24 und Psalm 136

In Jos 24, im Zusammenhang des sog. Landtags zu Sichem, findet sich in V.1–15 ein Geschichtsrückblick, der sehr ausführlich bei den Erzvätern einsetzt und dabei – deutlich anders als Dtn 26 – auf die Erzvätergestalten aus der Genesis Bezug nimmt. Die Geschichtsdarstellung wird dann entsprechend der Darstellung im Pentateuch weitergeführt von den Erzvätern zur Ägyptensituation, zur Not in Ägypten und zur Errettung aus Ägypten. Es folgt die Zeit des Wohnens in der Wüste (V.7) und dann die Hineinführung in das Land, zunächst das Ostjordanland (V.8–10) und dann das Westjordanland. V.11: »Als ihr über den Jordan gingt und nach Jericho kamt, kämpften gegen euch die Bürger von Jericho, ... und ich sandte Angst und Schrecken vor euch her, die trieben sie vor euch weg ... Und ich habe euch ein Land gegeben, um das ihr euch nicht gemüht habt, und Städte, die ihr nicht gebaut hat, um darin zu wohnen, und ihr eßt von Weinbergen und Ölbäumen, die ihr nicht gepflanzt habt. So fürchtet den Herrn und dient ihm treulich und rechtschaffen und laßt fahren die Götter, denen eure Väter gedient haben jenseits des Euphratstroms und in Ägypten, und dient Jahwe.« Hier hat das Bemühen um eine umfassende Darstellung der Heilsgeschichte den Vorrang[33], und auch die Erzählstrukturen der einzelnen Themen treten gegenüber dem Gesamtduktus ganz zurück. Und doch ist auch hier die Geschichte nicht einfach als Geschichte um ihrer selbst willen dargestellt, sondern eindeutig mit einer bestimmten Zielsetzung (V.14 Aufforderung, Jahwe allein zu dienen), die ihrerseits die Auswahl der Themen bestimmt: Die Erwähnung der Götter jenseits des Stromes und die Betonung der Verleihung des Landes durch Jahwe, der allen – auch militärischen – Widerstand überwinden konnte, hatten ihren Hintergrund darin, daß jene Götter wieder aktuell geworden waren und daß man die Vertreibung jener Götter und ihrer Verehrer durch Jahwes machtvolles Eingreifen erwartete[34].

Wieder eine andere Situation zeigt sich in Ps 136, einem Hymnus, in dem Jahwes Taten gelobt werden. Die Grundlage ist die im Pentateuch dargestellte Heilsgeschichte, diesmal und erstmals beginnend mit dem Hinweis auf die Schöpfung, wobei die Darstellung deutlich an den ersten, den priesterlichen

33. Das zeigt sich auch am sowohl literarkritisch wie textgeschichtlich erfaßbaren Werdegang des Textes, in dem sich die Vervollständigung des Textes und der Ausgleich mit dem Pentateuch, aber etwa auch die Absetzung Abrahams vom anstößigen Götzendienst der Vorfahren (V.2f.), niederschlagen.

34. Hier ist vorausgesetzt, daß Jos 24,1–15* von V.16ff. abzuheben ist und in die Zeit Josias gehört.

Schöpfungsbericht anklingt. Dann werden die Erzväter übersprungen, die Darstellung eilt zum Schilfmeerereignis, hier völlig ohne Beschreibung der Not in Äygpten und des Rufens zu Jahwe. Weiter folgt die Führung durch die Wüste und schließlich die Landnahme, wobei allerdings genaueres Zusehen zeigt, daß nur die ostjordanische Landnahme berücksichtigt ist, d. h., Ps 136 beschränkt sich ganz bewußt auf jene Traditionen, die im Pentateuch stehen, oder anders gesagt: auf die Traditionen der Mosezeit.
Diese etwas abrupt wirkende und sicher bewußt gewollte Begrenzung ist nicht die Fernwirkung einer alten Besonderheit der ostjordanischen Landnahmetradition, sondern Widerspiegelung der Reduktion vom »Hexateuch« zum Pentateuch, wie sie sich in exilischer und nachexilischer Zeit vollzog (und auch bei den Samaritern in der ausschließlichen Kanonisierung des Pentateuchs niederschlug). Ps 136 bringt uns damit zwar keine Informationen über die Frühgeschichte Israels, aber ist ein um so interessanteres Zeugnis für die Geschichte des Pentateuchs. In der Spannung zwischen Einzeltradition und Gesamtdarstellung hat hier die Gesamtdarstellung deutlich den Vorrang. Auch hier ist der heilsgeschichtliche Rückblick wieder einem eigenen Ziel, dem hymnischen Gotteslob, unterstellt: Durch die Intention des Hymnus und durch die spezifische Ausführung mit dem immer wiederkehrenden Kehrvers sind die einzelnen Traditionen hierbei ganz in kleine Einheiten zerlegt und wie die Perlen auf einer Schnur aufgereiht.
So zeigen die beiden Texte Jos 24 und Ps 136 gerade in ihrer Verschiedenheit den engen Zusammenhang zwischen der Identität Israels und dem Bild von den Anfängen: In Jos 24 war der Jahweglauben ganz wesentlich auf den Besitz des Landes bezogen und dieser wiederum auf die Ausschließlichkeit der Jahweverehrung, beides ausgedrückt in der von den Erzvätern über Mose bis Josua reichenden Ursprungsgeschichte. Im Hymnus von Ps 136 hatte sich der Blick geweitet auf die ganze Schöpfung, und die grundlegenden Heilstaten hatten sich jenseits des späteren Wohngebietes ereignet. Die Verehrung Jahwes, hier des Schöpfpers (V.4–6.25) und des Erretters (V.7–24), ist damit prinzipiell überall und jederzeit (» ... seine Güte währet ewig«) möglich, sie bleibt aber gebunden und orientiert an jenen Anfängen.

3. Ergebnis

Wir sahen, daß die Geschichtssummarien des Alten Testaments – man darf sie überwiegend durchaus als Bekenntnisse[35] bezeichnen – zwar auch auf historische Elemente hin befragbar sind: wir fanden ein solches älteres Element im umherirrenden Aramäer und auch in der Gattung der Exodustoda; darüber hinaus gaben sie Anlaß zu methodischen Überlegungen.

Viel mehr aber sind die Geschichtsbekenntnisse Zeugnisse für die jeweilige Rezeption der Frühgeschichte Israels und für die Intention, die mit der jeweiligen Darstellung verbunden ist. Geschichte ist hier durchweg nicht ferne Vergangenheit, die neutral dargestellt werden könnte oder würde, sondern Geschichte hat immer existentielle Bedeutung[36]. Die Frühgeschichte Israels ist immer wieder Motivation, Maßstab und Verpflichtung für die spätere Zeit, und zugleich bestimmen die Erfahrungen, die Fragen und die Anliegen der späteren Zeit die Rezeption dieser »heilsgeschichtlichen Urzeit«.

Nicht zuletzt ist diese Bezugnahme ein zentrales Element für die Identität der Glaubensgemeinschaft. Die Bezugnahme auf jene Tradition konstituiert und definiert Israel. Das zeigt sich bis hinein etwa in die Begründungen der prophetischen Botschaft, die zunehmend historisch ausgerichtet wird. Das zeigt sich darin, daß selbst die verfeindeten Brüder, die in Samaria wohnen, sich auf denselben Pentateuch und damit auf dieselbe heilsgeschichtliche Urzeit beziehen.

Schließlich zeigt sich die fundamentale Bedeutung des Bezugs zwischen einer Gemeinschaft und dem Bekenntnis zu ihren Anfängen darin, daß für das Christentum eine andere »heilsgeschichtliche Urzeit« an die Stelle, oder zumindest an die erste Stelle, gegenüber jenen alttestamentlichen Traditionen tritt.

---

35. »Bekenntnis« in seinen verschiedenen Aspekten: Dank an Gott, Bekenntnis zu Gott vor anderen, Bekenntnis als Lobpreis, Bekenntnis als Sündenbekenntnis (so z. B. in Ps 77.105.135). Vgl. dazu die primär phänomenologisch geordnete Darstellung bei *S. Gerstenberger:* Glaubensbekenntnis(se), II: Altes Testament, in: TRE 13, S. 386–388.

36. Diese Beobachtung, die prinzipiell für den Geschichtsbezug gilt – siehe dazu auch *J. A. Soggin:* Geschichte als Glaubensbekenntnis. Geschichte als Gegenstand wissenschaftlicher Forschung, in: ThLZ 110 (1985), S. 161–172 –, ist an den Geschichtssummarien besonders deutlich zu machen. Natürlich schließt das nicht aus, sondern durchaus mit ein, daß die Texte sich auf historische Ereignisse beziehen, nur daß dieser Bezug hier weithin ein durch die älteren Geschichtsdarstellungen und -auffassungen vermittelter ist.

Zwischen Mythos und Rationalität
Das Kriegshandeln Yhwhs in Josua 10,1–11
Edward Noort

1.0

Die Historisierung[1] des Mythos galt längere Zeit als eine Wünschelrute, mit der man dem Umgang des Alten Testaments mit der altorientalischen Denk- und Glaubenswelt auf die Spur kommen und ihn bewerten konnte[2]. Und obwohl sich auch Gegenstimmen erhoben, die den Mythos nicht nur negativ bewerten wollten und auch einer theologischen Beurteilung der Umkehrung: einer Mythisierung der Geschichte, nicht aus dem Weg gingen[3], so galt doch die Geschichtsbezogenheit Israels als Eigenheit par excellence.

Denn wo der Mythos sich nach der Gunkelschen Definition in der Ätiologie[4] ausdrückte, mit ihrer Kernfrage des »Warum«, und dieses »Warum« seitdem als die »große *Kinder*frage aller Zeiten« durch die Literatur ging[5], war die Primitivität eines solchen Fragens festgelegt. Pointiert gesagt: Im religiösen Kindesalter lebt man mit dem Mythos, im Erwachsenendasein tauscht man den Mythos ein gegen die Wirklichkeit der Geschichte.

Behutsamer als manche vor und nach ihm hat Smend noch innerhalb des Koordinatensystems des alten Mythosbegriffes nach Motiven und Funktionen geschichtlicher Aussagen gefragt[6]. In Ätiologie und Paradigma sieht er die Formen, deren sich das mythische Denken des Alten Testaments bedient. Damit ist die Bedeutung für die Gegenwart angeschnitten, denn gerade das Paradigma gibt Hinweise darauf, »wie es war, sein soll oder auch nicht sein soll«[7].

Wenn neuere Ansätze den Mythos definieren als eine die gegenwärtige Ordnung begründende Wirklichkeit[8], dann ist zwar die Gegenwart vorhanden als eine Conditio sine qua non für eine Diskussion über die aktuelle Bedeutung des Mythos, aber »die gegenwärtige Ordnung« ist dabei ein statischer

1. *M. Noth:* Die Historisierung des Mythus im Alten Testament, in: Christentum und Wissenschaft 4 (1928), S. 265–272, S. 301–309; GS II (ThB 39), München 1969, S. 29–47.
2. *W. H. Schmidt:* Alttestamentlicher Glaube in seiner Geschichte, 3. Aufl., Neukirchen 1979, S. 178f.
3. *J. Hempel:* Glaube, Mythos und Geschichte im Alten Testament, in: ZAW 65 (1953), S. 109–167, hier S. 166f.
4. *H. Gunkel:* Genesis, 8. Aufl., Göttingen 1969, XV.
5. *A. Alt:* Josua (KS I), 4. Aufl., München 1968, S. 182f.
6. *R. Smend:* Elemente alttestamentlichen Geschichtsdenkens (ThSt B 95), Zürich 1968; GS I, München 1986, S. 160–185.
7. *R. Smend,* a.a.O., GS I, S. 174.
8. *H. Graf Reventlow:* Hauptprobleme der alttestamentlichen Theologie im 20. Jh. (EdF 173), Darmstadt 1982, S. 170.

Begriff. Wenn aber Mythos mit Angst und Bedrohung[9], »mit den Reflexen der Aporien menschlicher Existenz überhaupt«[10] zu tun hat, dann müßte hinzugefügt werden: »die heutige *bedrohte* Wirklichkeit«. Vielleicht ist es dann nicht zufällig, daß unser theologisches Interesse sich gerade in dieser Zeit wieder dem Mythos zuwendet.
Auf diesem Hintergrund nach dem Kriegshandeln der Gottheit zu fragen heißt, auf dem Drahtseil balancieren zwischen Mythos und Geschichte. Inwieweit sind mythische Elemente in der Rede von göttlichem und menschlichem Handeln im Kriege vorhanden, und welche Funktionen haben sie dort?

1.1

Göttliche Beauftragung und göttlicher Beistand im Krieg sind so alt wie der Krieg selbst, genauso wie der Dank an die Gottheit nach dem Sieg. Versuche, hier Entwicklungslinien zu beschreiben: von religiös zu profan oder auch umgekehrt[11], neigen vor allem bei altorientalischen Texten dazu, die formgeschichtlichen Grenzen zu überschreiten. Denn das göttliche Eingreifen in seinem Verhältnis zum menschlichen Handeln ist im Alten Orient sehr wohl gattungs- und situationsgebunden. Mal befähigt die Gottheit den Heerführer nur, mal greift die Gottheit so massiv und direkt in die Schlacht ein, daß die menschlichen Krieger nur einzusammeln brauchen, was der Kriegsgott schon getötet oder zur Übergabe gezwungen hat. Diese Direktheit und damit auch die Rolle des theologischen Überbaus als Legitimation hängt mit der Gattung des Textes zusammen[12]. Die Aussage wird wesentlich bestimmt von der Tatsache, ob es sich um diplomatische Korrespondenz, um ein Hofarchiv, um Kriegstagebücher, Königsinschriften, um Gebete oder Hymnen handelt, ja selbst von der Tatsache, ob wir es mit einer Text- oder mit einer Bildtradition zu tun haben. Aber auch für die menschliche Initiative zum Erhalt des göttlichen Beistands mit Opfer, Gottesbrief und Orakel ist ein gewisser Spielraum gegeben. Denn die Praxis pietatis war doch wohl, daß mit dem Orakel nicht gefragt wurde, *ob* man ausziehen dürfe, sondern *wann*[13].
Neben diesen Variablen ist ein Grundmuster mit den Elementen Beauftra-

---

9. *G. Scholem:* Zur Kabbala und ihrer Symbolik (STW 13), 1973, S. 133.

10. *I. U. Dalferth:* Mythos, Ritual, Dogmatik. Strukturen der religiösen Text-Welt, in: Mythos und Religionskritik (EvTh 47), 1987, S. 278.

11. Vgl. die Wirkungsgeschichte der klassischen Studie *G. von Rads:* Der Heilige Krieg im Alten Israel, 5. Aufl., Zürich 1951, Göttingen 1969, und seines Antipoden: *F. Stolz:* Jahwes und Israels Kriege. Kriegstheorien und Kriegserfahrungen im Glauben des alten Israels (AThANT 60), Zürich 1972. Von einer anderen Fragerichtung her: *W. Dietrich:* Ungesicherter Friede? Das Ringen um ein neues Sicherheitsdenken im Alten Testament, in: ZEE 31 (1987), S. 158, Anm. 2.

12. Vgl. die Art der Verwendung des Keilschriftmaterials bei *M. Weippert:* ›Heiliger Krieg‹ in Israel und Assyrien. Kritische Anmerkungen zu Gerhard von Rads Konzept des »Heiligen Krieges im alten Israel«, in: ZAW 84 (1972), S. 460–493.

13. *E. Noort:* Gotteswort in der Krise. Untersuchungen zum Gottesbescheid in Mari und Israel, Diss. theol., Göttingen 1975, S. 104ff.

gung, Legitimation, Weihung der Waffen, Aufmarsch, Schlacht unter Beteiligung der Gottheit, Rückkehr der unversehrten eigenen Krieger, Beutedarbietung und Verteilung am schönsten in den ägyptischen Darstellungen sichtbar[14]. Die mythische Einfärbung dieses Totalbildes ist dabei unübersehbar. Wenn das aber stimmt, dann ist »Legitimation« als Erklärung für die göttliche Beteiligung am Kriege nicht ausreichend. Denn das Kriegshandeln der Gottheit und die dort erfahrene Hilfe sind dann in einem mythischen Grundmuster verwurzelt, bei dem es um Leben und Tod, um Sein oder Nichtsein, um Chaos und Kosmos geht.
Auf diesem Hintergrund möchte ich mich jetzt dem Alten Testament zuwenden und dort exemplarisch eine Erzählung herausgreifen, in der nicht nur das Mythologoumenon des in den Krieg persönlich eingreifenden YHWHs sichtbar wird, sondern auch paradigmatische und ätiologische Züge den Gegenwartsbezug herstellen: Jos 10,1–11, die Schlacht bei Gibeon.

2.1

Das *wyhy kšm'* des Einleitungsverses verbindet Kap. 10 mit 9 und 11 sowie mit 5,1, Texte, die alle mit der gleichen Wendung anfangen. 5,1 ist dabei nicht als Abschluß der Durchzugsgeschichte zu verstehen, sondern als sekundäre Erweiterung von 4,24, wenn dort, wie im MT, Israel das Subjekt des *yr'* bleibt[15]. Redaktionell ist auch das *wyhy kšm'* in 9,1 f. Dort leitet es die Kampfabsicht der westjordanischen Könige ein und fungiert als zusammenfassende Überschrift der Kapitel 9ff.[16]. Denn die Gibeonerzählung hat in 9,3 ihre eigene Einleitung, und in dieser Erzählung bleiben die streitenden Könige zuerst einmal außer Sichtweite. So sind zwei der vier Belege des *wyhy kšm'* im

---

14. Vgl. z. B. OIP VIII–IX, Chicago 1930–1932 (Medinet Habu): Pl. 13,14; Texte: 13,3 f., 6. f., 14,9 ff., 19 ff.; Pl. 16,17; Texte: 16,9 ff.; 17,1 ff.; Pl. 19; Texte 19,1 ff.; Pl. 22; Texte: 22,2 ff. 23,1 ff.; Pl.16; Texte: 26,1 ff. (1. Libischer Krieg). Das gleiche Schema ist vorhanden bei der Darstellung der Kriege gegen die Seevölker, die Nubier, die Asiaten. Vgl. auch *W. Widmer,* in: ZÄS 102 (1975), S. 67–77.

15. Die Verbindung zwischen 4,24 und dem vermeintlichen Abschluß 5,1 wird meistens mit einer Textänderung des *yr'tm* perf. 2.pers.sg. in ein inf.constr. begründet. So werden »die Völker« Subjekt des Fürchtens. *Yr'* hat aber in der Deuteronomistik gewöhnlich Israel, nicht die Völker zum Subjekt. – *E. J. de Groot:* Wat was er, o Jordaan, dat je terugkeerde? Jos 3 en 4. De tekst en zijn geschiedenis, doct. script., Kampen 1985, S. 23, ist der Meinung, daß YHWHs Taten von den Völkern anerkannt werden sollten, daß aber Israel YHWH fürchten soll: »damit alle Völker auf Erden erkennen, daß die Hand YHWHs stark ist und damit ihr (= Israel) YHWH euren Gott allezeit fürchtet«. Damit ist ein glatter Anschluß an 5,2 ff. erreicht, wo erzählt wird, wie diese YHWH-Furcht in der Praxis aussieht: Beschneidung (5,2–9), Pesaḥ (5,10–12) und die Zuwendung göttlicher Hilfe: die Erscheinung des Heerführers YHWHs (5,13–15). 5,1 hängt – wie die masoretische Einteilung noch zeigt – in der Luft und ist die Erweiterung des deuteronomistischen 4,24 a. Eine Bestätigung, daß die Völker tatsächlich anerkennen, daß die Hand YHWHs stark ist. Vgl. aber *E. Talstra:* Het gebed van Salomo. Synchronie en Diachronie in de Kompositie van I Kon. 8,14–61, Amsterdam 1987, S. 148 Anm. 14.

16. Auch *M. Noth* (HAT I⁷), 2. Aufl., Tübingen 1953, S. 57, nennt 9,1 ff. »nachdeuteronomistisch«.

Josuabuch späten Bearbeitungen zu verdanken. Das ermutigt nicht gerade, für 10,1 und 11,1 wohl ein hohes Alter zu postulieren[17].
Einen weiteren Hinweis zur Einordnung der Erzählung bietet ein Vergleich der Subjekte des *wyhy kšm'*. Die Subjekte in 5,1 und 9,1 f. versuchen zweifellos eine Totalität zu beschreiben. 5,1 mit »alle amoritischen Könige, die jenseits des Jordan gen Westen wohnen, und alle kanaanitischen Könige am Meer« und 9,1 f. mit »alle Könige, die jenseits des Jordans auf dem Gebirge, in der Shefelah und an der Küste des großen Meeres bis an den Libanon wohnen«. Inhaltlich wird das Subjekt im 9,1 ausgefüllt mit der klassischen Liste der feindlichen Völker: Hethiter, Amoriter, Kanaaniter, Pheresiter, Hewiter und Jebusiter[18].
Das gleiche gilt für 11,1. Denn 11,1 hat zwar mit 10,1 gemeinsam, daß das Subjekt zuerst nur *ein* mit Namen genannter König ist – Jabin von Hazor –, aber auch hier spiegelt der individuell genannte Gegner die Totalität der Feinde wider. Die von ihm veranlaßte Aktion ist nur scheinbar regional begrenzt. Schimmern schon in der Terminologie des Verses 11,2 unerwartete Vokabeln durch: *'rbh, ngb, šflh,* so bietet 11,3 schon wieder eine klassische Feindesliste. Die Zusätze *(b)hr* zu den Jebusitern und *tḥt ḥrmwn b'rṣ hmṣph* zu den Hewitern suggerieren zwar eine regionale Beschränkung, zeigen aber zugleich, wie weiträumig das hier entworfene Bild ist. So steht Jabin von Hazor hier nur Pars pro toto.
Etwas anders ist die Situation in 10,1. Auch hier zuerst ein mit Namen genannter Gegner, Adoni-Zedek von Jerusalem, aber V.5 redet schon von den fünf amoritischen Königen, während V.6 die Gegner als »alle amoritischen Könige, die auf dem Gebirge wohnen« umschreibt. Daß eine solche Umschreibung das ursprüngliche Subjekt von V.1 bildete, ist schon oft vermutet worden[19] und wird bestätigt von der Pluralform des V.2: *wyyr'w.*
So gilt es zuerst festzuhalten, daß auch das ursprüngliche Subjekt – (fünf) amoritische Könige – eine so stereotype Begrifflichkeit benutzt, daß nicht nur eine Spätdatierung auch für dieses Subjekt in Frage kommt[20], sondern daß

17. Für die Grunderzählung des Kap. 10 wurde öfter ein hohes Alter erwogen. Dies liegt einerseits an dem postulierten Alter des Fragments 10, 12bf., andererseits an der hohen Datierung des Nothschen »Sammlers«.
18. Jos 9,1 und 11,3 sechsgliedig, Jos 3,10 und 24,11 siebengliedrig (+ *grgšy).* Eine schlüssige, diachrone Zuordnung der Varianten dieser Listen gibt es – trotz vielfachen Bemühungen – nicht. Vgl. *J. Halbe:* Das Privilegrecht Jahwes. Ex 34,10–26. Gestalt und Wesen, Herkunft und Wirken in vordeuteronomischer Zeit (FRLANT 114), Göttingen 1975, S. 140–147; *F. Langlamet:* Gilgal et les récits de la traversée du Jourdain (CahRB 11), Paris 1969, S. 109–111; *E. J. de Groot:* a.a.O., S. 50–54.
19. Vgl. *M. Noth,* a.a.O., S. 63.
20. Der von *M. Noth* (ABLAK I), S. 94ff., genannte Schwerpunkt in de Verwendung des Begriffes *'mry* (Gesamtbegriff für die vorisraelitischen Bewohner Palästinas und eine sekundäre Amoritisierung des Ostjordanlandes in den Og- und Sihon-Überlieferungen) mit Dtn 1,7ff. als Ausgangspunkt ist sicherlich berechtigt. Die sich dann anbietende Ableitung aus dem assyrischen Sprach-

hier *mehr* gesagt sein will als eine rein ethnogeographische Andeutung[21]. Diese Vermuttung wird bestätigt durch die Namensnennung der Könige in V.3. Nicht nur die Pluralform in V.2 weist darauf hin. Die Nennung eines weiter in der Überlieferung unbekannten Namens ist öfter das letzte Stadium des Traditionsprozesses. Etwas pointiert gesagt: Bei weiter unbekannten Namen kommt erst die Gegebenheit, dann die Zahl und schließlich der Name[22].
Aber nicht nur beim Subjekt, sondern auch beim Objekt zeigt 10,1 Spuren späterer Bearbeitungen. 10,1 hat einen Objektsatz, eingeleitet mit *ky,* während in 9,1 f. und 11,1 eine solche direkte Objektbestimmung fehlt. Objekt ist dort die jeweils vorausgegangene Erzählung: Ai bzw. die Eroberung des Südens: »als sie davon hörten ...«
Der Objektsatz in 5,1 wird mit *'šr,* nicht mit *ky* eingeleitet. Aufgrund der Parallelität zwischen 9, 10 und 11 darf vermutet werden, daß der Grundbestand in 10,1 f. nur ein *wyhy kšm'* + plur.Subjekt + *wyyr'w m'd* umfaßt hat und

---

gebrauch wird von Noth aber verneint, weil er den Begriff nicht von den »alten Landnahmeüberlieferungen« trennen möchte. Als solche nennt er Jos 10,5 f. sowie 5,1. Weiter bezieht er Jos 24, Ri 1, Am 2,9 f., 2 Sam 21 und Gen 14 in die Diskussion. 2 Sam 21,2 gehört aber zur deuteronomistischen Bearbeitung von 2 Sam 21,1–14 und greift zurück auf Jos 9 in der bearbeiteten Version. Jos 24 kann zwar nicht dazu dienen, die Amoriter einer spezifischen deuteronomistischen Schicht zuzuweisen, aber ein zu datierendes Ethnikon sind sie auch dort nicht. Wenn aber auch Gen 14 und Ri 1 für eine hohe Datierung nicht in Frage kommen, bleibt Amos 2,9 f. Amos 2,10 ist deuteronomistisch formuliert, und von dort aus wäre zu überlegen, ob die Amoriter in 2,9 nicht über 2,10 in den Text eingedrungen sind, weil die Charakterisierung des »Amoriters«: »groß wie die Zedern, stark wie die Eichen«, eher zu den Enakitern als zu den Amoritern gehört. – Jos 5,1 kann schlecht als Beweis einer alten Landnahmeüberlieferung dienen (s. Anm. 15). Aber auch in 10,5 f. wird der Begriff nicht ethnisch-geographisch exakt benutzt, denn einerseits geht es um Könige in der Shefelah, andererseits um »alle amoritische Könige auf dem Gebirge«. Auch in Jos 10 handelt es sich bei den Amoritern um einen variabel einsetzbaren Gesamtbegriff wie in der ganzen Deuteronomistik. Eine Ableitung aus dem assyrischen Sprachgebrauch ist deswegen am wahrscheinlichsten. Vgl. *K. A. D. Smelik:* Een vuur gaat uit van Chesbon. Een onderzoek naar Num 20,14–21, 10–35 en parallelplaatsen (Amsterdamse Cahiers voor exegese en Bijbelse theologie 5), Kampen 1984, S. 61–109, hier S. 89 f., S. 107 Anm. 181.

21. Für das Recht, hier nur die literarischen Bilder in Betracht zu ziehen und nicht die etwa von *K. Kenyon* ins Spiel gebrachte archäologische Begrifflichkeit: *C. H. J. de Geus:* De Amorieten in de Palestijnse archeologie. Een recente theorie kritisch bezien (NTT 23), 1968, S. 1–24.

22. Das ist nicht nur hier der Fall. Num 13 f. berichten die Kundschafter von der Schönheit und von der Gefährlichkeit des Landes. Zwölf Kundschafter sollen es nach der systematisierenden Darstellung gewesen sein, aus jedem Stamm einer. Schließlich weiß Num 13,5 ff. in der jüngsten priesterlichen Schicht ihre Namen zu nennen. Unbekannte Namen, mit Ausnahme der beiden, die den Wüstenzug überleben, Kaleb und Josua, der erst noch aus dem Hosea entstehen muß (*E. Noort:* De naamsverandering in Num 13,16 als facet van het Jozuabeeld, *Fs. A. v. d. Woude,* Kampen 1987, S. 55–70). – Ein weiteres Beispiel ist Jos 13, wo die Inbesitznahme des Ostjordanlandes letztlich und vereinfachend mit der Hilfe von zwei Namen systematisiert wird: Og von Basan und Siḥon von Hesbon. Jos 13,21 stellt sich plötzlich heraus, daß Siḥon von Hesbon über fünf Midianiterfürsten verfügt: Ewi, Rekem, Zur, Hur, Reba. Diese Namen stammen aus Num 31,8, eine schematisch aufgebaute Kriegserzählung, wo alles ganz vage ist mit Ausnahme der fünf Namen. Daß die Namenerfindung auch zur Erzählkunst gehört, zeigt Gen 14. Schematisch ist auch die Fünferzahl: jeweils fünf Könige in Gen 14; Num 31/Jos 13; Jos 10.

daß nicht nur der *erste ky*-Satz *ky-lkd yhwš' 't-h'y wyḥrymh,* wie Noth es will[23], sondern auch der zweite *ky*-Satz mit dem *wky-hšlymw ywšby gb'wn 't-yśr'l* Zusatz ist, zumal beide *ky*-Sätze in antithetischer Parallelität aufeinander bezogen sind. Im letzten Stadium kommt noch der verdeutlichende *k'šr 'śh*-Satz dazu, der 10,1 ff. mit 10,29 ff. verknüpft.
Mit der Hinzufügung der beiden *ky*-Sätze bekommt die Erzählung ein eigenes theologisches Gesicht. Denn die beiden parallelen Sätze binden in ihrer Rückschau zusammen, worum es wirklich geht. In Ai hatte sich Josua als gehorsamer Nachfolger des Mose gezeigt: nicht nur *lkd,* sondern auch *wyḥrymh.* Die Gibeonerzählung weiß aber auch von einer anderen Realität und von einer anderen Möglichkeit. Die Grunderzählung von Jos 9[24] kennt kanaanitische Gibeoniter als Bündnispartner Israels, bewertet dies aber in der Betrugsversion als negativ im Lichte des erweiterten Banngebotes Dtn 20,15 ff. Diese negative Beurteilung kehrt als Signal zurück in dem letzten Absatz von Jos 10,1 *wyhyw bqrbm.*
Noth bemerkt dazu: »Damit ist wohl gemeint, daß die Abgeordneten der Gibeoniter nach caput 9 sich im Lager von Gilgal befinden«[25]. Das ist nicht nur zuwenig, sondern im Rahmen der Erzählabsicht auch nicht richtig. Denn der weitgehend unspezifisch gebrauchte Ausdruck hat gerade in Kapitel 9 eine hochprägnante Bedeutung. In der Betrugsversion der Gibeonerzählung erscheint er V.7 als mißtrauische Frage des *'yš yśr'l*: »Vielleicht wohnt ihr *bqrby,* wie kann ich da einen Bund mit euch schließen?« Ein direkter Verweis auf Dtn 20,15 ff., mit dem Unterschied der fernen und der nahen Städte[26]. Nachdem der Bund geschlossen ist und Israel den Betrug entdeckt hat, heißt es: »Sie hörten, daß jene aus ihrer Nähe waren und *bqrbw* wohnten« (9,16). Und schließlich im Vorwurf Josuas an die Gibeoniter: »Warum habt ihr uns betrogen und gesagt: ›Wir sind weit weg von euch‹, da ihr doch *bqrbnw* wohnt?« Und gerade diese Frage wird von den Gibeonitern beantwortet mit einem Verweis auf das dem Mose gegebene Banngebot.
Die beiden *ky*-Sätze in 10,1 haben also in ihrer Rückschau eine programmatische Absicht. Es geht bei der Besetzung des Landes um eine der beiden Möglichkeiten: der erste *ky*-Satz mit dem *lkd* und dem *ḥrm* oder der zweite *ky*-Satz mit *hšlymw* und *wyhyw bqrbm.* Daß diese zweite Möglichkeit auch eine Realität darstellt, ist dem Autor bewußt. Aber welche Möglichkeit die richtige ist, daran läßt Jos 10 keine Zweifel aufkommen. Der Hinweis auf Ai (und verstärkend im Zusatz auf Jericho) gibt die Richtung an, und die Ausführung in 10,28 ff. verbindet *lkd* und *ḥrm* in monotoner Regelmäßigkeit: 10,28 (Mak-

---

23. *M. Noth* (HAT I[7]), 2. Aufl., Tübingen 1953, S. 63.
24. *Chr. Schäfer-Lichtenberger:* Das gibeonitische Bündnis im Licht deuteronomischer Kriegsgebote. Zum Verhältnis von Tradition und Interpretation in Jos 9, in: BN 34 (1986), S. 58–81.
25. *M. Noth,* a.a.O., S. 63.
26. *Chr. Schäfer-Lichtenberger,* a.a.O., S. 61 f., S. 64, S. 79.

keda), 35 (Eglon), 37 (Hebron), 39 (Debir). Die Summe des Ganzen findet sich nach der Mitteilung in 11,12, daß Josua auch an den ganzen Städten des Nordens »den Bann vollstreckte, wie Mose, der Knecht YHWHs, geboten hatte«, in 11,15: »Wie YHWH seinem Knecht Mose geboten hatte, so hatte Mose Josua geboten, und so tat Josua, nichts unterließ er von allem, was YHWH dem Mose geboten hatte.«

Der mit *w* angehängte zweite *ky*-Satz in 10,2 *wky hy' gdwlh mn-h'y* bezieht sich auf die beiden *ky*-Sätze von 10,1, wo die unterschiedlichen Schicksale Ais und Gibeons programmatisch ausgemalt wurden. Er gehört damit der gleichen »Bann«-Bearbeitung an wie die beiden *ky*-Sätze des V.1.[27].

In 10,4b. nimmt die Botschaft des Adoni-Ṣedeq die beiden *ky*-Sätze des V.1 mit kleinen, bedeutungsvollen Nuancen wieder auf. Hier wird sichtbar, daß sich die Aufmerksamkeit von Gibeon auf Israel verschiebt. Von jetzt ab ist Gibeon nur noch eine Statistenrolle zugedacht. In V.1b war das Subjekt des *hšlymw* die *yšby gb'wn,* und diese waren »mitten unter Israel«. In 4b wird das Subjekt des gleichen Verbes (*hšlymh)* nur mit dem Rückbezug auf das kurze *gb'wn* aus 4a[b] *(wnkh 't-gb'wn)* gebildet. Dagegen war das Objekt in V.1 nur kurz formuliert: *'t-yśr'l.* Jetzt in 4b wird das Objekt erweitert: *'t-yhwš' w't-bny yśr'l.* Mit dieser Verkürzung des Subjekts und mit der Erweiterung des Objekts wird nicht nur begründet, weshalb Israel geschlagen werden muß, sondern es wird narrativ verstärkt gezeigt, wer der eigentliche Gegner ist: *'t-yhš' w't-bny yśr'l.*

Wie gefährlich dieser Gegner ist, zeigt die Verwendung der Verben. Die vorgeschlagene amoritische Aktion wird ausgedruckt mit *'lh, 'zr, nkh* (10,4) aus dem Aufruf des Adoni-Ṣedeq. Das Endergebnis ist aber, daß Josua *hinaufzieht,* daß er *zu Hilfe kommt* und daß die amoritische Koalition *geschlagen* wird. Mit der Verwendung der gleichen Verben und mit dem Wechsel von Subjekt und Objekt wird nicht nur die Kraft Israels angedeutet, sondern auch nachdrücklich betont, daß nicht Israel der Angreifer ist, sondern die amoritische Koalition. Eine solche Denkart ist auch in den Og/Siḥon-Erzählungen zu finden, wird aber explizit formuliert und erklärt in 11,20: »Denn von YHWH

---

27. Dagegen gibt es keinen hinreichenden Grund, den letzten Absatz des V.2 *wkl-'nšyh gbrym* zu dieser Bearbeitung zu rechnen. Die Bemerkung kann sehr wohl zur Grunderzählung gehören, denn es liegt hier eine andere Erzählabsicht vor. Die Größe des kommenden Gegners wird breit ausgemalt (gegen *M. Noth,* a.a.O., S. 63.) So wird mit dem »da fürchteten sie sich sehr, denn Gibeon war eine große Stadt und all ihre Männer waren Kriegshelden« die Angst ausgedrückt, Gibeon könne sich nach dem Bund mit Josua gemeinsam gegen die Koalition wenden, und da wäre Gibeon als große Stadt mit seinen Kriegshelden ein gefährlicher Gegner. Nach der »Bann«-Bearbeitung bekommt die Angst der Koalition mit dem Zusatz »denn sie (= Gibeon) war größer als Ai« eine andere Begründung. Ai ist inzwischen kämpfend untergegangen. Aber die viel größere Stadt Gibeon mit ihren Kriegshelden hat es für besser gehalten, in einem Akt der Unterwerfung (Jos. 9–Betrugsversion) mit Israel gemeinsame Sache zu machen. Durch den Vergleich »größer als Ai« verschiebt sich die Aufmerksamkeit von Gibeon auf Ai und von dort auf Israel. In der Angst der Amoriter spiegelt sich die Größe Israels.

kam die Verstockung ihres Herzens, daß sie den Krieg mit Israel wollten, auf daß man an ihnen den Bann vollstrecke und ihnen keine Gnade widerfahre, daß sie vielmehr vertilgt würden, wie YHWH Mose geboten hatte.«
10,5 rückt die feindliche Koalition aus *hm wkl-mḥnyhm. mḥnh* bedeutet natürlich zuerst das Kriegslager, aber dort, wo es benutzt wird für sich in Bewegung befindliche Truppen, handelt es sich immer um feindliche, fremde Heere.[28]. Die beiden Belege im Josuabuch 10,5; 11,4 sind dafür ein gutes Beispiel. 10,5 die feindliche südliche Koalition, 11,4 die feindliche nördliche Koalition.
Daß dieser an sich recht seltene Ausdruck nun sowohl 10,5 als auch 11,4 benutzt wird, unterstreicht die Parallelität der beiden Erzählungen. Die Parallelen sind: 1. das Hören (10,1//11,1); 2. die Reaktion (10,3//11,1); 3. die Benennung der Truppen (10,5//11,4); das Sichlagern am Entscheidungsort (10,5// 11,5); 5. das Sprechen YHWHs zu Josua (10,8//11,6); 6. das Ermutigungsorakel (10,8//11,6); 7. das plötzliche Kommen Josuas (10,9//11,7); 8. die Übergabeformel (10,8//11,8); 9. das Schlagen des Feindes und die Verfolgung (10,10//11,8).
Die strenge Parallelität zeigt nicht nur durch den schematischen Aufbau, wie schwierig es sein wird, einen historischen Hintergrund für die Erzählungen zu postulieren, sondern auch, daß die beiden Erzählungen zusammen gelesen werden möchten und daß deswegen die theologischen Kommentare von 11,15.19.20.23 nicht nur die Ereignisse des Kap. 11, sondern auch die des Kap. 10 deuten möchten.
In 10,8 repräsentieren das Ermutigungsorakel *'l-tyr'* und die Siegeszusage *ky bydk nttym* jeweils für sich YHWH-Kriegsterminologie, sind darin aber wenig spezifisch. Die Kombination der beiden Ausdrücke weist aber sehr wohl in eine bestimmte Richtung. Diese Richtung ist nicht die der von Noth erwähnten Stellen Jos 6,1; 8,18[29]. Denn in 6,2 erscheint die Siegeszusage ohne Ermutigungsorakel, und in 8,18 ist die Siegeszusage verbunden mit dem einzigartigen Zeichen des ausgestreckten *kydwn*[30].
Wohl begegnet die Kombination der beiden Ausdrücke neben Jos 10,8 in Num 21,34 und Dtn 3,2. Num 21,34 ist dabei abhängig von Dtn 3,2[31]. Jos 10 weist noch weitere Spuren einer Verbindung mit den Og/Siḥon-Erzählungen auf[32],

28. Ri 4,15.16 (Heer des Sisera); Ri 8,10.12 (Midianiter); 1 Sam 17,1.46; 28,; 29,1 (Philister). Die Ausnahme ist 1 Kön 22,34.36 / 2 Chron 18,33 falls dort nicht *mlḥmh* zu lesen ist, was sich für V.34 anbietet, sich für V.36 jedoch verbietet.
29. *M. Noth*, a.a.O., S. 63.
30. *O. Keel:* Wirkmächtige Siegeszeichen im Alten Testament (OBO 5), Freiburg 1974.
31. *M. Noth:* Das vierte Buch Mose – Numeri (ATD), Göttingen 1966, z. St., und *K. A. D. Smelik*, a.a.O., S. 83.
32. *'ry hmmlkh* (V.2) kann 1 Sam 27,5 die Stadt bedeuten, in der der König wohnt. In Dtn 3,10 handelt es sich um die Städte des Og von Basan. 10,2 wird der Ausdruck wohl in übertragenem Sinne gebraucht: die Macht, die Stärke, die Wehrbarkeit einer Königsstadt. – Der Ausdruck »amoritische Könige« könnte gleichfalls ein Verbindungsglied darstellen. Mit Ausnahme von Jos 5,1 und 10,5f. beziehen sich die Belegstellen mit dem gentilicum *'mry* als nomen rectum und *mlk*

die ihrerseits ein Totalitätsbild der Eroberung des Ostjordanlandes vermitteln möchten[33]. Wenn Jos 10 in Zusammenschau mit Dtn 3,2 gelesen werden möchte, entsteht folgendes Bild:

- Josua bekommt 10,8 ein Ermutigungsorakel und eine Siegeszusage von YHWH wie auch Mose vor seinem Kampf gegen den legendären Og von Basan.
- Wie bei Mose, dessen Gegner ein *mlk h'mry 'šr ywšb (bḥsbwn)* ist, sind die Gegner Josuas *kl-mlky h'mry yšby (hhr),* wobei *hhr* die Totalität des Westjordanlandes im Gegensatz zu dem amoritischen Gegner Moses bezeichnen soll[34].
- Wie Mose in Dtn 3,2 den Auftrag bekommt, »mit Og zu tun, wie du mit Siḥon getan hast«, und dieses Tun den Bann vollstrecken bedeutet[35], so bleibt Josua auch hier der treue Nachfolger. Denn der syntaktisch beanstandete Zusatz 10,1: »Wie Jericho und seinem König, so hat er auch Ai und seinem König getan«, ist wohl aus 10,29 ff. eingedrungen, wo Josua demonstriert, daß er die Banngebote vollständig befolgt[36].

So erscheint Jos 10 als Gegenstück des im Ostjordanland kämpfenden Mose, wobei Jos 9 andeutet, daß es trotz des treuen Nachfolgers im Westen anders laufen wird. Hier werden Völker übrigbleiben und in »ihrer Mitte« sein. Diese Kombination, eine als richtig beurteilte Schaffung einer Tabula rasa und das Bewußtsein der Realität der übriggebliebenen Völker, wird gewissermaßen bestätigt durch die Verwendung des *l' y'md 'yš mhm bpnyk* in 10,8 b. Denn dieser Ausdruck kehrt Jos 21,44 (DtrH) und 23,9 (DtrN) wieder, wo er jeweils eine Seite dieser Kombination thematisiert.
10,9 meldet die überraschende Ankunft Josuas nach einem Nachtmarsch. Daß hier nur die Ankunft gemeint ist und nicht schon der Angriff, geht einerseits aus V.10 hervor, wo die erste Kriegshandlung YHWHs mit *hmm* wiedergegeben wird, was in der formelhaften Kriegssprache vielfach die erste Aktion meint (so Ri 4,15, in der fiktiven Kriegserzählung 1 Sam 7,10 und Ex 14,23). Andererseits wird eine Beschränkung auf die Ankunft gestützt von der Parallelstelle Jos 11,7, wo die gleiche Wendung mit *pt'm* benutzt wird. Der tatsächliche Angriff erfolgt dann mit *wyplw bhm.* So ist jetzt die Bühne hergerichtet für das Auftreten YHWHs.
V.10 meldet das Eingreifen YHWHs in deuternonomistischem YHWH-Kriegsstil mit *hmm,* verwirren. Für die folgenden Verben schwankt die Überlieferung bei

---

bzw. *mlky* als regens auf die Siḥon/Og-Überlieferung. Num 21,21.26.29.43 erzählt die Geschichte, Num 32,33 rekapituliert. Weiter noch Dtn 1,4; 2,3; 3,8; 4, 46.47. Die Siḥon/Og-Überlieferung ist Paradigma im Munde der Fremden, wie Rahab Jos 2,10, der Gibeoniter Jos 9.10. Sie erscheint in der Siegesliste Jos 12,2 und in der schematischen Vereinfachung der Israelitisierung des Ostjordanlandes Jos 13,10.21. Rekapitulierend wiederum Jos 24,12; Ri 11,19; 1 Kön 4,19 und schließlich in den Psalmen 135,11; 139,19.

33. *E. Noort:* Transjordan in Joshua 13. Some Aspects, in: Studies in the History and Archaeology of Jordan III, London/Amman 1988.
34. Damit wird die leidige Frage, wie *hhr* mit den Städten in der Shefelah zusammenzubringen ist, ausgeschaltet.
35. Dtn 3,6.
36. Vgl. Dtn 3,3: *wnkhw 'd-blty hš'yr-lw śryd,* Jos 10,33 *wykhw yhwš' w't-'mw 'd-blty hš'yr-lw śryd.*

der Subjektbestimmung. Die Singularformen bieten Anlaß zu der Vermutung, daß auch hier YHWH das Subjekt ist, und so hat es die LXX auf jeden Fall für *nkh* verstanden.
Ungewöhnlich wäre YHWH als Subjekt von *rdf.* Die übliche Vorstellung ist, daß YHWH die Entscheidung herbeiführt durch *hmm,* daß aber Israel die Vernichtung des schon geschlagenen Gegners durch eine Verfolgung besorgt. Insoweit wäre Israel als Subjekt gut denkbar, und so wird es auch von den meisten Auslegern verstanden. Diese Rollenverteilung ist tatsächlich in der Parallelstelle 11,8 vorhanden. Aber dort werden bei einer vergleichbaren Konstruktion[37] wohl Pluralformen gebraucht. Es scheint, als ob 10,10 doch ausdrücklicher die Tätigkeit YHWHs hervorheben möchte und die Möglichkeit offenläßt, YHWH als Subjekt des ganzen Geschehens zu verstehen. Daß YHWH aktiv an der Verfolgung und Vernichtung des Gegners teilnimmt, wird von 10,11 bestätigt, wo YHWH dem Feind die *'bnym gdlwt* nachschleudert. Israel ist nur in dem *lfny yśr'l* 10,10 und im *mpny yśr'l* 10,11 anwesend. Seine Rolle ist sekundär, eine Art Räumungskommando hinter YHWH her. V.10 greift dabei die klassischen YHWH-Kriegsverben auf; V.11 bietet die Ausführung der Verfolgung mit den *'bnym gdlwt* und hat als solche eine Steigerungsfunktion. In dem Zusatz 11b werden die *'bnym gdlwt* rationalisiert und als Hagelsteine qualifiziert, während der ursprünglichen Intention des Textes insoweit Rechnung getragen wird, daß die Rollenverteilung zwischen YHWH und Israel nochmals zugespitzt wird. YHWH tötete viel mehr Gegner als Israel!
Auffallend sind dabei die geographischen Daten. Maqqeda wird in der Forschung fast einstimmig als Zusatz im Rahmen der Verknüpfung der Gibeon- und der Maqqeda-Erzählung bewertet. Noth läßt den Zusatz schon bei dem zweiten *wykm* anfangen und setzt damit auch Aseqa außer Spiel[38]. Das ist zu Recht von Schunck[39] bestritten worden. Wenn das Ziel der geographischen Nennung nur die Verknüpfung mit der Maqqeda-Erzählung wäre, gibt es keinen einzigen Grund, weshalb ein Erzähler auch Aseqa einfügen würde, weil Aseqa in der Maqqeda-Erzählung keine Rolle spielt. Auch die oft verwendete syntaktische Qualifikation »nachhinkend« kann kein Argument sein. *rdf* und *nkh* konstruiert mit *'d,* haben öfter zwei oder mehr Ortsbestimmungen[40]. Außerdem zeigt 11,8, daß das Argument der Unregelmäßigkeit in 10b mit der zweiten Nennung eines *wykm* nicht stichhaltig ist, denn auch 11,8 wiederholt nach dem ersten *rdf* und *nkh* noch ein zweites Mal: »Und sie schlugen sie.« Wenn 10b formuliert: »Er schlug sie bis Aseqa und bis Maqqeda«, hat das im Licht des V.11 die Bedeutung »den Sieg herbeiführen, in die Flucht schla-

37. 10,10: *lfny yśr'l;* 11,8: *byd-yśr'l.*
38. *M. Noth,* a.a.O., S. 64.
39. *K. D. Schunck:* Benjamin. Untersuchungen zur Entstehung und Geschichte eines israelitischen Stammes (BZAW 86), Berlin 1963, S. 29ff.
40. *'d ṣydwn rbh w'd mśrfwt mym w'd bq't mṣph* (11,8).

gen«, meint also den Kehrpunkt; denn die Tötung erfolgt entweder durch die Himmelssteine oder durch das Schwert. Wenn aber V.11 erzählt, daß die Himmelssteine bis Aseqa fallen, dann bleiben die Flüchtenden zwischen Aseqa und Maqqeda zuerst verschont vor der himmlischen Gewalt. Mögen sie nicht wissen, ob es nicht gleich wieder Himmelssteine regnet, und suchen sie Schutz in einer Grotte, so weiß die Erzählung 16ff. in einem retardierenden Höhepunkt, daß auch die Letzten nicht mit dem Leben davonkommen. Das würde aber bedeuten, daß 10,11 auf Fortsetzung in 16ff. angelegt ist.
Seit den Ausführungen Noths ist immer wieder der überlieferungsgeschichtliche Unterschied zwischen Jos 10,1ff. und 16ff. betont worden. Bei 10,16–27 handle es sich um eine ätiologische Erzählung mit einer eigenen Pointe. Noth weiß selbst von zwei Versionen zu berichten:

»(Es) handelt sich hier um eine Ortsätiologie. Im Bereich der Flur des Ortes Makkeda gab es eine Höhle, deren Eingang in auffälliger Weise mit großen Steinen versperrt war. Für die Erklärung dieser großen Steine gab es zwei Varianten. Hier – so erzählten sich die einen – waren einmal feindliche Könige, die sich nach einer Niederlage auf der Flucht in der Höhle versteckt hatten, durch die großen Steine von den Siegern eingesperrt worden und darin verhungert (diese Form der Erzählung ist im vorliegenden Bestand nur noch verkümmert in dem Erzählungselement des vorläufigen Einsperrens erhalten), oder – so sagten die anderen – hier waren fünf feindliche Könige an den jetzt noch bei der Höhle stehenden fünf Bäumen aufgehängt und ihre Leichen dann in die Höhle geworfen und diese mit Steinen verschlossen worden, wie etwa über der Leiche eines öffentlich hingerichteten Verbrechers ein Steinhaufen errichtet zu werden pflegte (cf. zu 7,26, auch 8,29).[41]«

Wenn man an der ätiologischen Erklärung festhalten möchte – und dazu gibt es gute Gründe –, dann scheidet die zweite Erklärung aus. Denn nicht die Bäume, an denen die Könige aufgehängt wurden[42], sind Teil der Ätiologie, sondern die *'bnym gdlwt,* die den Eingang der Höhle versperren. Diese *Steine* sind dort bis zum heutigen Tag. Und zu den genannten Parallelstellen, die Steine über dem Leichnam des Achan und über die Leiche des Königs von Ai, gibt es einen Unterschied. Über einem hingerichteten Verbrecher errichtet man einen *gl-'bnym,* einen Steinhaufen, so 7,26; 8,29. Bei der Maqqeda-Erzählung aber geht es um etwas anderes, eben um *'bnym gdlwt,* die den Eingang der Höhle versperren. Sie werden auffällig in die Erzählung eingebracht, einmal V.18, dann wieder V.27. Legt es sich dann nicht nahe, bei diesem Signalwort an die *'bnym gdlwt* zu denken, die in der Kriegserzählung 10,1–11 eine so entscheidende Rolle spielen, weil sie durch YHWH selbst vom Himmel geschleudert werden? Zwar werden diese *'bnym gdlwt* in dem rationalisierenden Zusatz direkt als *'bny hbrd* gedeutet, »Hagelsteine«, aber der Vergleich zwischen dem Tötungserfolg YHWHs und dem der Israeliten verrät schon seinen Charakter als kommentierenden Zusatz.

---

41. *M. Noth,* a.a.O., S. 60f.
42. Weiter wird der Vorgang mit ähnlicher Terminologie beschrieben: *tlh, 'd-'t h'rb.*

Es bietet sich also der folgende Fortgang der Erzählung an: YHWH schleudert *'bnym gdlwt* vom Himmel und tötet damit große Gruppen feindlicher Amoriter. Aber den Anstiftern der Schlacht bei Gibeon, den fünf Königen der Koalition, gelingt es, den *'bnym gdlwt* zu entkommen, weil sie sich in einer Höhe verstecken, um sich gegen weitere, vom Himmel fallende *'bnym gdlwt* zu schützen. Eben diese *'bnym gdlwt* werden ihnen zum Verhängnis, denn damit werden sie eingesperrt. So kann zuerst die Verfolgung der letzten übriggebliebenen Truppen stattfinden und der Bann an ihnen vollstreckt werden. Die Vernichtung ist total, die Tabula rasa komplett. Nachdem auch die Könige hingerichtet sind, bleiben diese *'bnym gdlwt* das Wahrzeichen, daß die Himmelssteine YHWHs sie schließlich doch eingeholt haben.

3.1

Die so verstandene Erzählung betont mit Nachdruck das kriegerische Auftreten YHWHs. Das könnte dazu führen, daß nur dieses Auftreten als mythologisches Element gewertet wird. Ein mythologisches Segment in einem ansonsten historischen Rahmen. Die Struktur der Erzählung zeigt aber, daß weitere Bausteine für eine mythologische Deutung vorhanden sind.

3.1.1 Die Größe der unterschiedlichen Gegner

Für jede der einzelnen Parteien wächst der Gegner überproportional, damit er seine paradigmatische Funktion ausüben kann. Für die Amoriter ist Gibeon »eine große Stadt, wie eine der Königsstädte, größer als Ai, und all ihre Männer waren Kriegshelden.« Synchron gelesen wächst die amoritische Koalition von den »fünf amoritischen Königen« (10,5) auf »alle Könige der Amoriter, die auf dem Gebirge wohnen« (10,6).
Dieser Gesamtheit auf seiten der Amoriter steht aber eine Größe »Israel« gegenüber, die gleichfalls überdimensional proportioniert ist. V.7 zieht Josua *wkl-'m hmlḥmh 'mw wkl gbwry hḥyl* hinauf. V.15 bringt das kurz auf die Formel: Josua *wkl-yśr'l 'mw,* eine stereotype Wendung, die 10,29.31.34.36.38.43 wiederholt wird.

3.1.2 Die (Schein-)Wahl zwischen Leben und Tod

Die beiden *ky*-Sätze des V.10 bieten in ihrem Rückblick eine Wahlmöglichkeit an: *ḥrm* oder *šlm.* Diese Wahlmöglichkeit ist jedoch nur Schein; denn in Wirklichkeit handelt es sich um einen Gegensatz zwischen der nichterwünschten Realität (Gibeon/übriggebliebende Völker) und einer erwünschten Scheinwelt (Kanaan als Tabula rasa). So führt die scheinbare Wahlmöglichkeit zum entgegengesetzten Ergebnis im Vergleich zur Ausgangsposition. Denn nach der Aussagerichtung der Erzählung bringt der Bann/der Tod in diesem Fall den Frieden, und der Friede den Tod. Es geht hier wirklich um Tod oder Leben, um Sein oder Nichtsein.

3.1.3 Die Landnahme als sekundäres Motiv

Unter 2.1 ist deutlich geworden, daß die Erzählung von Jos 10 Bearbeitungsspuren und Zusätze aufweist. Eine rationalisierende, nach einem historischen Kern fragende Exegese wird deswegen reduzierend vorgehen. Für historische Fragestellungen ist das ein notwendiger Schritt. Für unsere Fragestellung gilt es festzuhalten, daß im Wachstumsprozeß Geschichte mythologisierend vergrößert wird. Denn dort dreht sich alles um die Feststellung, daß die Vollstrekkung des Bannes vollständig erfolgt ist. Deswegen ist es sehr die Frage, ob die Erzählung letztlich eine Landnahmegeschichte sein will. Ansiedlung oder die Errichtung einer Herrschaft sind hier nicht gefragt und werden hier auch nicht berichtet. Es geht um die Schaffung einer Tabula rasa. Das ist die Erzählabsicht von 10,1–11 und von der Fortsetzung in 16 ff. Nicht nur die feindlichen Truppen werden total aufgerieben, sondern auch die Könige entkommen ihrem Schicksal nicht. Damit sind die Grundlagen des Paradigmas gegeben.

3.1.4 Die Steigerung im Rollentausch

Die Negation und die damit verbundene Überraschung ist ein wichtiges Element in der Erzählung. Sie fängt an mit der Möglichkeit eines Kampfes zwischen Gibeon und einer amoritischen Koalition. Aber Gibeon verschwindet schnell von der Bildfläche, und die wirklichen Gegner betreten den Ring: Josua/Israel und die amoritischen Könige. Aber auch dies ist nur eine vorläufige Benennung der Kontrahenten. Denn Josua zieht zwar hinauf »mit dem ganzen Kriegsvolk und allen kräftigen Helden«, aber nicht sie, sondern YHWH entscheidet die Schlacht und tötet die Feinde durch die Himmelssteine. Dabei wird der Angreifer zum Geschlagenen; der scheinbar Unterlegene siegt.

3.2

Ein lokaler Konflikt wird zum paradigmatischen Kampf, wobei die Verbindung zur Geschichte fast verschwindet. Die mythologischen Elemente beschränken sich nicht auf das Auftreten YHWHs als Krieger, sondern die Beschreibung der unterschiedlichen Gegner, die Überdimensionierung und die Frage nach Sein oder Nichtsein sowie der Rollentausch der Handelnden machen das Ganze zu einer paradigmatischen Erzählung par excellence. Wir haben es mit einer späten, intensiv bearbeiteten Erzählung zu tun. Damit rückt die Erzählung für die Leser in die Ferne einer Urgeschichte, ein Geschehen jenseits der Geschichte. Dieses in illo tempore macht die Erzählung in Wirklichkeit zeitlos und beschreibt damit, was sein sollte und doch nicht ist[43].

---

43. »Erst so verstanden, bekommt die Rede von Urzeit einen präzisen Sinn: Sie ist nicht das, was *vor* der Zeit oder *am Anfang* der Geschichte geschah, sondern das, was in und mit unserem Handeln und Reden in der Geschichte permanent und immer wieder neu zur Geltung kommt« (*I. U. Dalferth,* a.a.O., S. 279 f.).

2. Neues Testament

Otto Böcher
Otto Merk
Wilhelm Pratscher
Gerhard Sellin
Nikolaus Walter

Mythos und Rationalität in der Apokalypse des Johannes

Otto Böcher

1. Auslegungsgeschichtliche Einleitung

Bekanntlich hat uns Martin Luther[1] zwei sehr verschiedene Vorreden zum letzten Buch des neutestamentlichen Kanons hinterlassen: eine distanzierte, fast ablehnende im Septembertestament von 1522 und eine naiv »heilsgeschichtliche« im revidierten Neuen Testament von 1530. Im Herbst 1522 gibt Luther sich rational und von den »Gesichten und Bilden« der Apokalypse abgestoßen; die sogenannten Zwickauer Propheten hatten sich 1521/22 auf die mythischen Elemente der Apokalypse berufen. Dagegen interpretiert Luther 1530 den Mythos der Apokalypse prophetisch, d. h. welt- und kirchengeschichtlich – bis hin zur Gleichsetzung der Belagerer der »geliebten Stadt« (Offb 20,9) mit den Türken vor Wien (1529). Durchweg bleiben die Lutheraner des 16.–18. Jahrhunderts[2] in den Bahnen der großen Vorrede Luthers von 1530; das Mythische der Visionen des Apokalyptikers erlaubt seine welt- und kirchengeschichtliche Deutung auf Ereignisse und Gestalten in Geschichte und Gegenwart und dadurch eine eschatologisch bestimmte Paränese an die Zeitgenossen.

Dagegen versucht die Exegese der Aufklärung[3], fußend auf jesuitischen und kalvinistischen Erkenntnissen des 17. Jahrhunderts, die Johannesoffenbarung rational-zeitgeschichtlich zu verstehen. Freilich kann die Apokalypse nicht zu einer Wertschätzung gelangen, die mit derjenigen der Evangelien oder der paulinischen Briefe vergleichbar wäre; sie erscheint belastet durch die Irrationalität ihrer mythischen Stoffe. Übrigens hat Johann Gottfried Eichhorn (1752–1827), der Verfasser eines zweibändigen *Commentarius in Apocalypsin Johannis* (Göttingen 1791), den Begriff des Mythos in die Bibelwissenschaft eingeführt[4].

Seit dem Ende des 19. Jahrhunderts ist es dann umgekehrt: Gerade die mythischen Elemente der Johannesapokalypse und ihre altorientalische Vorgeschichte faszinieren die Vertreter der Religionsgeschichtlichen Schule. Hier seien nur Hermann Gunkel (1895), Wilhelm Bousset (1896) und Julius Well-

---

1. Vgl. *Hans-Ulrich Hofmann:* Luther und die Johannes-Apokalypse (BGBE 24), Tübingen 1982, S. 251–299, S. 395–529.
2. Vgl. *Gerhard Maier:* Die Johannesoffenbarung und die Kirche (WUNT 25), Tübingen 1981, S. 300–306 sowie (für den Pietismus) S. 307–447.
3. Vgl. *G. Maier,* a.a.O., S. 448–474; ferner *Otto Böcher:* Die Johannesapokalypse (EdF 41), 2. Aufl., Darmstadt 1980, S. 1–6.
4. *Hans-Jürgen Zobel:* Art. Eichhorn, Johann Gottfried, in: TRE 9, Berlin/New York 1982, S. 369–371 (S. 370, Z. 33–45).

hausen (1907) genannt[5]. Die Epoche des Historismus, die auch sonst Altertümer sammelte und die Geschichtsvereine und Museen entstehen ließ, liebte an der Apokalypse das bunte Material ihrer mythischen Bilder und demonstrierte deren historische Bedingtheit.

Nach 1910 jedoch, bis etwa zur Mitte des Jahrhunderts, ist durch die Großen unserer Zunft keine Kommentierung der Apokalypse mehr erfolgt[6]; das gilt für Adolf Schlatter und Julius Schniewind ebenso wie für Martin Dibelius und Rudolf Bultmann. Offenbar ist es das Mythische an der Johannesapokalypse, der beherzte Rückgriff ihrer zukunftsbezogenen apokalyptischen Strukturen auf den altorientalischen Fundus bildhaft-mythischer Vorstellungen, was dieses Buch den Forschern um 1900 empfohlen, aber ihren Kollegen um 1925 verleidet hat. Bultmann und seine Zeitgenossen empfanden die Offenbarung des Johannes als irrational, als monströs und verquollen, einer Folge schlimmer Träume vergleichbar. Wie klar und kerygmatisch erschienen, an der Apokalypse gemessen, die Briefe des Paulus, ja sogar die theologischen Intentionen der synoptischen Tradition oder des – freilich umgeordneten und redaktionskritisch verschieden gewichteten – Johannesevangeliums[7].

Erst seit 1960 (Eduard Lohse)[8] gibt es wieder ein nennenswertes wissenschaftliches Interesse an der Johannesoffenbarung, das zu zahlreichen Aufsätzen, Monographien und Kommentaren geführt hat, zuletzt (1984) u.a. von Jürgen Roloff und Ulrich B. Müller[9]. Ausnahmslos läßt die zeitgenössische Exegese der Apokalypse alle wissenschaftlichen Auslegungsmethoden zu ihrem Recht kommen; der Mythos wird in seiner religionsgeschichtlichen Bedingtheit und in seiner spezifisch christlichen Transformation ernst genommen. *Lebendig* ist heute der Mythos der Offenbarung des Johannes nur noch in einer Art theologischer Subkultur, am Rand der Kirche, in Freikirchen und Sekten, wo man, ähnlich wie Luther in der Vorrede von 1530, in den Visionen des christlichen Apokalyptikers Ereignisse der neueren und neuesten

---

5. Vgl. *O. Böcher,* a.a.O., S. 13f.

6. Allenfalls die mehrfach nachgedruckten Kommentare von *Robert Henry Charles:* A Critical and Exegetical Commentary ... (ICC), 2 Bde., Edinburgh 1920, und *Ernst Lohmeyer:* Die Offenbarung des Johannes (HNT XVI), Tübingen 1926, wären zu nennen; beide sind durch methodische Einseitigkeiten belastet und erreichen nicht die Qualität etwa der Auslegung durch *Wilhelm Bousset:* Die Offenbarung Johannis (KEK XVI), Göttingen 1896, 2. Aufl., 1906 (Nachdruck 1966). Klug, materialreich und methodisch ausgewogen ist der Kommentar von *Wilhelm Hadorn:* Die Offenbarung des Johannes (ThHK XVIII), Leipzig 1928.

7. Zur Beurteilung der Johannes-Offenbarung durch Rudolf Bultmann sind die Stellungnahmen in seiner »Theologie des Neuen Testaments« (1. Aufl., Tübingen 1953) zu vergleichen, vor allem S. 488f., 493f. und S. 516–518; Bultmann bezeichnet »das Christentum der Apokalypse als ein schwach christianisiertes Judentum« (S. 518).

8. *Eduard Lohse:* Die Offenbarung des Johannes übersetzt und erklärt (NTD XI), 1. Aufl., Göttingen 1960 (6. Aufl., 1983).

9. *Jürgen Roloff:* Die Offenbarung des Johannes (ZBK, NT XVIII), Zürich 1984; *Ulrich B. Müller:* Die Offenbarung des Johannes (ÖTK, NT XIX), Gütersloh/Würzburg 1984.

Geschichte geweissagt findet und auf den baldigen Eintritt des Weltendes schließt.

2. Mythisches in der Apokalypse

Alles, was Rudolf Bultmann in seinem berühmten Aufsatz von 1941 (»Neues Testament und Mythologie«)[10] dem Mythischen im Neuen Testament zuordnet – ob zu Recht oder nicht, kann hier offenbleiben[11] –, findet sich gut bezeugt in der Johannesoffenbarung, und fast zum Tort des Entmythologisierungsprogramms ist alles noch viel »mythischer« als anderswo: Die Geburt des Kindes wird zum kosmischen Kampf zwischen Licht- und Finsternismächten (Offb 12), die Hinrichtung Jesu zur Schächtung des Opferlamms (Offb 5, 6), und die Hoffnung auf ewiges Heil erfährt liebevolle Ausmalung in den Farben einer von Gold, Perlen und Edelsteinen strahlenden Himmelsfestung (Offb 21 f.).

Mythisch (und gemeinantik) ist das *Weltbild* der Johannesapokalypse; die Welt, bestehend aus Himmel, Erde und Meer (z. B. Offb 21,1), ist dreistufig bzw., da unter der Erde die Unterwelt gedacht wird (z. B. Offb 5,13), vierstufig. Zahllos sind die Belege für den Himmel als Wohnung Gottes, des Messias, der Engel, der Geister und sonstigen Zwischenwesen (z. B. Offb 1; 4; 5; 6; 12; 19,1–10.11). Als widergöttliche Mächte begegnen Meer (Offb 20,13; vgl. 5,13; 21,1) und Hades (Offb 6,8; 20,13 f.), als Strafort der Feuersee (»Hölle«, Offb 20,10.14 f.).

Engel und Dämonen durchwalten die Welt. Im Himmel bringen Engel Gott den Lobpreis dar (Offb 7,11 f.); Engel versiegeln die 144000 (Offb 7,1–8), blasen die sieben Posaunen (Offb 8,6–11,19) und gießen die sieben Schalen des Zorns aus (Offb 16), und Engel deuten als *angeli interpretes* dem Seher die Visionen (Offb 17,7–18; 21,9–22,7 u. ö.). Dämonen, die dem Teufel (= Satan, Drache, Schlange; Offb 12,9) unterstehen, kämpfen gegen Engel und Fromme (Offb 11,7; 12,7–12.13–18; 16,13 f.), werden aber (vgl. Qumran) schließlich besiegt und vernichtet (Offb 12,9; 19,20, 20,7–10.14). Eine dämonische »Antitrinität« begegnet Offb 12 f. (vgl. Offb 16,13 f.; 20,10). Krankheit und Tod sind das Werk dämonischer Mächte (vgl. Offb 6,7 f.; 20,13 f.; 21,4), aber auch etwa die zauberhafte Redegabe einer Kaiserstatue (Offb 13,13–15). Einmal ist auch von magischen Heilmitteln die Rede (Offb 22,2); es ist vermutlich an die Wirkung der Sakramente gedacht.

Die *Eschatologie* ist, entsprechend der literarischen Gattung dieses Buches, besonders reich ausgestaltet. Eine kosmische Katastrophe folgt der anderen

---

10. *Rudolf Bultmann:* Neues Testament und Mythologie, in: Offenbarung und Heilsgeschehen (BEvTh 7), München 1941, S. 27–69; auch in: *Hans-Werner Bartsch (Hg.):* Kerygma und Mythos I, 1. Aufl., Hamburg-Volksdorf 1948, S. 15–53 (2. Aufl., 1951: S. 15–48).

11. Zur Kritik an Bultmanns Mythos-Begriff und »Entmythologisierung« siehe neuerdings: *Kurt Hübner:* Die Wahrheit des Mythos, München 1985, S. 324–348. Vgl. auch *Gustav Stählin:* Art. μῦθος, in: ThWNT IV, Stuttgart 1942, S. 769–803.

(passim); das Kommen des Antichrists steht bevor (Offb 13,1–18; 16,13 f.; vgl. 19,19 f.; 20,10). Auf ein tausendjähriges »Zwischenreich« (Offb 20,1–6) folgt ein mythischer Krieg (Offb 20,7–10; vgl. Offb 14,1–5; 19,11–21). Vom Himmel her wird der messianische Richter, identisch mit dem erhöhten Jesus, erscheinen und seinen Thron einnehmen (Offb 1,7; 14,14–16; 20,11). Ein vom Engel allen Bewohnern der Erde angekündigtes (Offb 14,6–13), als Ernte beschriebenes (Offb 14,14–20) Weltgericht (Offb 20,11–15) endet mit doppeltem Urteilsspruch: Ewige Pein erwartet die Frevler (Offb 20,14 f.; vgl. Offb 21,8; 22,15), ewiges Heil im neuen Jerusalem die Frommen (Offb 21 f.).
Auch wo sich das *Heilsgeschehen* in der Apokalypse spiegelt, bleiben Sprache und Vorstellungswelt dem Mythos verhaftet. Die Geburt des Messias (Offb 12) wird an den Sternenhimmel projiziert; Mutter und Kind, gefährdet vom teuflischen Drachen, erfahren wunderhafte Rettung. Jesu Tod und Auferstehung werden als Schlachtung und Wiederbelebung des geopferten Lammes bzw. Widders beschrieben (Offb 5,6); Erhöhung und künftige Parusie Christi sind eingebettet in himmlischen Glanz (Offb 1,7; 14,14–16; 20,11).

3. Rationales in der Apokalypse

Dennoch ist die Offenbarung des Johannes kein ausschließlich »mythisches« Buch. Sie weist ohne Zweifel nicht wenige Abschnitte und Strukturen auf, die auch der Leser des 20. Jahrhunderts als »rational» beurteilen muß[12].
Dazu gehört zunächst die Kenntnis des *Sternenhimmels.* Alle zwölf Tierkreiszeichen kommen vor, sei es pauschal als Diadem der Himmelsfrau (Offb 12,1) oder repräsentiert durch die zwölf den Tierkreiszeichen zugeordneten Edelsteine (Offb 21,19 f.). Eine besondere Rolle spielen die Sternbilder Virgo und Hydra (Draco?) bei der Geburt des Messiaskindes (Offb 12,1–6.13–18); an das Sternbild Ara denkt offenbar Offb 6,9–11. Mehrfach werden Sonne, Mond und Sterne erwähnt, häufig im Zusammenhang mit – ominösen[13] – Verfinsterungen (Offb 6,12–14; 8,12 u. ö.).
Mathematische und damit zugleich, im Sinne des Neupythagoreismus, *philosophische Elemente* lassen sich ebenfalls nachweisen. Die Würfelgestalt der Himmelsstadt (Offb 21,16) ist das Symbol höchster Schönheit und Harmonie, vergleichbar allenfalls der noch vollkommeneren, aber als Bild für Stadt und Haus (vgl. Joh 14,2) weniger geeigneten Kugel. Auch der quadratische, auf die vier Himmelsrichtungen bezogene Grundriß des neuen Jerusalem ist hier zu

12. Der Verfasser ist sich dessen bewußt, daß der Seitenblick auf den modernen Leser der Johannes-Apokalypse methodisch bedenklich ist; das Thema dieses Vortrags (und des Theologenkongresses) wird dadurch auf zwei verschiedene Ebenen verlagert; dem *antiken* Mythos steht die *moderne* Rationalität gegenüber. Der Exeget muß auch mit der Frage nach der Rationalität auf der Ebene des biblischen Autors bleiben; daß die Apokalypse auch und erst recht im Rahmen antiker Denk- und Wissensmöglichkeiten ein höchst rationales Buch ist, soll vor allem Abschnitt 4 (»Die Rationalität des Mythischen«) aufzeigen.
13. S. u. Abschnitt 4.

nennen (Offb 21,12–14.16–21). Die Verschlüsselung des antichristlichen Kaisernamens (666, wohl: NERON QESAR) durch hebräische Gematria (Offb 13,18) dient wohl nicht nur der neupythagoreisch-kabbalistischen Spekulation, sondern auch der politischen Vorsicht. Symbolische Zahlen sind auch die 4, 7 und 12 (passim); 1260 Tage werden Offb 12,6, dreieinhalb »Zeiten« Offb 12,14 genannt: Dreieinhalb Jahre haben 1260 Tage.
Höchst rational ist auch die vom Autor der Apokalypse durchgeführte *Konstruktion des Geschichtsbildes,* einschließlich der Eschatologie. Durch die Kombination verschiedener Endzeittraditionen gewinnt er ein tausendjähriges Zwischenreich (Offb 20,1–6); der Vergleich mit dem 4. Esra-Buch und der syrischen Baruch-Apokalpyse lehrt die Eigenständigkeit des christlichen Apokalyptikers auch an diesem Punkt[14]. Komplizierte geschichtstheologische Theorien stehen hinter Offb 7 und 14 einerseits, Offb 12 und 21 f. andererseits: Die Kirche ist das erneuerte Israel der zwölf Stämme (144000) und damit auch die Zionstochter, als deren Diadem die zwölftorige Stadt erscheint; Tierkreiszeichen, Edelsteine, Stämme und Apostel bilden ein in sich stimmiges System judenchristlicher Eschatologie[15].

4. Die Rationalität des Mythischen

Zumindest das letztgenannte Beispiel macht deutlich, daß Rationalität und Mythos in der Johannesoffenbarung einander nicht ausschließen[16]. Vieles von dem, was uns mit Bultmann mythisch erscheint, ist Teil antiker, selbstverständlich im antiken Weltbild verankerter »Wissenschaft«, speziell altjüdischer »Weisheit«. Das gilt nicht zuletzt für die Rezeption der *Astronomie* bzw. *Astrologie* (was im Altertum dasselbe ist) durch den Apokalyptiker[17]. Der Weise kennt nicht nur die Himmelskörper und Sternbilder, sondern auch die Bedeutung astraler Omina wie Sternensturz und Sonnenfinsterenis (Offb 6,12–14; 8,12).
Die Vorstellung von *Engeln und Dämonen* dient der Erklärung der Welt und dessen, was in ihr dem Menschen an Gutem und Bösem widerfährt; sie ist eine Art Vorform der Naturwissenschaft. Dies wird vor allem deutlich an der Systematik antidämonischer Abwehrmittel und -riten: Beruhend auf der Kausalität der sogenannten homöopathischen Magie, werden Feuerdämonen mit Licht und Feuer, Wasserdämonen mit Wasser vertrieben – und so weiter[18];

14. Vgl. *Otto Böcher:* Art. Chiliasmus I. Judentum und Neues Testament, in: TRE 7, Berlin/New York 1981, S. 723–729 (S. 725).
15. S. u. Abschnitt 4 mit Zeichnung.
16. Dem Autor der Johannes-Offenbarung wäre eine solche Unterscheidung nicht verständlich gewesen; vgl. oben Anm. 12.
17. Vgl. *Franz Boll:* Aus der Offenbarung Johannis, Hellenistische Studien zum Weltbild der Apokalypse (Στοιχεῖα 1), Leipzig/Berlin 1914 (Nachdruck Amsterdam 1967).
18. Vgl. *Otto Böcher:* Art. Dämonen I. Religionsgeschichtlich; IV. Neues Testament, in: TRE 8, Berlin/New York 1981, S. 270–274; 279–286 (bes. S. 271–273; 282 f.).

solche vorwissenschaftliche, aber zweifellos rationale Existenzbewältigung, vergleichbar unserer Technik, Medizin und Pharmazie, kann durchaus richtiges Erfahrungswissen (Hygiene, Ansteckung, Heilkräuter u. a.) einbeziehen, das dann »dämonistisch« gedeutet wird. Die Erklärung und Abwehr von Gefahren gehört zu den Aufgaben des »Weisen«; das gilt erst recht für schwere Zeiten, wie sie der Apokalyptiker erlebt und erwartet.
Rationalität ist am Werk, wenn mythische Schemata wie die Siebenerreihen der Apokalypse literarisch verschränkt oder wenn *eschatologische Erwartungen* wie teilweise und allgemeine Totenauferstehung, befristete und ewige Heilszeit kombiniert und systematisiert werden (Offb 20–22). Die Rationalität des Gemeindeleiters und Seelsorgers hat es verstanden, die kirchliche Gegenwart als teilweise Erfüllung der visionär entfalteten eschatologischen Hoffnung, die Zeit der Kirche als Endzeit zu beschreiben; die Zuweisung bestimmter Eigenschaften an die Gottesstadt, wie etwa ihre Freiheit von Unreinen, Zauberern und Lügnern (Offb 21,27; 22,15), erhält paränetische Transparenz[19]. Rational ist auch die philosophische Akzentuierung des Mythos: Das Herabschweben der Himmelsstadt auf den Zionsberg am Ende dieser Weltzeit (Offb 21,2) bedeutet nichts weniger als die endliche Vereinigung von Jenseits und Diesseits, von Idee und Realität.
Schließlich muß noch einmal Offb 21 f. als faszinierendes Beispiel des Ineinanders von Mythos und Rationalität genannt werden: Die eschatologische *Vollendung des Heilsgeschehens* erscheint als kunstvolle Verknüpfung kosmologischer, astrologischer, ekklesiologischer und christologischer Spekulationen. Zwölf Mauertore mit den Namen der zwölf Stämme (mit Offb 7,5–8 vgl. Gen 49,1–28) stehen diesen – aus Heidenchristen ergänzten – Stämmen offen (Offb 21,12 f.); die Namen der Stämme finden sich auf den Tortürmen, die Namen der ihnen zugeordneten Apostel (vgl. Mt 19,28 par. Lk 22,30) auf den Grundsteinen (Offb 21,14; vgl. Eph 2,20). Die zwölferlei Edelsteine der Mauer (Offb 21,19 f.), identisch mit den Edelsteinen der alttestamentlichen Priestertracht und daher Symbole der zwölf Stämme (Ex 28,15–21; 39,8–14), sind zugleich Symbole der zwölf Tierkreiszeichen, die als Diadem das Haupt der himmlischen Zionstochter umgeben (Offb 12,1). Der Visionär umschreitet die Himmelsstadt in der umgekehrten Reihenfolge der Tierkreiszeichen bzw. Monate, der aufgehenden Sonne entgegen; er endet beim Tierkreiszeichen Widder (ἀρνίον, vgl. Offb 5,6–14), dem Zeichen des neuen Weltenjahres und seines messianischen Richters.
Eine Zeichnung, orientiert an antiken Synagogenfußböden mit Helios, Tierkreis und Stämmenamen (Beth Alpha, Chusifa, Naaran, Tiberias, Yafia u. a.;

19. Dazu vgl. *Otto Böcher:* Bürger der Gottesstadt, Kirche in Zeit und Endzeit nach Apk 21 f., in: Bewahren und Erneuern, Festschrift Theodor Schaller, Speyer 1980, S. 69–81; auch in: *ders.:* Kirche in Zeit und Endzeit. Aufsätze zur Offenbarung des Johannes, Neukirchen-Vluyn 1983, S. 157–167.

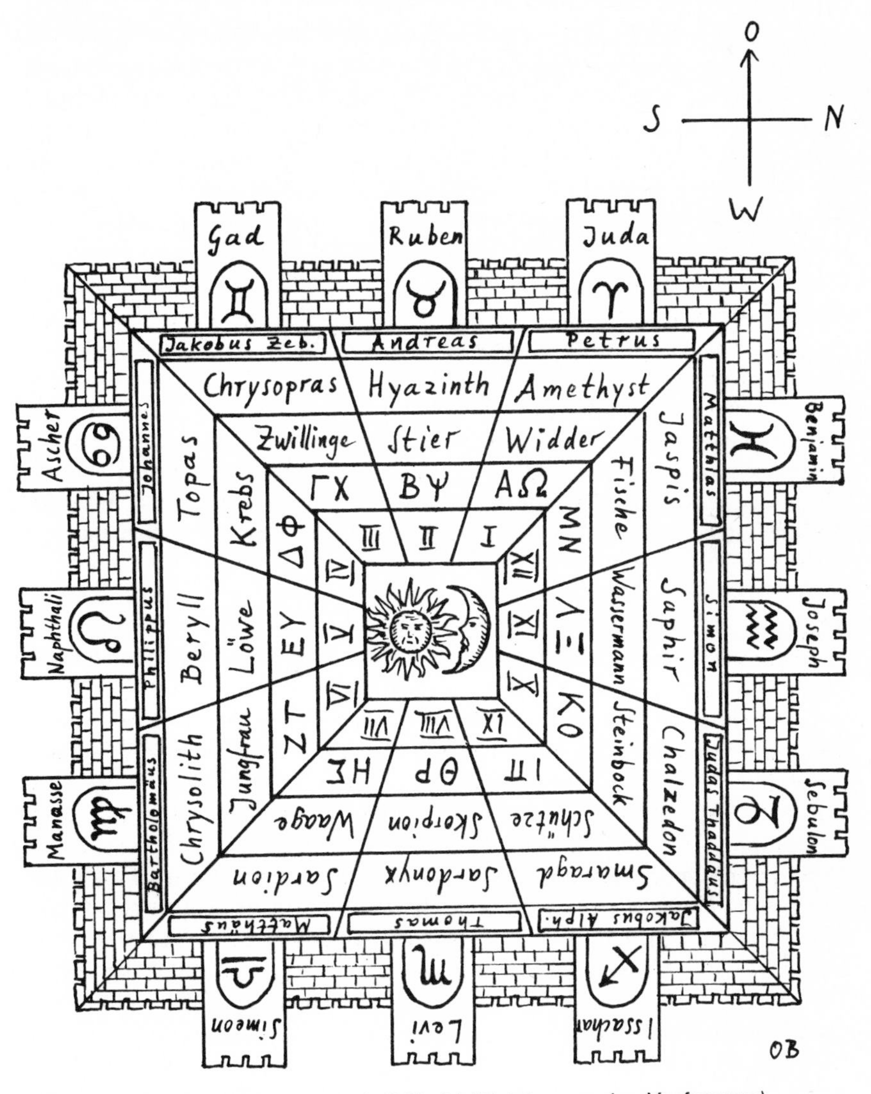

Das himmlische Jerusalem nach Offb 21 (Zeichnung des Verfassers)

vgl. Engedi), soll die in Offb 21 zueinander in Beziehung gesetzten Größen veranschaulichen. Ausgehend von Sonne und Mond als den Symbolen für das Licht Gottes und Christi im Zentrum der Himmelsstadt (Offb 21,23; vgl. Offb 22,5), zeigt sie die Monatszahlen I–XII, dann die zum Kosmogramm gehörigen Buchstabenpaare des griechischen Alphabets (zu Alpha/Omega vgl. Offb 1,8; 21,6; 22,13), dann die Namen der Tierkreiszeichen und Edelsteine, alles umgrenzt von der quadratischen Stadtmauer; deren zwölf Torhäuser stehen auf Grundsteinen mit den Apostelnamen und tragen über den Toröffnungen mit den Tierkreissymbolen die Namen der israelitischen Stämme. Antikem Vorbild folgend, ist der Drehsinn der Gegenuhrzeigersinn. »Oben« ist Osten, so daß sich nach links Süden sowie unten Westen und rechts Norden anschließen; die Himmelsrichtungen »stimmen«, wenn der Betrachter zum Himmelsgewölbe emporschaut, von wo die Stadt sich auf den Zionsberg herabsenken wird (Offb 21,2).
Man wird die eschatologischen Spekulationen von Offb 21 f., die auf Elementen der gemeinantiken Astrologie, der altjüdischen Weisheit und Apokalyptik sowie der urchristlichen Ekklesiologie basieren, nicht eigentlich als Rationalisierung mythischer Stoffe beurteilen dürfen, sondern eher als christianisierenden Ausbau einer schon im antiken Judentum gleichermaßen mythischen und rationalen Hoffnung.

5. Schluß

Die Johannesoffenbarung ist jedenfalls nicht nur eine Fundgrube mythischer Stoffe und Vorstellungen, sondern auch eine sehr rationale Schrift: gewiß das am meisten mythische Buch des Neuen Testaments, vielleicht aber auch, unter den Voraussetzungen des antiken Weltbilds und der altjüdisch-judenchristlichen Weisheit, das am meisten rationale. Freilich trennen uns von der weisheitlichen Rationalität der Apokalypse 1900 Jahre; deutende Entschlüsselung ist daher unerläßlich.
Mythos und Rationalität sind im Neuen Testament sowenig Gegensätze wie im antiken Judentum; das gilt auch beispielsweise für Paulus (vgl. etwa 1 Kor 15; 1 Thess 4,13–18), läßt sich aber an der Johannesapokalypse besonders nachdrücklich aufweisen. Dem Visionär von Patmos gestatten mythische Traditionen altjüdischer Apokalyptik sehr rationale Prognosen und Weisungen für seine kirchliche Gegenwart.
Der neutestamentliche Autor kleidet auch rationale Anliegen in die Strukturen des Mythos; das hat er mit dem Dichter gemeinsam. Wie dieser darf auch der moderne christliche Prediger mythische Sprache einsetzen, ohne sich gegen die Rationalität zu vergehen: Das Christenleben ist ein Kampf gegen den Teufel und seine dämonischen Mächte, das Martyrium Sieg und nicht Nieder-

lage. Geborgenheit, als Vertrauen auf Gottes Engel[20], kann kaum »richtiger« beschrieben werden als mit den sehr mythischen Versen Dietrich Bonhoeffers (1906–1945)[21]:

Von guten Mächten wunderbar geborgen,
Erwarten wir getrost, was kommen mag.
Gott ist mit uns am Abend und am Morgen
und ganz gewiß an jedem neuen Tag.

20. Am Beispiel der Engel hat Gustav Stählin, im Unterschied zu seinem großen ThWNT-Artikel μῦθος von 1942 (s. o. Anm. 11) und in Abgrenzung gegen Rudolf Bultmanns »Entmythologisierung«, bereits 1956 ein positives Verhältnis zum Mythos entwickelt: *Gustav Stählin:* Christus und die Engel, in: *Alfons Rosenberg (Hg.):* Begegnung mit Engeln, München-Planegg 1956, S. 37–66 und S. 111–113 (bes. S. 39 mit Anm. 1 auf S. 111).

21. Vgl. *Jürgen Henkys:* Dietrich Bonhoeffers letztes Gedicht auf dem Weg in das Gesangbuch, in: *Henning Schröer/Gerhard Müller (Hg.):* Vom Amt des Laien in Kirche und Theologie, Festschrift für Gerhard Krause (TBT 39), Berlin/New York 1982, S. 372–392.

Das Problem des Mythos zwischen Neologie und »religionsgeschichtlicher Schule« in der neutestamentlichen Wissenschaft

Otto Merk

Die im Rahmen unserer Fragestellung erbetenen Randbemerkungen zur Wissenschaftsgeschichte unseres Faches geben Anlaß, dem »Problem des Mythos zwischen Neologie und ›religionsgeschichtlicher Schule‹ in der neutestamentlichen Wissenschaft« nachzugehen. Mit jener Spätphase der deutschen Aufklärungsepoche einen thematischen Schwerpunkt zu setzen ist geboten, weil dadurch – auch im Kontrast zu dieser Epoche – die Umbrüche der Mythenerforschung im 19. Jahrhundert ebenso deutlich werden wie auch – in einem weiteren Kontrast gegenüber manchen Strömungen in eben diesem 19. Jahrhundert – zu erkennen ist, daß die »religionsgeschichtliche Schule« neue Akzente nicht ohne alte Einsichten der Neologie bietet. Im Hinblick auf die Erforschung dessen, was »Mythos« ist, ist das 19. Jahrhundert nicht nur, aber auch gelehrige Aufarbeiterin des vergangenen, so aufgeklärten Jahrhunderts, um es zu überwinden und doch neu an dieses anzuknüpfen. Schließlich ist festzuhalten, daß erst vornehmlich in der zweiten Hälfte des 19. Jahrhunderts fachspezifische Lehrstühle für Neues Testament eingerichtet wurden und daß schon von daher sich die Mythenerforschung nicht nur im Bereich der Theologie, sondern darüber hinausgehend interdisziplinär auch auf die exegetisch-theologische Arbeit auswirkte.

I.

1. Nicht die wenigen ntl. Belege (1 Tim 1,4; 4,7; 2 Tim 4,4; Tit 1,14; 2 Petr 1,16) konnten den Ausschlag geben, sich etwa bibelwissenschaftlich mit der Erscheinungsform des »Mythos« zu befassen, so sorgfältig und allgemeinverständlich auch besonders *Johann Lorenz von Mosheim* 1755 in seiner Auslegung von 1 und 2 Tim alle ihm damals bekannten Deutungen und Bedeutungen zu 1 Tim 1,4; 4,7 erörtert[1]. » Μῦθος, eine Fabel, ist im eigentlichen Verstande eine erdichtete Geschichte. Das Wort ist in sich unschuldig.« Aber »kein vernünftiger Christ(,) darf dergleichen Gedichte hochschätzen und lieben, die den Namen ungeistlicher und altvetterlicher Fabeln verdienen«; »Religions- und Glaubensgedichte(n)« sind zu prüfen[2]. Damit war durchaus die Durchschnittsmeinung über

1. *J. L. von Mosheim:* Erklärung der beyden Briefe des Apostels Pauli an den Timotheum, Hamburg 1755, S. 94ff., 390ff., 736.
2. A.a.O., S. 94, 96, 736.

»Mythos« in der MItte des 18. Jahrhunderts getroffen und gezeigt, daß Ausleger der Schrift sich der Behandlung der »Mythen« stellen müssen.

2. *Was war in dieser Hinsicht bisher geschehen?*
Das Wort »Mythos« ist erstmals im deutschen Sprachgebrauch 1536 nachgewiesen im Lexikon des in Straßburg lebenden Schweizer Gelehrten *Dasypodius,* »Dictionarium Germanico-Latinum« (Straßburg 1536): Mythos = »erdichte Märe, Mythos, latine fabula«. (Die Geschichte der Übersetzung der Pastoralbriefe weist im 15. Jahrhundert auf »lügmere«; Luther: »ungeistliche aber und altvettesche Fabeln«[3].) »Fabula« aber war schon festgefügter in ihrer Sinndeutung. So bezeichnet *Simon Rot,* Teutscher Dictionarius, 1571 »fabula« als »Fabel/Meer/ein sag/sie sey war oder nit«. Die durch sachgemäße Auslegung und Übersetzung eindeutig negative Akzentuierung der einschlägigen Belege in den Pastoralbriefen im 17. Jahrhundert trug sicher dazu bei, daß erst 1712 in dem Werk »Die teutsche Mythologie oder Beschreibung heidnischer Götter« (Nürnberg 1712) Begriff und Sache mit deutlichem Blick auf die heidnische Götterwelt aufgegriffen werden. – In Zedlers vollständigem Universallexikon[4] wird bereits in ganzer Breite das Spektrum mythologischer Anschauungen entfaltet. Jeder Wissenschaftsbereich und jede Kunstfertigkeit hat sich mit Mythologie zu befassen: Theologie und Philosophie, Politik, Geschichte, Philologie, Medizin, Botanik, Künstler jedweder Art. Eine gewisse Ausnahme machen die Juristen (sie »möchten sie am ersten entbehren können«)[5]. Das Entscheidende aber ist: »Mythologie(,) ist eine Nachricht von den Fabeln welche bei den Heyden denjenigen Zeiten angedichtet worden, die von Anfang der Welt bis auf den Anfang Griechischen Olympiadum verlauffen.«[6] Mythologie betrifft die *vor-historische* Phase[7], die der Auslegung bedarf: »Man ist demnach diesen Fabeln eine vernünftige Gestalt zu geben, auf allerhand Auslegungen bedacht gewesen.«[8] Mythologie bedarf der Auslegung auf ihren Wahrheitsgehalt hin. Es wundert darum nicht, wenn sich im selben Lexikon erstmals das Stichwort »Mythologische Methode« findet, wenn auch dieser Artikel im Vergleich zum Hauptartikel

---

3. Vgl. zu einzelnen Hinweisen, auch zum Folgenden, *W. Betz:* Zur Wortgeschichte von ›Mythos‹, in: *H. Moser/H. Rupp/H. Steger (Hg.):* Deutsche Sprache: Geschichte und Gegenwart. Festschrift für Friedrich Maurer zum 80. Geburtstag, 1978, S. 21–31; *ders.:* Vom ›Götterwort‹ zum ›Massentraumbild‹. Zur Wortgeschichte von ›Mythos‹, in: *H. Koopmann (Hg.):* Mythos und Mythologie in der Literatur des 19. Jahrhunderts, Studien zur Philosophie und Literatur des neunzehnten Jahrhunderts Bd. 36, 1979, S. 11–24; *B. Feldman/R. D. Richardson:* The Rise of Modern Mythology, 1680–1860, 1972 (passim).
4. A.a.O., Bd. 22, 1739, Sp. 1761 ff.
5. A.a.O., Sp. 1764.
6. A.a.O., Sp. 1761.
7. A.a.O., Sp. 1763.
8. A.a.O., Sp. 1763.

Mythologie wesentlich weniger austrägt und sich darin mit *Adam Friedrich Kirschs* »Cornucopia linguae latinae et germanicae selectum ...« (Ratisbonae 1741; »Editio Novissima«, 1746) trifft, daß Mythos und Fabel in engster Beziehung zueinander stehen[9]. So gewiß in Zedlers Lexikon Mythos und Fabel noch weithin identifiziert werden, es wird in diesem Werk »Mythologie« als universale Wissenschaft aufgedeckt. Damit hatte sich der unbekannte Verfasser des einschlägigen Artikels weit vorgewagt und die *Anknüpfungsbreite* markiert, die für die Erforschung der Mythologie folgenreich werden sollte. Der »universal-mythischen Betrachtungsweise«[10] eines Lowth, Heyne und anderer war zumindest ein Seitenstück gegeben.

3. Es ist offensichtlich Geist der Zeit, wenn fast gleichzeitig mit jenem Artikel in Zedlers Lexikon 1738–1748 der zur englischen Präromantik gerechnete *Robert Lowth* seine bahnbrechenden Vorlesungen »De Sacra Poesia Hebraeorum«[11] hält, die *J. D. Michaelis* mit Anmerkungen versehen herausgibt (Pars I,1758; Pars II,1761; 2. Aufl. Pars. I.II,1770). Diese Vorlesungen, »Praelectiones«, in ihrer Bedeutung für die Mythenerforschung im Hinblick auf die Bibelwissenschaft hinreichend untersucht – aber in der sonstigen Wissenschafts- und Geistesgeschichte abgesehen von *F. Meineckes* Studien zum Historismus sträflich vernachlässigt[12] –, sind für die anstehende Fragestellung nur in einem Punkte zu bedenken: Die für Lowth unbestrittene Höherschätzung der hebräischen Poesie vor anderer führt den Verfasser zur *vergleichenden* Poesiebetrachtung unter deutlichem Einbezug auch der Mythen der antiken Welt. Vergleichen geht ihm über stilistische Elemente hinaus (Entdeckung des parallelismus membrorum im Hebräischen). Es wird ihm zur Basis des Interpretierens, zur Scheidung von Einkleidung und Kern, von poetischer Form und gemeinter Sache, wie Lowth nicht zuletzt unter häufigem Verweis auf Quintilian[13] und Shakespeares Dramen erläutert[14]. Daß sich vorsichtig bei ihm auch die Fragestellung auf das Neue Testament, die Lazarusgeschichte in Joh 11 [Vers 38] richtet[15], ist in Umrissen erkennbar und vielleicht sogar

---

9. Bd. 20 (1739), Sp. 304f. In *Kirschs* Cornucopia, 2. Aufl., 1746, bes. S. 779 (Art. ›Mythos‹) und S. 483 (Art. ›Fabula‹).

10. *Chr. Hartlich/W. Sachs:* Der Ursprung des Mythosbegriffes in der modernen Bibelwissenschaft, Schriften der Studiengemeinschaft der evangelischen Akademien 2, 1952, S. 6.

11. *R. Lowth:* De sacra Poesia Hebraeorum Praelectiones, Oxonii 1753; 3. Aufl., 1775.

12. *F. Meinecke:* Die Entstehung des Historismus, in: *ders.:* Werke Bd. III, 1959, S. 249ff.

13. *R. Lowth:* De sacra poesi Hebraeorum praelectiones academicae Oxonii habitae: subjicitur metriae Harianae brevis confutatio et creatio Grewiana. Notes adjecit Johann David Michaelis, 2. Aufl., Gottingae 1770, z.B. S. 23, 87, 95, 327.

14. A.a.O., S. 11.

15. A.a.O., S. 131.

der von *J. G. Eichhorn* nicht genannte, aber entscheidende Anknüpfungspunkt dafür, ob man Mythendeutung auf das Neue Testament übertragen dürfe.
Lowths Einfluß auf Göttinger Gelehrte der Zeit ist bekannt[16], wie überhaupt seine Bedeutung auf das damalige Geistesleben in Deutschland weitreichend war. Goethes anschauliche Darstellung von J. G. Herders Beeinflussung durch Lowth trifft durchaus den Sachverhalt[17], zumal wenn man den gleich näher anzuführenden Christian Gottlob Heyne in seiner vielfältigen Freundschaft zu Herder in die Überlegungen mit einbezieht. Heynes Biograph *A. H. L. Heeren* faßt es 1813 so zusammen: »Wenige Menschen hat *Heyne* so geliebt und geachtet wie *Herdern.* Sie waren zu nahe Geistesverwandte, als daß sie sich fremd geblieben wären. Die Bildung beider war auf alte Poesie gegründet«.[18] Ob auch *Moses Mendelsson* als Vermittler von Lowths Gedanken (an J. G. Hamann und Herder) zu nennen ist, steht zur Klärung an.
Während *J. D. Michaelis* ganz im Sinne von Lowth über Mythos spricht[19], verwendet *J. S. Semler* – in kritischer Konsequenz aus 1 Tim 1,4; 4,7; Tit 1,14 (unter Einbezug von 2 Tim 3) – gelegentlich »Mythos«, um die Nichtinspiriertheit der Schrift aufzudecken[20]. Jedenfalls ist *A. Tholucks* Bemerkung: »Der scharfsinnige Semler ist wohl der erste unter den deutschen Theologen gewesen, welcher den Begriff des Mythos in die jüdisch-christliche Theologie einführte«, so nicht zutreffend[21]. Aber man wird kaum bestreiten können, daß Semler auch den Begriff »Mythos« mit der Notwendigkeit freierer Schriftauslegung verband.

4. Zum eigentlichen Durchbruch – und damit auch folgenreich für die sich bildende neutestamentliche Wissenschaft – war *Christian Gottlob Heynes* (1729–1812) Beitrag zur Mythenerforschung. Beginnend mit seiner Göttinger Antrittsvorlesung in der Akademie der Wissenschaften (1763), hat er bis zu seinem Tode dieses Grundthema seiner Lebensarbeit bedacht[22].

---

16. *H. Hecht:* T. Peray, R. Wood und I. D. Michaelis Göttinger Forschungen 3, (1933) bes. S. 10ff.
17. *J. W. von Goethe:* Aus meinem Leben. Dichtung und Wahrheit. Zweiter Teil. 10. Buch, in: Goethes Werke. Autobiographische Schriften. Erster Band; Hamburger Ausgabe, Bd. 9, 1955, S. 407ff.
18. *A. H. L. Heeren:* Christian Gottlob Heyne. Biographisch dargestellt, Göttingen 1813, S. 174 (Zitat) und S. 174ff.
19. Siehe Anm. 13, a.a.O., »Notae Editoris« unter S. 128ff. u. weitere Belege.
20. *Chr. Hartlich/W. Sachs,* a.a.O., S. 165ff.; *G. Hornig:* Die Anfänge der historisch-kritischen Theologie. Johann Salomo Semlers Schriftverständnis und seine Stellung zu Luther (Forschungen zur Systematischen Theologie und Religionsphilosophie 8), 1961 (passim).
21. *A. Tholuck:* Die Glaubwürdigkeit der evangelischen Geschichte, 2. Aufl., 1838, S. 14.
22. Vgl. *C. G. Heyne:* »Temporum mythicorum memoria a corruptelis nonnullis vindicata« (1763); »Proluduntur nonnulla ad quaestionem de caussis fabularum seu mythorum veterum physicis« (1764); Apollodori Atheniensis Bibliothecae Libri tres ad codd.Mss. fidem recensiti a *Chr. G.*

Chr. Hartlich und *W. Sachs* haben mit Recht in ihrer Untersuchung »Der Ursprung des Mythosbegriffes in der modernen Bibelwissenschaft« (1952) von Heynes »Entdeckung der Eigenständigkeit und Universalität des Mythischen als einer notwendigen Entwicklungsstufe des menschlichen Geistes« gesprochen[23]. Nicht der Nachweis von Mythen an sich, sondern die notwendige Interpretation des Mythos und die daraus sich ergebende Einteilung in verschiedene Klassen von Mythen ist die Basis, Mythos als eigenständige Größe gegenüber »Dichtung, Rhetorik und Allegorie« abzuheben[24] und so den Sachgehalt des Mythos als historischen oder philosophischen *und* Einkleidung, »Factum vom Philosophem«[25] zu scheiden und somit Denken und Ausdrucksgestaltung in einer Frühstufe der Menschheit zu eruieren. Durch Heyne ist Mythenerforschung zur interpretatorischen, zur hermeneutischen Aufgabe geworden, die weit über die Ablehnung der Allegorie hinausgeht, die Mythos und Fabel scheidet und Rhetorik und Dichtung auf die verhandelte Sache hin durchdringt.

Heynes Bedeutung für seine Zeit kann kaum überschätzt werden[26]. Er selbst wandte sich zwar bewußt nur profanen antiken Bereichen zu und übertrug seine hermeneutische Sicht nicht auf die bibelwissenschaftliche Schriftauslegung, aber er vermochte seine theologischen Schüler metho-

---

Heyne, Goettingae 1782; Ad Apollodori Atheniensis Bibliothecam notae auctore *Chr. G. Heyne* cum commentatione de Apollodoro argumento et consilio operis et cum Apollodori Fragmentis, Pars I–III, Goettingae 1783; zu weiteren Titeln vgl. *A. H. L. Heeren:* a.a.O., S. 489–522: »Verzeichnis von Heynes Schriften«; *F. Leo:* Heyne, in: Festschrift zur Feier des hundertfünfzigjährigen Bestehens der Königlichen Gesellschaft der Wissenschaften zu Göttingen. Beiträge zur Gelehrtengeschichte Göttingens, 1901, S. 153ff., bes. S. 213ff.; *K. O. Müller:* Prolegomena zu einer wissenschaftlichen Mythologie, Göttingen 1825, S. 317ff.; *Chr. Hartlich/W. Sachs,* a.a.O., S. 11 (nicht vollständig in der Titelerfassung). Am Ende seines Lebens faßt *Heyne* noch einmal zusammen (zitiert bei A. H. L. Heeren, a.a.O., S. 197): »Die Mythen haben ihren Werth und Rang wieder erhalten; sie sind als alte Sagen, als die ersten Quellen und Anfänge der Völkergeschichte zu betrachten; andere als die ersten Versuche der Kinderwelt zu philosphieren, in ihnen versuchte sich das Genie zur Poesie, durch sie bildete sich der Geschichtsstyl, von ihnen ging überhaupt die Bildung der Schrift, Sprache, zunächst der Dichtersprache, aus, aus welcher die Redekunst mit ihrem Schmuck, den Vergleichungen, Figuren und Tropen, hervorging. Die Kunst aber mit ihren Idealen, vermittelst der Götternaturen, und des Göttersystems, hatte ihre erste ganze Anlage in den Mythen und mythischen Bildern.« Vgl. auch *B. Feldman/R. D. Richardson,* a.a.O., S. 215ff.

23. *Chr. Hartlich/W. Sachs,* a.a.O., S. 11.

24. *W. Burkert:* Griechische Mythologie und die Geistesgeschichte der Moderne, in: Les Études classiques aux XIXᵉ et XXᵉ Siècles: Leur Place dans l'Histoire des Idées, Fondation Hardt pour l'Étude de l'Antiquitè classique, Entriens Tome XXVI, 1980, S. 159–199 (Diskussion S. 200–207), hier: S. 162.

25. *Chr. Hartlich/W. Sachs,* a.a.O., S. 19.

26. Vgl. *J. W. von Goethe:* Aus meinem Leben. Dichtung und Wahrheit, Zweiter Teil. 6. Buch, a.a.O., S. 241: »Bei diesen Gesinnungen hatte ich immer Göttingen im Auge. Auf Männern wie Heyne, Michaelis und so manchem anderen ruhte mein ganzes Vertrauen; mein sehnlichster Wunsch war, zu ihren Füßen zu sitzen und auf ihre Lehren zu merken. Aber mein Vater blieb unbeweglich«; *F. Leo:* Heyne, a.a.O., S. 224: »Eine Reihe von Jahrzehnten hindurch war er [sc. Heyne] nicht nur der erste, er war der philologische Lehrer in Deutschland.«

disch entscheidend zu beeinflussen[27]. Sein unmittelbarer Schüler *Johann Gottfried Eichhorn* (1770–1773 bei Heyne studierend) und späterer Göttinger Kollege (von 1788 an) übertrug Heynes Grundsätze zunächst auf alttestamentliche und dann auch auf neutestamentliche Mythen[28]. Das, was wir heute wissenschaftsgeschichtlich als »die mythische Schule« bezeichnen *(J. G. Eichhorn* [1752–1827]; *J. Ph. Gabler* [1753–1827]; *G. L. Bauer* [1755–1806])[29], gründet auf den methodischen Einsichten Heynes, wobei besonders G. L. Bauer auf Lowths Erkenntnisse unmittelbarer als seine theologischen Zeitgenossen zurückgreift.
Für die ohnehin bekannten Sachverhalte genügen Stichworte: Der 23jährige Eichhorn übertrug zunächst Heynes Grundsätze auf die Urgeschichte und ließ erst 4 Jahre später seine umfangreiche Abhandlung anonym 1779 in einer Zeitschrift erscheinen. Erst Eichhorns unmittelbarer Schüler *J. Ph. Gabler* gab dann 1790–1793 mit ausdrücklicher Genehmigung seines ehemaligen Lehrers dieses Werk, mit Einleitung und Anmerkungen reich versehen, mehrbändig heraus[30]. »Mythen sind nicht Fabeln, wozu man sie sonst machte, und wodurch man ihren wahren Gesichtspunkt ganz verrückte, bis endlich ein Heyne aufstand, und die wahre Beschaffenheit und Absicht der Mythen richtiger entwickelte und bestimmte«, bemerkt dort Gabler[31]. Nicht die Einzelheiten der Mythenbestimmung und -deutung sind jetzt erneut in den Blick zu nehmen, sondern die Konsequenz ist zu nennen, die sich auch aus der Mythenerforschung für die freiere Schriftauslegung ergibt. So schreibt Gabler ebd.: »Auch der große Mann wird in meinen Augen klein, sobald ihn dogmatisches Interesse in seinen Untersuchungen leitet. Dogmatik muß von Exegese, und nicht umgekehrt Exegese von Dogmatik abhängen.«[32]
Das Ergebnis für die Schriftauslegung war einschneidend: Die historisch-kritische Exegese in C. G. Heynes Sinne ist für Gabler die Voraussetzung jeder Schriftauslegung[33]. Durch die Mythenerforschung wird der Blick dahin gewandt, *wie* historische und theologische Exegese zueinander stehen.

27. In seiner »Vorrede« zum Handbuch der Mythologie aus Homer und Hesiod, als Grundlage zu einer richtigen Fabellehre des Alterthums mit erläuternden Anmerkungen begleitet von Martin Gottfried Hermann. Nebst einer Vorrede des Herrn Hofrath Heyne, Bd. I, Berlin/Stettin 1787, geht *C. G. Heyne* allerdings auch auf die Genesis ein (14 Seiten, unnumeriert).

28. *O. Merk:* Biblische Theologie des Neuen Testaments in ihrer Anfangszeit. Ihre methodischen Probleme bei Johann Philipp Gabler und Georg Lorenz Bauer und deren Nachwirkungen (Marburger Theologische Studien 9), 1972, S. 54 ff., 69 ff.

29. *Chr. Hartlich/W. Sachs,* a.a.O., S. 20 ff.; *O. Merk:* Biblische Theologie, a.a.O.

30. *J. Ph. Gabler (Hg.):* J. G. Eichhorns Urgeschichte I (1790); II,1 (1792); II,2 (1793), Altdorf/Nürnberg 1790–1793. – Über Gablers Beziehungen zu Heyne, der ihm Gönner und Freund war, vgl. die Belege bei *O. Merk:* Biblische Theologie, a.a.O., S. 46.

31. Eichhorns Urgeschichte II,1, a.a.O., S. 260 f.; vgl. ebd. S. XIX,53,260 ff., 482 f., 487 u. ö.

32. Eichhorns Urgeschichte I, a.a.O., Vorrede, S. XV.

33. Vgl. *O. Merk:* Biblische Theologie, a.a.O., S. 68.

Noch während der Bearbeitung von Eichhorns Urgeschichte durch Gabler erschien *J. G. Eichhorns* Abhandlung »Ueber die Engels-Erscheinungen in der Apostelgeschichte (Apostelgesch. XII,3–11)«[34], worin der Verfasser ausführt, daß man hier »Sache« und »Einkleidung« »sorgfältig von einander absondern« muß[35].

Daran anschließend weist Gabler selbst an einigen lukanischen Perikopen diesen Sachverhalt nach, um dann einen methodisch durchdachten Höhepunkt in der Untersuchung »Ueber den Unterschied zwischen Auslegung und Erklärung, erläutert durch die verschiedene Behandlungsart der Versuchungsgeschichte Jesu« zu bieten[36], dahin zusammengefaßt: Es geht um Auslegen *und* Erklären, wie er gegenüber Ernestis Institutio (1761) feststellt: »Den Philologen interessirt nur die *Auslegung,* den Theologen hauptsächlich die *Erklärung* der Bibel.« »Der ächte *Exegete verbindet beides: von Auslegung geht er aus, und Erklärung ist sein Ziel.«*[37] Was die Interpretation des Mythos ausmacht, ist Schlüssel für das Verstehen der Bibel überhaupt.

Diese Einsicht war es, die Eichhorn und Gabler zunächst nur im vorsichtigen Vorwärtstasten im Hinblick auch auf neutestamentliche Perikopen bedachten, aber *G. L. Bauer* dann gezielt angeht in seinem Werk: »Hebräische Mythologie des Alten und Neuen Testaments mit Parallelen aus der Mythologie anderer Völker, vornemlich der Griechen und Römer«, Bd. I.II., Leipzig 1802. Die gesamte bisherige Mythenerforschung einschließlich der Mythenvergleichung wird hier zusammengefaßt und ganz offen festgestellt: Es gibt im Neuen Testament Mythen[38], allerdings nicht jene im Alten Testament anzutreffende (mehr durchgängige) »mythische Geschichte«, sondern eine erhebliche Anzahl von Einzelmythen[39]. Diese kann man in Weiterführung der Klassifizierung Heynes (und Gablers) in vornehmlich »historische«, ganz gelegentlich in »historisch-philosophische« Mythen einteilen[40]. Hinzu kommen zahlreiche als mythisch zu bezeichnende Vorstellungen in weiten Bereichen der neutestamentlichen Schriften (z. B. 1 Petr 3,19 ff.; 2 Petr 3,10). Ich übergehe die vielfältigen Auswirkungen von

---

34. *J. G. Eichhorn:* Ueber die Engels-Erscheinungen in der Apostelgeschichte (Apostelgesch. XII,3–11), Allgemeine Bibliothek der biblischen Literatur III (1791), S. 381–408.

35. *J. G. Eichhorn,* a.a.O., S. 398.

36. *J. Ph. Gabler:* Ueber den Unterschied zwischen Auslegung und Erklärung, erläutert durch die verschiedene Behandlungsart der Versuchungsgeschichte Jesu (NthJ 17, 1800, S. 224 ff.), in: *ders.:* Kleinere theologische Schriften, hg. von Th. A. Gabler/J. G. Gabler, Bd. I, Ulm 1831, S. 201–214 (danach zitiert).

37. *J. Ph. Gabler,* a.a.O., S. 214.

38. *G. L. Bauer:* Hebräische Mythologie des alten und neuen Testaments mit Parallelen aus der Mythologie anderer Völker, vornemlich der Griechen und Römer, Bd. I.II, Leipzig 1802, hier: Bd. I, S. 29 ff.

39. Zusammenstellung bei *O. Merk:* Biblische Theologie, a.a.O., S. 190.

40. *G. L. Bauer:* Hebräische Mythologie, a.a.O., Bd. II, S. 216 ff.

Bauers Mythenerforschung auf sein eigenes Werk und auch auf die von ihm vertretene Form rationalistischen Denkens[41] und halte nur drei Sachverhalte fest.

a) Bauers Feststellung ist zunächst anzuführen, »daß sich niemand an die Erklärung der Biblischen Mythen wagen sollte, der sich nicht vorher mit der richtigen Auslegungsart der griechischen und römischen Mythen bekannt gemacht, und studiret hat, wie sie anzusehen und das Wahre vom Falschen, das reine Factum vom Zusatz geschieden werden. *Heyne,* dieser geschmackvolle Ausleger der Alten, hat das wahre Verdienst, die rechte Behandlung der verachteten und mit dem falschen Titel der Fabellehre herabgewürdigten Mythologie gezeigt, und die Bahn gebrochen zu haben, auf welcher man allein zum Ziel der Wahrheit kommen kann.«[42]

b) Die außerordentlich positive Aufnahme des Bauerschen Mythologie-Werkes durch J. Ph. Gabler: »Ist es erlaubt, in der Bibel, und sogar im N. T. Mythen anzunehmen?«[43]. »Sehr lobenswerth ist daher die Methode des Hrn. Prof. *Bauer,* daß er bei jedem aufgenommenen Mythen erstlich zeigt, *warum* eine Erzählung für einen Mythus zu halten sey, und dann erst untersucht, wie wohl die mythisch erzählte Sache natürlich zu erklären sey. Durch die *erste* Operation wird das *Mythische* einer Erzählung gesichert, und durch die *zweite* das wahrscheinlich *reine* Factum gewonnen. So wird aller Willkühr in der Erklärung der Bibel möglichst vorgebeugt.«[44] – Es ergibt sich jedoch nach Gabler im Hinblick auf manchen besorgten Zeitgenossen die »Frage: *ob man auch im N. T. Mythen annehmen dürfe*«[45]. Aufgrund von G. L. Bauers Werk sollte eine solche Frage überflüssig sein. Ohne Grund werde eingewendet, »der Ausdruck *Mythe,* von Erzählungen des N. T. gebraucht, *befremdet,* und *macht ohne Noth Aufsehen*«. Man meine, der »Ausdruck klinge verdächtig«. Gabler erwidert: »Solche Einwürfe hätten wir in der That in unseren Tagen nicht mehr erwartet.« »Den gebildeten Zeitgenossen sollte man in der That mehr Verstand zutrauen, als daß sie an einem passenden Ausdruck, der die Sache bei ihrem rechten Namen nennt, Anstoß nehmen sollten. Was hilft denn das Heimlichthun. Man verderbt dadurch weit mehr, als der geheimnißvolle Schriftsteller wirklich in Petto behält. Ueberdieß wird durch den mythischen Gesichtspunkt mancher unnatürlich geschraubten, sogenannten Erklärungsart glücklich vorgebeugt. Dem strengen Supernaturalisten und Offenbarungs-

---

41. *O. Merk:* Biblische Theologie, a.a.O., S. 190ff.
42. *G. L. Bauer:* Hebräische Mythologie, a.a.O., Bd. I, S. 34.
43. *J. Ph. Gabler:* Ist es erlaubt, in der Bibel und sogar im N.T. Mythen anzunehmen? (JathL 2,1805/06, S. 39–59); ohne die Einzelbesprechung ist die grundsätzliche Behandlung der Fragestellung wiederabgedruckt, in: *ders.:* Kleinere theologische Schriften, a.a.O., Bd. 1, S. 698–706 (danach zitiert).
44. *J. Ph. Gabler,* a.a.O., S. 700.
45. *J. Ph. Gabler,* a.a.O., S. 701f.

gläubigen wird freilich diese Benennung anstößig seyn; aber auch die ganze mythische Behandlungsart der Bibel, man mag ihr einen Namen geben, welchen man will, und die neue Ansicht der Bibel noch so behutsam einhüllen. Hat man aber schon über die *Bedingungen* einer göttlichen Offenbarung unbefangen nachgedacht und Offenbarung und Offenbarungsurkunde unterscheiden gelernt, so wird weder der Name *Neutestamentliche Mythe,* noch die Sache auffallen.«[46]

c) Heyne nahm an, daß von Mythen im vorliterarischen Stadium zu sprechen sei, ihr Wachsen und Gestaltwerden also der mündlichen Stufe zugehöre. Gabler wie G. L. Bauer stimmen dem voll zu, gehen aber dann einen wichtigen Schritt weiter: Die in der Bibel enthaltenen Mythen wurden verschriftlicht. »Die Zeit war längst vorbey, wo man blos durch mündliche Sagen Begebenheiten der Nachwelt überlieferte« (G. L. Bauer)[47]. Auf die mündliche Phase folgt die literarische und damit die schriftstellerische Leistung des einzelnen Autors etwa der neutestamentlichen Schriften. Die Einkleidung des Faktums wird auf der Basis der literarischen Ebene in den nun vorliegenden *Offenbarungsurkunden* als theologische Leistung von einzelnen gewertet, die die mündliche Überlieferung in schriftliche Form gebracht haben. Nach Gablers Entwürfen zu einer »Einleitung in das Neue Testament« bestehen die Evangelien nach Mt, Mk, Lk aus von Evangelisten gestalteten und zusammengeordneten Einzel-»Mythen« und verbindenden Abschnitten, so daß er in seiner Vorlesung über »Einleitung in's N. T.« von 1815/16[48] festhalten kann: Man dürfe die einzelnen Evangelisten nicht nur als Sammler von Materialien werten, sondern man müsse sie als eigenständige Theologen und Schriftsteller würdigen[49], um dann die noch weitreichendere Konsequenz zu ziehen: Es müsse »erst in den Evangelien alles das abgesondert werden, was bloß ... späteres ... Einschiebsel ist; und so getrauen wir uns evident darzuthun, daß Jesus manches gar nicht gesagt haben könne, was ihm doch in den Evangelien entweder aus dem *Erfolge* oder aus dem *späteren Glauben* in den Mund gelegt worden ist«[50]. Die richtig angewandte Mythenerforschung im Bereich der Evangelien entschlüsselt von der mündlichen Phase über die Verschriftlichung hinweg zugleich die Rückfrage nach dem – modern gesagt – »historischen« Jesus.

Es gilt innezuhalten: Die »mythische Schule« – Eichhorn, Gabler, G. L.

---

46. *J. Ph. Gabler,* a.a.O., S. 704 ff.
47. *G. L. Bauer:* Hebräische Mythologie, a.a.O., Bd. I, S. 30, 52 ff.
48. *J. Ph. Gabler:* Einleitung in's Neue Testament. Nachschrift von *E. F. C. A. H. Netto,* Jena 1815/16, 626 gez. S. (Ms in der Universitätsbibliothek Jena).
49. *J. Ph. Gabler,* a.a.O., S. 361 ff., 373 ff., 381 ff. Weitere Nachweisungen bei *O. Merk:* Biblische Theologie, a.a.O., S. 47 ff.
50. *J. Ph. Gabler:* Wann ist eine vollendete Einleitung in das Neue Testament zu erwarten? (JthL 23. Bd., 1803, S. 292 ff.), in: *ders.:* Kleinere theologische Schriften, a.a.O., Bd. I, S. 315 f.

Bauer – im eigenständigen Gefolge Heynes hat die Anfänge neutestamentlicher Wissenschaft im 18. Jahrhundert[51] grundlegend durch die Mythenerforschung vertieft und Einsichten vermittelt, die im weiteren 19. Jahrhundert in nur begrenztem Maße aufgenommen und nur selten – und dann meist in andere Richtung weisend – weitergeführt wurden. Gablers Warnung zur Sachfrage aus dem Jahre 1816: »Dieß nur vorläufig, um unser theologisches Zeitalter vor einer trägen Ruhe auf den Lorbeern ... zu warnen«, blieb weithin ungehört[52].

II.

1. Das 19. Jahrhundert brachte entscheidende Umbrüche auch im Verstehen des Mythos. Mehrere Sachverhalte treffen zusammen. Schon Gabler und G. L. Bauer wiesen bei Anerkennung mancher Ausführungen auf die Problematik in *J. Schellings* spekulativer Mythendeutung trotz deren deutlicher Bezugnahme auf Heyne und Herder als letztlich unvereinbar mit Heynes und der »mythischen Schule« Grundsätze[53]. Seit seiner Untersuchung »Ueber Mythen, historische Sagen und Philosopheme der ältesten Welt« (1793)[54] geht es Schelling in deutlich erkennbaren Wandlungen bis in späte Vorlesungen hinein um eine metaphysisch-spekulative, im Idealismus gründende und darin um ein neues[55], »Mythologie und Offenbarung« einigendes System, so daß man von einer »philosophische(n) Respektabilität des Mythos« bei Schelling sprechen konnte[56].

2. »Von Mythen hebt die Geschichte aller Völker an«, schreibt G. L. Bauer[57]. Er gibt darum seinem einschlägigen Werk den Untertitel »mit Parallelen aus der Mythologie anderer Völker, vornemlich der Griechen und Römer«, um dann bis hin zu indischen und mexikanischen Zeugnissen Parallelen aufzuspüren. Die vergleichende Mythenerforschung in den ersten Jahr-

---

51. Vgl. *O. Merk:* Anfänge neutestamentlicher Wissenschaft im 18. Jahrhundert, in: *G. Schwaiger (Hg.):* Historische Kritik in der Theologie. Beiträge zu ihrer Geschichte, Studien zur Theologie- und Geistesgeschichte des Neunzehnten Jahrhunderts, Bd. 32, 1980, S. 37–59.
52. *J. Ph. Gabler,* a.a.O., S. 316.
53. *G. L. Bauer:* Hebräische Mythologie, a.a.O., Bd. I, S. 5ff.; über Schelling weitere Belege bei *O. Merk:* Biblische Theologie, a.a.O., S. 132f., 136, 190, 226, 287.
54. In: *F. W. J. Schelling:* Historisch-kritische Ausgabe. Werke 1, Stuttgart 1976, S. 183–246; vgl. in dieser Ausgabe auch die anmerkenden Hinweise zu Heyne (S. 205f., 225,228,234f., 241) und zu Herder (S. 211).
55. Vgl. auch *F. W. J. Schelling:* Einleitung in die Philosophie der Mythologie, in: *M. Schröter (Hg.):* Schellings Werke. Nach der Originalausgabe in neuer Ordnung, 5. Hauptband: Schriften zur geschichtlichen Philosophie 1821–1854, München 1928; zum Ganzen vgl. u. a. *H. Gockel:* Mythologie als Ontologie. Zum Mythosbegriff im 19. Jahrhundert, in: *M. Koopmann (Hg.):* Mythos und Mythologie in der Literatur des 19. Jahrhunderts, a.a.O., S. 25ff.
56. *W. Burkert,* a.a.O., S. 163; vgl. auch *D. F. Strauß:* Das Leben Jesu, kritisch bearbeitet, Bd. 1, Tübingen 1835, S. 28ff., 61.
57. *G. L. Bauer:* Hebräische Mythologie, a.a.O., Bd. I, S. 15.

zehnten des 19. Jahrhunderts, die über die klassische Antike hinaus in die neue Welt vordringt, die nordische (Edda) und deutsche mittelalterliche Sagen (z. B. Nibelungenlied) aufdeckt[58], verändert das Forschungsfeld und -bild seit Heyne erheblich.

Noch bedeutungsvoller aber wirkte sich das Zusammentreffen von romantischer Mythensammlung und -forschung mit der in besonderer Weise im Zusammenhang der Interpretation des Mythos erwachten historisch-kritischen Methodik und Arbeit aus. »Es ist kein Zufall, dass gerade auf dem Gebiet der Mythologie rationale Wissenschaft und romantisch-theologische Spekulation aneinandergerieten«, bemerkt zutreffend der Altphilologe *W. Burkert*[59]. *J. Görres* und vor allem der Streit um und die Nachwirkung von *G. F. Creuzers* »Symbolik und Mythologie der alten Völker, besonders der Griechen« (Bd. I–IV, 1810–1812)[60] zeigen ebenso wie Schellings und später *J. Bachofens* Erwägungen die große, nicht selten durch unkontrollierte Assoziationen herbeigeführte Mixtura mythologica, die der methodischen Bearbeitung der einzelnen Mythen entglitt, gleichwohl aber religiöse, säkulare und nationale Bezüge im je Besonderen erheischen ließ[61].

3. Auch aus dieser Situation erklärt sich die Abwendung der altphilologischen Forschung von romantischen Tendenzen hin zur reinen philologischen Arbeit. Darin eingeschlossen ist die Abwendung von der Mythosforschung auch in Heynes Sinne. Es wird der klassischen Philologie zugleich die durch Heyne vermittelte inhärente hermeneutische Aufgabe entzogen. *Chr. A. Lobeck* mit seinem Werk »Agloaphamus sive de theologiae mysticae Graecorum causis libri tres« (Königsberg 1829) und mit ihm andere setzten den neuen Maßstab in der Altphilologie und damit zugleich den Gegenpol und Abgesang auf Heyne – ein Nein zur Hermeneutik über-

---

58. Die wichtigsten Herausgeber: *Wilhelm/Jacob Grimm; Karl Lachmann;* vgl. *K. Simrock:* Handbuch der deutschen Mythologie mit Einschluß der nordischen, 1853; *B. Feldman/R. D. Richardson,* a.a.O., S. 297 ff., 302 ff., 408 ff.

59. *W. Burkert,* a.a.O., S. 162.

60. *G. F. Creuzer:* Symbolik und Mythologie der alten Völker, besonders der Griechen, Bd. I–IV, 1810–1812; dazu die wichtigen Analysen und Darlegungen von *M. M. Münch:* La ›Symbolique‹ de Friedrich Creuzer. Associations des Publications près les Universités de Strasbourg, Fasc. 155, 1976; s. auch *W. P. Sohnle:* Georg Friedrich Creuzers »Symbolik und Mythologie« in Frankreich. Eine Untersuchung ihres Einflusses auf Victor Cousin, Edgar Quinet, Jules Michelet und Gustave Flaubert (Göppinger akademische Beiträge 55), 1972, bes. S. 4 ff., 16 ff. – *J. W. von Goethe* hat in Faust II,2. Akt (nach Hamburger Ausgabe Bd. 3, 1949, bes. S. 245 [Zeile 8070 ff.] und in weiteren Abschnitten ebd.) die durch Schelling und Creuzer entfachte Mythendiskussion in Dichtung und Kritik bedacht.

61. Vgl. *W. Burkert,* a.a.O., S. 164: »das Prinzip der nationalen Identität«; »Mythos als Stammessage«, wobei sich – nicht nur für die griechische Welt – die »methodische Aufgabe« stellte, Mythen und »Frühgeschichte« eines Volkes zur Deckung zu bringen.

haupt[62]. Der Preis war hoch. Sache und Sprache waren auseinandergerissen. »Lobeck hat nur zerstört – aus den Trümmern wieder auch noch so bescheidene Bauten aufzurichten, dazu fühlte er kein Bedürfnis ...; er kündigt mit anderen Erscheinungen den Sieg des Rationalismus über die Romantik an, der die klassische Philologie aus dem Kreise der lebendigen und auf die Gesamtkultur wirkenden Wissenschaft gerissen hat.«[63]

III.

Wie ist die Bibelwissenschaft nach glänzendem Aufschwung der Mythoserforschung zu Beginn des 19. Jahrhunderts in dessen weiteren Verlauf mit dem »Mythos« umgegangen und wie ist sie den gerade dargelegten Herausforderungen begegnet? Wieder können nur Umrisse, kaum eine vollständige Skizze geboten werden.

1. Daß Gablers und G. L. Bauers Beiträge zur Mythenerforschung im Rahmen von Konzeptionen, die eine biblische oder auch neutestamentliche Theologie im Blick haben, nachwirkten, darf hier pauschal genannt werden[64]. Die in diesem Zusammenhang gelegentlich erfolgende religionsgeschichtliche Vergleichung war für *F. C. Baur* der Anlaß, sich seinerseits kritisch mit der Mythologie zu befassen, zugleich aber, um methodische Klarheit in ein ausuferndes Feld zu bringen.
In einer Besprechung von Kaisers »Biblischer Theologie« (1813) geht Baur (1818) auf dessen willkürliche Behandlung mythischer Vorstellungen ein[65]. Fast wichtiger als die der »mythischen Schule« nahestehenden Einwendungen ist die Kritik des Rezensenten daran, daß Kaiser Mythologie durch Literarkritik erkläre und Mythen durch literarkritische Sachverhalte erläutere[66]. Dieser methodenkritische Nachweis sollte für die Mythenerforschung im 19. Jahrhundert – auch ohne unmittelbare Berufung auf F. C. Baur – noch zu einiger Bedeutung gelangen.
Trotz seiner verwirrenden Fülle von Bezügen und Belegen dient auch *F. C. Baur*s umfassendes Werk »Symbolik und Mythologie oder Naturreligion des Alterthums« (Bd. I, Stuttgart 1824; Bd. II, Stuttgart 1825) symptoma-

62. Vgl. auch *F. Leo:* Heyne, a.a.O., S. 233; *H. Dörrie:* Sinn und Funktion des Mythos in der griechischen und römischen Dichtung (Rheinisch-Westfälische Akademie der Wissenschaften, Vorträge G 230), 1978; *W. Burkert,* a.a.O., S. 163.

63. *E. Howald (Hg.):* Der Kampf um Creuzers Symbolik. Eine Auswahl von Dokumenten, 1926, S. 22; vgl. ebd., S. 77 ff., und zur Heyne-Kritik, ebd., S. 8. Zur weiteren Entwicklung der klassischen Philologie im 19. Jahrhundert vgl. *W. Burkert,* a.a.O., S. 165–199 im Überblick.

64. Nachweise bei *O. Merk:* Biblische Theologie, a.a.O., S. 205 ff.

65. *F. C. Baur:* Rezension von G. Ph. Chr. Kaiser, Die biblische Theologie ..., Theil I.II, Erlangen 1813. 1814 (das Werk wurde erst 1821 vollendet), in: *E. G. Bengel (Hg.):* Archiv für die Theologie und ihre neueste Literatur, Bd. 2, 1818, S. 656–717, hier: S. 711; vgl. S. 666 f., 670 f.

66. *F. C. Baur,* a.a.O., S. 702 ff. u. ö.

tisch der Methodik der Mythenerforschung. Es will philosophisch, religionsgeschichtlich und historisch auf der Basis der Mythenklassifizierung dialektisch den »allgemeine(n) Gegensaz des Symbols und des Mythus« erfassen[67], um dialektisch die Einheit in der Vielfalt, die Vielfalt in der Einheit aus dem »Princip«, das in einer »Naturreligion« besteht[68], zu betonen: jene in philosophischer Dialektik Symbolik und Mythologie umschließenden »beide(n) Systeme, das Orientalische und das Christliche, zwischen welchen das Griechische und das Jüdische nur den vermittelnden Uebergang bilden.«[69] Baur bezieht die Breite der Mythensammlung und -forschung seiner Zeit ein und setzt in besonderem das monumentale Werk Creuzers in kritischer Aufnahme voraus[70] und gibt in seiner Deutung etwa der Mythencharakterisierung des Apollodor Kenntnis und Weiterführung von Heynes Ausführungen zu erkennen[71], auf den er ebenso verweist[72], wie er klassische Philologen (bes. *K. O. Müller)*[73] und Althistoriker (bes. *B. G. Niebuhr)* einbezieht[74]. Neben Creuzer wird auf *Schlegel* (Heyne-Schüler) verwiesen[75] und vornehmlich der katholische Exeget *J. L. Hug* hervorgehoben: »Wir tragen kein Bedenken, hier der scharfsinnigen, mit unserer Ideenreihe ganz zusammenstimmenden Deutung zu folgen, welche Hug in seinen noch nicht gehörig gewürdigten und benüzten Untersuchungen über den Mythos der berühmten Völker der alten Welt, vorzüglich der Griechen ...« geltend gemacht hat[76]. Was Heyne und die »mythische Schule« unterschieden und doch unter dem Generellen des Mythos historisch und hermeneutisch verbanden, wird bei Baur nach einem halben Jahrhundert Mythenerforschung und im vielfachen Spektrum philosophischer Strömungen der Zeit zum Gegensätzlichen: »Wie wir es bei

---

67. *F. C. Baur:* Symbolik und Mythologie oder die Naturreligion des Althertums, Bd. I.II, Stuttgart 1824. 1825, hier: Bd. I, S. 300.
68. *F. C. Baur:* Symbolik, a.a.O., Bd. I, S. 165 f.; vgl. ebd., S. 218, 279, 300 f. u. ö.
69. *F. C. Baur:* Symbolik, a.a.O., Bd. II, S. 454.
70. Zu Baurs Beziehung zu G. F. Creuzer vgl. *M. M. Münch,* a.a.O., S. 36,120; zur Bedeutung Heynes für Creuzer, ebd. S. 10, 54 f. u. ö.; s. auch *G. F. Creuzer:* Symbolik und Mythologie, a.a.O., Bd. I, Vorwort; *F. C. Baur:* Symbolik, a.a.O., Bd. I, S. IV.
71. *F. C. Baur:* Symbolik, a.a.O., Bd. I, S. 364, 369 f.; vgl. Bd. II, S. 95.
72. *F. C. Baur:* Symbolik, a.a.O., Bd. I, S. 364; Bd. II, S. 275.
73. *F. C. Baur:* Symbolik, a.a.O., z. B. Bd. I, S. 237 u. ö.; Bd. II, S. 40.
74. *F. C. Baur:* Symbolik, a.a.O., Bd. I, S. 295; Bd. II, S. 21 Anm.+ (unter S. 22); S. 317 Anm.+ (unter S. 318).
75. *F. C. Baur:* Symbolik, a.a.O., Bd. II, S. 147.
76. *J. L. Hug:* Untersuchungen über den Mythos der berühmtern Völker der Alten Welt bezüglich der Griechen, dessen Entstehen, Veränderungen und Innhalt, Freyburg/Konstanz 1812. Es ist ein Werk, das Baurs Untersuchung in Materialdichte und -wertung erheblich nahesteht, nicht zuletzt, da Heyne und Creuzer aufgenommen und weitergeführt werden; vgl. S. 12, 16, 19, 82 ff., 194 (Heyne »ein Gelehrter von ausgebreitetem Verdienste und Ruhme«, was wissenschaftlich begründete Kritik nicht ausschließt, ebd.), 279 ff., 319 ff.; vgl. auch *M. M. Münch,* a.a.O., S. 120. Noch in späten Jahren hat *F. C. Baur* Hug hoch geschätzt (vgl. seine »Kirchengeschichte des neunzehnten Jahrhunderts«. Nach dem Tode des Verfassers hrg. v. E. Zeller, 1862, S. 27).

dem Symbol bemerkt haben, so sind auch hier [sc. beim Mythos] die beiden Gegensäze des Nothwendigen und Freien auf jeder dieser Stufen in einem umgekehrten Verhältniß zueinander.«[77] Die Mythenerforschung in ihrer Einheit bricht auseinander. Nicht Interpretation des Mythos, sondern das Kräftespiel philosophischer Paradigmen dient der Erfassung des Mythischen, um dialektisch den »große(n) Gegensaz zwischen Seyn und Werden, zwischen Natur und Freiheit ... als eine von der Einheit des Natur-Seyns ausgehende nach ethischer Individualität fortstrebende, und das ethisch-individuell Gesonderte an die göttliche Allheit wiederum anknüpfende Entwicklung« zu begreifen[78].

Das Creuzer vorgeworfene Fehlen von »dialectisch entwickelte(r) Definition der beiden Hauptbegriffe Symbol und Mythos«[79] verlangt nach Baur nicht nur nach einer »nachfolgenden philosophischen Behandlung« des Gesamtkomplexes[80]. Dabei hält er fest: »Den bekannten Vorwurf der Vermengung der Philosophie mit der Geschichte fürchte ich dabei nicht: ohne Philosophie bleibt mir die Geschichte ewig todt und stumm: ob aber bei der Construction eines einzelnen Mythus oder ganzen Religionssystems irgend eine subjektive willkührlich beschränkte philosophische Ansicht eingemischt worden sey, kann natürlich nur an Ort und Stelle mit historischen Gründen dargethan werden.«[81] Es geht um das dialektische und darin sich bekundende gegensätzliche Verhältnis von philosophischem und historischem Mythos zueinander[82].

Die philosophischen Implikationen, besonders die Überbietung von Schleiermacher, Schelling und Creuzer und die möglicherweise im Bezug von »Mythologie« und »Ethik« teilweise Anknüpfung an Kant[83], können hier nicht weiter verfolgt werden[84]. Festzuhalten aber ist: Die Mythendeutung der Neologie, repräsentiert durch die »mythische Schule«, und die der Romantik ist – mit Baurs philosophischen Vorläufern – in die Sicht des spekulativen Idealismus überführt und damit wesentlich der bibelwissenschaftlichen Mythenerforschung enthoben.

---

77. *F. C. Baur:* Symbolik, a.a.O., Bd. I, S. 65.
78. *F. C. Baur:* Symbolik, a.a.O., Bd. II, S. 454.
79. *F. C. Baur:* Symbolik, a.a.O., Bd. I, S. VIII.
80. *F. C. Baur:* Symbolik, a.a.O., Bd. I, S. VIII.
81. *F. C. Baur:* Symbolik, a.a.O., Bd. I, S. XI f.
82. *F. C. Baur:* Symbolik, a.a.O., Bd. I, S. 64 f.
83. *F. C. Baur:* Symbolik, a.a.O., Bd. I, S. 300; Bd. II, S. 223, 265, 271, 279, 281 (Anm.+), 429 (Anm.+), 454 u. ö., womit sich Baur, sofern die möglicherweise vorliegenden Anspielungen so zu deuten sind, hier im Gegensatz zur ›mythischen Schule‹ befindet; vgl. *O. Merk:* Biblische Theologie, a.a.O., S. 54 ff., 84 ff., 130 ff., 287 u. ö.; vgl. auch *R. Verneaux:* Le vocabulaire de Kant, Bd. I.II, Philosophie de l'Esprit, 1967. 1973 (passim).
84. Vgl. *P. Friedrich:* Ferdinand Christian Baur als Symboliker (Studien zur Theologie und Geistesgeschichte des Neunzehnten Jahrhunderts, Bd. 12), 1975, S. 41 ff.; *K. Berger:* Exegese und Philosophie (Stuttgarter Bibelstudien 123/124), 1986, S. 28 ff.

2. Die Lage zwischen Baurs Hauptwerk zur Mythologie und dem Erscheinen von D. F. Strauß' »Leben Jesu, kritisch bearbeitet« (Stuttgart 1835/36) und der beginnenden Diskussion über dieses Werk läßt sich mehrfach charakterisieren:

a) Die (schon genannte) altphilologische Kritik an der »mythischen Schule« mit ihren Konsequenzen hat gleichwohl die Bearbeitung antiker Mythen anhand der literarischen Zeugnisse nicht ausgelöscht. *K. O. Müllers* Werk »Prolegomena zu einer wissenschaftlichen Mythologie« (Göttingen 1825)[85] bleibt eine bedenkenswerte Grundlage[86]. Wichtiger wirkte sich aus, daß der Philosoph *Christian Hermann Weiße* in einer Abhandlung über die griechische Mythologie (1828) in kritischer Auseinandersetzung mit der altphilologischen Forschung seiner Zeit und mit Creuzers Werk die Untersuchung des Mythos allein religionsphilosophisch, nicht bibelwissenschaftlich oder speziell altphilologisch zu behandeln ansieht[87]. Auch die herbe Kritik des Philosophen *J. F. L. George* in seinem Werk »Mythus und Sage. Versuch einer wissenschaftlichen Entwickelung dieser Begriffe und ihres Verhältnisses zum christlichen Glauben« (Berlin 1837), die Gabler und Heyne gilt, blieb nicht wirkungslos: »So verkennt ... Gabler vollkommen den Charakter des Mythos«, und Heyne wird insgesamt eine schwache Leistung vorgehalten[88].

b) Die Kritik an der Mythenerforschung überhaupt, die schon zur Zeit der »mythischen Schule« durchaus lebhaft war, fand in *Johann Jacob Heß* ihren ersten nachwirkenden Vertreter durch dessen Abhandlung »Gränzenbestimmung dessen, was in der Bibel Mythos ... ist« (1792)[89]. Allseitig deutliche, aber auch versteckte Kritik an Heyne, Eichhorn und Gabler[90] gipfelt in der Gesamtfeststellung: »Ich stehe an, ob ich das alte *typische Allegorisieren* nicht noch fast lieber wollte, als dieß neue *Mythologisieren.«* Denn Untersuchungen zur Mythenerforschung auf biblischem Felde »dürften in Kurzem auf Resultate führen, die dem Ansehn der Bibel, ja selbst ihrem wichtigsten Innhalt ... vollends den Stoß gäben«[91].

---

85. *K. O. Müller,* a.a.O., bes. S. 124 ff., 317 ff., 331 ff.

86. Bes. für *D. F. Strauß:* Das Leben Jesu, kritisch bearbeitet, Bd. I.II, 2. Aufl., Tübingen 1837.

87. *Chr. H. Weiße:* Ueber den Begriff, die Behandlung und die Quellen der Mythologie. Als Einleitung in die Darstellung der griechischen Mythologie. Erster Theil: Darstellung der griechischen Mythologien, Leipzig 1828, S. 20; S. VIII ff. u. ö.

88. *J. F. L. George:* Mythus und Sage. Versuch einer wissenschaftlichen Entwickelung dieser Begriffe und ihres Verhältnisses zum christlichen Glauben, Berlin 1837, S. 100 f.

89. *J. J. Heß:* Gränzenbestimmung dessen, was in der Bibel Mythos, Anthropopathie, personificierte Darstellung, Poesie, Vision, und was wirkliche Geschichte ist. Erster Abschnitt, welcher sich auf den Mythos beziehet, in: Bibliothek der heiligen Geschichte. Beiträge zur Beföderung (sic!) des biblischen Geschichtstudiums mit Hinsicht auf die Apologie des Christenthums. Von Johann Jacob Heß, Zweyter Theil, Frankfurt und Leipzig 1792, S. 153–254.

90. *J. J. Heß,* a.a.O., S. 176, 182, 211, 244, 251.

91. *J. J. Heß,* a.a.O., S. 253 f.

Das folgenreichste Werk in dieser Richtung legte *August Ludwig Christian Heydenreich* vor: »Ueber die Unzulässigkeit der mythischen Auffassung des Historischen im neuen Testament und im Christenthume« (3 Bde, Herborn 1831; 1833; 1835). Es handelt sich um eine der gründlichsten Untersuchungen der Argumente der »mythischen Schule«, um deren Unhaltbarkeit und Unnützlichkeit zu erweisen. Nicht die völlig unkritische Meinung des Verfassers ist hier anzuführen[92], sondern der Sachverhalt, daß Heydenreich Mythenerforschung angesichts literarkritischer Überlegungen im Neuen Testament für überflüssig und unbegründet hält. Breite Überlegungen zum Verhältnis und zur Abhängigkeit der Evangelien untereinander kennzeichnen das Werk[93]. Die vielfältige Kritik im 19. Jahrhundert daran, daß das Neue Testament Mythen enthalte, bediente sich unmittelbar und mittelbar dieses Kompendiums der Mythenkritik. Nur wenige – auch in der Auseinandersetzung mit D. F. Strauß – haben es zugegeben – wie etwa *L. F. O. Baumgarten-Crusius*[94] –, durch dieses Werk beeinflußt zu sein. Nicht nur in der literarkritischen, einleitungswissenschaftlichen Entgegensetzung gegen die Mythenerforschung überhaupt, sondern auch in einem theologisch höchst brisanten Punkt hat Heydenreichs Kritik nachgewirkt: Heilsgeschichte und Mythologie schließen sich aus[95].
Die »Erlanger Schule« des 19. Jahrhunderts konnte hier anknüpfen. *J. Chr. K. von Hofmann*[96], selbst nicht als Heilsgeschichtler einzuordnen, hat es aufgegriffen und gleichgerichtet wie Heydenreich gegen die Mythenerforschung – die ganze Epoche der Schriftauslegung seit Semler charakterisierend – gewandt: »Weil man keines Heiles bedurfte, das nicht aus der Selbstentfaltung des genuin menschlichen Wesens hervorgegangen, sondern wunderbaren Ursprungs war, so durfte die Schrift für die Wirklichkeit einer wunderbaren, aus dem Gesetze sonstigen Geschehens unerklärlichen Geschichte nicht zeugen. Was sie derartiges berichtete, mußte Mythus sein«[97], um dann auf die nunmehr »wieder christliche Sinnesweise« der »Schriftauslegung« einzugehen[98]. Im übrigen spricht von Hofmann nahezu durchgehend überhaupt nicht von »Mythos«. Ebenso gibt es – ich greife hier bewußt zeitlich voraus – in der nachbaurschen konserva-

---

92. *A. L. Chr. Heydenreich:* Ueber die Unzulässigkeit der mythischen Auffassung des Historischen im neuen Testament und im Christenthume, Erste Abtheilung, Herborn 1831; Zweites Stück, Herborn 1833; Drittes und letztes Stück, Herborn 1835, hier: Bd. I, S. 46 ff.
93. *A. L. Chr. Heydenreich,* a.a.O., Bd. I, S. 98 ff.; Bd. II, S. 48.
94. *L. F. O. Baumgarten-Crusius:* De mythicae evangeliorum interpretationis indole atque finibus, in: *ders.:* Opuscula theologica pleraque nondum edita, Jenae 1836, S. 243–264.
95. *A. L. Chr. Heydenreich,* a.a.O., Bd. I, S. 49, 59; Bd. III, S. 89 ff.
96. Zu diesem zuletzt *F. Mildenberger:* Art. Johann Christian Konrad von Hofmann (1810–1877), in: TRE 15 (1986), S. 477–479.
97. *J. Chr. K. von Hofmann:* Biblische Hermeneutik. Nach Manuskripten und Vorlesungen hg. von W. Volck, 1880, S. 22.
98. *J. Chr. K. von Hofmann,* a.a.O., S. 23; vgl. ebd., S. 28 f., 30 ff.

tiven Ära, der der sehr eigenständige von Hofmann ebenfalls nicht zuzuordnen ist, keine Diskussion über »Mythos«. Er existiert als Problem und Forschungsgegenstand nicht, und er konnte nicht vorhanden sein, wenn man sich der Persönlichkeit Jesu und der der Evangelisten bewußt ist, wie schon Heydenreich betonte[99]. Im übrigen scheint, so der recht oberflächliche Artikel »Mythus« in RE[1] (1858), um die Mitte des 19. Jahrhunderts die schlimmste Gefahr gebannt, denn die »Persönlichkeit« Jesu ist im Kampf gegen den Mythos erfolgreich herausgearbeitet: »Damit ist die mythische Auffassung der gesammten neutestamentlichen Geschichte wohl zurückgewiesen«, wofür auch Paulus als Kenner und Kronzeuge des Evangeliums spreche[100].

c) *M. L. de Wette* mit seiner Position, in der im Unterschied zur »mythischen Schule« hermeneutisch die Ansicht vertreten wird, es sei nicht das historische Faktum eines Mythologems zu eruieren, da das Historische im Mythos aufgehe, formuliert: »Jede Relation ist ein Ganzes und als Ganzes gegeben und als Ganzes zu nehmen: wir können nicht willkührlich hineingreifen und uns davon wählen, was uns beliebt.«[101] Darauf hat die »mythische Schule« durch einen jüngeren Vertreter, *G. W. Meyer,* »Apologie der geschichtlichen Auffassung der historischen Bücher des Alten Testaments, besonders des Pentateuchs, im Gegensatz gegen die bloß mythische Deutung des Letzten. Ein Beitrag zur Hermeneutik des Alten Testaments« (Sulzbach 1811), gezielt antworten lassen mit dem Ergebnis (und auch Eingeständnis?), daß »das Verhältnis Mythos und Historie ... zum unvermeidlichen Problem« für die Bibelwissenschaft werden mußte[102]. Auf »de Wettes philosophisch-anthropologische Begründung des Mythos« und ebenso auf seine Auffassung, »aus dem Wesen des Mythos« seine »resultierende ideal-ästhetische Auslegungsweise« zu erheben, muß ich hier verzichten[103]. Wohl aber ist festzuhalten, daß gerade durch de Wettes Bestimmung *»des Verhältnisses von Mythos und Geschichte«* der Mythos selbst eine »geschichtenerzeugende« Eigenmächtigkeit erhält, die die seit Heyne gültige Mytheneinteilung praktisch außer Kurs setzte. Das hatte weitreichende Konsequenzen: Es öffnete der

---

99. *A. L. Chr. Heydenreich,* a.a.O., Bd. II, S. 111 u. ö.

100. *L. Pelt:* Art. Mythus, mit Beziehung auf die heilige Schrift, in: Protestantische Realencyklopädie, Bd. 10 (1858), S. 171–176 (Zitat S. 175).

101. *W. M. L. de Wette:* Beiträge zur Einleitung in das Alte Testament, Bd. II, Berlin 1807, S. 16; vgl. ebd., S. III, IV, 214, 407 (Anm.+) u. ö.; dazu *Chr. Hartlich/W. Sachs,* a.a.O., S. 91 ff.; *R. Smend:* De Wette und das Verhältnis zwischen historischer Bibelkritik und philosophischem System im 19. Jahrhundert, in: Theologische Zeitschrift 14 (1958), S. 107–119.

102. *Chr. Hartlich/W. Sachs,* a.a.O., S. 102; vgl. S. 98 ff.

103. *Chr. Hartlich/W. Sachs,* a.a.O., S. 102 ff., 111 ff.

kantisch-friesschen Philosophie für die Bestimmung des und Einsicht in den Mythos die Tore[104].

d) Leonhard Usteri bot 1832 in einem Aufsatz »Beitrag zur Erklärung der Versuchungsgeschichte«[105] eine Skizze, die zusammengefaßt das Grundgerüst von D. F. Strauß' Konzeption zeigte. Strauß hat das selbst voll anerkannt. Ich verkürze die Argumentation auf den entscheidenden Satz: »Diese drei nun, die religiöse Idee, die geschichtliche Form, die vorgeschichtliche Zeit, wozu noch die Dunkelheit der Entstehung als Sage hinzukommt, charakterisieren die Erzählungen von der Versuchung Christi als Mythos.«[106]

3. Auf diesem breit gefächerten Hintergrund ist *D. F. Strauß,* »Das Leben Jesu, kritisch bearbeitet« (Band I.II, Tübingen 1835/36), zu sehen. Auch auf dem Hintergrund der Mythenerforschung seit Heyne wird deutlich, daß »das Strauss'sche Leben Jesu ... durch die Nothwendigkeit der Sache selbst hervorgerufen« wurde[107] und »der schon lange zusammengehäufte Brennstoff in lichterlohe Flammen gerieth«[108], wenngleich speziell seiner Mythen*deutung* im übertragenen Sinne Baurs Bemerkung gilt: »Die Sache hat ohnedies für mich nichts Neues.«[109]

Da *Hartlich/Sachs* und die neuere/neueste Straußforschung das Wesentliche zum anstehenden Werk dargelegt haben, können hier einige Striche genügen:

a) Strauß faßt in Bd. I, S. 1–76, in einer erstaunlich konsequenten Weise

---

104. Vgl. zusammenfassend *Chr. Hartlich/W. Sachs,* a.a.O., S. 120: »So sehr bei deWette der Mythos als notwendige und bleibende religiöse Ausdruckskategorie in der anthropologischen Struktur des menschlichen Erkenntnisvermögens verankert erscheint, so kennt doch deWette grundsätzliche Unterschiede im Verhältnis zum Mythos: es gibt einen naiven, einen dogmatischen und einen kritischen Gebrauch des Mythos. Naiv gebraucht ist der Mythos in der religiösen Poesie, die unbewußt dichtend sich im Medium der Bildlichkeit bewegt. Dogmatisch ist der falsche Gebrauch der mythischen Bilder, worin sie für die Sache selbst genommen werden. Kritisch ist das ideal-ästhetische Verständnis der mythischen Bildlichkeit auf Grund der philosophischen Einsicht in ihren Ursprung und ihre Grenzen«; vgl. zum Hintergrund auch *R. Smend,* a.a.O.

105. *L. Usteri:* Beiträge zur Erklärung der Versuchungsgeschichte, in: Theologische Studien und Kritiken 5 (1832), S. 768–791.

106. *L. Usteri,* a.a.O., S. 790f.; vgl. ebd., S. 781ff. (zur Bestimmung des Mythos), 786f.; *D. F. Strauß:* Das Leben Jesu, kritisch bearbeitet, Bd. I, Tübingen 1835, S. 66, 69ff.

107. *F. C. Baur:* Kirchengeschichte des Neunzehnten Jahrhunderts, a.a.O., S. 359.

108. *F. C. Baur:* Kirchengeschichte des Neunzehnten Jahrhunderts, a.a.O., S. 363; vgl. *A. Schweitzer:* Geschichte der Leben-Jesu-Forschung, 2. Aufl., 1913, Anhang I, S. 643–646; *F. Courth:* Die Evangelienkritik des D. Fr. Strauß im Echo seiner Zeitgenossen. Zur Breitenwirkung seines Werkes, in: *G. Schwaiger (Hg.):* Historische Kritik in der Theologie. Beiträge zu ihrer Geschichte, a.a.O., S. 60–98; *E. G. Lawler:* David Friedrich Strauss and His Critics. The Life of Jesus Debate in Early Nineteenth-Century, in: German Journals. American University Studies, Ser. VII, Vol. 16, 1986, bes. S. 47ff., 65ff., 99ff.

109. *F. C. Baur:* Kirchengeschichte des Neunzehnten Jahrhunderts, a.a.O., S. 397.

die bisherige Mythenerforschung radikalisierend und zielgerichtet zusammen. Sowohl die »rationalistische« als auch die »konservative Deutung« der Evangelienauslegung ständig gegeneinander ausspielend[110], zeigt er deren beider Unhaltbarkeit, indem er mit innerer Stringenz die mythische Deutung auf den Plan hebt: »Der neue Standpunkt, der an die Stelle der bezeichneten treten soll, ist der mythische.«[111]

b) Strauß greift sowohl die Einsichten und Ergebnisse der »mythischen Schule« als auch die Breite der Mythenerörterung der spekulativen Philosophie wie auch der Altphilologie, ja im Grunde alles, was an Mythenerforschung seiner Zeit diskutiert wurde, auf, ohne ein Mixtum mythologicum zu fertigen. Daß erstaunlicherweise *nicht* Hegel ein Motor seiner Mythenkritik ist, hat bereits sein Lehrer F. C. Baur betont und ist seitdem vielfach aufgezeigt worden. Bei Baur heißt es: »Allein den kritischen Geist, aus welchem das Werk hervorging, hatte Strauss nicht aus der Hegelschen Schule, die schon lange existierte, ohne ein kritisches Element dieser Art aus sich zu entwickeln.«[112]

c) Strauß radikalisiert die Ansichten der »mythischen Schule« *und* die der philosophischen Mythologie und läßt beide in der Weise aufeinandertreffen, daß er besonders G. L. Bauers Ansatz auf den ganzen evangelischen Stoff überträgt: Nicht eine Reihe von Mythen sind in den Evangelien zu finden, sondern der gesamte Stoff ist mythisch. Eine Konsequenz, die schon Gabler mehr als nur angedeutet hatte, ist jetzt voll gezogen. Aber damit verbindet Strauß die Kritik – und hier die philosophische Mythenerforschung aufnehmend –, die »mythische Schule« habe »den Begriff des Mythos nicht rein als Einkleidung urchristlicher Ideen oder als absichtslos dichtende Sage verstanden«[113]. »Nimmt man dieß Alles zusammen, so wird die Annahme der Mythen in allen Theilen der evangelischen Geschichte wenig mehr im Wege stehen. Die Benennung, Mythen, selbst aber wird bei Verständigen ebenso wenig Anstoß erregen, als jemals ein bloßes Wort

---

110. So mit Recht *W. G. Kümmel:* Das Neue Testament. Geschichte der Erforschung seiner Probleme (Orbis Academicus III/3), 2. Aufl. 1970, S. 147 f.

111. *D. F. Strauß:* Das Leben Jesu, kritisch bearbeitet, Bd. I.II, Tübingen 1835/1836, hier: Bd. I, S. IV; vgl. – auch zum Folgenden – Bd. I, S. 36, 40 f., 44 f., 46 ff.

112. *F. C. Baur:* Kirchengeschichte des Neunzehnten Jahrhunderts, a.a.O., S. 359, 375 (Die Hegelianer »wollten von der von Strauss behaupteten Verwandtschaft mit der Hegelschen Philosophie nichts wissen«); *O. Kühler:* Sinn, Bedeutung und Auslegung der Heiligen Schrift in Hegels Philosophie. Mit Beiträgen zur Bibliographie über die Stellung Hegels (und der Hegelianer zur Theologie, insbesondere) zur Heiligen Schrift (Studien und Bibliographien zur Gegenwartsphilosophie 8), 1934, bes. S. 35 ff., S. 97 Anm. 361; S. 98 Anm. 368; *Chr. Hartlich/W. Sachs,* a.a.O., S. 125, 138 f.; *W. G. Kümmel:* Das Neue Testament, a.a.O., S. 538 Anm. 160 a; S. 539 Anm. 164 a.; *O. Merk:* Über David Friedrich Strauß, in: Zeitschrift für Religions- und Geistesgeschichte 23 (1971), S. 143 ff.; *K. Berger,* a.a.O., S. 48 ff. (passim). Auch *H. Glockner:* Hegel-Lexikon, Bd. 2, 2. Aufl., 1957, S. 1603–1605 weist den Sachverhalt aus.

113. *W. G. Kümmel:* Das Neue Testament, a.a.O., S. 148.

einen solchen hervorbringen sollte. Denn Alles, was durch die Erinnerung an die heidnische Mythologie jenem Worte Zweideutiges anklebt, schwindet ja durch die bisherige Ausführung, welcher zufolge unter neutestamentlichen Mythen nichts Andres, als geschichtartige Einkleidungen urchristlicher Ideen, gebildet in der absichtslos dichtenden Sage, zu verstehen sind.«[114]

d) »Immer aber wird die Gränzlinie zwischen dem Geschichtlichen und Ungeschichtlichen in Berichten, welche, wie die evangelischen, dieses letztere Element in sich aufgenommen haben, eine schwankende und fließende bleiben.« Das »Auslöschen aller dafür gehaltenen historischen Lichter«, wie Strauß schreibt und seinem Werk eine so starke negative Wirkung aufprägte[115], aber heißt nicht, daß er in seinem »Leben Jesu« das historische Element völlig eliminiert habe. Es ist durchaus ein Gerippe zu erkennen, das mehr aus der evangelischen Geschichte erheben läßt als das Daß des Gekommenseins Jesu, für Strauß gebündelt darin, daß sich Jesus in seinem Wirken zunehmend stärker für den Messias hielt.

Was Strauß – ohne selbst Exeget oder Historiker sein zu wollen – mit seiner Radikalisierung der mythischen Fragestellung der neutestamentlichen Wissenschaft aufdrängte, war, »die geschichtliche Erforschung des Neuen Testaments in voller Konsequenz in Angriff zu nehmen«[116]. Er selbst hat freilich in seinem Werk die dazu notwendige quellenkritische Frage sträflich vernachlässigt und der Interpretation ein solches Übergewicht gegeben, daß sich ihm die zu rekonstruierende Basis verflüchtigte.

F. C. Baur hat dies scharfsinnig so charakterisiert: »1) Die größte Eigenthümlichkeit des Werks ist, daß es eine Kritik der evangelischen Geschichte ohne eine Kritik der Evangelien gibt«; »2) Eine solche Trennung der Kritik der Geschichte von der Kritik der Schriften war nur auf der damaligen Entwicklungsstufe der neutestamentlichen Kritik möglich.«[117]

Strauß hatte durchaus die Mythenerforschung der »mythischen Schule« im Blick, aber er hat den Zusammenhang, in dem deren Diskussion gezielt stand, ausgeblendet, nämlich jene Methodendiskussion über das sich bedingende Verhältnis von Interpretation und Rekonstruktion zueinander.

e) Die eigentliche Antwort auf Strauß' Mythenerfassung konnte darum im kritischen Lager nur die Rekonstruktion im weitesten Sinne sein. So gewiß manche literarkritischen Beobachtungen der Zeit zusammentrafen, etwa des Lobeck-Schülers *Carl Lachmann*s Begründung der Markus-Priorität

---

114. *D. F. Strauß,* a.a.O., Bd. I, S. 74f.

115. *D. F. Strauß:* Das Leben Jesu, kritisch bearbeitet, 4. Aufl., 1840, Bd. I, S. 107f.

116. *W. G. Kümmel:* Das Neue Testament, a.a.O., S. 155.

117. *F. C. Baur:* Kritische Untersuchungen über die kanonischen Evangelien, ihr Verhältniß zueinander, ihren Charakter und Ursprung, 1847, S. 141.

(1835)[118], des Philosophen *C. G. Wilcke* in die zwanziger Jahre reichenden ersten Darlegungen zur Zweiquellentheorie und des Philosophen *Christian Hermann Weißes* schon in die gleiche Richtung gehenden Überlegungen, die eigentliche Antwort auf Strauß war die gezielte Hinwendung zur Literarkritik. Chr. H. Weiße hat in umfassender Kritik an Strauß in weitgespannten Rezensionsaufsätzen und in seinem Werk »Die evangelische Geschichte kritisch und philosophisch bearbeitet« (Bd. I.II, Leipzig 1838)[119] die entsprechende Durchführung – ebenfalls gezielt gegen Strauß – angezeigt. Wiederum ist es *F. C. Baur,* der dies methodisch bündig ausspricht: »3) Wie jene Trennung der Kritik der Geschichte von der Kritik der Schriften die größte Einseitigkeit der Strauß'schen Kritik ist, so ist sie auch der Punkt, von welchem aus diese Kritik mit dem innern Triebe einer weitern Entwicklung über sich selbst hinausführt.«[120]

Die literarkritischen Lösungen hinsichtlich der Evangelien, die klare Abtrennung des Johannesevangeliums von den Synoptikern und das Verhältnis der Synoptiker untereinander sind hier nicht darzustellen. Festzuhalten ist allein dies: Strauß hat durch sein »Leben Jesu« wesentlich die literarkritische Forschung mit der endgültigen Lösung der Quellenfrage – als kritische Antwort auf sein Werk – intensiviert. Daß die Literarkritik des 19. Jahrhunderts, in *H. J. Holtzmanns* Werk über die »Synoptiker« (1863)[121] kulminierend, zugleich auf der Markusgrundlage das nicht durch Mythenerforschung zu hinterfragende »Leben Jesu« zur Folge hatte und darum auch für die »liberale Theologie« das Problem des Mythos in der neutestamentlichen Wissenschaft nicht existierte, ist offenkundig.

Somit ergibt sich: Von etwa 1840–1890 fällt die Mythenerforschung als Problemfeld neutestamentlicher Wissenschaft aus[122], wobei vor allem durch die kritische historische Forschung eine zwar durchaus anstehende Fragestellung weitergeführt wurde, die aber zugleich eine deutliche Ant-

---

118. *C. Lachmann:* De ordine narrationum in evangeliis synopticis, in: Theologische Studien und Kritiken 8 (1835), S. 570–590.

119. *Chr. H. Weiße:* Die evangelische Geschichte kritisch und philosophisch bearbeitet, Bd. I.II, Leipzig 1838; vgl. ebd. Bd. I, S. 4 ff.; *ders.:* Ueber den Begriff des Mythus und seine Anwendung auf die neutestamentliche Geschichte, in: Zeitschrift für Philosophie und speculative Theologie 4 (1839), S. 74–102, 211–254; 5 (1840), S. 114–141, bes. S. 114 ff., 126 ff., 135: »Für uns dagegen fallen beide Untersuchungen, die welche die Mythendichtung, und jene, welche die historische Ueberlieferung betrifft, auseinander«; vgl. auch *F. C. Baur:* Kirchengeschichte des Neunzehnten Jahrhunderts, a.a.O., S. 373 f.; *C. G. Wilcke:* Der Urevangelist oder exegetisch kritische Untersuchung über das Verwandtschaftsverhältniß der drei ersten Evangelien, Dresden/Leipzig 1838.

120. *F. C. Baur,* a.a.O., S. 41 und S. 41 ff.; *ders.:* Kirchengeschichte des Neunzehnten Jahrhunderts, a.a.O., S. 359 ff., 397.

121. *H. J. Holtzmann:* Die synoptischen Evangelien, ihr Ursprung und geschichtlicher Charakter, 1863.

122. *Chr. Hartlich/W. Sachs,* a.a.O., enden ihre Untersuchung zutreffend mit Strauß' Mythendeutung.

wort auf die Straußsche Mythenkonzeption war. Die Überführung der von Strauß gestellten Fragen in die Literarkritik bahnte zwar den Weg in eine konsequent historisch ausgerichtete neutestamentliche Forschung, aber sie war letztlich nur eine Teilantwort auf Strauß, weil die Interpretation des Mythos in ihrem Verhältnis zur Rekonstruktion im Rahmen der Geschichte des Urchristentums offenblieb.
Natürlich war die Mythenerforschung als solche im genannten Zeitraum nicht einfach ausgeschaltet. Schon die intensive Gnosisforschung im 19. Jahrhundert sorgte dafür, und die seit den 50er Jahren des vorigen Jahrhunderts lebhaft wiedererwachende religionsgeschichtliche Arbeit bietet – auch in der Exegese von biblischen Belegen – manchen Hinweis auf Mythen.

4. Dennoch konnte *W. Wrede* (1897) festhalten: »Wichtiger ... scheint mir die Einsicht, daß man der Literarkritik in der neutestamentlichen Theologie ... eine Rolle zuweist, die ihr einfach nicht zukommt.« »Auch wo es sich um richtige literarkritische Beobachtungen handelt, ist damit ... noch gar nichts ausgesagt über ihre *Bedeutung*.«[123]
Die von ihm angestrebte »urchristliche Religionsgeschichte« und darin – weiter gefaßt – die Entfaltung der Religion des Urchristentums war zugleich auch eine Wiederentdeckung des Mythos als eines Grundbereichs neutestamentlicher Arbeit. Jene Forschergruppe der Individualisten und doch gebunden durch ein *gemeinsames* neues Fragen nach der Religion, die wir »Religionsgeschichtliche Schule« nennen[124], konnte wieder ungezwungener vom Mythos reden. Die religionsgeschichtliche Methode, die ja nur sekundär – aber darin publikumswirksamer – dem Aufspüren religionsgeschichtlichen Vergleichsmaterials diente, ist in Wirklichkeit primär dem Verstehen der Religion verpflichtet. Das aber deckt auch die Frage der Mythenerforschung der »Religionsgeschichtlichen Schule« auf. Eine Aussage *H. Gunkel*s in seinem Werk »Zum religionsgeschichtlichen Verständnis des Neuen Testaments« (FRLANT 1, Göttingen 1903) kann verdeutlichen: »Mehrfach wird im folgenden gezeigt werden, dass Neutestamentliches an *Mythen* und *Mythisches* anklingt. Aber es ist davor zu warnen, dass man mit diesem Worte ohne weiteres den üblen

---

123. *W. Wrede:* Aufgabe und Methode der sogenannten Neutestamentlichen Theologie (1897), in: *G. Strecker (Hg.):* Das Problem der Theologie des Neuen Testaments (Wege der Forschung, Bd. CCCLXVII), 1975, S. 101.
124. Im Überblick jetzt *G. Lüdemann:* Die Religionsgeschichtliche Schule, in: *B. Moeller (Hg.):* Theologie in Göttingen. Eine Vorlesungsreihe, 1987, S. 325–361; *G. Lüdemann/M. Schröder:* Die Religionsgeschichtliche Schule. Eine Dokumentation (mit 80 Abbildungen), 1987; *G. Sinn:* Christologie und Existenz. Interpretation und Konzeption der paulinischen Christologie in der Theologie Rudolf Bultmanns und deren Voraussetzungen in der Religionsgeschichtlichen Schule, Diss.theol., Erlangen 1987, S. 5–151.

Nebenbegriff des Heidnischen, Wüst-Phantastischen, Verworrenen verbinde ... Das Mythische ist also an sich keineswegs eine Verirrung, sondern eine notwendige Phase des religiösen Denkens. In mythischer Form aber können sich die *köstlichsten Schätze der Religion* verbergen. Werfen wir also nicht unbesehen das Mythische weg«, Schale und Kern dürfen nicht ausgewechselt werden[125]. *P. Wernle* aber hält fest: »Was Paulus von Jesus aussagte, das war im Grunde ein Mythus und ein Drama, zu dem Jesus den Namen hergab.«[126] So gewiß dem Eindringen in die religionsgeschichtliche Forschung und damit auch dem Eruieren von Mythen ein deutlicher Durchbruch gelingt, letztlich bleibt hinsichtlich der Mythenfrage die »Religionsgeschichtliche Schule« bei vorsichtigen, in verschiedene Richtungen weisenden Ansätzen (etwa »Jesus-Paulus-Debatte«). Das hängt mit ihrer starken inneren Bindung an das Verständnis der Religion zusammen, wie es durch die liberale Theologie ihr eingeprägt war. Das Ineinander von Rekonstruktion und Interpretation ist hier noch nicht bewältigt[127] und mit Recht von einer späteren Generation neuen und auch anderen Lösungen zugeführt worden. Aber man wird im Hinblick auf Mythos *und* Religion zumindest einigen Vertretern der »Religionsgeschichtlichen Schule« (z. B. W. Bousset) bescheinigen dürfen, was *R. Bultmann* so zusammenfaßte: »Denn wenn (sc. in der ›Religionsgeschichtlichen Schule‹) nach der Religion gefragt wurde, so wurde im Grunde nach dem existentiellen Sinn der theologischen Aussagen des Neuen Testaments gefragt.«[128]
Gilt dies, dann öffnete sich in Abgrenzung und in kritischer Weiterführung der Arbeit der »Religionsgeschichtlichen Schule« – genaugenommen der Mythenerforschung seit der »Neologie« – die Frage nach dem Mythos und seinem Verstehen als grundlegende hermeneutische Aufgabe auch unseres Jahrhunderts, in die wir als Neutestamentler – ob wir es wollen oder nicht – eingebunden sind, weil die Auslegung der biblischen Zeugnisse unsere uns vordringlichst angehende Aufgabe bleibt.

---

125. *H. Gunkel:* Zum religionsgeschichtlichen Verständnis des Neuen Testaments, in: Forschungen zur Religion und Literatur des Alten und Neuen Testaments, 1. Heft, 1903, S. 14f.
126. *P. Wernle:* Die Anfänge unserer Religion, 1901, S. 329.
127. Die wichtigsten Belege sind zusammengestellt bei *G. Sinn,* a.a.O., bes. S. 38ff.; einzelne Aspekte auch bei *T. Koch:* Theologie unter den Bedingungen der Moderne: Wilhelm Herrmann. Die ›Religionsgeschichtliche Schule‹ und die Genese der Theologie Rudolf Bultmanns, Habil. Schr. Evang.-theol. Fak. Univ. München 1970, S. 82–146.
128. *R. Bultmann:* ›Geleitwort zur fünften Auflage‹ zu *W. Bousset:* Kyrios Christos. Geschichte des Christusglaubens von den Anfängen des Christentums bis Irenaeus, 5. Aufl., 1965, S. VI.

Mythische Vorstellungen als Mittel der Daseinsbewältigung in der gnostischen Jakobustradition

Wilhelm Pratscher

Ein *Mythos* ist eine Erzählung, in der der Mensch seine im positiven wie im negativen Sinn gegebene Abhängigkeit von jenseitigen Mächten artikuliert. Im Mythos enthüllt sich sein Woher und sein Wohin. Er erfährt in ihm den entscheidenden Beitrag zum Verständnis seines Standortes und seines Zieles im kosmischen Geschehen. Der Mythos wird zu einem grund-legenden Mittel zur *Bewältigung des Daseins.* Er hat insofern einen positiven, *sinnstiftenden Effekt.* Er hat aber andererseits auch einen *sinnverfehlenden Effekt,* sofern der sich mythisch Verstehende das im Mythos Ausgesagte objektivierend als unmittelbaren Ausdruck von Wirklichkeit sieht[1].

Der sinnverfehlende Effekt ist in besonders hohem Maße *in gnostischen mythischen Vorstellungen* gegeben. Der kosmologische und anthropologische Dualismus sowie die Enthüllung der Identität des Selbst mit Gott durch den Offenbarer sind wesentliche Charakteristika gnostischen Selbst- und Weltverständnisses[2]. Inwiefern mythische Vorstellungen in der gnostischen Jakobustradition zur Daseinsbewältigung beitragen und inwiefern dies nicht der Fall ist, soll im folgenden untersucht werden. Die in Frage kommenden Texte sind log 12 des Thomasevangeliums und die drei Jakobusschriften aus Nag Hammadi, die Epistula Iacobi Apocrypha (EpJac) sowie die erste und zweite Apokalypse[3] des Jakobus (1 ApJac; 2 ApJac)[4].

1. Thomasevangelium, log 12

Logion 12 des Thomasevangeliums lautet: »Die Jünger sagten zu Jesus: ›Wir wissen, daß du uns verlassen wirst. Wer ist es, der über uns groß werden wird?‹ Jesus sagte ihnen: ›Da, wo ihr hingegangen sein werdet, werdet ihr zu

---

1. Eine solche Aussage kann freilich nur derjenige machen, der sich nicht mehr unmittelbar mythisch versteht und motiviert.
2. Vgl. *S. Arai:* Zur Definition der Gnosis in Rücksicht auf die Frage nach ihrem Ursprung, in: *R. Rudolph (Hg.):* Gnosis und Gnostizismus (WdF 262), Darmstadt 1975, S. 646 ff.
3. Die übliche Bezeichnung »Apokalypse« für 1 ApJac und 2 ApJac ist ungenau; mit der Gattung »Apokalypse« haben beide Schriften im wesentlichen nur den pseudonymen Charakter gemeinsam. Vgl. *M. Krause:* Die literarischen Gattungen der Apokalypsen von Nag Hammadi, in: *D. Hellholm (Hg.):* Apocalypticism in the Mediterranean World and the Near East (Proceedings of the International Colloquium on Apocalypticism Uppsala, August 12–17, 1979), Tübingen 1983, S. 631 f.
4. Nicht behandelt werden Schriften und gnostische Gruppen, in denen sich die Jakobustradition nur in entfernter und zufälliger Form findet (Ägypterevangelium von Nag Hammadi, Naassener und Manichäer).

Jakobus dem Gerechten gehen, für den Himmel und Erde gemacht sind‹«[5]. Dieses Logion stammt aus judenchristlicher Tradition und versucht, den Herrenbruder Jakobus als die *entscheidende Gestalt der frühen* Kirche herauszustellen. Jakobus hat hier eine Position inne, die nach allgemein urchristlicher Tradition Petrus zukommt[6], ja diese noch bei weitem übertrifft.
Die Begründung dieser herausragenden Position erfolgt mit Hilfe einer kosmogonischen *mythischen* Aussage: seinetwegen seien Himmel und Erde geschaffen worden. Dieses Mythologoumenon wird verständlich, wenn es von frühjüdischen und -christlichen Parallelen her interpretiert wird. Die Erschaffung der Welt sei um der Menschheit willen erfolgt (SyrBar 14,18f.); sie sei aber vor allem um Israels willen erfolgt (4 Esr 6,55; GenR 1,4; Midr Kohel 2,2 u.ö.) bzw. um der Menschen willen, denen ein besonders toragemäßes Gottesverhältnis zugeschrieben wurde, wie Abraham, Mose, David oder dem Messias (GenR 1,7; bSan 98b u.ö.). In frühchristlichen Texten ist analog dazu von der Kirche bzw. den einzelnen Christen die Rede (Herm Vis II 4,1; Cypr EpistDon 14 [CSEL 3,1,15] u.ö.). Deren Wirken hat für die ganze Welt eine derart einmalige Bedeutung, daß in einer kaum zu überbietenden hyperbolischen Weise betont wird, ohne ihre zukünftige Existenz hätte Gott die Welt gar nicht geschaffen. Wird analog dazu Jakobus eine heilvolle Bedeutung für die ganze Welt zugeschrieben, so erst recht für die Christen, die sich auf ihn als den entscheidenden Traditionsträger berufen. In doppelter Hinsicht kommt ihnen die herausragende, heilvolle Bedeutung des Jakobus zugute: Zum einen in der direkten Weise, daß durch ihn das eschatologische Heil (zwar nicht geschaffen, wohl aber) vermittelt wird. Wer in seiner Tradition steht und an ihr festhält, gewinnt das endzeitliche Leben. Mit Hilfe des Mythos der urzeitlichen Auszeichnung des Jakobus vergewissert sich die ihn verehrende Gruppe auch der Authentizität des von ihm vermittelten Heils.
Zum anderen dient der Mythos in einer mittelbaren Weise der Daseinsbewältigung dieser Jakobusverehrer. Sie identifizieren sich mit der geliebten Gestalt des Herrenbruders. Was sie von diesem mit Hilfe einer mythischen Vorstellung aussagen, beziehen sie sekundär auch auf sich selbst. *Der Mythos wird so eine indirekte Hilfe zur Daseinsbewältigung.* Zwar behauptet die mythische Aussage auf der unmittelbaren Erzählebene nur eine einzigartige Stellung des Jakobus. Da eine solche Aussage ohne dahinterstehende Verankerung im Leben einer generierenden und tradierenden Gruppe aber nicht denkbar ist, ist deren Interesse als das eigentlich treibende anzusehen. Ein polemischer Ton ist dabei nicht zu übersehen.
Die dieses Logion tradierende Gruppe steht in Auseinandersetzung mit anderen christlichen Gruppen. Indem Jakobus eine bestimmte Auszeichnung

---

5. Übers. *H.-C. Puech*, in: *E. Hennecke/W. Schneemelcher:* Neutestamentliche Apokryphen in deutscher Übersetzung, I, 4. Aufl., Tübingen 1968, S. 209.
6. Vgl. nur die herausgehobene Position des Petrus im Dodekakreis und seine Protophanie.

zugesprochen wird, wird sie deren Leitfiguren gerade abgesprochen, d.h., diese anderen Gruppen werden in ihrem (sie natürlich ebenso legitimierenden) Selbstverständnis distanziert.
Im Gegensatz zur judenchristlichen Traditionsstufe fehlt Polemik dagegen in der Endgestalt des Logions im EvThom. Jakobus ist hier eingeordnet in eine Reihe anderer Garanten judenchristlicher Tradition[7] und dem eigentlichen Heros dieses Evangeliums, Thomas, nachgeordnet. Für die Traditionsträger dieser Stufe ist Jakobus nicht mehr die entscheidende, wenn auch noch sehr wichtige Identifikationsfigur. An dessen Größe zu partizipieren, lohnt sich sehr wohl. In dem Maße, in dem EvThom als Ganzes unter gnostischem Vorzeichen zu verstehen ist, ist auch Jakobus zu einem gnostischen Offenbarungsmittler geworden, auch wenn die gnostische Ausrichtung im EvThom erst ansatzweise sichtbar ist[8]. Eine Distanzierung der in log 12 durch eine Schöpfungsaussage begründeten Bedeutung des Jakobus fehlt. Die Rezipienten können diese mythische Aussage (noch) akzeptieren und in dem Maße, in dem sie sich dabei mit Jakobus identifizieren, auch ihre eigene Bedeutung artikuliert sehen. *Was für die judenchristliche Tradition gilt, daß eine mythische Aussage zur Artikulierung des eigenen Daseinsverständnisses und damit zur Bewältigung desselben dient, gilt mutatis mutandis auch für die gnostische.*

2. Epistula Iacobi Apocrypha

Die Epistula Iacobi Apocrypha gibt sich als eine Geheimschrift aus, die der Herrenbruder Jakobus einem Adressaten schickte, dessen Name im Manuskript nur fragmentarisch erhalten ist; wahrscheinlich ist Kerinth gemeint[9]. Jakobus ist in der Endfassung der EpJac die dominierende Gestalt. Darauf weist nicht nur seine Verfasserschaft an dieser und einer weiteren schon zehn Monate früher an denselben Adressaten gesandten Geheimschrift hin[10], sondern insbesondere die Autorität, mit der er die anderen Jünger[11] zwecks Vermeidung von Gefährdung an entfernte Orte sendet (16,5ff.). Das Motiv ist

---

7. Außer Jakobus sind genannt: Thomas (Prolog, log 13, Postskript); Petrus (log 13; 114); Matthäus (log 13); Maria (log 21, 114) und Salome (log 61).

8. *H. Koester:* The Gospel of Thomas (II,2), in: *M. W. Meyer (Hg.):* The Nag Hammadi Library in English, New York u.a., 1977, S. 117.

9. *H.-M. Schenke:* Der Jakobusbrief aus dem Codex Jung, in: OLZ 66 (1971), S. 119; *H.-F. Weiß:* Das Gesetz in der Gnosis, in: *H.-W. Tröger (Hg.):* Altes Testament – Frühjudentum – Gnosis. Neue Studien zu »Gnosis und Bibel«, Gütersloh 1980, S. 84 (ebd. Anm. 68 weitere Vertreter).

10. »Das ›zweimalige Schreiben‹ bekräftigt das einmalige Schriftstück«: *D. Kirchner:* Epistula Jacobi Apocrypha. Die erste Schrift aus Nag-Hammadi-Codex I (Codex Jung), Diss. Ost-Berlin 1977, S. 127.

11. Mit Jakobus ist sicher der Herrenbruder gemeint, wie aus dem Jerusalem- und dem Gebetsmotiv zu erkennen ist (16,8). Er gehört nach 1,24f. zum Dodekakreis. Mit welchem Jakobus dieses Kreises er identifiziert wird, ist nicht mit Sicherheit zu sagen, wahrscheinlich ist an den Zebedaiden gedacht (eine ähnliche Konfundierung dürfte auch in der von Clemens von Alex, bei Eus HE II 1,4 zitierten Tradition vorliegen).

also nicht unmittelbar Mission, sondern die Vermeidung von Schwierigkeiten, die sich aus ihrer Existenz und aus ihrem Wissen ergeben (könnten)[12].
Damit ist auch das *Thema des Apokryphons* angedeutet: Es sind *Mitteilungen des Auferstandenen zur Bewältigung des Lebens insgesamt sowie zur Bewältigung konkreter, mit Verfolgung und Leiden verbundener Alltagserfahrungen,* die die Adressaten aufgrund ihres Glaubens machen oder die sie zumindest bedrohen.
Der theologische Standort läßt sich wenigstens andeutungsweise erkennen. Er scheint im Übergang von einer judenchristlichen zu einer gnostischen bzw. gnostisierenden Grundhaltung zu bestehen. Den judenchristlichen Hintergrund zeigen neben der Vorrangstellung des Jakobus die Parallele in der Christologie zwischen EvHebr fragm. 2f. und EpJac 6,20, die Trias von Glaube, Liebe und Werken (8,12 ff.) und der Reflex der Pellatradition (11,20 ff.). Doch beginnen gnostische Vorstellungen eine viel größere Rolle zu spielen. Eine Reihe von Termini taucht auf, die in der Gnosis eine besondere Wertschätzung und Akzentuierung erfahren haben: Gnosis (8,26 f.; 9,19.27); Füllung (2,35; 4,6 ff.); Pneuma (5,22; 9,28; 14,34); Licht (9,11); Leben (3,25); Erwähltsein (6,14); Schlaf (9,33); Nüchternsein (8,29); Trunkenheit (3,10 vid); Krankheit (3,26 ff.) u. a. Typisch gnostische Lehren fehlen allerdings: der kosmische Dualismus, Äonenemanationen, Sünde als Unwissen, verschiedene Menschenklassen, Losungsworte beim Seelenaufstieg u. a. Man wird die hinter EpJac stehende Gruppe zwar nicht für nichtgnostisch halten können[13], sie ist aber von den entwickelten gnostischen Systemen trotz gewisser Parallelen[14] noch weit entfernt[15].
Das Dasein insgesamt, wie bestimmte leidvolle Erfahrungen, die die Angesprochenen aufgrund ihres Glaubens machen, werden auf verschiedene (nicht nur mythisch orientierte) Weisen zu bewältigen gesucht. Recht nahe an gnostischem Daseinsverständnis ist die Bezeichnung der Existenz als Kranksein. Der vom Himmel kommende Erlöser hat »euch geheilt ..., als ihr krank

---

12. Man wird nicht an eine großangelegte Verfolgung zu denken haben, sondern eher an Repressalien seitens des Pöbels bzw. einzelner lokaler staatlicher Organe; *J. Helderman:* Anapausis in the Epistula Jacobi Apocrypha, in: *R. McL. Wilson (Hg.):* Nag Hammadi and Gnosis (NHS 14), Leiden 1978, 39, scheint aber zu zurückhaltend zu urteilen, wenn er nur an Belästigungen durch den Pöbel denkt; die Wertung des Martyriums als nota electionis (6,12 ff.) und die Forderung, gegebenenfalls das Martyrium auf sich zu nehmen (6,14 ff.), deuten auf eine größere Gefährdung.
13. Ganz zurückhaltend im Hinblick auf einen gnostischen Charakter *W. C. van Unnik:* Evangelien aus dem Nilsand, Frankfurt/Main 1960, S. 100 f.
14. *Kirchner:* Epistula, S. 109 ff.; *F. E. Williams:* The Apocryphon of James; I,2, 1.1–16.30, in: *H. W. Attridge (Hg.):* Nag Hammadi Codex I (The Jung Codex). Introductions, Texts, Translations, Indices (NHS 22), Leiden 1985, S. 22: »Many of these traits are also found in orthodox Christian writings, but the occurrence of so many, in a work of this particular type, suggests that the Apocryphon of James is indeed Gnostic.«
15. *K. Rudolph:* Gnosis und Gnostizismus. Ein Forschungsbericht, in: ThR 34 (1969), S. 171, spricht von »Halbgnosis«.

wart« (3,26)[16]. Tränen, Trauer und Kummer sind dort am Platz, wo der Mensch sich »außerhalb des Erbes (κληρονομία) des Vaters« (10,10; Malinine 106) befindet. Der Erlöser tadelt die, die bloß existieren (13,14). Hier scheint eine negative Wertung der physischen Existenz überhaupt im Blick zu sein; zwar ist eine im einzelnen ausgeführte dualistische Weltsicht nicht notwendigerweise herauszulesen, und doch sind diese Äußerungen sehr gut im gnostischen Sinn zu deuten; der Übergang des dahinterstehenden Daseinsverständnisses zu einem eindeutig gnostischen ist ganz leicht zu vollziehen. Ähnliches gilt für die Aussagen, die die Beseitigung dieses Defektes beschreiben: das Erlösungshandeln des himmlischen Gesandten: »euretwegen bin ich herabgekommen« (10,28 f.; Malinine 106). Jesus ist vom Vater herabgesandt (13,11) und geht wieder zu dem Ort zurück, von dem er gekommen ist (2,24; 14,20 f.). Wie immer der Gnostisierungsgrad dieser Präexistenzchristologie genauer zu bestimmen ist, sicher ist jedenfalls der *mythische Charakter dieser Christologie* – wie überhaupt die Vorstellung von Offenbarungen des Auferstandenen mythisch ist. *Mit Hilfe einer mythischen Vorstellung wird also hier* – und damit steht EpJac in einer langen christlichen Tradition – *die Beseitigung der defizienten Situation in der Welt überhaupt zum Ausdruck gebracht und diese so bewältigt.*

Die Form, in der sich in EpJac die Negativität des Daseins konkret äußert, ist die Verfolgungssituation, wobei darunter wohl alle Möglichkeiten zwischen Benachteiligung und Martyrium zu verstehen sind. Sie werden als *Bedrängtwerden* durch den Satan verstanden (4,35 ff.), können aber auch *auf Gott selbst zurückgeführt* werden (14,14 ff.). Damit hat das Leid den Charakter der Erprobung und dient der Bewährung[17]. *Beidemal wird die Entstehung des Leides mythisch vermittelt, im letzteren Fall auch seine Bewältigung.*

Eine mythisch orientierte Bewältigung des Leides ist auch in der einzigartigen[18] *Vorstellung gegeben, der Geist sei eine Mauer, die die Angefochtenen umgibt* (5,22 f.). Diese Geistmauer »scheint nicht in der besonderen Situation der Verfolgung gesendet zu sein, sondern leistet dauerhaft Beistand«[19]. Der Heilsstand kann als ein Vollwerden mit dem Geist beschrieben werden (4,18 f.); in dem Maße, in dem das geschieht, bildet das jenseitige Pneuma einen unüberwindlichen Schutz, der gerade in Verfolgung wirksam ist. Dieser Schutz wirkt sich freilich nicht so aus, daß äußeres Leid damit unmöglich gemacht würde, denn die Erfahrung des Leides ist für die Adressaten eine real gegebene oder zumindest mögliche. Die Zusage des Geistschutzes erfolgt

---

16. Übers. *M. Malinine* u. a.: Epistula Iacobi Apocrypha, Zürich/Stuttgart 1968, S. 99. Auch die folgenden wörtlichen Zitate stammen aus dieser Edition.

17. Als neutestamentliche Parallelen verweist *C. Scholten:* Martyrium und Sophiamythos im Gnostizismus nach den Texten von Nag Hammadi (JAC, Erg. 14), Münster 1987, S. 46, auf Jak 1,13 f. und besonders auf den 1. Petrusbrief.

18. Vgl. SyrBar 2,2, wo das Gebet eine Mauer bildet.

19. *Scholten:* Martyrium 38.

gerade im Zusammenhang des Bemühens, »(das) Fleisch ... zu verschonen« (5,21; Malinine 101).
Leidbewältigung geschieht weiterhin dadurch, daß *Verachtung des Todes und Sorge für das (wahre) Leben* empfohlen wird: »Verachtet (καταφρονεῖν) also den Tod und tragt Sorge um das Leben. Denkt an mein Kreuz (σταυρός) und meinen Tod, und ihr werdet leben« (5,31 ff.; Malinine 101). »Hört auf das Wort (λόγος), begreift (νοεῖν) die Erkenntnis (γνῶσις), liebt das Leben, und niemand wird euch verfolgen noch (οὔτε) wird euch jemand bedrängen außer (ihr) euch selbst« (9,18 ff.; Malinine 105). Der Mangel an einer soteriologischen Qualifikation des Kreuzes hat zur Folge, daß das Leiden Jesu (das allerdings nicht doketisch distanziert wird!) im wesentlichen nur in bezug auf sein standhaftes Ertragen von Bedeutung ist. Insofern ist Jesus ein Vorbild. In der Identifikation mit ihm und in der Nachahmung seiner Bewältigung des Daseins bewältigt der Leser auch sein eigenes. Gleiches gilt für das Martyrium des Jakobus.
Indem eine Identifikation auch mit Jakobus stattfindet, hat auch dessen Tod Vorbildcharakter. Offenes Bekenntnis ist nötig, um das (wahre) Leben zu erlangen (11,14 ff.) – wie es am Verhalten Jesu und des von ihm ins Zentrum der nachösterlichen Gemeinde gerückten Jakobus zu erkennen ist. *In dem Maße, in dem dieses wahre Leben ein mythisch vorgestelltes und vermitteltes ist, ist es auch das darin gegebene Argument für die Leidbewältigung.*
Analog dazu setzt auch die Rede von der Kürze der Zeit, die das Leid in Relation zum Kosmos hat (5,25 ff.), einen mythischen Hintergrund voraus, auch wenn dieses Argument selbst nicht mythisch ist. EpJac versucht, mit sehr unterschiedlichen Argumenten eine Hilfestellung zur Bewältigung des Seins in der Welt, insbesondere konkreter Leiderfahrungen zu geben.

3. 1. Jakobusapokalypse

1 ApJac stellt in dem auch in EpJac gegebenen Traditionszusammenhang eine deutlich weiterentwickelte Position dar: Das zeigt schon die Ausgestaltung des Jakobusbildes; nur Jakobus wird eine Christophanie zuteil (31,2), nur mit ihm führt Jesus Dialoge (24,10 ff.; 31,2 ff.). Gegen Ende des ersten Dialogs unterrichtet Jesus den Jakobus über den Zweck der endgültigen Offenbarung nach der Auferstehung: »Es sprach der Herr: ›Jakobus! Danach werde ich dir offenbaren alle Dinge, nicht allein um deinetwillen, sondern (ἀλλά) um der Ungläubigkeit der Menschen willen, damit [Glaube] unter ihnen entstehe. Denn (γάρ) eine Menge wird [gelangen (καταντᾶν)] zum Glauben (πίστις) [und] sie werden groß werden‹ ...« (29,19 ff.)[20]. Die Herausstreichung des Jakobus geschieht nicht um einer möglichst exakten Bestimmung seiner Bedeutung in der frühesten Kirche willen; *die Betonung seiner Person*

20. Übers. *A. Böhlig/P. Labib (Hg.):* Koptisch-gnostische Apokalypsen aus Codex V von Nag Hammadi im Koptischen Museum zu Alt-Kairo (Wiss. Zeitschr. der Martin-Luther-Univ. Halle-Wittenberg 1963, Sonderband 3), S. 39.

geschieht vielmehr aus dem Interesse der Selbstbestätigung. Die Gruppe, aus der 1 ApJac hervorgegangen ist, identifiziert sich mit ihm[21]. Sie erkennt sich in ihm wieder; was ihm widerfährt, gilt für sie selbst. Seine Probleme sind ihre Probleme. Wie er sie durch die Mitteilungen des Offenbarers bewältigt, so kann auch sie es. Sie ist ja der eigentliche Adressat der ergangenen Offenbarungen. Die Offenbarungen sind das entscheidende Mittel der Daseinsbewältigung.

Mit Hilfe gnostischer Mythologoumena bewältigen die Angehörigen der 1 ApJac-Gruppe ihr Dasein. Gegenüber EpJac ist auch in diesem Punkt eine deutliche Veränderung zu sehen. Der gnostische Mythos ist in seinen wesentlichen Zügen ausgebildet: kosmischer Dualismus, Geknechtetsein in dieser Welt, Erlösung durch einen himmlischen Gesandten, der nicht der Macht der Archonten verfällt und das Selbst der Gnostiker seiner himmlischen Wohnung wieder zuführt.

In dieser unserer Welt fühlt sich der Gnostiker fremd. Er ist hineingeworfen in die Fessel des Fleisches (27,5); die Archonten haben sich gegen ihn gewappnet (27,15 ff.; 33,2 ff.). Er erregt durch sein Wissen deren Zorn und Wut (32,10 f.). Zwar ist hier natürlich jeweils vom Geschick des Jakobus die Rede, intendiert ist aber das der Gnostiker. Auch ist das Leid, indem es auf die Archonten zurückgeführt wird, nicht bloß übernatürliches, zukünftiges, sondern gleichermaßen reales, gegenwärtiges. Denn die irdischen Machthaber sind Repräsentanten der Archonten und führen deren Willen aus, auch wenn ihnen das gar nicht bewußt sein mag (25,13 ff.; 31,21 ff.; 33,8). Die mythisch objektivierte Angst hat also einen durchaus realen Hintergrund[22]. Sie braucht nicht in diesem aufzugehen, da der mythisch Denkende den Mythos ja als unmittelbare Realität erlebt. Insofern *verbindet sich Angst vor der Gegenwart und der Zukunft nach dem Tod und sucht in mythischen Vorstellungen nach*

---

21. Eine einlinige Entwicklung aus dem Judenchristentum hin zur Gnosis ist dabei nicht anzunehmen; die für die judenchristliche Jakobustradition Hegesipps oder der Pseudoklementinen charakteristischen Vorstellungen (vgl. *W. Pratscher:* Der Herrenbruder Jakobus und die Jakobustradition [FRLANT 139], Göttingen 1987, S. 103 ff., 121 ff.) fehlen in hohem Maße. Vermutlich sind einzelne Mitglieder der 1 ApJac-Gruppe judenchristlicher Herkunft (analoges würde für EpJac auch gelten); sie dürften bei ihrem Übergang zur Gnosis ihre Leitfigur mitgenommen und zum gnostischen Offenbarungsmittler umstilisiert haben. Jakobus war als Bruder Jesu (24,13 f.) bzw. als Gerechter (32,3.6 f.), besonders gut geeignet für diese Funktion. Das Bruderverhältnis zu Jesus wird als pneumatisches verstanden – und in eine so verstandene Brüderschaft kann sich jeder Gnostiker sofort einbezogen wissen; auch der Titel »Gerechter« wird der neuen Situation offenbar dienstbar gemacht und meint nun eine besondere Offenheit für die Offenbarung Jesu.

22. Die Rede von »Enthistorisierung« und »Symbolisierung« (*Rudolph,* in: ThR 1969, S. 158) oder »Spiritualisierung« (*A. Böhlig:* Der judenchristliche Hintergrund in gnostischen Texten von Nag Hammadi, in: Mysterion und Wahrheit. Gesammelte Beiträge zur spätantiken Religionsgeschichte [AGJU 6], Leiden 1968, S. 106) ist nur dann korrekt, wenn dieser reale Hintergrund als bleibendes Movens gnostischer Daseinsauffassung ausreichend gewürdigt wird. Der »Leidcharakter (wird) durch metaphorisch-symbolische Sprache verstärkt, fixiert und ins Ontologische ausgeweitet« (*Scholten,* Martyrium 75).

einem Mittel zur Bewältigung. In verschiedener Weise artikulieren sich solche Lösungsversuche in 1 ApJac.
Entsprechend der dualistischen Trennung von pneumatischem Selbst und sarkischer Existenz wird das *Leid als etwas bloß Äußerliches* bezeichnet. Zwar wird es als real erlebt[23], aber es betrifft nur das Fleisch. »Es wird empfangen, was ihm bestimmt ist« (32,20 f.; Böhlig-Labib 42). Eine im christlichen Sinn positive Daseinsbewältigung in der Zuwendung zu Gottes guter Schöpfung ist hier freilich nicht mehr möglich. *Der Gnostiker bewältigt diese Welt nur, indem er sie total distanziert;* das ist nicht notwendigerweise auch eine Verdrängung, kommt einer solchen aber doch recht nahe.
Nicht Furcht vor den Archonten (ein häufig wiederkehrendes Motiv: 25,13; 28,4[24]. 29; 29,5; 32,13 f. u. ö.) braucht den Gnostiker zu lähmen, sondern *Sorge um das Heil* soll ihn beflügeln (29,7 f. 11 ff.). Der Gnostiker ist hineingenommen in das kosmische Erlösungsdrama; er hat trotz aller Widerwärtigkeiten in der Gegenwart Zukunft. *Die Partizipation an dieser im Mythos gegenwärtigen Zukunft ist es, die ihn die Gegenwart ertragen läßt.*
Der Gnostiker kann sein Dasein weiterhin dadurch ertragen, daß er die ihn bedrängenden Mächte depotenziert. Die Archonten haben nur eine beschränkte Macht. Der Gnostiker weiß sich ihnen aufgrund seiner himmlischen Herkunft überlegen. Er ist »nicht von ihrer Art« (28,21; Böhlig-Labib 38). Die Offenbarung bewirkt ein Erkennen, »wer sie sind und welcher Art sie sind« (25,22 f.; Böhlig-Labib 35). Zwar zog Jakobus wie alle Gnostiker »alles von ihnen an« (28,22; Böhlig-Labib 38). Er vergaß seine himmlische Heimat (28,22 f.) und mußte erst vom Offenbarer, dem die Erinnerung blieb, dessen Kleider nicht befleckt wurden und der von den Archonten nicht ergriffen werden konnte (28,15 ff.), dem Vergessen entrissen werden. Diese können den Einbruch in ihre Macht nicht verhindern. Konkret wird ihre Ohnmacht vor allem beim Aufstieg des pneumatischen Selbst des Gnostikers ins Pleroma. Auf dem Weg dahin muß es durch ihren Machtbereich[25]; um die dabei gegebene Gefahr zu meistern, teilt der Offenbarer Jakobus die nötigen Losungsworte mit (33,11 ff.); sie vermitteln ein den Archonten unbekanntes Wissen über die Entstehung des Kosmos und die Zugehörigkeit zum präexistenten Vater[26] und bezeugen damit die Überlegenheit der Gnostiker über die

---

23. Das gilt entsprechend einer doketischen Christologie nicht für den Offenbarer selbst: »Niemals habe ich irgendwie Leid erlitten noch (οὔτε) wurde ich gequält« (31,18 ff.; *Böhlig-Labib*, a.a.O., S. 41).
24. Hier in bezug auf Jesus, wohl in Anspielung an die Gethsemane-Tradition (Mk 14,32 ff. par.).
25. Dazu *K. Rudolph:* Die Gnosis. Wesen und Geschichte einer spätantiken Religion, 2. Aufl., Göttingen 1980, S. 186 ff. Rudolph bringt reiches Parallelmaterial.
26. Iren AdvHaer I 21,5 und Epiph Pan XXXVI 3,2–6 bringen dazu eine verwandte valentinianische Parallele (wie schon *Böhlig/Labib*, a.a.O., S. 32 f. sahen), so daß die Endgestalt der 1 ApJac einzuordnen ist, obwohl hier nur eine Überarbeitung vorliegen kann; denn die martyriumsfreundliche Haltung dieser Schrift paßt nicht zur valentinianischen Ablehnung des Martyriums (Iren

sie knechtenden Archonten. Sie werden zum Seienden gelangen (27,6 f.14 f.; 29,18 f.), ja sie sind mit dem Seienden identisch (27,9 f.). *Aus der Erkenntnis der Identität mit dem himmlischen Vater – eine mythische Spitzenaussage – gewinnt der Gnostiker die Kraft, seine Angst in der Welt zu bewältigen.*

4. 2. Jakobusapokalypse

2 ApJac ist ebenso wie EpJac und 1 ApJac eine gnostische Offenbarungsschrift, in der Jakobus der Vermittler der rettenden Erkenntnis ist. Die Schrift besteht aus zwei ursprünglich selbständigen Teilen[27], einer Offenbarungsschrift (44,11–61,14) und einem angefügten Martyriumsbericht (61,15–63,32)[28]. Vorausgesetzt ist auch in dieser Schrift der gnostische Erlösermythos[29], auch wenn die mythische Ausschmückung im einzelnen viel zurückhaltender ist als in manchem anderen gnostischen Dokument. *Thema ist die Mitteilung göttlichen Wissens, das der Gewinnung des Selbst-Bewußtseins und so der Rettung aus der Verfallenheit an den Demiurgen und seine Helfer dient.*

Auch für 2 ApJac gilt, daß die Adressaten sich mit dem Protagonisten Jakobus identifizieren. Wie dessen Lebensproblem – mit der feindlichen Realität im wörtlichen Sinne »fertig« zu werden – mit Hilfe mythischer Vorstellungen gelöst wird, so auch das ihre. Sein Problem ist in diesem grundlegenden Sinne mit dem ihren identisch, selbst wenn im einzelnen Jakobus ein Geschick vor sich hat, das nicht für jeden gilt, insbesondere das Martyrium. Das Offenbarungshandeln Jesu bewirkt eine neue Sicht der Wirklichkeit. Der Gnostiker erlebt eine umfassende Änderung der Werte. Was in der Welt mächtig zu sein scheint, wird in seiner Nichtigkeit herausgestellt, er selbst jedoch erfährt eine *ungeheure Aufwertung seines Selbstbewußtseins,* indem er sich seines Ursprungs bewußt wird. *Die Daseinsbewältigung erfolgt wie in den Parallelschriften durch Mitteilung eines mythisch chiffrierten kosmischen Seinszusammenhanges.*

Die Mächte, unter denen der Gnostiker leidet, werden in ihrer Inferiorität entlarvt. Der Demiurg ist blind (52,27)[30], seine Mühe bei der Erschaffung der

---

AdvHaer IV 33,9; ClAl Strom IV 16,3; Tert Scorp 10). Parallelen zu EvThom 114 (1 ApJac 38,16 ff.), Lib Thom 145,5 ff. (1 ApJac 27,3 ff.) und Od Sal 7; 41 (vgl. 1 ApJac 28,11 ff.) und zur Addai-Tradition Doctr Add; Eus HE I 13 (1 ApJac 36,15 ff.) könnten auf Syrien als Entstehungsort deuten.

27. So *W.-P. Funk (Hg.):* Die zweite Apokalypse des Jakobus aus Nag-Hammadi-Codex V (TU 119), Berlin 1976, S. 193 ff.

28. Zu letzterem *Pratscher:* Herrenbruder, S. 229 ff.

29. Eine Zuordnung zu einer bestimmten gnostischen Schule ist allerdings nicht möglich: *Böhlig/ Labib:* Apokalypsen, S. 28; *H. M. Schenke:* Zum gegenwärtigen Stand der Erforschung der Nag-Hammadi-Handschriften, in: Koptologische Studien in der DDR, hg. v. Inst. für Byz. d. Univ. Halle-Wittenberg, WZ (H) 1965, Sonderheft 10, S. 127; Funk: Apokalypse, S. 3 f.; *C. W. Hedrick:* The (Second) Apocalypse of James, V, 4; 44.11–63.32, in: *D. M. Parrott (Hg.):* Nag Hammadi Codices V,2–5 and VI with Papyrus Berolinensis 8502, 1 and 4 (NHS 11), Leiden 1979, S. 108 u. a.

30. Konjektur *Funk:* Apokalypse, S. 27.

materiellen Welt ist ein Nichts (53,8). Er hat nur eine zugemessene Zeit der Herrschaft (53,19 ff.), folglich ist das von ihm ausgehende *Leid begrenzt.* Mißachtung ist das Beste, was ihm und seinen Helfern zuteil werden soll (52,22 ff.). Der Gnostiker will die ihn umgebende, bedrängende Situation, seine Unterdrückung und seine Verzweiflung angesichts der konkreten Verhältnisse nicht wahrhaben. Er hat nicht die Macht, aber auch nicht den Willen, sich seinem Dasein so zu stellen, daß er all die realen Schwierigkeiten, die auf ihn zukommen, und die Ängste, die sich dabei für ihn ergeben, positiv bewältigt. Er fühlt sich in der Welt, in der er lebt, nicht geborgen. Er erlebt sie als fremd und feindlich. *Er bewältigt seine eigene Ohnmacht dadurch, daß er seine wirklichen oder vermeintlichen Gegner mythisch objektiviert, um sie gleichzeitig zu depotenzieren.* Er kann mit ihnen nur so fertig werden, daß er sie in ihrer realen Macht verleugnet und dabei sich selbst in höchstem Maße potenziert.

Das geschieht mit Hilfe des gnostischen Offenbarungsmythos. Der Gnostiker weiß sich vom Vater gezeugt (46,24). Er wird frei gemacht (46,26 u. ö.). Nachdem er jede Herrschaft überwunden hat, wird er zur Ruhe und Herrschaft kommen (56,2 ff.; 59,5 f.).[31]

Vorläufig jedoch ist auch er noch nicht vor Gefahren in dieser Welt sicher. Wird Jakobus vom Demiurgen eifersüchtig betrachtet (55,25 ff.) und findet dies in seinem Martyrium den Höhepunkt (52,19 ff.)[32], so muß auch der Gnostiker mit Repressalien rechnen, insofern er durch sein Sein und seine Verkündigung die Herrschaft der widergöttlichen Mächte angreift und in Frage stellt. Das ist aber wieder nur Zeichen seiner mit Hilfe des Mythos gewonnenen Weltüberlegenheit.

5. Zusammenfassung und Folgerungen

Die gnostische Jakobustradition ist in der Form, in der sie uns bekannt ist, keine einheitliche Größe. Nicht nur ist der Nag-Hammadi-Fund ein zufälliger, auch zeigen die einzelnen Schriften einen jeweils verschiedenen Grad an Gnostisierung. Hinter ihnen stehen Trägerkreise, die in der Jakobusverehrung einen gemeinsamen judenchristlichen Hintergrund haben; ein unmittelbarer Zusammenhang dieser Kreise muß aber nicht postuliert werden; der Vielfältigkeit judenchristlicher Jakobusverehrer – es sei nur an das Hebräerevangelium, die Hegesipptradition oder die Pseudoklementinen erinnert – dürfte deren ebenfalls recht vielfältiger Übergang zum gnostischen Selbst- und Weltverständnis korrespondieren. Dabei ist nicht anzunehmen, daß gnostische Gruppen, die keinen Zusammenhang mit der Jakobustradition hatten, zufällig den Herrenbruder zum entscheidenden Offenbarungsmittler machten.

---

31. Vgl. EvThom 2 u. ö.
32. Ähnlich wird der Tod Jesu auf den Demiurgen zurückgeführt, insofern die irdischen Richter dessen Handlanger sind (57,21 ff.).

Auch wenn spezifisch judenchristliche Theologoumena in den gnostischen Schriften keine Rolle mehr spielen, so haben in den sie hervorbringenden Kreisen sicher an wichtiger Stelle Träger der Jakobustradition gestanden. Die Frage ist, warum diese Leute zur Gnosis übergingen, oder etwas anders formuliert, warum sie den gnostischen Mythos[33] als die entscheidende Heilsmitteilung ansahen.

Ziel des Mythos überhaupt ist die Bereitstellung eines Selbst- und Weltverständnisses. Offenbarungen zeigen dem Menschen seine Eingebundenheit in einen kosmischen Zusammenhang. Sie erklären sein Woher und sein Wohin und helfen ihm so, sein Dasein zu bewältigen. Sie haben eine *sinnstiftende Funktion.* Das gilt selbstverständlich auch für gnostische Mythologoumena. Durch das Wissen um seine himmlische Herkunft erhält der Gnostiker ein kaum zu überbietendes Souveränitätsbewußtsein. Das Wissen um sein eigentliches Sein, seine Partizipation am göttlichen Sein selbst, verleiht ihm die Kraft, die Realität der Welt, in der er immer noch lebt, als etwas ganz und gar Unwesentliches hinter sich zu lassen; es betrifft ihn nur noch als etwas rein Äußerliches und im Grunde genommen schon Vergessenes. Was ihn wirklich betrifft und letztlich angeht, hat er in einer anderen Welt kennengelernt, vermittelt durch den Mythos. Der Offenbarer teilt ihm ein Wissen mit, das alle Mächte dieser Welt der Lächerlichkeit preisgibt. Die Herrscher dieser Welt mögen mit großer Pracht und unwiderstehlicher Gewalt auftreten, sie sind doch nur Werkzeug inferiorer dämonischer Mächte und handeln in völliger Verkennung wirklicher Macht. Der Gnostiker dagegen kennt sie; ihm ist sie durch den Offenbarer bewußtgemacht worden. *In dem dadurch gegebenen Überlegenheitsgefühl gewinnt er die Möglichkeit, sein Dasein zu bewältigen.*

Mythische Vorstellungen, die derart radikal weltabgewandt ausgerichtet sind, setzen Tradenten voraus, die innerweltlich keine auch nur einigermaßen adäquaten Entfaltungsmöglichkeiten haben. Ein Zusammenspiel verschiedener Faktoren dürfte ausschlaggebend sein: politische Entmündigung sowie soziale, geistige und religiöse Entwurzelung[34] werden zusammengewirkt haben, um eine derartige *Stimmung von Resignation* aufkommen zu lassen, *die nur durch den Aufbau einer, die vorhandene Realität total transzendierenden neuen Identität mythisch bewältigbar zu sein schien.* Was sonst nicht möglich war, wurde mit Hilfe mythischer Vorstellungen hergestellt: eine radikale Umwertung bestehender Werte. Der Gnostiker weiß sich, auch als

---

33. Daß es »den« gnostischen Mythos nicht gibt, sondern nur eine Vielfalt gnostischer Mythologoumena, kann hier außer acht gelassen werden, ebenso wie die im einzelnen zwischen diesen bestehenden (oft recht großen) Differenzen.

34. Vgl. *P. Pokorný:* Der soziale Hintergrund der Gnosis, in: *K.-W. Tröger (Hg.):* Gnosis und Neues Testament. Studien aus Religionswissenschaft und Theologie, Gütersloh 1973, S. 77 ff.; *Rudolph:* Gnosis, S. 308 ff.; *K.-W. Tröger:* Zum gegenwärtigen Stand der Gnosis- und Nag-Hammadi-Forschung, in: Altes Testament – Frühjudentum – Gnosis. Neue Studien zu »Gnosis und Bibel«, Gütersloh 1980, S. 24 f.

verachtetster und unbedeutendster Sklave, mächtiger als alle Herrscher dieser Welt und die hinter diesen stehenden Mächte. Er weiß, daß er Höchstes repräsentiert. Indem er das weiß, gewinnt er den eigentlichen, letztgültigen Sinn seines Lebens. Er kann seine Angst hinter sich lassen. Die allgemeine Weltangst ist hier ebenso inbegriffen wie die Angst vor konkretem Leid, das den Gnostiker trifft, aus welchem Grund und wo auch immer.
Hat der gnostische Mythos aber einerseits (wie jeder Mythos) eine positive, sinnstiftende Funktion, die der Bewältigung des Daseins dient, so *hat er auch eine gleichermaßen negative Wirkung, die das Dasein verfehlen läßt.* Mutatis mutandis kann dies auch von urchristlichen mythischen Vorstellungen gesagt werden, insofern sie Unweltliches objektivierend darstellen und so selbst den Blick für das von ihnen Intendierte partiell verstellen[35]. Insofern enthält jeder Mythos neben einem sinnstiftenden, vorwärtsweisenden Element ein sinnverfehlendes, illusionäres, wenn auch in z.T. erheblich unterschiedlicher Gewichtung. Während urchristliche mythische Vorstellungen Gott und Welt nicht auseinanderreißen und so bei aller Abwertung weltlicher Bezüge (z.B. in der Apokalyptik) an einer grundsätzlichen Zuwendung zur Schöpfung festhalten, ist dies im gnostischen Mythos, wie immer er im einzelnen ausgebildet sein mag, nicht der Fall. Der Gnostiker kann das wahre Dasein nur gewinnen, indem er die vorhandene Realität total distanziert. Der gnostische Mythos leistet keinen Beitrag zur aktiven Weltgestaltung. Er ist nicht realitätsverändernd, sondern realitätsflüchtig. Trotz aller mangelnden Diesseitsbezogenheit gewisser frühchristlicher Aussagen bleibt eine fundamentale Differenz. Während letztere das Neuwerden der Erde erwarten, erwarten die Gnostiker ihre völlige Vernichtung. Die Welt verändernd zu gestalten, ist angesichts des Böseseins der Materie nicht im Blick. Dementsprechend kommt es auch zu keiner wirklichen Gemeinschaftsbildung und Organisation[36]. Die gnostische Anthropologie hat keine gemeinschaftsfördernde Kraft. *Der Protestcharakter der gnostischen Mythologoumena findet keinen Ausdruck in einer positiven Setzung einer neuen Ordnung, sondern nur in deren Distanzierung. Der mentalen Daseinsbewältigung, die der gnostische Mythos zweifellos leistet, entspricht als seine negative Kehrseite die reale Daseinsverfehlung.*
In psychoanalytischen Kategorien könnte man von einer *Verschiebung* sprechen. Darunter ist der Umstand zu verstehen, daß »der Akzent, die Bedeutung, die Intensität einer Vorstellung sich von dieser lösen und auf andere, ursprünglich wenig intensive Vorstellungen übergehen können, die mit der ersten durch eine Assoziationskette verbunden sind«[37]. *Danach hätte sich die Realangst, die der Gnostiker nicht bewältigen kann, mythisch chiffriert und*

---

35. In diesem Punkt hat Bultmanns Kritik mythischer Rede sicher bleibende Bedeutung.
36. Darin liegt ein wesentliches Moment für den Sieg der organisierten Orthodoxie.
37. *J. Laplanche/J.-B. Pontalis:* Das Vokabular der Psychoanalyse II (Suhrkamp Tb Wiss 7), Frankfurt/Main 1973, S. 603.

auf übernatürliche Mächte verschoben. Von »Verschiebung« zu reden scheint mir etwas präziser zu sein als von »Projektion«[38]. Bei letzterer handelt es sich »im eigentlichen psychoanalytischen Sinne (um eine) Operation, durch die das Subjekt Qualitäten, Gefühle, Wünsche, sogar ›Objekte‹, die es verkennt oder in sich ablehnt, aus sich ausschließt, und in dem Anderen, Person oder Sache, lokalisiert«[39]. Der Gnostiker projiziert seine Angst nicht auf einen anderen, sondern verschiebt sie nur auf die mythische Ebene, wobei diese Verschiebung durchaus nicht restlos glückt; die Folge ist, daß er de facto zweifacher Angst ausgesetzt ist: der nach wie vor bestehenden Angst vor dem Leben in dieser Welt, vor Unterdrückung durch die irdischen Repräsentanten der Archonten, und der Angst vor den Archonten selbst beim Aufstieg der Seele nach dem Tod. Letztere kann er mit Hilfe mythischer Vorstellungen bewältigen, erstere nur insofern, als er sie permanent auf die mythische Ebene hebt. Eine realitätsbezogene, rational kontrollierte Bewältigung von Angst ist hier nur teilweise möglich. Es dominiert das *primärprozeßhafte* Abströmen psychischer Energie, die »ohne Hindernisse nach den Mechanismen der Verschiebung und Kondensation von einer Vorstellung zur anderen übergeht«[40]

Wie der Traum oder das Märchen[41] *in einem beträchtlichen Ausmaß eine primärprozeßhafte Umwandlung psychischer Energie kennen, so auch der Mythos.* Die Leichtigkeit, mit der psychische Energie auf einen anderen Gegenstand verschoben wird, das weitgehende Fehlen rational einsehbarer Denkschemata, das Zusammenfallen von Vergangenheit, Gegenwart und

---

38. *G. Quispel:* Gnosis als Weltreligion, Zürich 1951, S. 17: »Gnosis ist die mythische Projektion der Selbsterfahrung« (in Anschluß an Ausführungen von H.-C. Puech); vgl. auch *C. Colpe:* Die gnostische Anthropologie zwischen Intellektualismus und Volkstümlichkeit, in: *P. Nagel (Hg.):* Studien zum Menschenbild in Gnosis und Manichäismus, Martin-Luther-Univ. Halle-Wittenberg, Wiss. Beitr. 1979/39 (K 5), S. 36; *J. E. Ménard:* Normative Self-Definition in Gnosticism, in: *E. P. Sanders (Hg.):* Jewish and Christian Self-Definition, I, London 1980, S. 150. – Dies gilt auch bei einem nicht spezifisch psychoanalytisch orientierten Verständnis von »Projektion«, wie es hier vorzuliegen scheint. Nicht das Subjekt des psychischen Prozesses ändert sich, sondern das Objekt.

39. *Laplanche/Pontalis:* Vokabular, S. 400.

40. *Ebd.,* S. 397.

41. Zu Parallelen zwischen Traum, Märchen und Mythos vgl. ausführlich *K. Abraham:* Traum und Mythos. Eine Studie zur Völkerpsychologie (1909), jetzt in: *J. Cremerius (Hg.):* Psychoanalytische Studien zur Charakterbildung. Und andere Schriften, Frankfurt/Main 1969, S. 261 ff.; *E. Fromm:* Märchen, Mythen und Träume. Eine Einführung zum Verständnis von Träumen, Märchen und Mythen, Zürich 1957, S. 183 ff. zur »Symbolsprache in Mythos, Märchen, Ritual und Roman«; *J. Scharfenberg:* Sigmund Freud und seine Religionskritik als Herausforderung für den christlichen Glauben, Göttingen 1968, passim; *U. Grummes:* Die Bedeutung des Märchens für die Psychoanalyse, in: *D. Eicke (Hg.):* Die Psychologie des 20. Jahrhunderts, II: Freud und die Folgen (I). Von der klassischen Psychoanalyse ..., Zürich 1976, S. 564 ff.; *E. Drewermann:* Tiefenpsychologie und Exegese, I: Die Wahrheit der Formen. Traum, Mythos, Märchen, Sage und Legende, 2. Aufl., Olten/Freiburg i. Br. 1985, S. 132 ff. und passim.

Zukunft und ähnliche Mechanismen sind wesentliche Aspekte, die diese Erlebnis- und Darstellungsform psychischen Seins kennzeichnen. Ist primärprozeßhaftes Agieren für das noch unreife Ich charakteristisch, so ist es auch für den Erwachsenen nichts Unnormales, solange es eine untergeordnete Rolle spielt. Abnorm wäre nur die »Dominanz oder das ausschließliche Wirken des Primärprozesses«[42]. Ähnlich wie der Traum (inklusive des Tagtraumes) für die psychische Gesundheit auch des Erwachsenen wichtig und das Märchen nicht bloß für Kinder geeignet ist, könnte man auch den *Mythos als legitimen Ausdruck religiösen Empfindens betrachten, freilich nur als eine Redeweise neben der anderen, die dem rationalen Denken des Sekundärprozesses verpflichtet ist.* Der moderne Mensch, der die Aufklärung hinter sich hat, kann nicht mehr unmittelbar am Mythos teilhaben. Er kann nicht mehr naiv in ihm leben, insofern er gelernt hat, Intentum und objektivierende Sprache zu differenzieren. *Er kann ihn aber in der sog. »zweiten Naivität« als »Symbol ... für das im religiösen Akte gemeinte Unbedingte«[43] legitim benützen.*

Der Mensch kann sich nicht bloß rational bestimmen. Da er einerseits (auch) vorrational im Sinne des Primärprozesses handelt und mythisches Reden daran teilhat, ist es immer unzureichend; es hat nichtsdestoweniger eine *wichtige Funktion für die Daseinsbewältigung, nur eben mit der nahezu unausweichlichen Nötigung illusionärer Bewältigung.* Das ist die Gefahr des Mythos[44]. Der Mensch versteht sich andererseits aber in einem letzten Sinn immer auch – ich möchte das einmal so nennen – »transrational«, d. h., er versteht sich, sein Woher und sein Wohin in einer Weise, die rational nicht mehr unmittelbar zugänglich ist. Mit Hilfe des Mythos versucht er, eine letztgültige Geborgenheit zum Ausdruck zu bringen. Er weiß sich im Mythos, der mehr intendiert, als er sagt, in unbedingter Weise angesprochen, gefordert und gehalten. *Er erlebt im Mythos ein Abbild und einen Abglanz unmittelbarer Gottesschau.* Das ist die Größe des Mythos.

Kann so der Mythos nicht generell unter ein Verdikt gestellt werden, so doch in höchstem Maße der gnostische. Zwar intendiert auch er ein Betroffensein durch ein letztgültiges Gegenüber, aber er vermittelt das in einer Weise, die für eine positive Weltbewältigung nicht offen ist. Er leistet nur eine ungenügende Daseinsbewältigung. Er ermöglicht keinen sozial verrechenbaren Daseinsgewinn, keine Realitätsveränderung, sondern bleibt letzten Endes im Realitätsverlust stecken.

---

42. *C. Brenner:* Grundzüge der Psychoanalyse, 8. Aufl., Frankfurt/Main 1974, S. 70.

43. *P. Tillich:* Mythos und Mythologie, in: *ders.:* Gesammelte Werke V, Stuttgart 1964, S. 188; vgl. dazu die Ausführungen von *W. Raberger:* Mythos, in: *P. Eicher (Hg.):* Neues Handbuch theologischer Grundbegriffe, III, München 1985, S. 163 ff., 172 f.

44. Insofern ist Kritik am Mythos unausweichlich.

Mythologeme und mythische Züge in der paulinischen Theologie

Gerhard Sellin

Das ambivalente Verhältnis gegenwärtiger Theologie und Geisteswissenschaft zum Mythischen verdankt sich der Überlagerung zweier geistesgeschichtlicher Traditionen. Die eine knüpft an die *Aufklärung* an. Hiernach ist der Mythos unzureichender und durch den Logos zu ersetzender uneigentlicher Ausdruck von Wahrheit. Diese Einschätzung des Mythos als eines Defizitären, Überholten wird im 20. Jahrhundert sogar noch gesteigert zu einer Einschätzung des Mythos als einer gefährlichen Ideologie. So wird er z. B. von Ernst Topitsch als eine die bestehenden Zustände legitimierende, religiös stabilisierende und überhöhende »Leerformel« verstanden[1]. Die theologische Variante dieser Mythosbewertung setzt an die Stelle des aufklärenden Logos das die Welt entdämonisierende, vom Götzen befreiende Evangelium, das zum Feind des objektivierenden, idolisierenden Mythos erklärt wird. Rudolf Bultmanns Entmythologisierungsprogramm verdankt sich zu einem guten Teil dieser Tradition[2]. Angesichts gegenwärtiger irrationalistischer Tendenzen von Mythosregression in der Kultur sollte man diese Linie der Mythoskritik in der Theologie nicht vergessen.

Die andere, gegenwärtig aktuellere Einschätzung des Mythos knüpft an die *Romantik* an. In dieser Tradition steht die religionsphänomenologische Mythosforschung (Mircea Eliade[3]), die literaturmorphologische (André Jolles[4]), die psychologische[5], die strukturalistische[6], die ethnosoziologische

1. *Ernst Topitsch:* Mythos, Philosophie, Politik. Zur Naturgeschichte der Illusion, Freiburg 1969, bes. S. 28 ff.
2. *Rudolf Bultmann:* Neues Testament und Mythologie. Das Problem der Entmythologisierung der neutestamentlichen Verkündigung, erstmals in: Offenbarung und Heilsgeschehen (BEvTh 7), 1941; wieder abgedruckt in: *H. W. Bartsch (Hg.):* Kerygma und Mythos [I], Hamburg 1948, S. 15–48.
3. Das Heilige und das Profane. Vom Wesen des Religiösen (rde), Hamburg 1957.
4. Einfache Formen. Legende, Sage, Mythe, Rätsel, Spruch, Kasus, Memorabile, Märchen, Witz, 4. Aufl., Tübingen 1968, S. 91–125.
5. Während *Sigmund Freud:* Die Traumdeutung (Fischer TB 6344), Frankfurt/M. 1980; *ders.:* Totem und Tabu (Fischer TB 6053), Frankfurt/M. 1972, in die aufklärerische Linie einzuordnen wäre, könnte man *Carl Gustav Jung* (z. B. Ges. Werke IX, 1, Olten/Freiburg 1976) in die romantische einordnen. Vgl. auch *Eugen Drewermann:* Tiefenpsychologie und Exegese, Band I: Die Wahrheit der Formen. Traum, Mythos, Märchen, Sage, Legende, Olten/Freiburg 1984, S. 132 ff.
6. *Claude Lévi-Strauss:* Strukturale Anthropologie, Frankfurt 1967.

(Bronislaw Malinowski[7]) und vor allem die hermeneutische (Paul Ricœur[8] und Rudolf Bultmann[9]). Insofern Bultmann davon ausgeht, daß der Mythos von seinem Anspruch her zu interpretieren und nicht zu eliminieren ist[10], gehört er zugleich auch in diese Tradition.

Auf der Grundlage der hermeneutischen Variante der romantischen Mythostradition möchte ich im folgenden zunächst unter I einen Mythosbegriff vorstellen bzw. das Mythische beschreiben. Dabei sind zwei Fragestellungen leitend: 1. Wie bezieht sich der Mythos auf die Wirklichkeit? Es geht also um seine *Semantik*. 2. Welche Funktion hat der Mythos? Welchem »Sitz im Leben«, welcher »Geistesbeschäftigung« entspringt er? Hierbei geht es um das, was man in der Semiotik die *Pragmatik* nennt[11]. Das Ergebnis wird sein, daß der Mythos eine besondere Ontologie hat[12]. In einem zweiten Teil (II) geht es um religionsgeschichtliche Fragen, in einem dritten (III) möchte ich dann aufzeigen, wo und wie die Gesetze des Mythos in der paulinischen Theologie eine Rolle spielen.

I. Aspekte einer sprachanalytischen Beschreibung des Mythischen

1. Der Mythos als narrativer Referenzrahmen

Mythos ist Erzählung – damit sollte man anfangen –, allerdings eine besondere Erzählung. Für alle anderen narrativen Gattungen (von der Parabel bis zum Roman) gilt eine Trennung von »erzählter Zeit« und »Erzählzeit«[13], von »erzählter Welt«[14] und Situation des Erzählens, von Fiktionalität des Erzählten

---

7. Myth in Primitive Psychology, London 1926; vgl. den übersetzten Abschnitt daraus bei *Karl Kerényi (Hg.):* Die Eröffnung des Zugangs zum Mythos. Ein Lesebuch (WdF 20), Darmstadt 1982, S. 177–193.

8. *Paul Ricœur:* Symbolik des Bösen. Phänomenologie der Schuld II, Freiburg/München 1971; *ders.:* Die Interpretation. Ein Versuch über Freud, Frankfurt/M. 1974; *ders.:* Art. Mythe, in: Encyclopaedia Universalis; vgl. dazu *Jean-Pierre Vernant:* Mythos und Gesellschaft im alten Griechenland (es 1381), Frankfurt/M. 1987, S. 236 ff. Zur fundamentalen Rolle der Hermeneutik: *Paul Ricœur:* Hermeneutik und Strukturalismus, München 1973, S. 175–198; *ders.:* Hermeneutik und Psychoanalyse, München 1974, S. 162 ff., 196 ff., 239 ff.

9. S. Anm. 2; *ders.:* Zum Problem der Entmythologisierung, in: Kerygma und Mythos II, 1965, S. 179–208; *ders.:* Zum Problem der Entmythologisierung, in: Glauben und Verstehen IV, 2. Aufl., Tübingen 1967, S. 128–137.

10. Neues Testament und Mythologie, S. 24–27; Kerygma und Mythos II, S. 183–190; Glaube und Verstehen IV, S. 128.

11. Ich fasse dabei formgeschichtliche (»Sitz im Leben«), literaturmorphologische (»Geistesbeschäftigung«: *A. Jolles,* s. Anm. 4, S. 35 ff. 97 ff.) und semiotisch-linguistische Kategorien (»Pragmatik«) zusammen. Die »Syntaktik« des Mythos (z. B. seine narrative Struktur) muß hier aus Raumgründen vernachlässigt werden.

12. Dazu *Kurt Hübner:* Die Wahrheit des Mythos, 1985, S. 95 ff.

13. In Anknüpfung an die Terminologie von *Günther Müller:* Die Bedeutung der Zeit in der Erzählkunst, Bonn 1947; vgl. *ders.:* Erzählzeit und erzählte Zeit, in: Festschrift für P. Kluckhohn und H. Schneider, Tübingen 1948, S. 195–212.

14. *Harald Weinrich:* Tempus. Besprochene und erzählte Welt, 2. Aufl., Stuttgart 1971.

und Realität des Erzählers und seiner Hörer/Leser[15]. Die »erzählte Welt« ist jeweils in die Welt des Erzählers eingebettet. Das klassische Beispiel hierfür ist die Parabel, die metaphorische Erzählung. Das Besondere beim Mythos ist nun, daß diese Trennung von »erzählter Zeit«, »erzählter Welt« einerseits und »Erzählzeit« bzw. »Welt des Erzählers« andererseits *nicht* da ist. Die »Welt des Erzählten« ist hier nicht eingebettet in die Wirklichkeit, sondern es ist eher umgekehrt: Der Mythos bildet seinerseits überhaupt erst den Rahmen für die Wirklichkeit und dann alles weitere Erzählen. Der Mythos ist also Urerzählung, Basiserzählung, Rahmenerzählung[16]. Um eine Kategorie der Sozialisationspsychologie[17] aufzugreifen: Der Mythos bildet den Fundus an Urszenen (analog den frühkindlichen Urszenen) für gegenwärtige Wirklichkeit. Das Wort »Urszene« darf jedoch nicht zu eng gefaßt werden: Es muß nicht immer die Weltschöpfung sein, es können auch »Schlüsselszenen« der Geschichte sein, die als Mythos fungieren. Sie bilden dann den Bezugsrahmen, den Referenzrahmen, auf den sich alle weiteren Aussagen (Prädikationen) beziehen. Mythen interpretieren die Wirklichkeit nicht, sondern sie bilden ein nicht hinterfragtes Gerüst für die Wahrnehmung von Wirklichkeit.

2. Realität und Identität im Mythos

Im Mythos fallen Materielles und Ideelles zu einer realen Einheit zusammen[18]. Die materielle Realität ist überhaupt mit unsichtbaren Bedeutungsfäden durchzogen. Alle Erscheinungen haben eine insbesondere den Menschen einbeziehende Tiefenbedeutung, die jedoch nicht einfach symbolisch ist (im Sinne einer distanzierten Verweisung), sondern die in den vom Mythos ausgezeichneten Dingen *real präsent* ist. Der Mythos ist immer »ein direkter Ausdruck seines Gegenstandes«[19], er ist »tautegorisch«[20]. Vor allem kennt der Mythos nicht die metaphorische Beziehung der Analogie zwischen verschie-

---

15. *Elisabeth Gülich:* Ansätze zu einer kommunikationstheoretischen Erzähltextanalyse, in: *W. Haubrichs (Hg.):* Erzählforschung. Theorien, Modelle und Methoden der Narrativik, 1976, S. 224–256, bes. S. 226ff.; *C. Kahrmann/G. Reiß/M. Schluchter:* Erzähltextanalyse. Eine Einführung in Grundlagen und Verfahren, Bd. 1, 2. Aufl., 1981.

16. Entsprechend haben die Rahmenerzählungen der synoptischen Evangelien (d.h. alle Erzählungen mit Jesus als Protagonisten im Unterschied zu den Reden und Gleichniserzählungen) noch etwas von der mythischen Funktion. Das gilt in besonderer Weise von Mk. Strukturell ließe sich das an den Epiphanie- und den Wundererzählungen zeigen.

17. *Alfred Lorenzer:* Sprachzerstörung und Rekonstruktion. Vorarbeiten zu einer Metatheorie der Psychoanalyse, Frankfurt/M. 1970.

18. *Hübner,* a.a.O., S. 109ff.

19. *B. Malinowski:* in: *Kerényi,* a.a.O., S. 182.

20. *F. W. J. von Schelling* unterschied ein allegorisches und ein poetisches Verständnis von Mythos einerseits und ein allein sachgemäßes tautegorisches Verständnis andererseits (vgl. den bei *Kerényi,* S. 89–92, abgedruckten Text). Zur Bedeutung Schellings und Malinowskis für die hier favorisierte neuere Mythentheorie vgl. *Wolfhart Pannenberg:* Christentum und Mythos, in: *ders.:* Grundfragen systematischer Theologie. Ges. Aufs., Bd. 2, Göttingen 1980, S. 13–65, S. 13–17.

denen Erscheinungen[21]. Jede Ähnlichkeit wird im Mythos zur Kontiguität und letztlich zur Identität. Wenn z. B. von einem Menschen gesagt wird: »Er ist ein Löwe«, so wäre das außermythisch eine Metapher (in der Metapher erscheint etwas »wie« etwas anderes)[22]. Im Mythos dagegen drückt das einen räumlichen Zusammenhang aus: Ein Stück des Löwen ist in diesem Menschen real vorhanden. Dieses Phänomen der Tiefenidentität bedeutet umgekehrt zugleich auch eine Erweiterung der Kategorie der Identität. Wie bekanntlich im Traum die Identität der im Traum auftauchenden und handelnden Personen fließend wechseln kann, so können gleiche Personen (z. B. ein Gott oder der Urmensch) im Mythos verschiedene Gestalt annehmen. Im Märchen (als einem »Kind« des Mythos) spielen entsprechend Verwandlungen (Tiere in Menschen, Jungfrauen in alte Hexen – und jeweils umgekehrt) eine große Rolle. Das Phänomen der Tiefenidentität hängt des weiteren mit dem mythischen Raum- und Zeitverständnis und dem korporativen Denken des Mythos zusammen.

3. Raum und Zeit im Mythos

Der Mythos kennt nicht unsere Vorstellung vom absoluten *Raum,* sondern faßt Raum immer relativ als Aura einer Erscheinung, eines Dinges auf. Verschiedene Orte können, ohne daß ein Widerspruch empfunden wird, zugleich Zentrum der Welt sein[23]. Dinge wie Götter können an vielen Stellen zugleich sein (Ubiquität). Umgekehrt gilt nun auch (aufgrund des Phänomens der Tiefenidentität), daß räumlich Getrenntes aufgrund irgendeiner Ähnlichkeit als räumlich verbunden gedacht wird. Das ist nur die Kehrseite des Satzes, daß ein und dasselbe an zwei Orten zugleich sein kann.

Wie der Raum, so wird auch die *Zeit* nicht als etwas Absolutes, Meßbares verstanden, sondern immer als die Zeit eines Dinges, die Zeit einer Epiphanie. »Jedes Ding hat seine Zeit.« Zeit ist immer gefüllte Zeit[24]. Wichtig ist nun, daß die »Zeiten« wiederkehren können. Was als urzeitlich erzählt wird, ist latent dauernde Gegenwart und in der Vergegenwärtigung jederzeit wiederholbar. So erzählt der Mythos immer bleibendes, prägendes Urgeschehen. Ja, im Erzählen holt er das Erzählte real herbei. Was »einmal« im Mythos war, ist »ein für allemal«. Mehr noch als beim Raum gilt die erweiterte Identität in zeitlicher Hinsicht: Was urzeitlich geschah, kehrt identisch wieder[25]. Es wäre jedoch ein

---

21. Das Metaphorische ist wiederum vom Allegorischen streng zu unterscheiden: *Gerhard Sellin:* Allegorie und »Gleichnis«. Zur Formenlehre der synoptischen Gleichnisse, in: ZThK 75 (1978), S. 281–335.

22. *Paul Ricœur:* Die lebendige Metapher (Übergänge, Bd. 12), München 1986, S. 209ff.

23. *Eliade,* s. Anm. 3, S. 13ff.; *Hübner,* a.a.O., S. 159ff.; *Rudolf zur Lippe:* Das Heilige und der Raum, in: *D. Kamper/Chr. Wulf (Hg.):* Das Heilige. Seine Spur in der Moderne, 1987, S. 413–427.

24. Koh 3,1ff.; vgl. *G. von Rad:* Theologie des Alten Testaments II, 3. Aufl., 1962, S. 114ff.

25. *Eliade,* s. Anm. 3, S. 40ff.; *Hübner,* a.a.O., S. 142ff.; *Günter Dux:* Struktur und Semantik der Zeit im Mythos, in: Das Heilige (s. Anm. 23), S. 528–547.

Mißverständnis, dem mythischen Denken deshalb einfach Zeitlosigkeit zu unterstellen. Denn umgekehrt wird das, was Realität *ist,* ja gerade dadurch begründet, daß es *geworden* ist.

4. Korporatives und typisches Denken im Mythos

Mit dem Grundsatz der erweiterten Identität im Mythos hängt schließlich das korporative und »typische« Denken des Menschen im Banne des Mythos zusammen. Das Leben der Individuen einer Sippe ist geprägt durch die Urtaten des Stammvaters, des Ahnherrn[26]. Wieder gilt aber, daß der Urahn als Typ nicht die Individualität seiner Nachkommen negiert, sondern beides besteht zugleich. Der Stammvater verkörpert in sich jeden seiner individuellen Nachkommen – und das Erleben der Nachkommen ist die Wiederholung der Taten des Urahns. Die Individuen sind Abbilder ihres Typos. Wieder gilt hier das Prinzip der Identität bzw. der Kontiguität: Die Beziehung ist keine Ähnlichkeit, sondern reale Partizipation. Der Typ ist in seinen Nachfolgern real präsent. Eliade bietet ein Beispiel: »Wenn ein Schiffer [in Neuguinea] aufs Meer hinausfährt, verkörpert er den mythischen Helden Aori. ›Er trägt die Tracht, die Aori im Mythos anlegte; wie Aori hat auch er das Gesicht geschwärzt ... Er tanzt auf der Plattform und breitet die Arme aus, wie Aori seine Flügel ausbreitete ... Ein Fischer sagte mit, wenn er (mit dem Bogen) auf Fischjagd ausgehe, gebe er sich für Kivavia selbst aus. Er flehe diesen mythischen Helden nicht um seine Gunst an, er identifiziere sich mit ihm.‹«[27]
Mit dem Stichwort »Imitatio« wäre dieses Prinzip der Partizipation des Individuums am mythischen Vorbild aber noch nicht korrekt wiedergegeben. Die mythische Nachbildung ist kein Nachstreben, kein Nachahmen (wo sie dazu wird, haben wir bereits den Mythos verlassen und sind zur Legende gelangt[28]). Die Beziehung zwischen Typ und Abbild ist keine ethische, sondern eine ontologische und damit für den Menschen gewissermaßen schicksalhafte.
In diesem Punkte erweist sich übrigens, daß der Platonismus in einem wesentlichen Prinzip dem mythischen Denken verpflichtet bleibt, nämlich darin, daß die Einzeldinge am Sein ihrer Gattung, d. h. der Ideen, real partizipieren. Das »Abbild« partizipiert am Wesen des Typos.
Neben den bisher genannten vier semantischen Prinzipien (nämlich: narrative Bildung eines Referenzrahmens für die Wirklichkeit, Tiefenidentität unterschiedlicher Individualitäten, mythisches Raum- und Zeitverständnis, korporatives Denken) nenne ich jetzt noch zwei pragmatische Kriterien.

---

26. *Hübner,* a.a.O., S. 177 f.; *Drewermann,* a.a.O., S. 250 ff.
27. *Eliade,* s. Anm. 3, S. 58.
28. *Jolles,* s. Anm. 4, S. 23 ff.

5. Der Mythos als »exemplarisches Modell«

Was ist die Funktion[29] des Mythos? Generell gilt: Der Mythos dient nicht der Erklärung oder Interpretation der Wirklichkeit, sondern umgekehrt fungiert er seinerseits als Grund für gegenwärtige Gesetzmäßigkeiten, Zustände, Riten und Normen. Er erzählt die heiligen Archai, die Ursprungshandlungen, deren identische Wiederholungen das Leben der Mitglieder mythischer Gesellschaften bestimmen. Eliade nennt ihn deshalb ein »exemplarisches Modell«[30]. Die Wirklichkeit erscheint nicht als das Produkt menschlicher Operation, sondern als etwas numinos Vorgeprägtes. Mit den Mythen ist in einer mythischen Gesellschaft das Fundament gelegt, das die Sinnhaftigkeit aller Wirklichkeit garantiert.

6. Mythos als »Sprachereignis«

Die pragmatische Funktion des Mythos wird genauer erst erkennbar durch die ethnologischen Beobachtungen zu den Anlässen und Wirkungen des Mythenerzählens in noch existierenden mythischen Gesellschaften. Das Erzählen eines Mythos, die Rezitation, stellt sehr häufig ein aktuelles Sichverwirklichen seines Inhaltes dar. So dient z. B. das Erzählen eines Schöpfungsmythos der Maori einer ganz bestimmten Gruppe von alltäglichen Zwecken: z. B. um einen unfruchtbaren Mutterschoß fruchtbar werden zu lassen, um Gesänge zu dichten, um Licht in dunkle Angelegenheiten zu bringen, etwas Verlorenes wiederzufinden, um ein Haus zu bauen, eine Depression zu heilen[31]. Die genannten Handlungen sind durch ihren kreatorischen Charakter bestimmt. Der Inhalt des Mythos wird also, in seiner Rezitation die Urschöpfung wiederholend, verwirklicht. Man kann sagen: Der Mythos ist ein Sprechakt, in dem sich der semantische Gehalt selber pragmatisch verwirklicht. Nach den Gesetzen moderner Logik wäre so etwas unmöglich, da der Wahrheitswert einer Aussage (in einer Handlungslogik wäre das die Verwirklichung einer Aussage) immer zu der Aussage selbst auf einer Metaebene steht. Andernfalls ergäbe sich die Paradoxie des Lügners (bekannt in dem Beispiel des Kreters, der behauptet, alle Kreter seien Lügner)[32].

---

29. Zur pragmatischen (Sprach-)Funktion s. Anm. 11. Zur *anthropologischen* Funktion des Mythos vgl. die Aufnahme der »evolutionären Erkenntnistheorie« bei *Hans-Peter Müller:* Mythos und Kerygma. Anthropologische und theologische Aspekte, in: ZThK 83 (1986), S. 405–435, S. 411 ff.

30. *Eliade,* s. Anm. 3, S. 56 ff.

31. Eine Nacherzählung dieses Mythos einschließlich der Beschreibung seiner Verwendung fand ich in: Erfahrung und Erkenntnis. Zugänge zur Wirklichkeit, Erarbeitet von *Joh. Betz/H. Buchner/G. Neumüller:* Konzepte 9 – Materialien für den Religionsunterricht in der Sekundarstufe II, 1982, S. 4.

32. Vgl. dazu *Christoph Zimmer:* Die Lügner-Antinomie in Titus 1,12, in : Ling Bibl 59 (1987), S. 77–99. Dieses Gesetz der Ebenen-Distanzierung von Sprechakt und Evaluation gilt für alle Sprechakttypen (Aussage → Wahrheitswert; Direktiv → Ausführung; Expressiv → Aufrichtigkeit; Kommissiv → Ausführung des Versprechens), selbst für die Deklarativa (das sind Sprechakte wie

Diese Beobachtung zur Sprechakttheorie des Mythos hängt mit dem von mir unter 1 genannten Merkmal des Mythos zusammen, nämlich, daß »erzählte Zeit« / »erzählte Welt« einerseits und die Erzählzeit bzw. Realwelt andererseits beim Mythos nicht zu trennen sind.

II. Zur Religionsgeschichte der paulinischen Mythologeme

Für Bultmann begegnete Mythisches im Neuen Testament (speziell auch bei Paulus) auf zwei religionsgeschichtlichen Feldern: dem der Apokalyptik und dem des »gnostischen Erlösermythos«[33]. Zum zweiten Feld ist eine religionswissenschaftliche Bemerkung vorweg angebracht: Gerade der »Urmenschmythos« ist kein gnostisches Produkt, sondern nach meiner Ansicht ein platonisch-jüdisches[34]. Aber wie dem auch sei – auf jeden Fall ist er ein spekulativer Kunstmythos[35] – ob platonisch oder gnostisch. Solche reflektierten, z. T. mittels allegorischer Exegese gewonnenen mythischen Motive möchte ich *Mythologeme* nennen. Das schließt nicht aus, daß Paulus gerade auch mit ihnen, die er schon als Motive und Motivsysteme übernimmt, die strukturellen mythischen *Züge* seiner Theologie zur Geltung bringt. Diese aber begegnen bei ihm auch dort, wo sie von der religionsgeschichtlich geprägten Exegese, die nach Motiven sucht, nicht vermutet werden: in der Struktur seiner Theologie (und nicht nur im Adam-Christus-Schema).
Eine schwierigere Frage ist die, ob das »Apokalyptische« unter die Kategorie des Mythischen fällt. André Jolles hat diese Frage bejaht: »Können Sonne und Mond, kann der Berg, ja, kann die Welt, so wie sie sich in der Mythe erschaffen, zugrunde gehen? Sie können es, sie können es in der Mythe, sie können es sogar nur durch die Mythe ... so finden wir neben der Mythe, die baut, eine Mythe, die vernichtet ... Neben Weltschöpfung steht Untergang ... Aber so wie der Unheilige sich zum Heiligen wandeln kann, so kann der Mythos wiederum aus dem Chaos eine neue Welt bauen.«[36] Man muß jedoch Einschränkungen machen. Gegenüber der Prophetie, für deren Sproß man die Apokalyptik wohl immer noch zu halten hat, hat sich nicht nur das Zeitverständnis, sondern auch das Prinzip der Identität und der Realpräsenta-

---

»hiermit ernenne ich Sie zum ...« oder »hiermit taufe ich dich ...«), insofern hier die Verwirklichung auf gesellschaftlicher Ebene sanktioniert sein muß: Der Sprechakt ist nur gültig, wenn der Sprecher dazu »befugt« ist. Wenn man den Mythos als göttliche Rede versteht, könnte man ihn eventuell als Deklarativum auffassen. Aber wahrscheinlich wird das nicht möglich sein. M. E. bildet der Mythos einen eigenen selbständigen Sprechakttyp. Mit *Ingolf Ulrich Dalfert:* Religiöse Rede von Gott (BEvTh 87), München 1981, S. 182ff., könnte man die mythischen Sprechakte als »kausative Sprechhandlungen« von den einfachen Deklarativen (»archetypische Performative«) unterscheiden.

33. *Bultmann,* s. Anm. 2, S. 26f.
34. *Gerhard Sellin:* Der Streit um die Auferstehung der Toten. Eine religionsgeschichtliche und exegetische Untersuchung von 1. Korinther 15 (FRLANT 138), Göttingen 1986.
35. Zum Begriff »Kunstmythos«: *Jolles,* s. Anm. 4, S. 108ff.
36. *Jolles,* s. Anm. 4, S. 124.

tion abgewandelt: Das Mythische verschiebt sich in der Apokalyptik zum Allegorischen. Die Gegenwart hat ihre numinose Fülle verloren, Gott hält sich zur Zeit zurück, ist gegenwärtig der ferne Gott, nah war er einst und wird er einst wieder sein. Kurz: Die Apokalyptik zerreißt zeitlich die mythische Identität zwischen dem Materiellen und dem Ideellen. Die distanzierende Auflösung des Mythischen hat begonnen. Dazu gehört auch, daß die Einheit von semantischem Inhalt und pragmatischer Verwirklichung beim Wort (unser 6. Kriterium für Mythos), wie sie in der Prophetie geradezu musterhaft vorgegeben war[37], nur noch in zeitlicher Gebrochenheit da ist: Der Wahrheitswert der apokalyptischen Aussagen bzw. ihre Verwirklichung liegt auf der Metaebene der Zukunft. In der Gegenwart aber ist die göttliche Wirklichkeit entrückt und verschlüsselt: Das neue Jerusalem befindet sich als Modell im Himmel. Nur chiffriert, symbolisch, haben einige Weise Kenntnis von der Wahrheit. Entsprechend muß nun die Vision dem Wort immer mehr zur Hilfe kommen.
Man könnte sagen, die Apokalyptik bewahrt das Mythische nur noch gebrochen. Die Symbolik des Mythos verschiebt sich entweder ins Allegorische oder – so in der Jesustradition und gelegentlich bei Paulus – ins Metaphorische (im Gleichnis kommt Gott zur Sprache)[38]. Das bedeutet keine Abwertung. Neben dem Mythischen spielt das Metaphorische im christlichen Sprechen die Hauptrolle (und auch das Allegorische hat seine theologische Dignität). Ich möchte aber in diesem Zusammenhang die apokalyptischen Elemente bei Paulus ausklammern und sie allenfalls als Mythologeme gelten lassen. Sie spielen für die Struktur seiner Theologie freilich eine maßgebliche Rolle – und zwar als Korrektiv einer noch anderen Schwundform des Mythischen: als Korrektiv des Ekstatischen. Und hier muß ich noch einmal auf das andere Feld zu sprechen kommen: die platonisch-jüdische Mytho*logie,* wie sie deutlich in Korinth auflebt. Auch wenn der Platonismus, wie wir sahen, das Mythische am stärksten bewahrt hat, zerfällt auch bei ihm die mythische Einheit des Materiellen und Ideellen insofern, als das Materielle dualistisch abgewertet wird. Die mythische Präsenz des Göttlichen in der Wirklichkeit wird deshalb ersetzt durch die Ekstase, durch den Enthusiasmus. Anders auch als im Mythos wird die Zeit eliminiert. An dieser Stelle spielt das Apokalyptische für Paulus als Gegenmittel die größte Rolle: Damit bewahrt er Zeitlichkeit und Leiblichkeit vor der Eliminierung. Paulus spielt also die beiden Derivatformen des Mythischen – das Enthusiastische und das Apokalyptische – gegeneinander aus.

---

37. Vgl. dazu *von Rad,* a.a.O., S. 93 ff.

38. *Eberhard Jüngel:* Gott als Geheimnis der Welt. Zur Begründung der Theologie des Gekreuzigten im Streit zwischen Theismus und Atheismus, Tübingen 1977, S. 403.

III. Mythische Züge in der paulinischen Theologie

1. Das Evangelium als δύναμις θεοῦ

Δύναμις θεοῦ ist in der hellenistisch-jüdischen Theologie (ähnlich wie λόγος θεοῦ) Name für eine Wirkweise Gottes in der Welt[39]. Der Begriff stellt schon eine entpersonalisierende Abstraktion von Engelgestalten dar, bewahrt seinen mythischen Gehalt aber in dem einen Punkt, daß er den sich in objektivem Geschehen durchsetzenden Willen Gottes bezeichnet. Paulus gebraucht den Ausdruck für das »Evangelium« (Röm 1,16), das er an anderer Stelle inhaltlich als narrative Zusammenfassung des Christusgeschehens vorstellt: 1 Kor 15,1 ff. Man streitet sich darüber, ob das Narrative der Formel 1 Kor 15,3–5, das in den Aoristen zum Ausdruck kommt, historische oder theologisch-symbolische Funktion hat[40]. Beides ist falsch. Es handelt sich vielmehr um einen narrativen Basistext mythischen Charakters, insofern hier semantischer Gehalt und pragmatische Verwirklichung im Sprechakt zusammenfallen. Das Evangelium ist also ein Sprechakt, der weder einfach referiert oder informiert noch symbolisch auf eine höhere Dimension verweist, sondern der seinen Gehalt qua Sprechakt verwirklicht. Kurz: Die Predigt des Evangeliums hat Tod und Auferstehung Jesu zum Inhalt, und sie *macht* zugleich die Adressaten tot und lebendig, sie »kreuzigt« und »weckt auf«. Dies Ineinander von Inhalt und Verwirklichung, sahen wir, gilt durchweg für mythische Rede. Kreuzestod und Auferweckung Jesu sind eine mythische ἀρχή, die im Akt der Verkündigung identifizierend nachvollzogen wird.

2. Sakramentale und existentielle Verwirklichung der mythischen Aussagen

Der Inhalt von Mythen vergegenwärtigt sich keineswegs nur in speziellen Riten, sondern auch in allen für unsere Begriffe alltäglichen Verrichtungen – oder anders ausgedrückt: In mythischen Gesellschaften ist alles Handeln (etwa bei der Arbeit und in der Familie) in gewisser Hinsicht rituell. Zwar gibt es die Unterscheidung von Fest und Alltag, von heiligem Bezirk und Profanum, doch umgreift und heiligt das Mythische gerade auch das Alltägliche. Wenn jedoch entweder das Magische oder das Sakramentale als allein ausgezeichneter Ort des Mythischen erscheint, Mythos also nur noch im begrenzten Ritus Wirklichkeit gestaltet, ist die Selbstverständlichkeit des Mythos schon verlorengegangen. Symptomatisch scheint mir die sakramentalistische Ver-

---

39. Die δυνάμεις als die »Kräfte«, Wirkweisen und Medien göttlicher Aktivitäten: z. B. Philo, Post 20; Conf 137. 182; Fug 69; Abr 121 f. 143; SpecLeg I 329; QEx II 37.

40. Theologisch-symbolisch: z. B. *Hans Conzelmann:* Zur Analyse der Bekenntnisformel 1. Kor. 15,3–5, in: *ders.:* Theologie als Schriftauslegung. Aufsätze zum Neuen Testament, 1974, S. 131–141; *Karl Lehmann:* Auferweckt am dritten Tag nach der Schrift. Früheste Christologie, Bekenntnisbildung und Schriftauslegung im Lichte von 1 Kor 15,3–5 (QD 38), 1968; historisch: z. B. *Franz Mußner:* Zur stilistischen und semantischen Struktur der Formel 1 Kor 15,3–5, in: Die Kirche des Anfangs. Für Heinz Schürmann, 1977, S. 405–416.

engung des Mythischen im korinthischen Christentum gewesen zu sein, wo ein platonischer Spiritualismus (besonders deutlich in der Heilsvorstellung der nackten Seele: erkennbar hinter 2 Kor 5,1–10) durch einen krassen Sakramentalismus (erkennbar z. B. hinter 1 Kor 10) ergänzt wurde, um das, was im mythischen Leben noch materiell-ideelle Einheit war, wenigstens in zwei Komplementen zu erhalten. (Die magische Variante dieses Zerbrechens der mythischen Einheit stellt der spätantike Wunderglaube dar.) Indem Paulus das Sakramentale auf die ganzheitlich-somatische Existenz der Christen bezieht, wird der Ort der Realpräsenz des Göttlichen wieder auf die ganze Schöpfung als Lebensraum des Menschen ausgeweitet, kommen Alltag, Ethik und Natur wieder in den theologischen Blick. Der Inhalt des Mythos verwirklicht sich so an den einzelnen Gliedern seines Korpus, die als ganze, als σώματα, seiner mythischen Substanz zugehören. Damit stehen wir vor dem für die paulinische Theologie typischen Phänomen des korporativen Denkens, das in verschiedenen Ausformungen begegnet: im Mythologem von den zwei Urmenschen, im Korpus-Christi-Gedanken, in der Vorstellung von Christus als Raum und als Gewand. Einen Zugang zu diesem Komplex bietet das Typosdenken.

3. Das Typosdenken

Ich möchte hier an eine besondere Figur in der paulinischen Christologie erinnern, nämlich an das Schema von τύπος und μιμητής [41]. Daniel Patte sieht in seiner strukturalen Einleitung zu den Paulusbriefen darin so etwas wie eine Grundstruktur paulinischer Theologie[42]. Das Schema selbst entstammt dem hellenistischen Judentum (Philo spricht von τύπος und μίμημα) und geht letztlich auf Plato zurück (die Dinge als Abbilder der Ideen)[43]. Das zeigt schon, daß es sich dabei nicht um eine Imitatio eines Vorbildes handelt, sondern um eine ontologische Beziehung. τύπος könnte man also mit »Modell« übersetzen. Paulus nennt sich selbst einen τύπος in Beziehung auf die Christen seiner Gemeinden. Er selber aber ist μιμητής Christi. Damit ist er zugleich unfreiwilliges, lebendes Exempel, Demonstrationsobjekt seiner Botschaft, die er verkörpert, und zwar anschauliches Bild sowohl des neuen Lebens Christi, der δόξα, als auch des Sterbens und des Todes – das heißt: Er repräsentiert anschaulich den semantischen Gehalt des Kerygmas.
Der Bereich des Mythischen wird in der Folgezeit nach Paulus genau dort verlassen, wo die τύπος-μιμητής- Beziehung als Imitatio eines Vorbildes im

---

41. Grundlegend für das hier vorgetragene Verständnis des Schemas: *Hans Dieter Betz:* Nachfolge und Nachahmung Jesu Christi im Neuen Testament (BHT 37), Tübingen 1967; vgl. auch *Willi Marxsen:* Der erste Brief an die Thessalonicher (ZBK.NT 11.1), 1979, S. 38 f.

42. *Daniel Patte:* Paul's Faith and the Power of the Gospel. A Structural Introduction to the Pauline Letters, Philadelphia 1983, S. 131 ff., 169 ff., 178 ff., 238 ff.

43. Dazu *H. Willms:* EIKON. Eine begriffsgeschichtliche Untersuchung zum Platonismus, Teil I: Philon von Alexandreia, Münster 1935, S. 1–24.

ethischen Sinne verstanden wird – und das geschieht erstmalig in 2 Thess 3,7[44], wo das Genus des Mythischen verlassen und die Welt der »Legende« betreten wird, deren »Geistesbeschäfigung« nach André Jolles gerade die »imitatio« ist[45]. Nun kann allerdings auch Paulus den Imperativ gebrauchen: »Werdet meine μιμηταί!« (1 Kor 4,16; vgl. 11,1). Doch ist der paulinische Zusammenhang von Indikativ und Imperativ wiederum eine Besonderheit, die vielleicht mit der mythischen Ontologie zusammenhängt: Das im Tempus des Aorist erzählte Geschehen ist die Urwirklichkeit, und doch ist der Mensch gefordert, diese Wirklichkeit immer wieder zu vollziehen, sie zur Wirkung zu bringen. Die Handlungen der Menschen sind Nachvollzüge eines Musters. Wenn der Mensch im Bannkreis des Mythos etwas vollbringt, etwas tut – so vollzieht er nur, was im Mythos längst vorgezeichnet ist. Auch die scheinbar freie Tat ist schicksalhaft – davon lebt z. B. die Tragödie. Umgekehrt kann Paulus sich bei der Paränese fast immer auf die von seinen Gesprächspartnern erlebte Wirklichkeit des Heils beziehen, so daß die Ermahnung mehr ein Bewußtmachen der Heilswirklichkeit als eine Aufforderung zur Produktion des Heils darstellt.

4. Typologien

Ein anderer Fall von τύπος-Denken liegt vor in 1 Kor 10, wo die Ereignisse zur Zeit der Wüstengeneration als τυπικῶς Widerfahrenes (10,11) und als »τύποι für uns« (10,6) bezeichnet werden. Weder geht es hier einfach um Schriftallegorese (die allerdings traditionsgeschichtlich im Hintergrund steht) noch um eine simple Auffassung der Historie als Sammlung von Exempeln. Vier Einzelheiten sind zu beachten:

a) Es liegt – anders als etwa im Falle Adams – kein schöpfungsursprüngliches Geschehen vor. Aber dennoch handelt es sich um einen hervorgehobenen Abschnitt der Geschichte, die Wüstenzeit, die zu einer Art Urzeit mythifiziert wird. Mythos und Geschichte schließen sich nicht aus – weshalb wir ja auch sagen können, daß das Christusgeschehen mythische Qualität hat.

b) Es sind die »Väter», denen das widerfuhr. Damit ist eine (wenn auch symbolisch auf die Heidenchristen erweitere) genealogische Stammesverbindung (wie beim Urahn Adam) vorhanden – ein wesentliches Phänomen des mythischen Korporativdenkens.

c) Christus war schon dabei – als Fels. Dies Motiv ist freilich seiner Herkunft nach nicht einmal ein Mythologem, sondern eine allegoretisch gewonnene Chiffre[46]. Ihre Funktion besteht darin, den Präexistenzgedanken einzuführen, womit das mythische Prinzip der Identität zeitlich getrennter Ereignisse zum

---

44. Dazu *Marxsen*, a.a.O., S. 39 A 3; *ders.*: Der zweite Thessalonicherbrief (ZBK.NT 11.2), 1982, S. 100. Eine Ausnahme könnte auf den ersten Blick aber Phil 3,17 sein, eine Stelle, die die ethische Imitatio von 2 Thess 3,7 vorwegzunehmen scheint.

45. *Jolles*, s. Anm. 4, S. 35 ff.

46. Vgl. dazu Jud 5; dazu *G. Sellin:* Die Häretiker des Judasbriefes, in: ZNW 77 (1986), S. 206–225, 212 f., Anm. 19. Neben Jud 5: Justin, Dial. 120, 3.

Zuge kommt. Es ist nicht so sehr die Analogie von einst und jetzt (und damit das Metaphorische), sondern die untergründige Identität der Ereignisse (und damit das Mythische), die sich darin ausspricht.
d) Das Typosgeschehen der Urzeit ist »aufgeschrieben zur Mahnung für uns, auf die das Ende der Zeiten gekommen ist« (10,11). Hier wird deutlich, daß die Geschichte von ihrem gegenwärtigen Ende her aufgerollt wird. Das bedeutet nun eine Umkehrung normalen mythischen Denkens. Auch wenn das Wüstengeschehen τύπος genannt wird, ist das eigentliche Modell das Christusgeschehen der jüngsten Vergangenheit (wie ja auch Taufe und Herrenmahl mit Hilfe der allegoretischen Symbolik zurückprojiziert werden). Normalerweise prägt in der mythischen Mentalität eine in der Urzeit geschaffene, vollzogene ἀρχή alles gegenwärtige Leben[47]. Hier im Christentum erfolgt eine Umkehrung: Das Vergangene wird zum Abbild der Gegenwart. Gleichzeitig verrät freilich noch die Terminologie die übliche mythische Reihenfolge: Das vergangene Geschehen ist τύπος der Gegenwart. So wird Adam τύπος τοῦ μέλλοντος, Urbild des (späteren) Christus, genannt. Meiner Meinung nach entsteht genau hierdurch, durch das Phänomen der zwei Brennpunkte, die sogenannte »Typologie«. Sie kann in zwei Formen auftreten: Vorbild und Nachbild können sich qualitativ entsprechen (wobei – wie gesagt – das Abbild eigentlich den Urtyp prägt: so die Sakramente in 1 Kor 10), oder Typ und Antityp sind nur formal analog, vom Wert her aber stehen sie im antithetischen Verhältnis (so Adam und Christus). Erst hier, wo es um zwei antithetische Typen geht, sollte man von Typ und Antityp reden (insofern beide Typen Urbilder sind). Im Fall der zwei Urmenschen läßt sich nun das von mir unter 3 beschriebene Typosdenken auf beiden Seiten parallel durchführen: Typ und Antityp sind beide τύπος ihrer jeweiligen μιμηταί. Auch wenn die Vorlage dafür die philonische Lehre von den zwei Urmenschen sein dürfte, so kommen in der paulinischen Ausarbeitung des Mythologems einige ursprünglichere mythische Vorstellungen wieder stärker zum Zuge: Adams Sündenfall ist die bleibende ἀρχή für Sünde und Tod aller Menschen (Röm 5,12). Adam verkörpert den natürlichen Menschen – oder andersherum: Jeder Mensch vollzieht wiederholend das durch seinen Stammvater inaugurierte Urgeschehen. Dieses mythische Muster korporativen Denkens wird nun auf der anderen Seite auf Christus bezogen, der als echter Antityp entsprechend zum neuen Archetypen und »Schicksalsträger«[48] wird. Der neue Mythos setzt das Verhängnis des alten außer Kraft und begründet eine neue Wirklichkeit. Der alte Mythos ist deshalb für Paulus grundsätzlich exemplarisches Modell des Unheils, und Paulus rekurriert ausschließlich auf den Adam von Gen 2 und 3, nicht aber auf den von Gen 1,27. Das heißt: Bei der Typologie stehen sich entweder zwei τύπὸς-μίμημα-Beziehungen gegenüber, wobei der Antityp positiv gewertet ist, oder aber das

47. Vgl. *Hübner*, a.a.O., S. 135ff.
48. *Ernst Käsemann:* An die Römer (HNT 8a), 1973, S. 134, 136.

mythische Verhältnis von Urgeschehen und Wiederholung wird zeitlich umgekehrt, so daß das frühere Ereignis pointiert gesagt geradezu zum Abbild des späteren, des Christusgeschehens, wird, das nun die Rolle des Modells innehat.

5. Christus als »exemplarisches Modell« I: die Auferweckung

Für Paulus ist die Auferweckung Jesu ein Urgeschehen, das sich zunächst in den Erscheinungen und dann in der Verkündigung je und je verwirklicht. Wenn er im Anschluß an die Formel 1 Kor 15,3–5 seine vorchristliche Vergangenheit als das Sein einer »Totgeburt« (ἔκτρωμα) bezeichnet, so heißt das: Die Erscheinung des von den Toten Erweckten wird zur Erweckung des »totgeborenen« Verfolgers[49]. Zwar war diese Erscheinung die letzte, ihre Wirkung setzt sich aber fort in der Predigt. Implizit heißt das wiederum: Die Verkündigung des Evangeliums, dessen Inhalt die Auferweckung Jesu ist, wird selber zur pragmatischen Verwirklichung ihres semantischen Gehaltes: Sie weckt Tote auf. Im folgenden (1 Kor 15,12ff.) wird beides nun so sehr gekoppelt, daß eins ohne das andere nicht sein kann. Wird die Wirkung der Aussage bestritten, ist damit implizit auch ihr Inhalt bestritten. Das wird in V.12–19 in einer logischen Argumentation vorgeführt. Man wird aus dem Streit über die hier vorliegende Logik[50] nicht herauskommen, wenn man nicht die zugrundeliegende mythische Ontologie berücksichtigt: Eine mythische Aussage wie die von der Auferweckung Jesu setzt die Identität von vergangenem Urgeschehen und gegenwärtiger Repräsentation voraus. Vorwegnehmend sei gleich darauf hingewiesen, daß dieses mythische Zusammenfallen von Aussage und ihrer Wirkung sich hier sogar auf die Zukunft erstreckt. Die Erweckung, die in der Verkündigung bzw. im Glauben geschieht, »wiederholt« sich noch einmal am Ende – in der leiblichen Auferweckung vom Tode. Das Apokalyptische wird in der paulinischen Eschatologie mythisch »eingeholt«, so daß Vergangenheit (»Auferweckung Jesu«),Gegenwart (erweckende Predigt) und Zukunft (Auferweckung der Leiber) zusammenfallen. An anderer Stelle bezieht Paulus das Verkündigungsgeschehen auf die Schöpfung und gewinnt dadurch noch eine weitere Ebene mythischer Repräsentation: »Gott, der gesagt hat: Aus der Finsternis soll Licht aufstrahlen!, der hat es aufstrahlen lassen in unseren Herzen zur Erleuchtung der Erkenntnis der Doxa Gottes auf dem Angesicht Jesu Christi« (2 Kor 4,6). Die Predigt ist Wiederholung der

---

49. Dazu *Sellin*, a.a.O., S. 242ff.

50. *Theodor G. Bucher:* Die logische Argumentation in 1 Kor 15,12–20, in: Biblica 55 (1974), S. 465–486; *ders.:* Allgemeine Überlegungen zur Logik im Zusammenhang mit 1 Kor 15,12–20, in: Ling Bibl 53 (1983), S. 70–98; *Michael Bachmann:* Zur Gedankenführung in 1 Kor 15,12ff., in: ThZ 34 (1978), S. 265–276; *ders.:* Rezeption von 1 Kor 15, V.12ff. unter logischem und unter philologischem Aspekt, in: Ling Bibl 51 (1982), S. 79–103; *ders.:* 1 Kor 15,12ff. und Logik, in: Ling Bibl 59 (1987), S. 100–104; *H.-H. Schade:* Apokalyptische Christologie bei Paulus. Studien zum Zusammenhang von Christologie und Eschatologie in den Paulusbriefen (GTA 18), 1981, S. 193ff.

Weltschöpfung. Darum ist der Glaubende »neue Kreatur« (2 Kor 5,17). Auch hier wird die Zukunft mit einbezogen: Die leibliche Auferweckung am Ende der Welt ist wieder eine Schöpfung des Menschen aus dem Nichts des Todes[51]. Hier haben wir sogar vier Stufen, auf denen sich Gottes Schöpfungshandeln ereignet: die Weltschöpfung, die Auferweckung Jesu, die Verkündigung, die endzeitliche Erschaffung der geistlichen Leiber. Doch wird man eine Einschränkung machen müssen: Die Weltschöpfung ist nicht mehr das »exemplarische Modell«, sondern nur noch Analogie und daher eher deutende Metapher. Das exemplarische Urgeschehen bleibt die Auferweckung Jesu, die sich auf zwei Ebenen wiederholt: gegenwärtig in der Verkündigung und zukünftig im Eschaton.

6. Christus als »exemplarisches Modell« II: das Kreuz

Die Sterbeaussage des Kerygmas hatte schon in der antiochenischen Tradition die symbolische Bedeutung der Sühne. Paulus versteht von daher das Sein Christi als Dasein für andere (1 Kor 8,11; Phil 2,5 ff.). Dieses Sein Christi ist wiederum prägendes Modell für die Christen, und zwar sowohl im Sinne des Indikativs wie des Imperativs. Komprimiertester Ausdruck dieser Wirklichkeit der ἀγάπη ist das Kreuz. Im Wort vom Kreuz wird das Ereignis der Kreuzigung präsentiert, und im mythischen Nachleben wird es jeweilige Gegenwart. Wo der Apostel sich als μιμητής Christi versteht und sich als τύπος für seine Gemeinden vorstellt, kommen gerade die nach menschlichen Maßstäben negativen Erfahrungen zur Sprache wie Verfolgung und Leiden. Insofern hier der sich behauptenden, der sich in Weisheit und Ruhm durchsetzenden Selbstherrlichkeit des »Adam« seine Selbstverständlichkeit genommen wird, kommt im mythischen Symbol des Kreuzes eine Dynamik zum Zuge, die eine Rückkehr zum Mythos der »heilen Welt« ausschließt.

Ergebnisse

1. Es ging mir zunächst darum, das Mythische neben dem Metaphorischen (also dem Gleichnis) als besondere Sprachform zu würdigen. Das Metaphorische setzt als prädikative Sprachform die Namen, die Welt schon voraus und deutet sie neu. Das Mythische führt die Namen überhaupt erst ein. Mythen bilden so den Referenzrahmen aller weiteren Aussagen, d. h. aller Prädikationen. Damit hängt zusammen, daß das Erzählen eines Mythos Vergegenwärtigung, Repräsentation eines Ur- oder Schlüsselgeschehens darstellt. Im Erzählen des Mythos ereignet sich das, was der Mythos besagt, das, was er aussagt.
2. Paulus erzählt zwar keine Mythen, aber seine Theologie setzt in wesentlichen Punkten die Ontologie des Mythischen voraus. Das wichtigste Ergebnis ist dabei, daß Kerygma und Mythos keine Gegensätze sind. Gerade in den zentralen kerygmatheologischen Aussagen (z. B. in 2 Kor 2–6) finden sich

51. Vgl. Röm 4,17.

Züge, die der Ontologie des Mythischen zugehören: das Evangelium als Dynamis, als Selbstvollzug seines Inhaltes; die Gegenwart, ja Realpräsenz des Christusgeschehens in der Existenz des Christen, beispielhaft in der des Apostels; die Wiederholung der Auferweckung Christi als neue Schöpfung; das Wort vom Kreuz als Mitkreuzigung usw. All das hat seine Logik nur, wenn man die Ontologie des Mythischen annimmt.

3. Das so verstandene Mythische kann nicht als unzulängliche, überholbare oder gar theologisch unzulässige Sprechweise verstanden werden. Andernfalls würde Entmythologisierung ja Entkerygmatisierung bedeuten. Das schließt nicht aus, daß der Mythos zu interpretieren ist, ja in gewisser Weise existential zu interpretieren ist.

4. Zunächst gilt: Von Gott kann man nur in Metaphern reden (wie Jesus in den Gleichnissen). Aber weiter gilt: Daß Gott, daß sein Name überhaupt bekannt ist, setzt den Mythos voraus. Gott hat sich dem Menschen immer schon mitgeteilt. Anders ausgedrückt: Das gleichnishafte Sprechen (als prädikative Sprachoperation) setzt schon etwas voraus, was nur als Mythos zur Sprache kommen kann[52].

52. Damit spreche ich der Metapher einiges von dem ab, was *Eberhard Jüngel:* Metaphorische Wahrheit. Erwägungen zur theologischen Relevanz der Metapher als Beitrag zur Hermeneutik einer narrativen Theologie, in: *P. Ricœur/E. Jüngel:* Metapher. Zur Hermeneutik religiöser Sprache (EvTh Sonderheft), 1974, S. 71–122, ihr zuschreibt, und weise dies dem Mythos zu: Die narrative Voraussetzung der Metapher, »daß Gott sich selbst bekannt gemacht, daß er Vertrautheit mit sich hergestellt hat« (S. 114), kann nur in der narrativen Form des Mythos gesagt werden. Vgl. dazu auch *Peter Biehl:* Symbol und Metapher. Auf dem Wege zu einer religionspädagogischen Theorie religiöser Sprache, in: Jahrbuch der Religionspädagogik 1 (1984), S. 29–64.

Geschichte und Mythos in der urchristlichen Präexistenzchristologie

Nikolaus Walter

I.

Der Titel dieses Beitrags drückt mit den Stichworten »Geschichte« und »Mythos« eine Spannung aus, die in der urchristlichen Christologie mit ihren Präexistenzaussagen enthalten ist, und ich mache mich nicht anheischig, diese Spannung aufzulösen. Sie soll und kann hier allenfalls unter einem Gesichtspunkt näher in den Blick genommen werden.

Man muß sich immer wieder klarmachen, wie überraschend es ist, daß binnen 20 oder höchstens 30 Jahren auf Jesus aus Nazareth, den Gekreuzigten, also auf einen realen Menschen, der in unmittelbarer Vergangenheit gelebt hatte und gestorben war und für dessen irdisches Leben in jenen ersten Jahrzehnten noch genug Zeugen lebten, die Aussage von seiner »persönlichen« Präexistenz projiziert wurde, jedenfalls so schnell, daß sie für Paulus schon eine ganz geläufige Anschauung war[1].

Erstaunlich ist nicht nur die Schnelligkeit dieser Entwicklung, sondern auch die Tatsache, daß dafür kein wirklich adäquates Muster bereitlag, in das nur noch der Name Jesu aus Nazareth hätte eingepaßt werden müssen. Es wird kaum auf Widerspruch stoßen, wenn ich sage, daß der urchristliche Osterglaube, der die Erhöhung Jesu zu Gott – mit Ps 110,1 gesprochen: an die rechte Seite Gottes – aussagte, eine unabdingbare Voraussetzung dafür war. Man könnte vielleicht sagen, daß die Präexistenzchristologie eine Art Rück-Spiegelung der Erhöhungschristologie war. Aber das erklärt die Entwicklung doch nur ein Stück weit.

Die These, daß kein wirklich adäquates Muster für die Präexistenzaussage in bezug auf einen irdischen Menschen, der vor kurzem gelebt hatte, bereitlag, muß noch ein wenig erläutert werden. Die Vorstellung der »Religionsgeschichtlichen Schule«, es habe einen vorchristlichen gnostischen Mythos vom Abstieg und Aufstieg des Erlösers gegeben, kann heute wohl als erledigt gelten[2]. Aber diese Hypothese läßt sich nun auch nicht durch eine andere ersetzen, nach der etwa in der jüdischen Messiashoffnung ein solches Muster

1. Vgl. den nachdrücklichen Hinweis auf die Schnelligkeit der Entwicklung der Christologie durch *M. Hengel:* Christologie und neutestamentliche Chronologie, in: Neues Testament und Geschichte (FS Oscar Cullmann), Zürich/Tübingen 1972, S. 43–67. – Ein psychodynamischer Erklärungsversuch für diesen Vorgang bei *G. Theißen:* Psychologische Aspekte paulinischer Theologie (FRLANT 131), Göttingen 1983, S. 25f.

2. Dieses Ergebnis der Arbeit von *C. Colpe:* Die religionsgeschichtliche Schule. Darstellung und Kritik ihres Bildes vom gnostischen Erlösermythos (FRLANT 78), Göttingen 1961, hat sich wohl bei den meisten Fachgenossen durchgesetzt.

(pattern) bereitgelegen hätte, in das eben nur noch die Identifizierung: »Der Messias ist Jesus aus Nazareth« hätte eingetragen werden müssen. Auch Gottfried Schimanowski wagt sich in seiner jüngst erschienenen Arbeit »Weisheit und Messias«[3] mit gutem Grund[4] nicht so weit vor. Denn der »Menschensohn« der Bilderreden des äthiopischen Henochbuchs (Kap. 37–71), von dem in Kap. 48 Präexistenzaussagen gemacht werden, ist eben nicht mit dem Messias der geläufigen jüdischen Hoffnung identisch; er ist vielmehr eine Himmelsfigur, deren aktive Tätigkeit im Weltgericht in den Bilderreden angekündigt wird. Auch wissen wir nicht, welche jüdische Gruppe diese Vorstellung entwickelt hat[5], und die Zeit, in der die Bilderreden entstanden, können wir nur ungefähr auf das 1. Jh. festlegen, also nur möglicherweise in die gleiche Zeit, in der das Urchristentum seine christologischen Aussagen entwickelte. Und die rabbinischen Belege für die Vorstellung von der Präexistenz des »Namens des Messias« führen – ganz abgesehen von der genaueren Interpretation dieser Wendung – jedenfalls in eine spätere Zeit, wie auch Schimanowski voraussetzt[6].
Es bleibt also für die Frage nach eventuellen Vorformen der Präexistenzchristologie nur der vor allem von E. Schweizer[7] in die neuere Debatte eingebrachte Hinweis auf die frühjüdische Sophia-Theologie, ausgehend von Prov 8, Hiob 28, Sir 24 und Bar 3, weiterentwickelt in der jüdisch-hellenistischen Sophia-Spekulation über die Schöpfungsmittlerschaft der Sophia (Sap Sal 7,22–8,1; Aristobulos; Philon) und in dem schon in Sir 24 und wieder in äth Hen 42 (und 94,5) anklingenden Mythos von der Sophia[8], die sich ihren

---

3. *G. Schimanowski:* Weisheit und Messias. Die jüdischen Voraussetzungen der urchristlichen Präexistenzchristologie (WUNT II, 17), Tübingen 1985.

4. Man hat fast den Eindruck: entgegen seinem ursprünglichen Ansatz.

5. Bekanntlich sind unter den Qumran-Fragmenten der aramäischen Vorlage des äthiopischen Henochbuchs keine Spuren der Kapitel der Bilderreden gefunden worden. Das wird allgemein so gedeutet, daß in Qumran die Bilderreden noch nicht zum Corpus der Henochschriften gehörten. Aber mindestens ein Teil der Urchristenheit – die Linie der vorsynoptischen und der johanneischen Tradition – und wahrscheinlich auch Jesus selbst kannten diese Vorstellung. (Mir ist etwa die Darstellung, die *C. Colpe,* in: ThWNT VIII, S. 403–481, bes. S. 433ff., gegeben hat, am einleuchtendsten.)

6. Vgl. seine Zusammenfassung S. 308. Zur Kritik an einigen Thesen der Arbeit Schimanowskis vgl. meine Besprechung in ThLZ 112 (1987), Sp. 896–898.

7. *E. Schweizer:* Zur Herkunft der Präexistenzvorstellung bei Paulus, 1959, und: *ders.:* Aufnahme und Korrektur jüdischer Sophiatheologie im Neuen Testament, 1962, in: *ders.:* Neotestamentica, Zürich 1963, S. 105–109 und 110–121; ferner: zum religionsgeschichtlichen Hintergrund der »Sendungsformel« Gal 4,4f.; Röm 8,3f.; Joh 3,16f.; 1 Joh 4,9 (1966), in: *ders.:* Beiträge zur Theologie des Neuen Testamentss, Zürich 1970, S. 83–96. – Vgl. dann z. B. *Schimanowski,* a.a.O., S. 13–106.

8. Genaueres dazu s. bei *U. Wilckens* (ThWNT VII), S. (497–)508-510. – Wilckens nennt auch äth Hen 98,3 und 93,8 und merkt zu letzterer Stelle an: »Der Ascensus der Weisheit wird hier mit der Vorstellung der Himmelfahrt Elias verschmolzen« (S. 509, Anm. 304). Aber es ist dort weder vom Ascensus der Weisheit noch von einer näheren Beziehung zwischen ihr und Elia die Rede.

Platz bei den Menschen sucht und ihn endlich in Israel findet, wo die Tora zu einer Art Inkorporation (aber eben nicht Inkarnation!) der Sophia wird. Aber auch hier ist noch einmal daran zu erinnern, daß die Übertragung dieser Motive einer Sophia-Spekulation bzw. -Mythologie auf den geschichtlich-irdischen Menschen Jesus einen erheblich qualitativen Sprung bedeutet, keine einfache Weiterentwicklung[9]. Auch der Hinweis auf die göttliche Sendung von Engeln (man vgl. etwa Tob 12 oder Jos As 14–17) ist als Vorbild für die urchristliche Präexistenzchristologie nicht zureichend[10]; denn keine dieser Gestalten hat die Exklusivstellung bei Gott, die von Jesus Christus als dem »Sohn« ausgesagt wird[11]. Ich meine also, daß man sehr wohl mit dem Einfluß verschiedener Motive rechnen kann und muß[12], aber nicht an ein in sich kohärentes Muster denken darf, von dem sich die Präexistenzchristologie herleiten ließe.

II.

Aber die religionsgeschichtliche Fragestellung soll hier nicht weiter verfolgt werden. Vielmehr möchte ich die These vertreten und erläutern, daß zwei voneinander unterscheidbare Grundmotive der jüdischen Sophia-Theologie getrennt auf die urchristliche Christologie einwirken und in sie eingehen und daß es von daher zu zwei deutlich unterscheidbaren Ansätzen in der Präexistenzchristologie gekommen ist.

Es handelt sich um zwei Motive, die in den frühjüdischen Texten – wie bereits erwähnt – zum Teil schon kombiniert vorliegen (und deshalb von der Forschung auch oftmals in solcher Kombination vorausgesetzt werden[13]), die sich aber unterscheiden lassen als

(a) das eher mythisch-geschichtliche Motiv der *Sendung* (oder des *Kommens*) der Weisheit von Gott her in die Welt (mit der Möglichkeit der resignierten Rückkehr zu Gott oder aber der Einwohnung in Israel bzw. seiner Tora): *narrative Sophialogie,* und

(b) das eher spekulativ-kosmologische Motiv der *Schöpfungsmittlerschaft* der Weisheit (oder des Logos): *spekulative Sophialogie.*

---

9. Ich kann nicht finden, daß Schimanowski (s. Anm. 3) erwiesen hätte, daß die Übertragung der der Weisheit beigelegten Prädikate auf den (erwarteten) Messias schon vor der Entwicklung der Präexistenzchristologie im Urchristentum stattgehabt hätte. – Eine Art Zwischenstufe könnte in den Weisheitsworten der Redenquelle Q sichtbar werden (vgl. vor allem Lk 11,49–51; weiteres s. bei *Schimanowski*, a.a.O., S. 309–314), wo Jesus als eschatologischer Bote der Sophia erscheint, aber doch noch nicht mit ihr identifiziert wird.

10. Vgl. im Neuen Testament vielmehr Mt 1,20; 2,13; 2,19; 26,53 sowie Lk 1,11 ff.; 1,26 ff.; 2,9 ff.; 22,43 f.: Die Engel stehen im Dienst der Jesusgeschichte.

11. Vgl. das direkte Eingehen auf diese Frage in Hebr 1–2.

12. Vgl. Anm. 5 und 7.

13. So z.B. in den oben Anm. 7 zuerst genannten Arbeiten *E. Schweizers* (in: Neotestamentica), aber auch bei *W. Kramer:* Christos – Kyrios – Gottessohn, Zürich 1963 (Nachdruck, Berlin 1969), S. 118 (mit Anm. 406).

Beide Motive haben ihre soteriologische Entsprechung in recht verschiedenen anthroprologischen Grundauffassungen und erfassen daher auch – in ihrer christologischen Anwendung – die Heilsbedeutung Jesu Christi in recht verschiedener Weise[14].
Ich möchte versuchen, das Gemeinte in der gebotenen Kürze an zwei allbekannten, viel und kontrovers diskutierten Christusliedern im Corpus Paulinum (und, nur anhangsweise, am Prolog des 4. Evangeliums) darzulegen, natürlich ohne hier auf die zahlreichen Probleme dieser Texte näher eingehen zu können.

III. Modell A: Der Erlösungsweg des Sohnes[15] – Phil 2,6–11

Zur Struktur des Liedes[16]: Die Zweiteilung des Liedes ist allerseits anerkannt; hinsichtlich der weiteren Unterteilung hat sich mir das Modell Lohmeyers mit je drei Unterstrophen[17] schließlich doch als das sinnvollste erwiesen[18]. Die Peripetie ist mit V. 9 gegeben; V. 6–8 schildern die Voraussetzung, auf Grund

---

14. Diese Unterscheidung wird auch in Darstellungen der neutestamentlichen Christologie zum Teil gesehen, aber – soweit ich sehe – nicht explizit thematisiert. Vgl. etwa *L. Goppelt:* Theologie des Neuen Testaments II, Göttingen 1976 (Nachdruck: Berlin 1979), S. 399–405; oder *J. Becker:* Geschöpfliche Wirklichkeit als Thema des Neuen Testaments, in: *W. Lohff/H. Chr. Knuth (Hg.):* Schöpfungsglaube und Umweltverantwortung, Hannover 1985, S. 45–100, spez. S. 64–66; während sich z.B. bei *P. Pokorný:* Die Entstehung der Christologie, Berlin 1985, kein besonderer Abschnitt zur Präexstenzchristologie findet. Zumeist erscheint die urchristliche Präexistenzchristologie als eine vom Ansatz her in sich kohärente Größe, so z. B. bei *G. Schneider:* Präexistenz Christi. Der Ursprung einer neutestamentlichen Vorstellung und das Problem ihrer Auslegung, in: Neues Testament und Kirche (FS R. Schnackenburg), Freiburg 1974, S. 399–412.

15. Der Gottessohntitel erscheint in den Versen freilich nicht, er ist aber wohl die dem Lied zugrundeliegende Christusprädikation. Das wird m.E. durch Gal 4,4; Röm 8,3 und durch Hebr 2,14ff. und 5,7f. belegt und auch durch die Nennung »Gottes, des Vaters« am Schluß des Liedes nahegelegt. So z.B. auch *W. Kramer,* a.a.O., S. 119f., und jüngst wieder *C. A. Wanamaker:* Philippians 2,6–11: Son of God or Adamic Christology?, in: NTS 33 (1987), S. 179–193.

16. Den Kommentar von *W. Schenk:* Die Philipperbriefe des Paulus, Stuttgart u. a., 1984, habe ich leider erst nach Fertigstellung dieses Vortrags eingesehen. Er lehnt S. 193–195 die Klassifizierung von Phil 2,6–11 als »Hymnus« oder »Lied« strikt ab, bezeichnet den Text vielmehr als »Lehre« gemäß 1 Kor 14,26. Aber das ist keine Formbezeichnung. Da auch Schenk von »Strophen« spricht (S. 189, 209, 211), könnte er vielleicht »Lehrgedicht« akzeptieren. – Seine Ausführungen zu Phil 2,6–11 berühren das Thema des Vortrages auch insofern, als Schenk zu der hier vorliegenden »Mythisierung Jesu« Stellung nimmt (S. 206ff.). Er versteht sie nicht von jüdisch-hellenistischen Voraussetzungen, sondern vom römisch-hellenistischen Umfeld Philippis her (der Text ist für ihn das »Modell eines philippischen Missionstextes«, S. 209), wofür er auf Beispiele poetischer Deifizierung irdischer Menschen (bes. Augustus, aber auch Romulus) im Schema von Abstieg – Dienst – Wiederaufstieg hinweist (S. 206ff., vor allem im Anschluß an C. H. Talbert). Entsprechend kritisch ist er gegenüber der auf diesem Hintergrund entwickelten Präexistenzchristologie, zumal im heutigen Gottesdienstgebrauch (S. 212). Gewiß: »Missionarisch« kann die Präexistenzchristologie heute wohl kaum noch eingesetzt werden. Aber sollte man sie nicht auch heute als »Lobpreis« – wenn schon nicht als »Lehre« – verstehen können? Vgl. noch Anm. 42.

17. *E. Lohmeyer:* Kyrios Jesus. Eine Untersuchung zu Phil 2,5–11 (SAHW, PH 1927/28, 4), S. 5f.

18. Unter anderem, weil nur so in jeder Unterstrophe eine finite Verbform steht.

deren Gott am Sohn handelt (V. 9). Es ist zu beachten, daß Gott im ersten Teil (V. 6–8) nicht als Handelnder, Sendender, Beauftragender genannt wird; der Sohn handelt aus eigenem Willen heraus, der natürlich mit dem Willen des Vaters übereinstimmt (wie V. 9 dann zeigt), aber ohne daß das ausdrücklich gesagt würde. Schon damit ist deutlich, daß das christologische Hauptmotiv des Liedes nicht das des »Gehorsams« gegenüber dem Vater ist[19]; ὑπήκοος in V. 8 meint die (freiwillige, bewußte und konsequente) Unterwerfung unter das Los des Menschseins.

So ergibt sich folgender innerer Aufbau des Liedes:

I.	V. 6a.b.c.:	Der Ausgangsstatus
	V. 7a.b.c.:	Der erste Erniedrigungsakt (»Selbstentleerung«)
	V. 7d.8a.b:	Die letzte Konsequenz der Erniedrigung[20]
II.	V. 9a.b.c.:	Gottes Lohn – die Erhöhung
	V. 10a.b.c.:	Die erste Auswirkung: Unterwerfung der »Mächte«
	V. 11a.b.c.:	Die letzte, end-gültige Auswirkung: Anbetung aller geschaffenen Wesen

Zu beachten ist, daß der Weg des Sohnes nicht in kosmisch-räumlichen Kategorien (nach dem Schema von Katabasis/Anabasis) beschrieben wird[21]; vielmehr ist es ein Weg, der nach den Parametern von Macht und Ohnmacht bemessen wird: Aus einem Status der Privilegierung (jedoch noch ohne eigenständige Macht) geht der Sohn in die Ohnmacht der Versklavtheit der Menschen ein; daraufhin wird er von Gott wunderbar erhoben und in den höchsten Rang, die höchste Autorität neben Gott eingesetzt. Das Lied meint also nicht die Rückkehr des Sohnes in den Ausgangsstatus, sondern aus-

---

19. Einst stark unterstrichen von E. Käsemann, der die Interpretation des Liedes ganz auf den »Gehorsam« des Sohnes angelegt hat, *E. Käsemann:* Kritische Analyse von Phil 2,5–11 (1950), in: *ders.:* Exegetische Versuche und Besinnungen I, Göttingen 1960, S. 51–95, bes. S. 70–81 und S. 93–95; ähnlich auch *L. Goppelt:* Theologie des Neuen Testaments, II, a.a.O., S. 402 (im »Gehorsam« des Sohnes bestehe seine Differenz zu den übrigen Menschen); dagegen vgl. etwa *K. Wengst:* Christologische Formeln und Lieder des Urchristentums (StNT 7), Gütersloh 1972, S. 149.

20. Die Kurzzeile V. 8c. »nämlich zum Tode am Kreuz« sehe ich mit vielen anderen als Ergänzung des Paulus an (vgl. Anm. 25); dagegen in neuerer Zeit etwa *O. Hofius:* Der Christushymnus Philipper 2,6–11 (WUNT 17), Tübingen 1976, S. 3–17.

21. Von daher ist es wohl zu verstehen, daß bis in die jüngste Zeit hinein immer wieder versucht worden ist, das Lied überhaupt ohne Bezug auf eine Präexistenzvorstellung auszulegen, also schon V. 6 auf den irdischen Menschen Jesus zu beziehen (von dem als Gegentyp zu Adam gesprochen werde). So u. a. *H. W. Bartsch:* Die konkrete Wahrheit und die Lüge der Spekulation. Untersuchung über den vorpaulinischen Christus-Hymnus und seine gnostische Mythisierung (TW 1), Frankfurt a. M./Bern 1974 (Kurzfassung: *ders.:* Der Christushymnus Phil 2,6–11 und der historische Jesus [StEv VII = TU 126], Berlin 1982, S. 21–30); *J. Murphy-O'Connor:* Christological Anthropology in Phil 2,6–11, in: RB 82 (1976), S. 25–50; *J. D. G. Dunn:* Unity and Diversity in the New Testament, London 1977, S. 134–136; *ders.:* Christology in the Making, London 1980, S. 114–125. Dazu jüngst *L. D. Hurst:* Re-enter the Pre-existent Christ in Philippians 2,5–11?, in: NTS 32 (1986), S. 449–457, sowie der in Anm. 15 genannte Aufsatz von *C. A. Wanamaker.*

drücklich und betont die Verleihung neuer Macht[22]. Für die Menschen und die kosmischen Zwischenmächte ist er nun der »Kyrios«, also Jahwe (LXX: κύριος) an Macht gleich.
Damit ist schon die Anthropologie angedeutet, die hier vorausgesetzt wird und in die hinein das Christusgeschehen als Heilsereignis ausgelegt wird: Menschsein wird verstanden als ein Verklavtsein unter anonyme »Mächte«, zuletzt und zutiefst unter die Macht des Todes[23]; Menschsein ist ein »Sein zum Tode«, ist Existieren in der Todesfurcht. Eine adäquate soteriologische Auslegung des Liedes liegt m. E. in Hebr 2,14–18 vor[24]; aber auch Röm 8,38 f. ist in diesem Sinne zu nennen. Es ist ja deutlich, daß das Lied selbst seine Soteriologie nicht expliziert – darauf kann innerhalb eines hymnischen Lobpreises verzichtet werden –; aber es muß doch in der Exegese versucht werden, zu sagen, wie Lobpreis und erfahrene Befreiung zusammenhängen. Der, der das Versklavtsein der Menschen unter die »Mächte« aufbrechen will, muß von jenseits solcher Existenz kommen, also ohne den »Mächten« schon selbst von vornherein unterworfen zu sein. Aber er muß nun ganz und gar in diese Art von Existenz eingehen und ihr bis zur letzten Konsequenz, d. h. bis in den Tod hinein, »untertan« (ὑπήκοος) sein[25]. Und: Er muß den Verzicht, die »Selbstentleerung«, freiwillig, von sich aus leisten, ohne selbst einem moralischen oder schicksalhaften Druck zu unterliegen (vielleicht wird gerade deshalb in Teil I nichts von einem Auftrag Gottes gesagt). Nur so kann er die unheilvolle Umklammerung menschlicher Existenz aufbrechen, Freiheit bringen, die jetzt schon antizipatorisch ergriffen werden kann – auch wenn sie für die Glaubenden noch nicht eschatologisch-vollkommen da ist. Somit ist der Sohn nun auch der »Kyrios« (V. 11), aus irdischer Perspektive mit Gott selbst identisch, und er wird als solcher (wenn auch gewissermaßen zähneknirschend) von den »Mächten« über, auf und unter der Erde anerkannt, bis dann im Eschaton alles in den Lobpreis des Sohnes einstimmt, »zur Ehre Gottes des Vaters« (V. 11).
Christologisch wird in dem Lied eine personale Präexistenz des »Sohnes« beim Vater vorausgesetzt; aber sie stellt nicht mehr dar als den notwendigen Ausgangspunkt, den der Sohn hinter sich lassen muß um seiner – zunächst paradoxen – »Karriere« willen. Die Präexistenz hat hier also nicht schon in

---

22. Es ist also wirklich ein »Zuwachs an Machtfülle« gemeint, was *Käsemann,* a.a.O., S. 83, ausdrücklich abweist; vgl. auch *Goppelt:* Theologie, II, a.a.O., S. 402: die göttliche Herkunft Jesu werde »durch seine Erhöhung bestätigt« – das reicht nicht zu.
23. Deshalb wird in der 3. Unterstrophe diese Stufe der Selbsterniedrigung Christi gesondert hervorgehoben.
24. M.E. zeigt Hebr 2,14–17; (4,14f.) und bes. 5,7–9 (sowie 12,2b) Bekanntschaft mit unserem (oder einem sehr ähnlichen) Christuslied; vgl. dazu auch *O. Hofius,* a.a.O., Teil IV, S. 75–102: »Der Skopus des Christushymnus und der Hebräerbrief«.
25. Auf die besondere Art des Todes Jesu kommt es dem Lied nicht an; das »Sterben am Kreuz« ist erst für Paulus wichtig (vgl. Anm. 20).

sich selbständige, heilvolle Bedeutung (das wird in der kosmologisch-spekulativen Linie der Präexistenzaussagen anders sein!)[26]. Also: Die Heilsbedeutung Christi begründet sich nicht von seiner Präexistenz her, sondern erst von dem Weg her, den er geht und der die konsequente Selbsterniedrigung notwendigerweise einschließt, auf die Gott dann mit der österlichen Erhöhung antwortet. Das Christuslied vom Gang des Sohnes in die Ohnmacht und seiner Erhöhung zur höchsten Macht neben Gott entspricht also einer Verkündigung, die Heil als Erlösung sieht, nicht in erster Linie als Erlösung von Schuld oder Sünde[27], sondern von der Entfremdung menschlicher Existenz, die mythologisch gedeutet wird als ohnmächtiges Versklavtsein unter die »Mächte«, wie sie Paulus in Röm 8,38f. aufführt. Geheiltes Leben wäre demnach befreites, zu seiner gottgewollten Eigentlichkeit wiederhergestelltes Menschsein, mit der Gewißheit, einem Kyrios anzugehören, der die »Mächte« unter seine Autorität gebracht hat.

IV. Modell B: Das Lied vom Schöpfungs- und Erlösungsmittler – Kol 1,15–20

Zur Struktur des Liedes: In der Rekonstruktion des vom Kolosserbriefautor in seinem Brief übernommenen Liedes schließe ich mich im wesentlichen an E. Schweizer an[28], wenn ich auch in der Annahme von Zusätzen vielleicht noch etwas weiter gehen möchte als er[29]. Es ergeben sich drei Strophen, von denen die mittlere eine Zwischenstrophe, die dritte eine Gegenstrophe zur ersten ist:

I.	V. 15a.b.16a.d:	Schöpfung durch Ihn, das »Bild Gottes«
II.	V. 17a.b.18a:	Bestand der Schöpfung durch Ihn garantiert
III.	V. 18b.c.19.20a:	Auch die Erlösung ist möglich und wirklich nur durch Ihn.

Es handelt sich also gewissermaßen um die Entfaltung des Credo-Satzes, den Paulus in 1 Kor 8,6 zitiert:

»Uns ist Einer Gott, der Vater,
aus dem alles ist – und wir auf ihn hin.
Und Einer ist Herr, Jesus Christus,
durch den alles ist – und wir durch ihn.«

---

26. *W. Kramer*, a.a.O., S. 118ff., möchte auch für Phil 2,6–11 die jüdisch-alexandrinische Sophia- bzw. Logos-Hypostasenspekulation als Hintergrund bestimmen. Das ist wohl (1963) noch zu sehr von der Absicht bestimmt, gegenüber der Vorstellung vom gnostischen »erlösten Erlöser« ein Gegenmodell setzen zu können.

27. Hier besteht eine gewisse Spannung zur Anthropologie und Soteriologie des Paulus; das heißt aber nicht, daß er nicht auch anderwärts in dieser Weise von der Erlösung reden könnte (vgl. eben Röm 8,38f. u. a.).

28. *E. Schweizer:* Kol 1,15–20, 1969, in: *ders.:* Beiträge zur Theologie des Neuen Testaments, Zürich 1970, S. 113–145; vgl. auch seinen Kommentar zum Kolosserbrief (EKK XII), Zürich/ Neukirchen 1976 (Nachdruck Berlin 1979), S. 56–69. – Ähnlich auch die Rekonstruktion bei *E. Lohse:* Die Briefe an die Kolosser und an Philemon (MeyerK IX, 2), Göttingen 1968, S. 77–85.

29. Damit komme ich der älteren Fassung von E. Schweizer (1961), in: Neotestamentica, Zürich 1963, S. 293–301, näher als seiner späteren Rekonstruktion.

Das bedeutet: Die Möglichkeit (und Wirklichkeit) des Heils ist begründet in der Identität von Schöpfungs- und Erlösungsmittler; der Grund des Heils ist darin gelegt, daß der Erlösungsmittler (Strophe III) von Anfang an die funktionale Gottgleichheit besitzt, daß er die εἰκὼν τοῦ θεοῦ ist (Strophe I)[30]. Die Präexistenz Christi begründet also die Erlösung; sie beinhaltet bereits die Überlegenheit Christi über alles Geschaffene (vgl. Strophe II). Hier ist also tatsächlich nicht von einem Machtzuwachs auf Grund der Erlösungstat zu sprechen; überhaupt kommt die irdische Christusgeschichte kaum in den Blick, zumal wenn der Bezug auf den Kreuzestod in V. 20b zu Recht aus dem ursprünglichen Lied herauszunehmen ist. Vielmehr ist der Christus (dessen Name im ganzen Text nicht genannt wird) sowohl in seiner Präexistenz wie in seiner »Postexistenz« fast so etwas wie eine Hypostase, eine personifizierte »Größe« wie die Sophia oder der Logos, kaum als wirkliche »Person« erkennbar – außer in dem indirekten Hinweis auf sein irdisches Leben, der in »Erstgeborener aus den Toten« (Strophe III) enthalten ist. Entscheidend ist die volle funktionale Identität des Mittlers mit Gott selbst (V. 19)[31]; der »Weg« besteht in einer Wiederherstellung des Kontakts zwischen Himmel und Erde, er ist keine mythische, d. h. auch: erzählbare »Geschichte«, sondern ein kosmischer, fast möchte man sagen: »physikalischer« Vorgang. Das Ergebnis ist ein ἀποκαταλλάξαι (V. 20a); der Kosmos wird wieder in den rechten, d. h. ursprünglichen, in Gottes Schöpfung gemeinten Zustand gebracht (was in V. 20b.c als Herstellung der kosmischen Harmonie, der εἰρήνη, gedeutet wird)[32].

Hiermit sind wir bei dem Grundanliegen und dem Hauptmotiv des Weltverhältnisses unseres Liedes: Die kosmische Ordnung ist gestört, zerbrochen – wodurch, wird nicht dargelegt; aber der Mensch erlebt die Welt so: als chaotische Welt, in der man »unbehaust« ist[33] –; die verlorengegangene Harmonie der Welt muß wiederhergestellt werden.

---

30. Vgl. 2 Kor 4,4 und Hebr 1,3; aus der Sophia-Spekulation vgl. etwa Sap Sal 7,25f.

31. Eine der stoischen Allmachtsformel entsprechende Dreierformel mit den Präpositionen ἐν – διά – εἰς wird wohl in Strophe I wie in Strophe III auf den Mittler angewendet (vgl. auch 1 Kor 8,6; aber auch Röm 11,36, wo mit ἐκ – διά – εἰς von Gott selbst gesprochen wird).

32. Vgl. *E. Schweizer:* Versöhnung des Alls. Kol 1,20, in: Jesus Christus in Historie und Theologie (FS H. Conzelmann), Tübingen 1975, S. 487–501, spez. S. 498f.; ebd., S. 492, Hinweis auf Philon, spec leg II 188–192 (Gott als Friedensstifter – εἰρηνοποιός – im Kampf der Teile des Alls) u. a. (Der Aufsatz jetzt auch in: *E. Schweizer:* Neues Testament und Christologie im Werden, Göttingen 1982, S. 122–149.)

33. Das »allgemeine Zeitgefühl, in einer brüchigen Welt zu leben«: so E. Schweizer, Versöhnung, a.a.O., S. 499. Die στοιχεῖα (Kol 2,20) sind sozusagen Indikatoren dieser chaotischen Störung; sie verhindern die Rückkehr des Kosmos zur All-Harmonie; vgl. *E. Schweizer:* Die »Elemente der Welt« Gal 4,3.9; Kol 2,8.20 (1970), in: *ders.:* Beiträge zur Theologie des Neuen Testaments, Zürich 1970, S. 147–163. Vgl. den (anonym überlieferten) pythagoreischen Text, erhalten durch Diogenes Laertios (VIII 24ff., bei Diels-Kranz, Fragmente der Vorsokratiker I, S. 448–451), den E. Schweizer zu Kol 2,8 zitiert (Kommentar S. 104; Versöhnung, S. 459f.).

Das aber kann nur geschehen, indem die in Gottes Himmel ungestört gebliebene ewige Harmonie der Erde »vermittelt« und auf ihr ausgebreitet wird; der Zusammenhalt der Welt läßt sich allein von ihrer κεφαλή her leisten (V. 18 a)[34]. Die Kluft zwischen Himmel und Erde muß überbrückt werden: Das kann nur von oben her, aus der Treue des Schöpfers geschehen[35], weil die kosmischen Zwischenmächte jede Erlösung von unten nach oben, also jede religiös-kultische Erlösung blockieren.
Erlösung ist Teilgabe an den himmlischen Gütern, an der ἀφθαρσία des Ewigen; die vergängliche, sinnentleerte irdische Welt bekommt wieder Sinn, Füllung, indem sie in Kontakt mit dem himmlischen, göttlichen Pleroma (V. 19) gebracht wird. In solcher Sicht ist Heil (σωτηρία) nicht Rettung aus dem Gericht, sondern Rettung aus der Vergänglichkeit und Sinnleere. Dabei meint unser Lied (bzw. der Kolosserbrief insgesamt) nicht die Rettung aus der Welt heraus, sondern die Heimholung in die Sinnhaftigkeit des Ursprünglichen, der »Tiefe des Seins«; er meint die Erschließung eines Geborgenseins mitten in der Welt, das »nicht von der Welt« ist (Joh 17,14), eine Überwindung des Gefühls der Verlorenheit, des Unbehaustseins, der Selbst- und Weltentfremdung. Heil ist dabei nicht gegen die materielle Konkretheit der Welt (die ja Schöpfung aus der gleichen Quelle ist!) gerichtet, sondern kann in ihr erfahren werden, freilich in einem Verhältnis der Distanz zu der noch nicht voll erlösten Welt. Das ist die hellenistische Variante der Botschaft Jesu von der ankommenden βασιλεία τοῦ θεοῦ.

V.

Ich habe bei der Interpretation der beiden christologischen Entwürfe die Verschiedenheit der Konzeptionen von Verlorenheit und Erlösung möglichst deutlich herausgearbeitet. So sei hier zusammenfassend noch einmal Gemeinsames und Unterscheidendes skizziert:
Gemeinsam ist zunächst beiden Entwürfen, daß in ihnen ein rückblickender Vergleich mit anderen, vorangegangenen Offenbarungen oder Heilsbemühungen Gottes keine Rolle spielt. In Christus kommt das absolut Neue (Kol 1; identisch mit dem Uranfänglichen) zur Welt. Ein Interesse an einer vorlaufenden (etwa alttestamentlichen) Heilsgeschichte besteht offenbar nicht[36].
Beide Lieder zielen offenbar auf die Erhöhungsaussage (Ps 110,1), wobei die Erhöhung in Phil 2 wirklich als Ziel eines Weges erscheint, in Kol 1 dagegen eher als Rückkehr in den ursprünglichen Stand: Der, der die Erlösung bringt, ist der bei Gott ewig Erhöhte.

---

34. Ich setze mit vielen Autoren voraus, daß mit dem σῶμα in V. 18a die Welt gemeint ist, daß also τῆς ἐκκλησίας ein Zusatz des Kolosserbriefautors ist.

35. So allein sieht auch Philon den Bestand der Welt ermöglicht; vgl. *Schweizer:* Versöhnung, a.a.O., S. 492 f., 500 f.

36. Im Unterschied zu äth Hen 42 / Sir 24,4–8 und wohl auch zu Joh 1,1–18 in seiner vorjohanneischen Fassung und Sinngebung.

Beide Lieder greifen Motive der Sophia- (bzw. Logos-)Lehre des hellenistischen Judentums auf, aber
Phil 2 die narrative Linie, die vom Weg der Sophia von Gott zur Erde spricht; die Sophia ist eine Mittlergestalt, von deren Weg man erzählend sprechen kann;
Kol 1 dagegen die spekulative Linie, die die Sophia (bzw. den Logos) als Mittlerhypostase sieht, als Instrument des transzendenten Gottes für seinen Kontakt mit der Welt. Die Identifizierung mit einem konkreten Menschen fällt hier noch schwerer als bei Phil 2[37]. Es ist eigentlich das Prinzip kosmischer All-Einheit, das in Jesus Christus verkörpert ist: Er durchwaltet das All (V. 17 b) wie der stoische Logos; er ist die κεφαλή des Alls (V. 18 a). Als christliches Lied sagt es: Gottes Heilsprinzip, das in Schöpfung und Erlösung identisch ist bzw. die entfremdete Schöpfung wieder in ihren ursprünglichen Zustand bringt, ist an dem Menschen Jesus Christus ablesbar; er ist in Person die der Welt zugewandte Liebe Gottes[38].
Beide Lieder formulieren die Christusbotschaft im Hinblick auf das Grundgefühl der Verlorenheit in der hellenistischen Welt hin[39]; aber Phil 2,6–11 denkt existential, also eher individual-soteriologisch[40], Kol 1,15–20 dagegen eher kosmologisch, insofern stärker universal.
Es wäre nun interessant, unter den hier entwickelten Gesichtspunkten auch das dritte große Christuslied im Neuen Testament, den Johannesprolog, in den Blick zu nehmen und zu fragen, welche Stellung es innerhalb unseres Kontrastschemas einnimmt. Das ist hier – schon aus Zeitgründen, aber auch wegen der Komplexität der mit Joh 1,1–18 verbundenen Probleme – nicht möglich. Nur zwei Bemerkungen mögen gestattet sein. Der Johannesprolog wäre – ähnlich wie Sir 24 – offenbar als Mischform einzuordnen, da er sowohl das spekulative Motiv von der Schöpfungsmittlerschaft (Joh 1,1 und 3) als auch das narrative Motiv vom (mehrfach versuchten[41]) Weg in die Welt hinein (V. 9–11) enthielt. Und das zweite: Dieser Weg in die Welt mündet schließlich heilvoll in die Inkarnation des ewigen Logos in dem Menschen Jesus Christus (V. 14.16.17) – das bedeutet aber, daß das Lied ursprünglich gar nicht von der personalen Präexistenz Jesu sprach, sondern von der ewigen Existenz des Schöpfungs- und Erlösungslogos bei Gott und von

---

37. Und tatsächlich ist die Differenz zu Philons Spekulation über die Rettungsmöglichkeit für den Kosmos in formaler Hinsicht nur gering; vgl. schon Anm. 35 und *E. Schweizer,* Versöhnung, S. 500 f.

38. Vgl. Joh 3,16; aber auch Röm 5,5 f.; 8.31–35.

39. Vgl. *E. Schweizer:* Das hellenistische Weltbild als Produkt der Weltangst (1960), in: *ders.:* Neotestamentica, Zürich 1963, S. 15–27.

40. Nicht »individualistisch«, da das Lied ja etwas Generelles, jeden Menschen Betreffendes meint.

41. Diese Vorstellung scheint mir in der anzunehmenden vorjohanneischen Fassung hinter V. 5 und 9–11 zu stehen.

seinem heilvollen Zur-Welt-Kommen in dem Menschen Jesus, dem Christus. Von einer Erhöhung zu Gott als notwendigem Bestandteil des heilvollen Geschehens spricht das Lied nicht; vielmehr ist das eschatologische Heil schon mit der Inkarnation des Logos Ereignis geworden. – Daß der 4. Evangelist, der das Lied seinem Evangelium voranstellte, darin auch die personale Präexistenz Jesu, des vom Vater Gesandten, ausgesagt fand (vgl. V. 18 und dann z. B. Joh 8,54–58), ist eine andere Sache.

Ich komme zum Schluß, indem ich an einen Gedanken vom Anfang anknüpfe. Das in der Präexistenzchristologie enthaltene theologische Problem scheint mir genau an der Stelle zu liegen, wo das eigentliche Anliegen christlicher Verkündigung, Gottes Heilshandeln an der Welt und für die Welt in dem geschichtlichen Menschen Jesus aus Nazareth, dem Christus, zu bezeugen, eine Verbindung eingeht mit metageschichtlichen Aussagen über die Sophia oder den Logos. Es entsteht die Gefahr, daß der verkündigte Jesus Christus in einem ewig-gültigen »Prinzip« aufgeht und die Präexistenzchristologie zu einer spekulativen »Lehre« wird, die auf die Relation von Verkündigung und Glauben nicht mehr angewiesen ist. Vertretbar scheint mir solche Abstrahierung im eigentlichen Sinne nur als hymnischer Lobpreis in der Zuwendung zu Gott, aber nicht als (objektive) »Lehraussage« zu sein – jedenfalls nicht ohne Interpretation[42]. Positiv ist an der Aussage von der Präexistenz Christi dieses Doppelte wichtig: daß uns im »Sohn« Jesus der »Vater« ganz begegnet (so unmittelbar, wie das angesichts der Transzendenz Gottes überhaupt möglich ist), und daß das von ihm gebrachte Heil nicht in einem Gegensatz zur Schöpfung steht, sondern im Einklang mit dem, was Welt und Schöpfung nach Gottes gutem Willen eigentlich sein sollen.

Bedeutsame Geschichte schafft sich einen Mythos. Ewigkeitlich (»eschatologisch«) bedeutsame Geschichte schafft sich einen in Gottes ewige Transzendenz hineinreichenden Mythos. Das ist wohl von der Sache her gegeben. Denn von dem transzendenten Gott können wir nur in mythischer Sprache reden – oder aber wir könnten von Gott nur »Nichts« sagen. Aber ich meine, daß es dennoch theologisch nicht verboten sein kann, rational nachzufragen, was ein solcher Mythos denn »besagt« (oder »besingt«), um so eine Möglichkeit zu finden, den Gehalt eines Mythos für Menschen von heute – die mindestens in unserem Kulturbereich großenteils rational denken – ein Stück weit zu entschlüsseln und damit zu erschließen.

---

42. Damit nehme ich eine wichtige Klärung auf, die E. Schweizer in seinem Kommentar zu Kol 1,15–20 (s. Anm. 28), S. 71 ff., vollzogen hat: Der Hymnus hat in der Hinwendung zu Gott die Freiheit, lobpreisende Aussagen zu machen, die nicht ohne weiteres in Lehraussagen zu überführen sind.

3. Kirchengeschichte

Manfred Jacobs
Reinhart Staats

Ethische Modelle zwischen dem 16. und 18. Jahrhundert
Das Thema der Utopie von Morus bis Fichte

Manfred Jacobs

Die augenblicklich laufende Utopiediskussion hat zu Kongressen in den USA und vor allem zu einem hochbesetzten Forschungsseminar in Bielefeld im Wintersemester 1980/81 geführt, dessen Ergebnisse *Wilhelm Voßkamp* in drei Bänden[1] herausgegeben hat.
Es geht im folgenden nicht um einen Forschungsbericht, sondern um die Frage nach der Ethik in der utopischen Literatur, die auch für die Theologiegeschichte von Bedeutung ist.
Der Aufriß ist folgender:

1. Möglichkeiten formaler Gliederung der Utopien.
2. Die klassischen Utopien des 16. und 17. Jahrhunderts.
3. Die lutherischen Utopien des 17. und 18. Jahrhunderts.
4. Die Utopie in der französischen Spätaufklärung und ihre Übernahme in den deutschen Sprachraum zu Beginn des 19. Jahrhunderts.

I.

Die Literaturhistoriker stehen derzeit u. a. vor folgendem Problem: In der neueren Diskussion ist die Utopie einerseits eine literarische Form[2], so daß man von Utopien im literarischen Sinne sprechen kann. Robert von Mohl hat sie 1852 als »Staatsromane«[3] bezeichnet.
Zugleich aber hat die durch Bloch[4], die Soziologen und Philosophen[5] einge-

---

1. *W. Voßkamp (Hg.):* Utopieforschung. Interdisziplinäre Studien zur neuzeitlichen Utopie, 3 Bde., Stuttgart 1982.
2. Zur Geschichte dieser Form: *J. M. Young:* How bright the Vision: Social and educational Structures in modern utopian Literature, Diss. Univ. of Minnesota, 1980; *Frank E. Manuel* and *Fritzie P. Manuel:* Utopian Thought in the Western World, Oxford, (1979) 1980; *H. Gnüg:* Der utopische Roman. Eine Einführung, 1983.
3. *R. v. Mohl:* Geschichte und Literatur der Staatswissenschaften, 3 Bde., Erlangen 1855–1858, Neudruck 1960, Bd. 1, S. 167–214; dazu: *K. Reichert:* Utopie und Staatsroman, in: DVfLG 39. Jg., 1965, Bd. XXXIX, S. 259ff.
4. *E. Bloch:* Das Prinzip Hoffnung. 3 Bde., Frankfurt am Main, 1967; kürzere Äußerungen von Bloch werden des häufigeren abgedruckt. Recht instruktiv ist: *E. Bloch:* Antizipierte Realität – wie geschieht und was leistet utopisches Denken?, in: *R. Villgradter/F. Krey:* Der utopische Roman, Darmstadt 1973, S. 18ff.
5. *A. Neusüss (Hg.):* Utopie. Begriff und Phänomen des Utopischen, Neuwied und Berlin 1968 (einschlägige Texte zur Debatte); *H. Freyer:* Die politische Insel, 1936 (der S. 15 Fichtes »Geschlossenen Handelsstaat« als letzten Höhepunkt utopischer Entwürfe bezeichnet; von da ab, bei Cabet und Bellamy, sei nur noch ein Niedergang des politischen Willens zu verzeichnen); *K. Mannheim:* Ideologie und Utopie, 3. A., 1952; *R. Ruyer:* L'utopie et les utopies, 1950; *K.-O. Apel:* Ist die Ethik der idealen Kommunikationsgemeinschaft eine Utopie? Zum Verhältnis von Ethik, Utopie und

leitete Diskussion einen Begriffswandel gebracht: Utopie ist auch die »utopische Funktion«. Damit verbindet sich ein wesentlich weiter gestaffeltes und bis ins Politische hinein aufgeladenes Problemfeld. In welcher Weise vermag der Mensch die Zukunft zu antizipieren? Sicher ist, daß er das tut, und zwar durch selbst gebildete Vorstellungen, die das optimieren, was in der Gegenwart übel ist und den Wunsch nach Veränderung entstehen läßt. Die Frage ist dann aber des näheren die, ob und, wenn ja, wie dieses Antizipieren und Wünschen eine wissenschaftlich-ethische Gestalt von allgemeiner, kommunikativer Bedeutung gewinnt oder nicht.

Die Antwort auf diese Frage berührt nicht nur anthropologische Grunddaten des menschlichen Denkens – das zeigen schon die antiken Utopien –, sondern ist auch von den Entwicklungen bestimmt, die sich in der Neuzeit durchgesetzt haben. Aus der gelehrten, spielerischen Utopie wird zunehmend ein Planungswissen, aus der dichterischen Vorstellung wird eine philosophische und politische Thematik von großer Schubkraft. Damit verändert sich in der Neuzeit das Verhältnis von der utopischen Welt der Vorstellungen zur Realität des Bestehenden. Dieses Verhältnis nenne ich die »Ankopplung«. Sie ist ein spezifisches Merkmal der Ethik, weil sie die Subjekt-Objekt-Spaltung schon längst vor Kant in vielfacher Weise zum Thema der bürgerlichen und wissenschaftlichen Emanzipation werden läßt. Wie sich die gedachte, utopische Welt an die real existierende Welt ankoppeln läßt, ist heute noch ein zentrales Problem der wissenschaftlichen und ethisch-politischen Orientierung.

Popper hat sich u. a. in der »Offenen Gesellschaft«[6] schärfstens gegen das utopische Denken ausgesprochen und hält es für unwissenschaftlich, weil es keine Falsifikation kennt und keine Schritt-für-Schritt-Ethik möglich macht. Die Utopie will nach Popper Statik, nicht Entwicklung, und er führt die Statik auf das platonische Theoria-Denken zurück, das er sogar für die französische Revolution wie überhaupt für die Entstehung des modernen Totalitarismus verantwortlich macht.

Andererseits gilt bei manchen Literaturwissenschaftlern von Bloch her die Meinung, daß die Entstehung der utopischen Literatur – wenn auch in Anknüpfung an die antiken Vorbilder – eine spezifisch moderne Geistesentwicklung darstellt, die rund im 18. Jahrhundert einsetzt und die das Christentum beerbt. Wo Utopien respektive die »utopische Funktion« auftauchen, da nabelt sich der moderne Mensch gleichsam von seiner religiösen Vorstufe ab, und da wird er selbstverantwortlich im Sinne des Blochschen »Vorscheins« oder der autonomen Weltgestaltung von der antizipierten Utopie her.

Utopiekritik, in: Voßkamp, a. a. O., Bd. 1, S. 325 ff.; *P. J. Brenner:* Aspekte und Probleme der neueren Utopiediskussion in der Philosophie, in: ebd., Bd. 1, S. 11 ff.; *E. Surtz SJ:* Humanismus und Kommunismus. Der geistesgeschichtliche Hintergrund, in: *R. Villgradter/F. Krey:* Der utopische Roman, Darmstadt 1973, S. 87 ff.

6. Vgl. *Karl R. Popper:* Utopie und Gewalt, in: The Hibbert Journal, Vol. XLVI, 1947/48, S. 109–116, übers. in: A. Neusüss, a. a. O., S. 313 ff.

Nicht alle Literaturhistoriker wollen sich auf diese Schiene begeben und sehen in der Utopie nach wie vor vornehmlich die literarische Form, so etwa Seeber. Bei anderen, etwa Gerd Ueding[7], gilt die Formel, daß Utopie nicht nur eine bestimmte Form der Dichtung, sondern daß umgekehrt alle Dichtung Utopie ist und damit an der Selbstverwirklichung des modernen Menschen teilnimmt. Die Frage, ob auch der christliche Glaube Utopie ist oder Utopie hat, ist ja schon durch Jürgen Moltmann in seiner Diskussion mit Bloch angeschnitten[8].
In diesen Zusammenhang gehört hinein, was die Literaturwissenschaft als *Dystopie* bezeichnet. Sie ist in gewisser Hinsicht das Gegenteil von Utopie. Sie schildert nämlich eine schreckliche, befürchtenswerte Zukunft, die sie aus den Tendenzen der Gegenwart hochrechnet, beginnend mit Huxleys (Brave New World) und Orwells (»1984«) Romanen. Auch in den Dystopien tauchen erneut die alten Paradieses- und Inselmotive wieder auf.
Der Anstieg dystopischer Literatur ist so augenscheinlich, daß einige Literaturhistoriker dieses Phänomen mit der Entstehung des europäischen Nihilismus in Verbindung bringen. Das wiederum läßt die Rückfrage auf die älteren, christlichen Eschatologien zu, welche soziale Funktion und auch seelische Bedeutung sie eingenommen haben.
Utopisches Denken gibt es im 15. und 16. Jahrhundert reichlich. Als formgeschichtliches Vorbild gilt freilich die Utopia des Morus.
Fassen wir jedoch unter Utopie im funktionalen Sinne auch die Programmschriften und die Thesen der Bauern, Luthers Schriften zur Reform der Kirche, Macchiavellis Vorstellungen von der italienischen Einigung im letzten Kapitel des »Principe«, Picos Thesen über die Würde des Menschen und den humanistischen Moralismus wie den »Christlichen Streiter« des Erasmus, fassen wir darunter auch die Imperiumsidee und die Papstidee des Hochmittelalters – um auch dieses zu nennen –, dann gibt es reichliche Überlieferung utopischer Art. Die utopische Funktion ist dann, so gesehen, älter als die Utopie im Sinne der neuzeitlichen, literarischen Form.
Wesentlicher jedoch ist, daß die Utopien – als Funktion wie als Form – einen je unterschiedlichen Bezug zur bestehenden Wirklichkeit besitzen. Von da aus lassen sich für unseren Zeitraum vier Grundformen der Utopien benennen:
– die literarische Utopie als *Modellspiel* der Gebildetenschicht (Beispiel: Morus Utopia)

7. *H.-U. Seeber:* Wandlungen in der Form der literarischen Utopie. Studien zur Entfaltung des utopischen Romans in England (Göppinger akademische Beiträge 13), Göppingen 1970; *G. Ueding (Hg.):* Literatur ist Utopie (ed. suhrkamp 935), Frankfurt/M. 1978; darin ferner: *B. Schmidt:* Utopie ist keine Literaturgattung, S. 17 ff.; *R. Grimminger:* Über Wahrheit und Utopie in der hermeneutischen Erkenntnis, S. 45 ff.; *G. Ueding:* Die Wahrheit lebt in der Täuschung fort. Historische Aspekte der Vor-Schein-Ästhetik, S. 81 ff.
8. Zur Diskussion, insbesondere auch zwischen Bloch und Moltmanns »Theologie der Hoffnung« vgl. *P. J. Brenner:* Aspekte und Probleme der neueren Utopiediskussion in der Philosophie, in: W. Voßkamp, a. a. O., Bd. 1, S. 11ff.

- die utopischen *Programmschriften* als Hoffnungsliteratur auf politische Realisierung (Reformatio sigismundi, Oberrheinischer Revolutionär, Verfassungsvorschläge aus dem Raum der Bauernbewegung)
- die moralische Utopie (die Tugendutopie) als *idealtypische Erziehungsliteratur* (Andreae)
- die apokalyptisch und/oder platonisch orientierten Visionen als *Erwartungsliteratur unmittelbarer Umsetzung* (Müntzer, Campanella).

Das utopische Modellspiel gebildeter Kreise ist der rationalen Erfassung der Wirklichkeit am nächsten. Bei Morus insonderheit haben wir es – ähnlich Macchiavelli – schon mit der ansatzweisen Entstehung politischer Wissenschaft zu tun.

Die utopische Programmschrift will die Verwirklichung nicht erzwingbar machen oder durch Aktion in Bewegung setzen, sondern erwartet sie als eine Fügung Gottes, des Schicksals, des Zufalls. Sie ist eine – wenn auch noch recht weit entfernte – Vorstufe des Gedankens der geschichtlichen Notwendigkeit, demzufolge das Vorausgedachte sich einmal wird einstellen müssen.

Die Tugendutopie ist ein ethisch-moralischer Appell im erzieherischen Sinne.

Die Erwartungsliteratur unmittelbarer Umsetzung geht von einer nomistisch erfaßten Weltordnung aus, die kraft ihrer absoluten Geltung unmittelbar umgesetzt werden muß oder soll.

Bei *Morus*[9] ist das Verhältnis von Utopie und Wirklichkeit schon äußerlich durch das Verhältnis von Buch eins und zwei bestimmt. Das Buch zwei mit der Utopia-Schilderung ist zuerst geschrieben und bewegt sich formal in der Nachfolge der platonischen Raumutopie Atlantis. Utopia ist eine zur Insel gemachte Halbinsel, die jetzt den idealen Staat mit idealen Menschen in einer idealen Naturlandschaft beherbergt[10].

Das erste Buch berichtet von der Bekanntschaft mit Raphael Hythlodaeus, dem Begleiter des Amerigo Vespucci, der auf Tapobrane war und die Kenntnis

---

9. Text der Utopien von Morus, Campanella, Bacon gut greifbar in dt. Übers. in: *Klaus J. Heinisch (Hg.):* Der utopische Staat (Rowohlts Klassiker der Literatur und Wissenschaft, Philosophie des Humanismus und der Renaissance, Bd. 3), Reinbek 1960 (gute Einleitung, Literatur); *G. Ritter:* Thomas Morus, Utopia (1922), Darmstadt 1979. Lit.: *K. Kautsky:* Th. Morus und seine Utopie, 1890 (älter, aber wichtig); *F. Brie:* Machtpolitik und Krieg, 1941; *R. C. Elliott:* Die Gestalt Utopias, in: Villgradter/Krey, a. a. O., S. 104ff.; *Th. Nipperdey:* Reformation, Revolution, Utopie, Göttingen 1975 (Lit.); *N. Elias:* Thomas Morus' Staatskritik. Mit Überlegungen zur Bestimmung des Begriffs Utopie, in: Voßkamp a. a. O., Bd. 2, 1982, S. 101ff.; *J. H. Hexter:* Das »dritte Moment« der Utopia und seine Bedeutung, in: Voßkamp, a. a. O., Bd. 2, 1982, S. 151ff.; *G. Honke:* Die Rezeption der Utopia im frühen 16. Jahrhundert, in: Voßkamp, a. a. O., Bd. 2, S. 168ff.; *W. Voßkamp:* Thomas Morus' Utopia: Zur Konstituierung eines gattungsgeschichtlichen Prototyps, in: Voßkamp, a. a. O., Bd. 2; Funktionsgeschichte der frühen Utopistik in Deutschland, in: *H. Gnüg (Hg.):* Literarische Utopie-Entwürfe, Frankfurt a. M. 1982, S. 101ff.; *A. Fox:* Thomas More: History and Providence, Oxford 1983.

10. *B. Kytzler:* Utopisches Denken und Handeln in der klassischen Antike, in: Villgradter/Krey, a. a. O., S. 45ff.; *L. Mumford:* Rückschritt nach Utopia und die Herausforderung der griechischen Dialektik, in: ebd., S. 30ff.

von Utopia mitbringt. Utopia, so berichtet Raphael, ist ein Gemeinwesen, das aus der Gunst der Natur hervorwächst und einen in jeder Hinsicht autarken Staat zuläßt, dessen Wirtschaft Überschußproduktion aufweist und damit die Möglichkeit eines auf sechs Stunden begrenzten Arbeitstages besitzt. Es besteht gemeinsame Produktion und Konsumtion. Geld und Luxus spielen keinerlei Rolle, stellen auch im Wertbewußtsein der Menschen keine Werte, sondern eher Unwerte dar. Der Staat Utopia ist nach einem einheitlichen Plan aufgerichtet. Er ist bis hin zu seiner Kriegstechnik allen anderen Staaten überlegen. Die Bewohner sind einer Verfassung unterworfen und wählen sich von unten, von den Familienverbänden und den Stadträten angefangen, bis hinauf nach oben eine patriarchalische Staatsspitze, mit der sie in innerer Übereinstimmung stehen, so daß Konflikte politischer oder sozialer Natur nahezu ausgeschlossen sind.

Man gewinnt den Eindruck, daß Morus wohl an der antiken Form interessiert ist, daß sein eigentliches Interesse aber dem des Erasmus nahekommt, nämlich die christlichen Tugenden aus der Sphäre der lange Zeit nur mönchisch und individuell-elitär verstandenen Nachfolge Christi herauszunehmen und sie in das Naturhafte und das Politische hinein zu übertragen. Ob dies bereits, wie Nipperdey andeutet, die Geburt des Rationalismus ist, scheint mehr eine Frage der Definition. Allerdings hält Morus die Tugenden der urchristlichen Nachfolge auch für den realen Staat für vernünftig. Er vergleicht Utopia und das bestehende England miteinander und schildert die Vorzüge Utopias; aber er erwartet keineswegs, daß das Modell Utopia in die Wirklichkeit umgesetzt werden müsse, daß Utopia eine Art Handlungsanweisung sei. Er will sagen, die moralische Einsicht des christlichen Glaubens wäre auch politisch vernünftig.

Dieser Gesichtspunkt politischer Vernunft leitet zu folgenden Feststellungen: 1. Morus entwickelt Utopia gegen die Adelsherrschaft aus der Sicht der Bürger, und 2. er versteht die Personen des Diskurses in Buch 1 als gelehrte Gesellschaft, womit der Anspruch der eruditio angemeldet ist, sich an der politischen Diskussion zu beteiligen. Politik ist nicht mehr Sache eines Geburtsadels und damit der Macht, sondern der gebildeten Welt und damit Sache der Vernunft.

Es gibt im einzelnen verschiedene Hinweise darauf, daß Morus keine unmittelbare Umsetzung erwartet. So beispielsweise ist es in der Beziehung des Erzählers Morus zu Raphael Hythlodaeus des öfteren aufgefallen, daß er sich als der Erzähler deutlich von Hythlodaeus absetzt, daß er nicht eindeutig für ihn votiert, sondern hin und her zu pendeln scheint. Die verehrte Gestalt des Kardinals Morton sagt beispielsweise auf den Vorschlag hin, es sollten doch die Verurteilungen der vertriebenen Bauern aufhören, daß man das versuchen und, wenn es nicht reüssiere, die Todesstrafe auch wieder einführen könne. Das wäre dann keine Sollensaussage, sondern eine Art Experiment mit unsicherem Ausgang.

Utopia ist gelehrtes Denkspiel, sehr ernsthaft, aber keine Programmatik. Morus folgt Platons Inselüberlieferung darin, daß er den Staat eindimensional schildert; Utopia kennt keine Entwicklung, keine Stände, keine Konflikte. Verhältnisse wie in England kann es dort gar nicht geben. Nipperdey sagt mit Recht[11], Morus fasse als erster die Einsicht von der Interdependenz der gesellschaftlichen Institutionen, sachlich: von Wirtschaft, Judikative und Gesellschaftsaufbau und damit – so ist hinzuzufügen – das moralische Problem der Institutionen. In den Wechselbeziehungen der institutionellen Bereiche entdeckt Morus das moralische Problem des Staates. Er ordnet in der Tat in der Utopia die Gesellschaft als moralisches Gemeinwesen, in dem Fehlformen von Macht und Ungerechtigkeit nicht entstehen können. Der begründende Zusammenhang ergibt sich aus seiner Lehre von der Lust, von den wahren und eigentlichen Bedürfnissen der Menschen.
Was dabei im Hintergrund steht, die antike Polis oder die spätmittelalterliche Naturrechtslehre der Kirche, ist an der Utopia selbst nicht zu entscheiden. Es ist auch nicht angezeigt, wie es sich in der Sekundärliteratur des öfteren andeutet, das christliche gegen das antike Gestalterbe auszuspielen. Die Leistung der Utopia besteht gerade darin, daß beides ineinander fließt, daß natürliche und christliche Vernunft zueinander finden. Die christliche Gleichheit wird zusammen mit dem antiken Ideal der Harmonie und der Vollkommenheit ausgestaltet.
Utopia besitzt Kommunismus nicht aus Gründen des Klassenkampfes, sondern aus Gründen der Tugend. Natur und Tugend, Natur und Gnade finden in der gesellschaftlichen Ordnung zusammen. So schildert Morus die societas perfecta, aber nicht qua Kirche, sondern qua Staat und bürgerlicher Gleichheit. Utopia gründet sich auf eine mythische Gründungssage. Die Verfassung stammt von dem König Utopos vor 1760 Jahren; seitdem ist sie zwar ausgebaut, aber nicht mehr verändert worden. Die Insel ist also ein Raum ohne geschichtliche Wechselfälle, nur ein Raum der Evolution des Ursprungs. Utopie und Ursprungsmythos greifen eng ineinander. Aber diese innere Konservativität führt eben Utopia zum Glück im Sinne des suum cuique.
Das spezifisch Christliche besteht in der Darstellung der christlichen Mitmenschlichkeit, des Erbarmens, der kreatürlichen Mitgenossenschaft und dann auch eines empirisch wachen Verstandes im Blick auf die bestehende Staatlichkeit und Wirtschaft. Morus sieht keinen Wesensunterschied zwischen Liebesethik und Vernunftethik, zwischen Bergpredigt und Ordnung, und darum ergibt sich ihm aus der antiken Polis ebenso wie aus dem Vorbild der Urgemeinde ein Gemeinschaftsleben, das – gegen Thomas von Aquin – kein Eigentum, kein Geld, keine Familien, kaum einen privaten Raum kennt. Der sogenannte »Deismus« des Morus stellt die Gottesvorstellung jedem frei:

---

11. *Th. Nipperdey:* Reformation, Revolution, Utopie (Kl. Vandenhoeck-Reihe 1408), Göttingen 1975, darin: Die Utopia des Morus und der Beginn der Neuzeit, S. 113ff.

Sonne, Mond, Planeten werden in Utopia als Gottheiten verehrt; aber die meisten Utopier glauben nicht an die astrologischen Gottheiten, sondern schlicht an ein einziges, unbekanntes, ewiges, unendliches, unbegreifliches, göttliches Wesen, »das die menschliche Fassungskraft übersteigt und sich als wirkende Kraft, nicht als Stoff, über diese ganze Welt ausdehnt«[12].
Ob Morus wirklich schon Deismus – Heinisch spricht sogar von »liberalem Deismus« – im Sinne des 17. Jahrhunderts anvisiert, scheint fraglich. Utopia lernt erst durch den Besuch das Raphael Hythlodaeus das Christentum kennen und nimmt es auch leicht an; das soll die Verwandtschaft zwischen dem aus heidnischer Gründung stammenden Gemeinwesen und dem Christentum zeigen. Morus fügt dem in der Einleitung des ersten Buches hinzu, ein Theologe wolle nach Utopia, um sich dort mit dem Auftrag des Papstes als Bischof wählen zu lassen und »unsere Religion, die dort glücklichen Fuß gefaßt hat, zu fördern und zu verbreiten«. Das weist darauf hin, daß das, was in der Erkenntnis der antiken Vorstufen erwächst, auf das Christentum hinführt und dorthin übernommen werden muß. Wie Morus dahingelangt, das antike Erbe so dicht mit der organisierten Kirche seiner Zeit, insbesondere dem Papsttum zu verbinden, das ist nach wie vor ein Problem des Humanismus überhaupt, aber auch des unglücklichen Sterbens des Morus selbst.
Nach humanistischer Einstellung meint Morus die Religion als undogmatisches Christentum der Moralität und der Toleranz. Jedenfalls gibt es auf Utopia keine Intoleranz, die das Gemeinwesen stören könnte. Es kommt Morus auf den sozialisierenden Effekt der Religion an.
Gewichtet man die Konzeption der Utopia des Morus, dann handelt es sich nicht um eine revolutionäre Schrift, nicht um einen programmatischen Aufruf, auch nicht um die Hoffnungsliteratur von Menschen, die sich nach politischer Veränderung sehnen, obschon sie kaum Chancen dafür sehen, sondern um ein gelehrtes Denkspiel, dessen Absichten sich nicht auf die Veränderung der organisierten Realität richten, sondern auf die reflektorische Erkenntnis eines elitären Kreises von Zuhörern, der sich mit der Ausweitung der Weltwahrnehmung seit der Entdeckung Amerikas befaßt und die darin liegende Potentialität hochrechnen will auf Möglichkeiten hin, die sich über die christliche Ständegesellschaft der Vergangenheit hinaus in Richtung auf ein moralisch durchdachtes Gemeinwesen hin ergeben. Die bürgerliche Bildungsschicht meldet ihren Anspruch auf politische Meinungsbildung an. Die Ankoppelung besteht lediglich in der Form der intelligiblen Erwägung einer anderen Gemeinschaftsform, deren Bedingungen und deren Folgen.
Bei *Campanella* (1568–1639) ist dieser Zusammenhang des Denkspiels nicht mehr vorhanden. Er greift philosophisch bewußt auf Platon resp. den Neuplatonismus und die neue Naturphilosophie zurück, und das Ergebnis sind der total durchkonstruierte Staat und der total verwaltete Mensch, und zwar in der

---

12. Hier zitiert aus: J. Heinisch (s. Anm. 9), S. 96.

Weise einer rationalen Planifikation des Staates als denkerischer und praktischer Notwendigkeit.
Campanella konstruiert 1602 die Sonnenstadt als geometrisches Modell, als Konkretion seiner Philosophie des Seinsaufbaus.
In der Gefangenschaft faßt er den Plan eines europäisch-mittelmeerischen Zentralreiches unter der geistigen Führung des Papstes und der politischen Führung der spanischen Krone. Diese Idee legt er dem Sonnenstaat zugrunde[13].
Er erwartet eine Reformation der Gesetze, der Künste und Wissenschaften, durch die dem Christentum eine große Umwälzung bevorsteht[14]. Die civitas solis ist die ideale Konzeption für diese papal-spanische Zentralmonarchie. Wir haben es mit einer Utopie als Erwartungsliteratur unmittelbarer Umsetzung zu tun.
Die Sonnenstadt ist keine christliche Stadt mehr, sondern der Ort einer neuen Naturphilosophie, wie sie für den Barock kennzeichnend wird. Das zeigen schon die zentralen Symbole, die Kugel und der Kreis.
Für Campanella ist das Universum wie der Bauch eines Ungeheuers, in dem die Menschen leben[15]. Koyré hat dies den geschlossenen Kosmos genannt[16]. Es gibt kein Nichts, sondern nur ein neuplatonisches Fehlen des Seins.
Anders als bei Giordano Bruno, für den Gott und das Sein substanzhaft identisch sind, symbolisiert die Kugel bei Campanella den geschlossenen Kosmos. Innerhalb des Weltkosmos wird die Sonne als Vater zum Symbol für die Einheit aller Wirklichkeit. Sie ist das Zentrum der sich unter ihr ausbreitenden Sphären des Seienden und wird auf dem zentralen Hügel des Staatskults verehrt.
Campanella schildert den Aufbau des Sonnenstaates in seinen Ämtern und Institutionen. Der Metaphysikus – oder Hoh oder Sol genannt – ist die überragende Gott-Vater-Gestalt, Inbegriff allen Wissens. Seine drei Ratgeber – Pon, die Macht, Sin, die Weisheit, und Mor, die Liebe – verwalten die Gewalt, die Wissenschaft und den Gesamtbereich des kreatürlichen und eugenischen Lebens. Die Naturseite des Menschen wird der staatlichen Planung in einem solchen Ausmaß unterstellt, daß es keine privaten Räume oder Regungen gibt. Arbeit, Freizeit, Liebe, Familie sind aufgehoben in das Gesetz des Gemeinwesens, das zugleich das Gesetz der Natur, des Kosmos und Gottes selbst ist.
Von Campanella her nährt sich der Vorwurf, daß die Umsetzung der platonischen Staatsidee aus Gründen, die in der Utopie, in der Theoria liegen, zum totalen Staat führt und führen muß.

---

13. Kap. 28, S. 162 (Heinisch).
14. Kap. 29, S. 162.
15. Kap. 28, S. 159.
16. *A. Koyré:* Von der geschlossenen Welt zum unendlichen Universum, (1957), Frankfurt/M. 1969.

Die Geometrie des Raumes verrät die Geometrie der Staatsidee. Der Staat ist das irdische Analogon des Seinsaufbaus. Nicht die Tugenden oder eine neue Moral, sondern die geometrische Konstruktion, das Gesetz der ideellen Wirklichkeit bestimmt ihn. Er ist geronnene Theoria.
Was ist seine neue Naturphilosophie?
Die Natur ist für Campanella die Trinität, die Substanz, mit der der außerweltliche Gott in die Welt hineinwirkt durch Allmacht, Weisheit und Liebe[17]. Die Natur ist nicht Gott, aber im Universum Gottes ist sie die Einheit, aus der und in der Gott wirksam und angebetet wird. Erkenntnis der Natur leitet darum zur Erkenntnis Gottes, und weil Geist und Kraft identisch sind, darum sind Astrologie und Astronomie in der civitas solis beide im Gebrauch.
Campanella denkt im Schema von Makro- und Mikrokosmos. Der totale Staat kann gar nicht anders sein als die Struktur des Weltganzen. Gott selbst spiegelt sich in der Verfassung wider.
Campanella steigert die Harmonie zur totalen Gleichheit auch der geistigen Bewegungen in diesem Sonnenstaat. Seine Bilder sind alle lichtdurchflutet; aber das geistige Leben des Sonnenstaates besteht mehr nur in der Aneignung der Seinswirklichkeit, nicht in der Produktivität; es gewinnt den Charakter der Freizeitbildung.
Das wirft für die Utopiengeschichte die Frage nach der Bedeutung des Harmonieideals auf, wenn es, wie bei Campanella, im Staat institutionalisiert ist, vor allem, wenn man bedenkt, daß Campanella, der selbst Widerständler war, doch auf eine Realisierung gehofft haben muß. Das zeigt sich in seinen Sätzen über die bald kommende Reformation der Kirche, die er erwartet.
Die Mauern der Stadt sind nach innen hin mit Bildern bemalt, die die Beschaffenheit der Erde, die Arten der Tierwelt, die Künste und Techniken abbilden. Die Kinder lernen an diesen Bildwänden spielend die Wissenschaften, Handwerke und Künste. Auch die Religionsstifter und Gesetzgeber sind auf diesem orbis pictus dargestellt, und die einzige Eloge in Richtung des Christentums ist die, daß Christus und die 12 Apostel besonders verehrt werden. Mohammed wird dagegen nur wenig geschätzt, ist aber auch vertreten[18].
Gerade bei Campanella wird deutlich, daß die hinter den Utopien wirksam werdenden, philosophischen Hintergrundsysteme die Beziehung von Utopie und Wirklichkeit bestimmen.
Damit spezifiziert sich die historische Fragestellung nicht bloß darauf, wie Utopien zum menschlichen Denken hin zu ordnen sind, sondern welcher Struktur, welcher Philosophie sie dabei folgen. Das utopische Denken ist kein elementares Vorstellen des Menschen, sondern kontextgebunden und philo-

---

17. Vgl. dazu die Belehrungen über allgemeine und spezielle Ursachen, wo Campanella mit Thomas geht, Kap. 29, S. 163.
18. Kap. 3 a, S. 122.

sophischen Voreinstellungen folgend. Das macht die Utopiegeschichte zwischen dem 16. und 18. Jahrhundert ungemein belangreich für die Entwicklung der Noetik in ihrem Bezug zur Ethik.
Das zeigt sich auch in der dritten, klassischen Utopie, der *Nova Atlantis des Francis Bacon* (1561–1626)[19].
Eine Dissertation aus dem Jahr 1908 von Emil Wolff »Francis Bacons Verhältnis zu Platon«[20] zeigt, daß Bacon in seinem Novum Organum bewußt die platonische Philosophie abweist und sich anstelle dessen dem Empirismus des Aristotelismus anschließt.
Wolff schreibt u. a.: Im Unterschied zu Montaigne wirft »sich Bacon mit Leidenschaft in den Kampf mit der Natur. Nicht die Befreiung durch innere Festigung ist sein Ziel, sondern die äußere Überwindung, die Unterwerfung der Natur unter den menschlichen Verstand und damit unter den menschlichen Willen«.
Hervorstechend ist nun, daß der Aristotelismus bei Bacon dahin führt, daß Nova Atlantis ein monarchisches Gemeinwesen mit königlicher Verwaltung und dabei auch ein Ständestaat ist, der durchaus Luxus, Geld, Ansehen kennt und die Steigerung von dem allen auch bewußt verfolgt. Darin zeigt sich bei Bacon ein Stück weit das insulare England seiner Zeit, aber mehr noch die Tradition der aristotelischen Noetik und Ethik, denen er als Naturforscher folgt. Auf Nova Atlantis herrschen Wissenschaften und Fortschritt.
Nova Atlantis organisiert Wissenschaft und Forschung durch das Haus Salomon, eine wissenschaftliche Zentralgesellschaft, eine Art Royal Society, in der das ungeheure Wissen gesammelt und zur Staatslenkung aufbereitet wird. Hier taucht das Motiv des Gelehrtenordens auf, mit dem sich auch Andreae befaßt. Aus der Erforschung der Natur stammen der Reichtum, das Glück und die Wohlfahrt der Gesellschaft. Bacon träumt nicht wie Campanella zu einem Einheitsreich zurück, sondern erstmals schon auf eine künftige Entwicklung voraus, aufgebaut auf den damaligen Trends der Naturwissenschaften und der Naturphilosophie.
Magna instauratio imperii humani in naturam, so lautet der Untertitel seines Novum Organum, und von daher gewinnt die Theorie von der Herrschaft Christi in der Welt in Bacons Deismus die Färbung des Vikariats: Menschen sind es, die aus ihrem eigenen Antrieb heraus gestalten, was dem Ursprung nach der Ordo des Regnum Christi ist. Die Ordnung ist Gottes, die Ethik ist in der Hand des Menschen.
Im Vergleich mit Campanella und Morus erscheinen zwei Gesichtspunkte in der Nova Atlantis-Schilderung Bacons neu und wichtig.

---

19. The Works of Francis Bacon, Faksimile-Neudruck der Ausgabe von Speeding/Ellis/Heath, London 1857–1874, Stuttgart 1963; *W. Röd:* Geometrischer Geist und Naturrecht, 1970; *R. Koselleck/F. Hartmann:* Der Akademiegedanke im 17. und 18. Jahrhundert, 1977.
20. Diss. phil. München, Berlin 1908.

1. Bacon reflektiert über das Verhältnis von Religion und Wissenschaft, und zwar in Gestalt der Bartholomäuslegende.
Im Anfang der Besiedlung widerfährt den Ureinwohnern des Nachts auf der See eine Lichterscheinung, die sie anlockt, der sie sich aber mit ihren Kähnen vergeblich zu nähern suchen. Sie kommen über eine bestimmte Grenze hinaus nicht an sie heran. Die Technik des rationalen Zugriffs findet am Religiösen ihre Grenze. Nur einem unter ihnen wird es erlaubt, den Bann zu durchbrechen. In dem Augenblick, da er sich dem Licht nähert, verschwindet die Erscheinung, und es bleibt ein Kästchen mit den heiligen, christlichen Schriften und einem Auftrag des Apostels Bartholomäus zurück. Die heiligen Schriften werden die Grundlage der Gotteserkenntnis und der Moral.
Gott hat sich durch seinen Apostel offenbart, aber dieses Ereignis entzieht sich der empirischen Wiederholung. Die Wissenschaft kann die Offenbarung nicht erreichen. Zwischen beiden besteht eine Grenze. Gotteserkenntnis und Moral der Nova Atlantis sind damit grundgelegt. Sie haben Basischarakter, und darum gibt es auf Nova Atlantis auch keinen Atheisten. Gäbe es ihn, so würde er umgebracht. Die Offenbarung gewinnt Gesetzescharakter. Das entspricht dem Deismus der Zeit.
2. Die zweite Einsicht des Bacon besteht darin, daß die Kulturen auf der Erde in Pluralität und doch in einem Zusammenhang bestehen. Der erste König von Nova Atlantis, Altabin, hat zwar zunächst die Weisung gegeben, keine Einwanderung zu dulden. Aber die Leute von Nova Atlantis fahren alle 12 Jahre ins Mittelmeer und nach Ägypten, um in einer Art geheimen Kulturerkundung die dortigen Kenntnisse aufzunehmen. Kulturen wachsen; in Europa haben sie Nachholbedarf, in Nova Atlantis hingegen begegnet den Schiffbrüchigen ihre eigene Zukunft. Wie sich Kulturen gegeneinander abheben und wie sich dabei ein Optimum erzielen läßt, scheint Bacons Utopie besonders zu beschäftigen. Wie die Religion wird damit auch die Kultur funktionalisiert.
Die Menschen auf Nova Atlantis sind Christen und »äußerst menschlich«; sie leben mit ihrer Wissenschaft und Kultur im Einklang mit der Natur und den Geboten Gottes. Im Gegensatz zu Campanella bewegt Bacon seine Leser nicht zu einer Staatsphilosophie. Vielmehr zeigt seine Utopie ein ausgesprochenes Vertrauen auf die Entwicklung, auf den moralischen Einklang mit den Institutionen, Vertrauen auch auf die Wissenschaft. Seine Utopie ist eine Programmschrift im Sinne von Hoffnungsliteratur. Wie die bisherige Entwicklung verläuft, kann sie nur in dieser skizzierten Richtung auf ein Optimum hin weitergehen. Bacon entwickelt seine Utopie im Sinne des aristotelischen Telos. Es liegt das Ziel in der Sache selbst, nicht in einer Vision. In Kern will der entpflichtete Lordkanzler sagen, daß Nova Atlantis die Linie künftiger Entwicklung Englands sein müsse. Es zeigt sich bei ihm vom Hintergrund aristotelischen Denkens her, daß die Ankopplung der Utopie zur Wirklichkeit evolutionär ist. Utopie und Wirklichkeit nehmen gleichermaßen an der Evolution des naturhaften Prozesses teil.

Das macht auch das religiöse Element der Nova Atlantis aus; denn der Auftrag des Hauses Salomon besteht darin, die immer überschießende Komplexität der Natur, soweit es geht, einzuholen und sich ihre Kräfte nutzbar zu machen. Der Mensch muß die Inhalte der Natur nachvollziehen, entdecken, sich aneignen, in logisch geordnetes Wissen überführen, und indem er dies tut, gehen die Verehrung Gottes und die Wissenschaft ineinander über.

Frankreich ist für die Entwicklung der Utopien wohl das aufgeschlossenste Land. Mit Rabelais und Cyrano de Bergerac entstehen hier Utopien, die einen antiklerikalen, ja bereits materialistischen Charakter tragen, und von ihnen aus ist der Schritt bis hin zu Voltaire nicht mehr allzu groß.

Über die hochmittelalterlichen Vorstufen unterrichtet die Bamberger Dissertation von *Jürgen Augspurger* »Die Anfänge der Utopie in Frankreich und ihre Grundlagen in der Antike«[21].

Im Jahr 1534 beschreibt *Rabelais* im »Gargantua« das Leben in der Abtei Thélème, einem Antikloster, wo alles umgekehrt ist, als es sonst in den Klöstern üblich ist. Hier gibt es weder Mauern noch Klausur oder Gelübde. Anstelle von Keuschheit, Armut und Gehorsam sind Freundschaft, Reichtum und Freiheit die Ideale. Spiel und Unterhaltung füllen den Tag: Jeder entfalte nach seinem Geschmack seine natürlichen Triebe zur Tugendhaftigkeit und Geselligkeit. In diesem geometrisch gebauten Kloster regiert ein antimönischer, antikirchlicher Lebensentwurf, der das Lebensrecht und den Lebensgenuß des Menschen gegenüber der christlich-asketischen Tradition einfordert. Rabelais beruft sich übrigens ebenfalls auf Platons Vorbild der Philosophenkönige.

Im Jahr 1642 erscheint in Paris die erste, technische Utopie des *Cyrano de Bergerac,* jenes Degen und Raufboldes mit der langen Nase (1619–1655). »Mondstaaten und Sonnenreiche«[22] so heißt sein Thema, das voll ist von Spekulationen über die Vielzahl der Welten, über die Heliozentrik und die experimentellen Naturwissenschaften, Themen, die diese Zeit erregen. Wieder wird auch bei Cyrano eine bestimmte Trendlage der Zeitaktualität linear zur Utopie extrapoliert.

Für Cyrano gibt es zwar Gott, den Schöpfer des Universums. Was aber auf der Erde als Religion gilt, das ist nur menschliche Erfindung. Mit Gott hat die irdische Religion nichts zu tun. Gott selbst ist reiner Geist, die Weltseele der Gnosis. Die Schaffung des Mondes und der Erde geht von einem Baumeister aus, wie Platon ihn lehrt, und weil die materielle Welt aus demselben Stoff ist wie auch die Seelen und Geister, verfällt Cyrano auf den Atomismus des Demokrit. Das bedeutet eine neue Nuance utopischen Denkens, die unmittelbar mit dem naturwissenschaftlichen Trend der Zeit in Verbindung zu bringen ist. Der Zusammenhang der Metaphysik beginnt sich aufzulösen. In diesen

---

21. Diss. phil. Bamberg 1975.
22. *W. Petri (Hg.):* Cyrano de Bergerac, Mondstaaten und Sonnenreiche (Bibliothek der Science Fiction Literatur), München 1986.

Zusammenhang ist sein philosophischer Sarkasmus, ist auch das Thema der Pluralität der Welten einzuordnen. Wir haben es mit einem sarkastischen Modellspiel zu tun.
Der Ablauf ist durch die Flugmaschine gegeben. Aber um das Fliegen geht es nicht, sondern um die Erfahrung der Verschiedenheit der Kulturen, der Religionen und Philosophien, um das Panorama möglicher Welten und möglicher Kulturen. Es kann angesichts der Pluralität der Welten keine Einheit der Religion, der Metaphysik oder der Philosophie geben. Darum entwickelt Cyrano den utopischen Humor als Sprache der Distanz.
Cyrano geht es nicht um den idealen Staat, nicht um eine soziale Gesellschafts- oder Wirtschaftsordnung, sondern um den Spaß mit der Metaphysik. Mit Phiolen um den Bauch, die durch die Sonne erwärmt werden, gelingt ihm die erste Luftfahrt, die ihn wegen der zwischenzeitlichen Drehung der Erde zu den Jesuiten nach Canada führt. Weil diese nun vernehmen müssen, daß sich aus Gründen der Heliozentrik nichts mehr um den Menschen dreht, muß er von ihnen fliehen, und sein neues Luftgerät – mit übrigens erstmaligem Raketenantrieb – führt ihn auf die Gegenwelt, den Mond, eine zweite Reise sogar auf die Sonne.
Als Mensch der Erde gilt er auf dem Mond nur als ein Tier, und was ihm als Erde bekannt ist, gilt dort nur als der Mond. Daraus ergibt sich der Konflikt. Die Mondstaatler sind nämlich auch in ihre Priorität verliebt; sie verstehen im Gegensatz zu Cyrano den Mond als Erde und setzen ihn wegen Häresie gefangen. Idealismus und Materialismus gelten nicht absolut; es kommt nur auf die Umgebung an.
Die Dialoge mit seinen Gesprächspartnern, insbesondere mit der Figur des »Philosophen« überschreiten die Grenze zum Atheismus. Bei Cyrano ist die Mondsituation die Situation der Freiheit; dort kann gesagt werden, was auf der Erde zu sagen nicht erlaubt wäre. Gerade dies macht diese Utopie, die nichts weniger als ein philosophischer Dialog ist, zu einem zeitgenössischen Dokument für das Frankreich dieser Zeit, Zeugnis der wachsenden Skepsis und Kritik an der Kirche, Zeugnis auch einer erwachenden, bürgerlichen Philosophie.
Im deutschen Sprachgebiet sind die Utopien ernster und frömmer gehalten. *Johann Valentins Andreaes* (1586–1654) Christianopolis von 1619 ist nicht die erste deutsche[23], aber eine eindeutig lutherische und in ihrer Struktur ebenfalls aristotelisch konzipierte Utopie[24].

---

23. *B. Kytzler:* Stiblins Seligland, in: *H. Gnüg (Hg.):* Literarische Utopie-Entwürfe, Frankfurt/M. 1982, S. 91ff. Stiblin stirbt 1562 und verfaßt 1553 den Commentariolus de Eudaemonensium Republica, »Kurzbericht über die Republik von Glückshausen«. Inhalt ist der Traum von einem blühenden Erziehungswesen. Der Text ist unveröffentlicht.

24. Text: *R. van Dülmen (Hg.):* Joh. Valentin Andreae Christianopolis 1619 (Quellen und Forschungen zur württembergischen Kirchengeschichte, Bd. 4), Stuttgart 1972 ; ferner *ders.:* Utopie einer christlichen Gesellschaft, in: *R. van Dülmen/N. Schindler (Hg.):* Johann Valentin Andreae

Auch die Christianopolis ist ein Ständestaat, besitzt Reichtum und Geld, und auch Andreae folgt hinsichtlich der Naturseite der Wirklichkeit der Philosophie des Aristoteles.
Andreae besitzt ein anderes Ethos und eine andere Beziehung zur bestehenden Wirklichkeit als Campanella, dessen Sonnenstaat er gekannt hat und mit dem oft verglichen wird. In der Christianopolis spricht ein Pädagoge, einer, der wissenschaftliche und religiöse Bildung zueinander bringen möchte. Sie erwächst bis in Einzelzüge hinein aus dem bürgerlichen Bildungsraum und der lutherischen, Arndtschen Frömmigkeit. Es ist eine pädagogische Utopie, eine Tugendutopie.
Andreae zeigt an mehreren Stellen seiner Christianopolis, daß er sich bewußt von Platon und Campanella abgrenzt, daß er von Campanella nur die literarische Vorlage übernimmt, das Stadtmotiv. Beim Lesen sieht man eine reiche, selbständige Reichsstadt auf der Grundlage von Familie, Berufsständen, Eigentum und Selbstversorgung. Das Besondere ist der neue Gemeingeist dieser Menschen und Bürger. Was in der Zeit Andreaes als Kirche und Welt, Theosophie und Wissenschaft auseinanderzugehen droht, das bindet er hier zusammen. Die Menschen erfüllen freiwillig das Gesetz der Stadt; sie regulieren sich selbst in der Tugend aus Demut und theosophischer Einsicht. Niemand wird gezwungen, sondern aus sich heraus lehnen sie Luxus, Konkurrenz und Egoismus ab.
Der Letztherausgeber, van Dülmen, stellt die Christianopolis in den Zusammenhang von Reformbedürfnissen im Luthertum, insbesondere der Abneigung gegen die Staatskirche[25]. Diesen pessimistischen Zug gibt es tatsächlich bei Andreae. Aber seine Utopie atmet nicht wesentlich den Geist der Kritik, sondern den Geist einer neuen Grundlegung zwischen Glauben und Leben. Er will die wissenschaftliche Entfaltung des lutherischen Christentums.
Andreae repräsentiert auch in seiner Christianopolis die durch die lutherische Hochorthodoxie vollzogene Wendung zum Neuaristotelismus. Wenn es richtig ist, daß er Campanella, vermittelt durch Freunde, formal aufnimmt, dann ist in der Christianopolis – auch an einzelnen Textzusammenhängen – nachweisbar, daß er sich bezüglich Gestalt und Tendenz der Sonnenstadt bewußt gegen den Totalitarismus und Platonismus Campanellas akzentuiert.
Aristoteles steht bei Andreae nicht für Orthodoxie oder die logische Methode,

---

1586–1654 (Kultur und Gesellschaft. Neue historische Forschungen, Bd. 2), 1978; *J. Wallmann:* Herzog August zu Braunschweig und Lüneburg als Gestalt der Kirchengeschichte. Unter besonderer Berücksichtigung seines Verhältnisses zu Johann Arndt, in: Pietismus und Neuzeit 6, Göttingen 1981, S. 6 ff.; *I. Mager:* Die Beziehung Herzog Augusts von Braunschweig-Wolfenbüttel zu den Theologen Georg Calixt und Johann Valentin Andreae, ebd., S. 76 ff.; das Folgende setzt sich ab gegen die Deutung von: *B. Steinbrink:* Die Hochzeit von Himmel und Erde. Die Rosenkreuzer-Schriften und die Sozialutopie Johann Valentin Andreaes, in: *G. Ueding (Hg.):* Literatur ist Utopie, Frankfurt a. M. 1978, S. 131 ff.

25. So in der Einleitung zu: *R. van Dülmen (Hg.):* Joh. Valentin Andreae Christianopolis (s. Anm. 24).

sondern für die via experimentalis, und in diesem Sinne ist das experimentelle Vorgehen der Naturwissenschaft, wie es in dieser frommen Stadt statthat, zugleich auch Hinführung auf die experientia der Seele. Nur ist beides nicht dasselbe. Platons und Campanellas Schauen fällt für Andreae unter die »Grillen der Metaphysik«.

Auch Andreae will ein neues, universales Naturverständnis, aber in Verbindung mit der christlichen Soteriologie. Das Individuum allein, wenn es demütig ist und sich Gott ihm offenbart, kann Erkenntnis Gottes fassen. So etabliert Andreae für die Christianopolis zwei Denkwege, den empirischen und den theosophischen als Grund seiner Anthropologie und seiner lutherischen Gesellschaftsauffassung.

Nicht der Zwang zum Kommunismus, sondern der Geist der Gemeinsamkeit macht es aus, daß Schwelgerei und Luxus unnötig sind. Indem alle sich mäßigen, können alle versorgt werden. Geld ist genug vorhanden; man kann sogar dem Kaiser bereitwillig Steuern zahlen. Astrologie und Alchemie gelten als nutzlose Scheinwissenschaften; vielmehr ist die ganze Stadt auf die Produktion von Gütern und von Wissen ausgerichtet. Sie »ist gleichsam nur eine Werkstatt«[26]. Ökonomisch heißt dies: Es kann nur das in Liebe verteilt werden, was zunächst durch Arbeit und Ingenium produziert worden ist.

Andreaes Ethik ist eine Ethik der mittleren Tugenden, der methriopatheia und zugleich der Schonung des Menschen, – es sind ebenso lutherische wie gut bürgerliche Züge.

Die Stadt besitzt ein Glaubensbekenntnis und eine daraus abgeleitete Stadtverfassung. Die zehn Artikel beginnen jeweils mit den Worten des Versprechens, wie in einem Bundesschluß: »Wir befleißigen uns . . .«[27] Es ist der Ausdruck, der das deutlich macht, was in der fast gleichzeitigen Pennsylvania-Erklärung als der verfassungsmäßige Grundsatz »we, the people« ausgesprochen wird. Die Utopie Andreaes zeigt, daß das ständische Luthertum dieser Zeit in eine beachtliche Nähe zum städtisch-republikanischen Gedanken, ja sogar zur Demokratie tritt, nur eben nicht in der Form einer totalitären Demokratie, auch nicht in der kritischen Weise des Widerstandsrechts der Monarchomachen Frankreichs und Schottlands[28], sondern in Fortsetzung der Rechtfertigungserkenntnis von der Motivation zum Gesetz, zur Selbststeuerung und zur Verschonung des Menschen. Dies sind die anthropologischen Strukturen seiner ständisch-freiheitlichen Ordnung. Jeder soll das Seine erhalten, aber er soll nicht in eine Zwangsordnung hinein aufgesogen werden.

Es gibt bei Andreae auch schon den barocken Weltekel; denn die Welt denkt nur von unten nach oben. Der Glaube hingegen denkt von oben nach unten.

---

26. Kap. 16, S. 61.
27. Kap. 16, S. 63.
28. *H. Mandt:* Tyrannislehre und Widerstandsrecht (Politica 36), Darmstadt/Neuwied 1974.

Es deutet sich bereits ein dystopischer Zug an, der in der religiösen Distanz zur Welt angelegt ist.
Diese Weltskepsis bleibt aber nicht das Bestimmende. Die Utopie Andreaes will den Menschen erziehlich weiterführen zum Gotteslob.
»Denn wir sind auf diesem prächtigen Schauplatz der Welt von unserem Schöpfer nicht deswegen aufgestellt, daß wir wie das dumme Vieh nur die Weide abfressen sollen, sondern daß wir unter seinen Wundern mit Aufmerken, unter seinen Gaben mit deren kluger Verwaltung, unter allen seinen Geschöpfen mit Werthaltung umherwandeln . . .«[29].
Was Campanella in die Strukturen und das ewige Gesetz verlegt, das verlegt Andreae gut lutherisch in die Aktivität und in die Selbstregierung des demütigen Menschen. Andreae bildet in besonderer Weise die christliche *Tugendutopie* aus.
Die utopische Entwicklung in Deutschland geht nicht diesen Weg des Optimismus weiter, auch nicht den Weg des kecken Atomismus wie in Frankreich, sondern wendet sich unter den Wirkungen der Barockphilosophie und des 30jährigen Krieges in die innere Welt. Das erweist sich bei *Grimmelshausen* (geb. ca. 1622) und seinem Simplicius Simplicissimus[30] von 1669. Hier haben wir es ebenfalls mit einer Tugendutopie zu tun, die – und das gilt auch noch für Schnabel – vom Gedanken der Providenz getragen ist. In dieser Übernahme des spanischen Schurken- und Schelmenromans ins Deutsche finden sich die pessimistischen Züge der hochbarocken vanitas-Literatur. Alles ist vergänglich. Mit dem Ausdruck der vanitas- und Demutsfrömmigkeit endigt das 5. Buch: »Adieu, Welt; denn auf dich ist nicht zu trauen, noch von dir nichts zu hoffen. In deinem Haus ist das Vergangene schon verschwunden, das Gegenwärtige verschwindet uns unter den Händen, das Zukünftige hat nie angefangen, das Allerbeständigste fällt, das Allerstärkste zerbricht, und das Allerewigste nimmt ein End; also, daß du ein Toter bist unter den Toten, und in hundert Jahren läßt du uns nicht eine Stund leben. Adieu, Welt . . .«[31].
Was sind auch die Konfessionen und Kirchen? Sie haben Krieg gemacht, und darum ist die Wahrheit nicht in ihnen zu finden. Bei Grimmelshausen setzt sich die Skepsis gegenüber Metaphysik, Religionen, Konfessionen und Systemen durch. Sie führt weniger auf den Weg zur Aufklärung, sondern auf den anderen zur inneren Gottseligkeit in der Einheit und Harmonie des nosce te ipsum[32], die der Welt, wie sie wirklich ist, abgerungen werden müssen. Grimmelshausen zeigt ein Wirklichkeitsverständnis weltflüchtiger Art, das

---

29. Kap. 70, S. 161.
30. Hier zitiert aus: *Hans H. Schwalbe (Hg.):* H. J. Chr. Grimmelshausen, Der abenteuerliche Simplicius Simplicissimus, Stuttgart 2. A., o. J.; *J. J. Berns:* Roman und Utopie. Ein typologischer Versuch zur Literatur des 16. und 17. Jahrhunderts, in: Voßkamp, a. a. O., Bd. 2, 1982, S. 210 ff.; *V. Meid:* Utopie und Satiren in Grimmelshausens Simplicissimus, in: ebd., Bd. 2, S. 250 ff.
31. Buch V, Kap. 24.
32. Buch V, Kap. 23.

ebenfalls als idealtypische Erziehungsliteratur im Sinne der Tugendutopie angesprochen werden muß. Diese formgeschichtliche Richtung wird für das deutsche Luthertum von Bedeutung.

Es gibt im Gesamtwerk des Simplicius drei im einzelnen unterschiedliche Utopien:

1. die Jupiterutopie als programmatische Hoffnungsliteratur.

Der Jupiter-Poet verkündigt, – weil ja doch vom Adel nichts zu erwarten ist –, daß ein teutscher Held von Jupiter erweckt werde, den er mit Kraft, Schönheit und mit Waffen ausrüsten lasse, dem niemand zu widerstehen vermag. Dieser teutsche Held benötigt nicht mehr den Krieg, sondern er wird von Stadt zu Stadt mit Lockung und Drohung zum Frieden überzeugen. Von allen deutschen Städten wird er je zwei Kundige zu einem Parlament mitführen, das alle Städte vereinigt. Die Leibeigenschaft wird aufgehoben, alle Abgaben, Akzisen, Zinsen, Schuldbriefe werden getilgt und jede weitere Fronen, Kontributionen, Geldgeben, Kriegen und alle Beschwerung des Volkes wird er abschaffen. Deutschland wird eine Universalmonarchie werden, deren Grenzen über den Balkan hinaus bis in die Türkei reichen. Ziehen die Großen der Welt nicht mit, so werden sie gemein gemacht, und die Reiche der christlichen Könige Englands, Schwedens, Dänemarks, aber auch Spaniens, Frankreichs und Portugals werden zu deutschen Lehen. »Und alsdann wird wie zu Augusti Zeiten ein ewiger, beständiger Friede zwischen allen Völkern in der ganzen Welt sein«[33]. Unter dem teutschen Helden wird jeder im Volk den Stein der Weisen besitzen und Gold machen können.

Aus dem Universalfrieden erwächst sodann auch ein Universalkonzil aller Konfessionen zur Vereinigung der Religion. Wer sich da widersetzt und die gemeinsame Lehre verhindern wollte, wird wie in einem Konklave unter Essensentzug gesetzt. Der teutsche Held ist mit unwiderstehlichen Waffen ausgerüstet. Wer nach dem großen Jubelfest der Einigkeit alsdann noch dawider glaubt, darf auswandern oder ihn wird der teutsche Held mit Pech und Schwefel martyrisieren oder einen solchen Ketzer »mit Buchsbaum bestecken und dem Pluto zum neuen Jahr schenken«[34].

2. Die zweite Utopie ist eingebettet in das Märchen vom König vom Mummelsee, das auf eine Sozialutopie hinausläuft[35], die von den ungarischen Wiedertäufern das Vorbild christlicher Vergemeinschaftung entlehnt.

Es sei eine Gesellschaft von verehelichten und ledigen Manns- und Frauenpersonen unter einem verständigen Vorsteher, arbeitsam in der Handarbeit und bereit zum Dienst und Lob Gottes nach Art des Josephus und der jüdischen Essener. Sie besäßen große Schätze und überflüssige Nahrung. Es gebe kein Fluchen, kein Murren. Schulmeister unterrichten die Jugend.

---

33. Buch III, Kap. 3ff.
34. Buch III, Kap. 3.
35. Buch V, Kap. 19.

Manns- und Weibsbilder kommen nur im Schlafzimmer zusammen, ansonsten bleiben sie unvermischt. Die Mütter brauchen sich um ihre Säuglinge nicht zu kümmern, sie werden gemeinschaftlich versorgt. Im übrigen ist den Frauen das Spinnen und der Haushalt anbefohlen. Die Männer sind arbeitsteilig gegliedert. Essen und Freizeit sind gemeinschaftlich.
»In summa, es war durchaus eine solche liebliche Harmonie, die auf nichts anderes abgestimmt zu sein schien, als das menschliche Geschlecht und das Reich Gottes in aller Ehrbarkeit zu vermehren ... Überdies hießen sie alle einander Brüder und Schwester ... Ein solches seliges Leben, wie diese wiedertäuferischen Ketzer führen, hätte ich auch gern aufgebracht«. Auch hier herrscht der Typ der pädagogischen Tugendutopie vor.
Diese schon auf Gottfried Arnold hinweisende Schilderung erhält im 6. Buch, der continuatio, ihre Ergänzung durch die dritte, die Insel- und Reiseutopie, mit der Grimmelshausen den Simplicissimus als Christ und Einsiedler auf eine Insel versetzt, eine Robinsonade vor Crusoe, eine Inselutopie vor Schnabel. Das Paradies auf Erden wird nur abseits der Zivilisation erlangt. Die Natur als das Urtümliche bietet alles, was der Mensch zum Leben braucht. Alles übrige ist künstliche und verdorbene Welt. Die Kultur wandelt sich zurück zur Natur, und die goldene Urzeit ereignet sich auf der Insel abseits der Zivilisation. Die Zerrissenheit des Lebens wandelt sich zur Harmonie.
Die lutherischen Utopien des 17. Jahrhunderts verzeichnen in Deutschland einen zunehmend skeptischen, privatistischen Charakter, und in ihnen verdichtet sich bereits eine Art pietistischer Weltflucht.

III.

Die *Utopien des 18. Jahrhunderts* sind der besonderen Aufmerksamkeit der jetzigen Debatte sicher, weil sich zu dieser Zeit eine deutlich wahrnehmbare Scheidung zwischen der Utopie als Literaturform und der »utopischen Funktion« im philosophischen Sinne vollzieht[36]. Dabei steigt nun die Zahl der Utopien ungemein an. *Wolfgang Biesterfeld*[37] zählt 102 Titel für das 18. Jahrhundert, und *Hiltrud Gnüg*[38] stellt fest, daß der Wandel der Utopien ins Romanhafte es mit sich bringt, daß sie ihre Stärke verlieren, positive Gegenbilder zu entwerfen, daß sie in den positiven Gegenbildern vage und abstrakt bleiben. Viele dieser Utopien des 18. Jahrhunderts werden poetisch-idyllisch, besonders in Deutschland.
Dafür geht die »utopische Funktion« nunmehr in die Philosophie sowie in das Rechts- und Politikverständnis in breiter Front ein. Im Blick auf die utopische

---

36. *B. Bianco:* »Vernünftiges Christentum«, Aspects et problèmes d'interpretation de la néologie allemande du XVIIIe siècle, in: Archive de Philosophie 46 (1983), S. 179 ff.; *O. Brunner/W. Conze/R. Koselleck (Hg.):* Geschichtliche Grundbegriffe, Bd. 1, 1972.
37. *W. Biesterfeld:* Die literarische Utopie, Sammlung Metzler, Stuttgart 1974, S. 30–43.
38. *H. Gnüg:* Literarische Utopie-Entwürfe, S. 100.

Funktion des Denkens spricht noch *Leibniz* 1671 von den Utopien des Morus, Campanellas und Bacons als »Chimären«[39]. Noch als *Christian Wolff* die aus den Reiseutopien bekannte Hochschätzung fremder Kulturen in seiner Hallenser Vorlesung 1723 »Über die Sittenlehre der Sineser« thematisieren will, muß er sein Amt quittieren. Wolff beginnt bereits über den gerechten Lohn, die geregelte Arbeitszeit, Versorgung, Umwelt und öffentliches Schulwesen »empirisch-praktisch«, also im Sinne eines Sollens nachzudenken.

Besonders auffällig ist die Wende zur utopischen Funktion in der Rechtsgeschichte zu verfolgen. Das ältere Pandektenrecht bewegt sich in der Monarchienlehre des Mittelalters. Mit Conring, Hobbes, Thomasius und Pufendorf jedoch entsteht eine neue, empirische Rechtsauffassung im Modus des Vernunftrechts, aber eine, wie Christoph Link sagt[40], die von Spinoza her die Ethik und die soziale Lehre more geometrico neu konzipieren will.

Diese Vernunftauffassung kann programmatischer, sie kann aber auch empirischer Natur sein. Gerade in der Wolffschen Philosophie finden wir, wie jüngst *Werner Schneiders*[41] gezeigt hat, unter dem Modus der Möglichkeit ein Nachdenken über das Verhältnis von Sein und Sollen. Wie diese Beziehung bei Wolff gedacht ist, hängt davon ab, ob die Möglichkeit ontologisch begründet wäre oder nicht. Ist sie das jedoch, und Schneiders meint das wohl, dann ist das logisch Vernünftige ebenso real wie das Seiende und gewinnt einen utopisch-funktionalen Charakter in dem Sinne einer Vernunftnotwendigkeit, die oft genug im Gegensatz zum Seienden, zur realen Wirklichkeit steht.

Eine ähnliche Beobachtung hat auch *Martin Kriele*[42] zur englischen Rechtsgeschichte gemacht, daß nämlich das ältere Naturrecht vom empirischen Sein ausgeht und dabei zur Legitimationsfigur bestehender Verhältnisse wird, daß im Gegensatz dazu das neuere Vernunftrecht die Frage nach dem Sollen, nach dem stellt, was vernünftigerweise sein sollte, aber eben nicht ist.

Wie man diese Veränderungen auf das Schema Platonismus – Aristotelismus

---

39. So in »Zwei Pläne zu Sozietäten« von 1671, in: *H. H. Holz (Hg.):* Gottfried Wilhelm Leibnitz, Politische Schriften II, Frankfurt/M. 1967, S. 39.

40. *C. Link:* Rechtswissenschaft, in: *R. Vierhaus (Hg.):* Wissenschaften im Zeitalter der Aufklärung, Göttingen 1985, hier: S. 124; ferner: *L. Stockinger:* Überlegungen zur Funktion der utopischen Erzählung in der frühen Neuzeit, in: W. Voßkamp, a. a. O., Bd. 2, 1982, S. 230ff.

41. *Werner Schneiders:* Der Philosophiebegriff des philosophischen Zeitalters. Wandlungen im Selbstverständnis der Philosophie von Leibniz bis Kant, in: *R. Vierhaus (Hg.):* Wissenschaften im Zeitalter der Aufklärung, Göttingen 1985, S. 58ff.; *K. Scholder:* Grundzüge der theologischen Aufklärung in Deutschland, in: *H. Liebing u. a. (Hg.):* Geist und Geschichte der Reformation, FS für H. Rückert, 1966, S. 460ff.; *H. M. Bachmann:* Die naturrechtliche Staatslehre Christian Wolffs, 1977; *G. Hornig:* Perfektibilität. Eine Untersuchung zur Geschichte und Bedeutung dieses Begriffs in der deutschsprachigen Literatur, in: ABG XXIV, H. 2, 1980, S. 221ff.

42. *M. Kriele:* Hobbes und englische Juristen, Neuwied/Berlin 1970; aktualisiert vgl. auch *M. Kriele:* Recht und praktische Vernunft (Kl. Vandenhoeck-Reihe 1453), Göttingen 1979; vgl. auch: *C. Link:* Rechtswissenschaft, in: *R. Vierhaus (Hg.):* Wissenschaften im Zeitalter der Aufklärung, Göttingen 1985, S. 120ff.; *B. Groethuysen:* Die Entstehung der bürgerlichen Welt- und Lebensanschauung in Frankreich, 2 Bde., 1927–1930.

beziehen kann, das ist historisch, also philosophiegeschichtlich und vor allem ethikgeschichtlich noch nicht recht zu beurteilen, vor allem auch deshalb nicht, weil der Anteil des Neustoizismus (seit Macchiavelli) in dieser Hinsicht noch nicht recht untersucht ist. Sicher aber ist, daß diese beiden Methodenwege auch im 18. Jahrhundert weiterhin Geltung behalten, gerade auch in den Strömungen der Theologie.

Für das beginnende 18. Jahrhundert ist zu beobachten, daß gerade im Blick auf die Natur- und Vernunftvorstellungen außerordentliche Spannungen und Widersprüche auftreten, Spannungen, die schon zwischen Hobbes und Locke greifbar sind. Das zeigen die beiden aus England stammenden Utopien, der »Robinson Crusoe« von *Daniel Defoe* aus dem Jahr 1719[43] und die »Reisen Gullivers« von *Jonathan Swift*[44] von 1726.

An die Rahmenhandlungen ist hier nicht zu erinnern. Die englische Forschung spricht beim Robinson gern von der one-man-utopia, und christlich daran sind jene Gewissensforschungen, die Robinson auf der einsamen Insel treibt, die Erfahrungen des Zweifels und die Wendung zum Gottvertrauen. Diese Züge rücken den Robinson ebenfalls in die Reihe der christlich motivierten Utopien ein, nur daß hier nicht die Gewißheitsfrömmigkeit, sondern der Durchbruch durch die Skepsis wichtig wird.

Der Robinson gehört in die Reihe der optimistischen, wirklich utopischen Literatur. Sein großer Erfolg hängt damit zusammen, daß Robinson aus den Anfängen primitiver Technik so etwas wie einen Staat baut. Der Schwarze Freitag löst seine Einsamkeit, aber er bleibt in der kulturellen Distanz seiner Herkunft. Robinson hofft auf Menschen gleicher Kulturstufe und erlebt die Furcht vor dem Irrationalen fremder Kultur[45]. Das Buch ist eine Bestätigung des selbstbewußten Bürgertums in der Linie Bacons. Erst durch die Bearbeitung von Heinrich Campe (1779/80) wird der »Robinson« zum Jugendbuch.

Geradezu entgegengesetzt wirken die von Defoe angeregten Reisen Gullivers von Swift. In ihnen herrscht der Pessimismus vor, jene andere Seite der Aufklärung, und dieser Zug wird darum wichtig, weil Swift selbst Theologe, wenn auch gescheiterter Theologe ist. Hier tritt das andere Thema der Aufklärung in den Vordergrund: Gibt es denn überhaupt eine allgemeine Vernunft?

Swift wird als Sohn englischer Eltern am 30. November 1667 in der irischen Hauptstadt Dublin geboren, studiert Theologie und wird im Haus des englischen Politikers Sir William Temple Privatsekretär (bis 1699). Seitdem ist sein Leben der Politik zugewandt, aber es gelingt ihm nicht, Bischof zu werden

---

43. *Daniel Defoe:* The Life and Strange Surprizing Adventures of Robinson Crusoe, London 1719; *J. Schlaeger:* Die Robinsonade als frühbürgerliche »Eutopia«, in: Voßkamp, a. a. O., Bd. 2, 1982, S. 280 ff.

44. *J. Swift:* Gullivers Reisen (Insel tb 58), Frankfurt/M. 1974.

45. *Karl Heinz Bohrer:* Der Lauf des Freitag.

und ins Oberhaus zu gelangen. Er endigt seine politische Laufbahn als Dechant am St. Patricks-Dom in Dublin und wendet seine Liebe dem irischen Volk zu. Unglücklicher kann man in England kaum lieben. Als Ergebnis dieses seines Weges erscheinen Gullivers Reisen im Jahr 1726. Später verfällt er in geistige Umnachtung und Menschenverachtung und stirbt am 19. Oktober 1745.
Swift wandelt die spaßhafte Ironie in die *Dystopie,* zur Verzweiflung darüber, daß sich Menschen aus verschiedenen Kulturen und Schichten nicht verstehen, sondern aneinander vorbeireden. Die Kulturen sind Sperren; es gibt keine Überwindung dieser Sperren, nicht durch die Vernunft, nicht durch die Religion. Nur die Pferde in dem Land mit dem unaussprechlichen Namen der houyhmhmns, die über die Menschen, die tierischen Yahoos herrschen, sind »vernünftig«. Hinter der Pluralität der Kulturen und Nationen von Klein und Groß steht nicht das Menschheitlich-Vernünftige, sondern das blanke Entsetzen über den Neid, die Mißgunst, die Herrschaft allerwärts. Swift will den Abscheu vor der Ideologisierung und Konfessionalisierung des politischen Lebens Englands ausdrücken. Hier begegnen wir wieder – ins Dystopische abgewandelt – dem gelehrten Denkspiel des Morus. Als Theologe und Christ wird Swift zum denkerischen Propheten, zum Aussteiger. Ihm erscheint die absolutistische Kultur als Unvernunft und Amoralität.
Hinsichtlich der Entwicklung der deutschen Utopien enthalte ich mich einer literaturgeschichtlichen Aufzählung und Nennung aus Raumgründen, abgesehen von Schnabel. Wichtig jedoch wird die Beziehung zwischen Utopie und Pietismus. Es sei auf drei Ansätze hingewiesen. Sie entstehen aus der Spannung zwischen dem frommen Erlebnis und der Welt, aber auch aus der unterschiedlichen, sozialen Formation der pietistischen Kleingruppen. Für die nähere Beleuchtung der Beziehung von Utopie und Pietismus möchte ich auf die aus dem Jahr 1941 stammende Marburger Dissertation von Adalbert *Reich* »Der Pietismus und die deutsche Romanliteratur des 18. Jahrhunderts«[46] hinweisen. In ihr wird deutlich, daß sich vom Pietismus her utopische Motive in die Romanliteratur ergießen, die aber zum Jahrhundertende in der bürgerlichen Tugendphilosophie und in der kirchlichen Indolenz oder in der Verehrung eines allgemeinen, göttlichen Wesens versanden.
Der erste Ansatz ergibt sich von *Spener* her, der die von Andreae bekannte Reformlinie aufnimmt und dabei in einem ständischen Modell der Gesellschaft verbleibt, das aber durch die inneren Kräfte der ecclesiola gleichsam in die christliche Gleichheit hinein umfunktioniert wird. Hier handelt es sich um ein relativ enges Verhältnis von Utopie und Wirklichkeit im Schema der idealtypischen Erziehungsliteratur. Von diesem Modell ist etwa *Balthazar Sinolds* (genannt von Schütz) Inselutopie »Feramunds glückseligste Insel« von 1723 bestimmt. Spener selbst beschreibt 1711 in seinem »Letzte theologische

---

46. *A. Reich:* Der Pietismus und die deutsche Romanliteratur des 18. Jahrhunderts. Ein Beitrag zur Untersuchung des Verhältnisses von Religion und Kultur, Diss. phil. Marburg 1941.

Bedenken«[47] die utopische ecclesiola, die ihm aber doch als möglich und realisierbar erscheint und von der er erwartet, daß sie aus der Buße und Heiligung entsteht, daß in ihr die Brüderlichkeit die Standesunterschiede der Menschen aufhebt. Es besteht ein demokratisch-bruderschaftliches Gepräge, und dies auch wirtschaftlich, weil kein Gläubiger den Schuldner bedrängen wird.
Ein anderer Spenerfreund, *Johann Wilhelm Petersen* (1649–1727) schreibt 1692/93 die »Wahrheit des herrlichen Reiches Christi« und schildert darin den baldigen Anbruch des Millenium und das, was dann passieren wird. Die Christen werden in die himmlische Gemeine versetzt, regieren zugleich als Könige auf Erden, weil sie wie die Engel sind. Rom wird fallen – das Motiv ist von Spener her bekannt –, die Juden und Heiden werden sich bekehren. Gesichte und Offenbarungen werden Himmel und Erde verbinden. Die Erde wird physisch verwandelt werden. Dann kommen der Weltsabbath und mit ihm die Hochzeit des Lammes.
Hier spricht ein apokalyptischer Biblizismus in der Form einer Utopie des Milleniums und des Reiches Gottes. Es handelt sich nicht um eine Tugendutopie, sondern um eine Programmschrift als Hoffnungsliteratur auf Realisierung hin, nur nicht immanent-politisch, sondern abgewandelt in die Milleniumshoffnung. Es sind nicht die Menschen, die handeln werden, sondern es ist Gott. Diese Utopie bewegt sich nicht in der Kategorie der Möglichkeit, sondern in der Versicherung der biblischen Verheißungen und des Glaubensursprungs. Diese Form führt uns schon zum nächsten Typus.
2. Bei *Gottfried Arnold* liegt das utopische Motiv in fast völliger Verinnerlichung vor. Soweit überschaubar, besitzt er keine Vorstellung von einem künftigen Gottesreich oder einer künftigen Weltentwicklung oder -verbesserung. Seine Utopie ist die Einigung der wiedergeborenen Seele mit Christus. Gerade weil nun die Verlobung der Seele mit Christus Sache und Auftrag des Menschen ist und mehr als nur eine Möglichkeit, vielmehr die ontologische Realität seiner neuen Natur ist, darum wäre hier von einer Erwartungsliteratur unmittelbarer Umsetzung zu sprechen, und dies weist schon darauf hin, daß hier – wie bei Müntzer und bei Robespierre – eine ganz besondere Seite der utopischen Denkweise der christlichen Überlieferung aktiv ist: Das Geglaubte ist nicht Möglichkeit oder Zukunft oder Verheißung, sondern bereits bestehende ontologische Realität, hier bei Arnold: der Christus praesens.
3. Wie diese pietistischen Muster in die Literatur eingehen, zeigt sich in der »Insel Felsenburg« von *J. G. Schnabel* aus dem Jahr 1731 ff.[48] Dieser Roman[49]

---

47. Hg. von H. v. Canstein, Halle 1711, IV. Kap., Sekt. IV, S. 199.
48. *J. G. Schnabel:* Insel Felsenburg, hg. v. V. Meid und I. Springer-Strand (Reclam Universal-Bibliothek Nr. 8419), Stuttgart 1985.
49. *F. Brüggemann:* Utopie und Robinsonade. Untersuchungen zu Schnabels »Insel Felsenburg« (1731–1743), Weimar 1914. Weitere Literatur bei Biesterfeldt. Zur Gattung des Reiseromans: *R. R.*

wird als der »erste bürgerliche Roman der deutschen Aufklärung« bezeichnet. Er besitzt bei allem Zivilisationspessimismus einen optimistischen Zug, den des lutherischen Bürgertums, das sich für fähig hält, aus seiner religiösen Verfassung heraus, ähnlich Robinson, einen eigenen Inselstaat zu gründen und hervorragend zu verwalten. Schnabel schildert die Lebensgeschichte des Albertus Julius, der auf eine Insel verschlagen wird und dort mit seiner Concordia ein ganzes Geschlecht entstehen läßt. Der Roman arbeitet mit Rückblenden in die Lebensgeschichten der Hauptpersonen und läßt ein zivilisatorisches Sittengemälde des damaligen Europa entstehen: die Wirklichkeit, wie sie ist und wie ekelhaft sie ist.
Der Inhalt dieser Inselutopie ist die Begründung eines Gemeinwesens aus der religiösen Tugend, ausgehend von einem sich liebenden Paar, der daraus entstehenden Familie und dem gemeinsamen Wollen aller Beteiligten. Der Staat und der Adel sind entbehrlich. Die Politik ist hier nichts weniger als das moralische Leben der einzelnen Menschen in der Großfamilie, das Ineinander von christlicher Moral und natürlicher Ordnung.
Es taucht in diesem Roman auch die Figur des in den Niederlanden aufgespürten, lutherischen Geistlichen Schmeltzer als Diener des geistlichen Regiments auf, der sich der Großfamilie eingliedert. Aus dem gegenseitigen Vertrag und Versprechen zwischen Albertus Julius und ihm entstehen eine weltliche und geistliche Leitung, zwei Regimente im Privatformat.
Das christliche Moment zeigt sich in der Erfahrung der Providenz Gottes, in der Einhaltung der Keuschheit und der Tugenden. Es ist die Führung Gottes, die durch alle Fährlichkeiten hindurch zu diesem paradiesischen Leben führt. Zwar tritt auch das Böse in der Figur des Franzosen Lemelie auf, Aber – ebenfalls durch Gottes Fügung – zerschellt der Lemelie an der Tugend der schönen Concordia und am Felsen des Vorgebirges.
Die Tugend ist bei Schnabel die durch Christus befreite, ordnende Vernunft. Auch der Gottesdienst, die Liturgie nach dem lutherischen Exordium, die Gebete, die asketische Zucht sind Beweis dafür. Dieser kleine, patriarchalische Inselstaat wird nicht mit Zwang regiert, sondern ordnet sich selbst aus der Gesetzes- und Tugendwilligkeit seiner Glieder. Nicht die Eremitage ist bei Schnabel die letzte Station, sondern das kräftige Gemeinleben und das ehrenvolle Begräbnis, und alles ist so schön, daß niemand zurück will nach Europa, selbst der lutherisch gewordene Engländer Rawkin nicht.
Schnabel selbst nennt diese Utopie in der Vorrede einen lusus ingenii, eine geschickte Fiktion. In der Bibel, so rechtfertigt er sein Buch, gäbe es auch solche Bücher, und was die Politiker anbetrifft, so »mögen sie schreiben und

---

Wuthenow: Inselglück Reise und Utopie in der Literatur des XVIII. Jahrhunderts, in: W. Voßkamp, a. a. O., Bd. 2, 1982, S. 320ff.; *H.-G. Funke:* Zur Geschichte Utopias. Ansätze aufklärerischen Fortschrittsdenkens in der französischen Reiseutopie des 17. Jahrhunderts, in: Voßkamp, a. a. O., Bd. 2, 1982, S. 300ff.

lesen was sie wollen«. Nützt der lusus dem gemeinen Wesen auch nicht, so schadet er ihm jedenfalls auch nicht: Eine Tugendutopie von der Art des spielerischen Modells.
Für die weitere Utopieliteratur des 18. Jahrhunderts in Deutschland sei auf die Arbeiten von Reich und vor allem von Biesterfeld verwiesen. Das Kennzeichnende ist, daß sich im poetischen Bürgertum von Gellert über Wieland[50], Klopstock, Sophie de la Roche bis hin zu Goethe und Jean Paul eine immer deutlicher werdende Kirchen- und Religionskritik, ja christlich-konfessionelle Indolenz durchsetzt, bis dann – infolge und nach der Revolution – durch Novalis und eine Reihe konservativer Theoretiker wie Carl Ludwig von Haller, Möser, Hegel, Adam Müller die Wesenserfassung des Christentums neu erwogen wird, sei es als Utopie vom Mittelalter her oder als Analyse des vorrationalen, frommen Bewußtseins oder gar als funktionalisierter Mythos. Diese gleichsam nachrevolutionären Utopien des christlichen Konservatismus erwägen die Frage, ob und wie das Christentum noch gesellschaftsbegründend wirken kann, nachdem es durch die moralische Literatur der Aufklärung und die Philosophie des utopischen Sollens eigentlich als Regulativ der Gesellschaft außer Kraft gesetzt worden ist. Die Utopiegeschichte wird darum im 19. Jahrhundert als Ansatz für die Differenzierung zwischen den christlich-konservativen und den liberalen resp. sozialistischen Gesellschaftssystemen grundlegend. Das aber liegt außerhalb dieses Referates.

IV.

Die Arbeitsgruppe um Wilhelm Voßkamp hat sich besonders der Frage zugewandt, wie sich aus der älteren Raumutopie im 18. Jahrhundert die moderne Zeitutopie entwickelt. Eine historische Theorie darüber scheint noch nicht vorhanden zu sein.
Die wichtigste, französische Zeitutopie aus dem Jahr 1771 ist die von *Louis Sebastian Mercier* (1740–1814) »L'an deux mille quatre cent quarante. Rêve s'il ent fut jamais«[51].
Der Autor wird in das Jahr 2440 versetzt und erlebt als Zeuge skurriler Vergangenheit die Verhältnisse im neuen Paris und lernt, was von der Kultur

50. *J. Fohrmann:* Utopie, Reflexion, Erzählung: Wielands Goldener Spiegel, in: Voßkamp, a. a. O., Bd. 3, 1982, S. 24ff.; *H.-J. Mähl:* Die Republik des Diogenes: Utopische Fiktion und Fiktionsironie am Beispiel Wielands, in: Voßkamp, a. a. O., Bd. 3 S. 50ff.; *J. Kreft:* Die Entstehung der dialektischen Geschichtsmetaphysik aus den Gestalten des utopischen Bewußtseins bei Novalis, in: DVfLG 39. Jg., 1965, XXXIX. Bd., S. 213ff.; *H.-J. Mähl:* Der poetische Staat. Utopie und Utopiereflexion bei den Frühromantikern, in: Voßkamp, a. a. O., Bd. 3, 1982, S. 273ff.
51. *Louis Sebastian Mercier:* Das Jahr 2440. Ein Traum aller Träume, dt. von Christian Felix Weiße (1772), hg. v. H Jaumann (Phantastische Bibliothek Bd. 50), Frankfurt/M. 1982. Zur Frage der Zeitutopie im 18. Jahrhundert: W. Voßkamp, a. a. O., Bd. 1, S. 5 (s. Anm. 1). Aus dieser Bielefelder Arbeitsgruppe: *R. Trousson:* Utopie, Geschichte, Fortschritt: Das Jahr 2440, in: Voßkamp, a. a. O., Bd. 3, S. 15ff.

seiner eigenen Epoche übrig geblieben und was inzwischen der Vergessenheit und der bewußten Ablehnung verfallen ist.
Achtzehn Jahre vor der Revolution entstanden, zeigt uns Mercier die Ansprüche und Erwartungen des französischen Bürgertums und seinen aufgeklärten Vulgärkatholizismus. Der Träumende findet ein rundum glückliches Staatswesen. Drei Gestalten sind es vor allem, die Mercier bewundert: Rousseau[52], Heinrich IV. von Navarra und vor allem Platon:
»Ich für meine Person,« so heißt es in der Einleitung, »mit Platon, in mich selbst verschlossen, träume wie er . . .«
Im neuen Frankreich haben sich »die Herrscher« entschlossen »auf die Stimmen der Philosophen zu hören«[53]. Mercier ist ein romantischer Ordnungsliberaler. Der Staat sorgt für das allgemeine Glück, die Ordnung und die Harmonie[54], ohne die individuellen Freiheiten anzutasten. Kriege gibt es nicht mehr, das Heer ist auf einen Rest reduziert. Die Polizei ist kontrolliert.
Durch eine zwischenzeitliche Revolution, die Mercier hier voraussagt[55], sind politikfähige Bürger aufgetreten. Die Monarchie ist konstitutionalisiert. Der König, der zugleich Premierminister ist[56], und der Senat sind parlamentsverantwortlich. Die Ständeversammlung selbst entscheidet nach Stimmenmehrheit und gewinnt den Charakter der Volksvernunft. Ihren Gesetzen ist der König unterstellt. Er gilt als »Vater des Volkes«[57]. Bürger und Staat bilden »einen Körper«. Der Adel ist abgeschafft, alle Bürger sind gleich. Die Verfassung ist »weder monarchisch noch demokratisch noch aristokratisch; sie ist vernünftig und für die Menschen gemacht«, lautet die Antwort auf die Frage nach der Regierungsform.
Weil nunmehr der Verstand über die Leidenschaften[58] herrscht und Rousseaus Vision real geworden ist, bedarf es keiner christlichen Bekehrung mehr. Dasselbe leistet die Vernunft, und so sind mit dem alten Feudalismus auch die Bigotterie, die Rankünen, die Kleiderzwänge, der Luxus, die Auspoverung des Volkes verschwunden. Verschwunden sind auch die Ruhmsucht und Kriegslüsternheit der Könige, die Gloire der königlichen und feudalen Macht, die in Saus und Braus lebte. Weinrebe und Kornähre sind die Symbole des neuen Monarchen[59]. Das Recht zu leben ist der bestimmende neue Grundsatz für Regierung und Volk, und der Staat dient dem Volk.
Weil es bleibende Unterschiede der Tugend, des Genies und der Arbeit, aber auch noch des Geldes und des Reichtums gibt, kennt das künftige Paris

---

52. *B. Lypp:* Rousseaus Utopien, in: Voßkamp, a. a. O., Bd. 3, 1982, S. 113ff.
53. S. 103.
54. S. 16.
55. So vor allem in den Anmerkungen 305 und 306.
56. S. 163.
57. S. 164.
58. S. 166.
59. S. 159.

immer noch Schichten und Stände. Dennoch gibt es keine Sozialkonflikte, weil außer dem König selbst auch die Reichen in ihrer Sozialverantwortlichkeit für die Armen sorgen, eine Art freiwilliger Selbstbesteuerung[60]. Niemand hängt am Eigentum nur für sich allein. Luxusartikel wie Gold, Perlen, Diamanten sind verpönt und werden ins Meer geworfen. Mit Freuden zahlen die Bürger ihre Steuern für das Gemeinwesen und den König. Der Tugendstaat des Jahres 2440 ist ein vernunftkontrolliertes System natürlicher Bescheidenheit. Soviel Staat wie nötig, so wenig Staat wie möglich – das ist die Utopie.
Es gibt weder Metaphysik noch Soteriologie oder Trinität. Der allgemeine Vernunftglaube an das höchste Wesen, der in den Tempeln von wenigen Priestern ausgeübt wird, gilt als die Urreligion der Patriarchen Henoch, Elias und Adams[61]. Weil die christliche Offenbarungsreligion abgeschafft ist, gibt es auch keine Intoleranz und Fanatismus mehr. Der Spruch im Staatstempel verzichtet auf die Nennung Gottes; er bewegt sich in der theologia negativa des höchsten, allumfassenden Wesens, dem man mit Schweigen begegnet[62].
Der Louvre und die Bibliothek sind durchgeforstet. Rousseau wird aufbewahrt, aber die großen Aufklärungsphilosophen wie Voltaire und die Enzyklopädisten werden gerupft. Es hat inzwischen ein Autodafé der Literatur stattgefunden. Der Geschmack und die Vernunft des Volkes, des Kollektivs regieren. Im neuen Paris gibt es zudem eine »öffentliche Meinung« in Gestalt der Presse aus allen Ländern und Erdteilen[63], gleichsam eine permanente Revue der menschlichen Vernunft überhaupt. Damit endigt die Darstellung des Jahres 2440.
Das Auffallende ist, daß diese Zeitutopie liberal-evolutionär ist und daß die Vernunft in ihr nicht die abstrakte Denknotwendigkeit, sondern die im menschlichen Gewissen, in seiner Naturhaftigkeit, in der öffentlichen Meinung niedergelegte Übereinstimmung ist. Mercier ist eines der großen Signale des kommenden Revolutionsgeschehens, ein Utopiker von der Linie der idealtypischen Erziehungsliteratur.
Wenden wir uns abschließend der utopischen Funktion und ihrer Entwicklung zum ausgehenden 18. Jahrhundert zu.
Jetzt ist zu beobachten, daß die moralphilosophische Unterscheidung von Sein und Sollen vom Anfang des 18. Jahrhunderts übergegangen ist in das politische Geschehen und Denken der Öffentlichkeit hinein, daß die Utopien des Morus, Campanella und Bacon dabei in hintergründiger Weise fortwirken, nicht als Literaturform, sondern als verehrungswürdige Gestalten einer emanzipativen, vernunftrechtlichen und politischen Programmatik. In diesem Bereich ist noch vieles dunkel, insbesondere im Blick auf das vorrevolutionäre, katholische Frankreich.

---

60. S. 188.
61. S. 75.
62. S. 71, vgl. S. 79 und 81.
63. S. 194 ff.

Auch in Deutschland beschreitet man die Wege der »utopischen Funktion«. Nur aktiviert sich hier im literarischen Bürgertum nicht der Typus der Erwartungsliteratur unmittelbarer Umsetzung, sondern zunächst der Typus der pädagogischen Tugendutopie und der andere Typus der verinnerlichten Utopien, sei es als programmatische Hoffnungsliteratur in den Fürstenspiegeln, etwa im »Usong« von Hallers oder im empirischen Widerspruch des christlichen Realismus bei Hamann, der Protest einlegt gegen Kants Fiktion einer allgemeinen, öffentlichen Vernunft und der Aufklärung aus der selbstverschuldeten Unmündigkeit, sei es nun eben auch im gelehrten Denkspiel Kants selbst in seiner Studie über den »Ewigen Frieden« von 1795.

Mit einigen Stimmen – Sieyes, Robespierre und Fichte – treten wir der funktionalen Utopie im Sinne der visionären Erwartungsliteratur unmittelbarer Umsetzung näher, die von der Vernünftigkeit her zur politischen action directe hinüberleiten will.

Wer bestimmt, was die geltende politische Utopie sein soll? Wie ergibt sich der Konsens, der philosophisch vorausgesetzt wird? Sieyes schreibt in seiner Abhandlung »Überblick über die Ausführungsmittel, die den Repräsentanten Frankreichs 1789 zur Verfügung stehen«[64]:

»Gewiß, die wahre Politik verbindet Tatsachen und keine Hirngespinste, aber sie arbeitet kombinatorisch; dem Architekten vergleichbar, der den Bauplan in der Vorstellung verwirklicht, bevor er ihn ausführt, ersinnt und verwirklicht der Gesetzgeber das Ganze und die Einzelheiten der Gesellschaftsordnung, die der Bevölkerung entsprechen, in seiner Vorstellung. Legt er uns dann das Ergebnis seiner Überlegungen vor, so laßt uns seine Brauchbarkeit beurteilen und die Gaben des Genies empfangen, ohne Tatsachenbeweise von ihm zu verlangen; denn, man gestatte mir diesen Ausdruck, wenn alles zu seiner Existenz Tatsachenbeweise brauchte, so wäre nichts. Nie zuvor war es dringender, der Vernunft ihre ganze Macht zu verleihen und den Tatsachen die Macht zu entwinden, die sie zum Unglück der Menschheit an sich gerissen haben«.

Es ist der Vorgang der öffentlichen Rezeption und der Beschlüsse der Konstituante, der hier die öffentliche Vernunft formiert und die privat geschaute Utopie zum politischen Willen und zur politischen Aktion hin umsetzt. Diese Theorie des Sieyes führt uns in das Problemfeld der Demokratie und der politischen Parteien als Weltanschauungsträgern.

Robespierre steht 1785 vor der Frage, warum diese Hinrichtungen nötig und wie sie in der politisch-allgemeinen Vernunft begründet sind, wie er sich selbst dabei legitimiert. Auch er beruft sich auf die Utopie, die nun in der

---

64. *E. Schmidt, R. Reinhard:* Emmanuel Joseph Sieyes, Politische Schriften 1788–1790 (Politica, Bd. 43), Darmstadt und Neuwied 1975, S. 35; vgl. auch *J. Garber:* Revolutionäre Vernunft. Texte zur jakobinischen und liberalen Revolutionsrezeption in Deutschland 1789–1810 (Skripten zur Literaturwissenschaft 5), Kronberg/i. Ts. 1974.

Verfassung die grundgesetzliche Gestalt der Menschenrechte gewonnen hat, und sucht die Spannung zwischen Terror und Tugend folgendermaßen zu lösen:

»Wenn die Triebkraft der Volksregierung in Friedenszeiten die Tugend ist, so ist die Triebkraft der Volksregierung in Zeiten der Revolution zugleich Tugend und Terror: die Tugend, ohne die der Terror unheilvoll ist, der Terror, ohne den die Tugend machtlos ist. Der Terror ist nichts anderes als das schlagfertige, unerbittliche, unbeugsame Recht, er ist somit eine Emanation der Tugend . . .«[65]

Das Realitätsdefizit der utopischen Vision wird auf dem Weg des Gesetzes und der Gewaltanwendung ausgefüllt. Widerspruch muß zum Verstummen gebracht werden. Die Durchsetzung der Tugend auch mit den Mitteln des Terrors ist darin begründet, daß Kampfzeiten sind, und wer in solchen Zeiten gegen das Vernunftrecht des Volkes steht, ist nicht mehr Freund, sondern Feind und muß ausgemerzt werden. Er hat das Recht der Nation zur Verfassung, zum Vertrag angegriffen.

Robespierres Utopie rückt in das christliche Erbe aus der Richtung der apokalyptischen Visionäre, in die Erwartungsliteratur unmittelbarer Umsetzung ein.

Fichte hat in seiner revolutionären Phase diese Identität von Tugend und Gewalt ausdrücklich bejaht.

Manfred Buhr[66] macht in dem von Walter Markov herausgegebenen Band »Maximilien Robespierre 1758–1794« die Anknüpfung Fichtes an Robespierre in jener Phase deutlich, da sich Robespierre den kleinbürgerlichen Kreisen zuwendet.

Der Anknüpfungspunkt Fichtes ist die Vorstellung von den natürlichen Rechten der Völker und Menschen, vor allem das Recht, eine eigene Staatsverfassung zu wollen und zu begründen. Der von der Nation gewollte Staat allein ist der Vernunftstaat, und so geht es Fichte nicht darum, zu schildern, was empirisch besteht und nach der Natur gegeben ist, sondern um das, was »rechtens« ist und der Vernunft entspricht. Mit der bloßen politischen Empirie läßt sich der Vernunftstaat nicht herbeiführen. Darum ist die Revolution moralisch gerechtfertigt und notwendig.

1802 setzt Fichte diese seine Ideen in eine nationalökonomische Theorie hinein um. Der Vernunftstaat kann nur ein »Geschlossener Handelsstaat« sein. Er muß das Leben und das Wohlleben der Bürger garantieren.

Fichte greift auf die utopischen Motive der langen Vorgeschichte zurück: ein neuer, vernünftiger Mensch in einem neu konzipierten Vernunftstaat, Begrün-

---

65. Maximilien Robespierre. Der Tod ist der Anfang der Unsterblichkeit (Flugschrift Sirene), Berlin 1984, S. 45.

66. *Manfred Buhr:* Jakobinisches in Fichtes ursprünglicher Rechtsphilosophie, in: *W. Markov (Hg.):* Maximilien Robespierre 1758–1794, Berlin 1961, S. 479ff.

dung durch einen Vertrag, Sicherung des suum cuique, Abschaffung des Luxus, Eigentum als exklusives Nutzungsrecht, nicht als Besitz (»Die Erde ist des Herrn«, lautet die Begründung), staatliche Garantie von Arbeit und Versorgung, zentral organisierte Wirtschaft, die ebenso zentral organisierte Versorgung aller, Verbot des Außenhandels, Verbot der Berührungen mit Nachbarstaaten, auch wissenschaftlich und künstlerisch, Produktion und Verteilung aller Wirtschaftsgüter durch die staatlichen Behörden und den beauftragten und kontrollierten Stand der Kaufleute, Gliederung des Staates in die drei Stände der Produzenten, Kaufleute und Künstler, dazu natürlich die unausbleibliche Verwaltung und Regierung. Da Geld nur den Wert besitzt, den man ihm zuspricht, kann es keine Konvertibilität der Währungen geben. Die grundlegende Kategorie der Wirtschaft ist die Arbeit; es besteht Arbeitszwang.
Vieles einzelne hiervon, aber auch die utopische Konzeption als ganze, die den durchrationalisierten Staat und den neuen Vernunftmenschen der neuen Gemeinschaft zum Ziel hat, geht sowohl in die nationalistischen als auch sozialistischen Theorien des 19. Jahrhunderts ein, bei Saint Simon, Fourier, Lammenais, auch Comte und den deutschen Frühsozialisten wie Weitling, Moses Hess, Lassalle, Utopiker, mit denen sich dann Friedrich Engels 1883[67] auseinandersetzt.
Fichtes visionäre Utopie in der Erwartung unmittelbarer Umsetzung führt in den totalitären Staat hinein und verläßt das ältere Modell der lutherischen Ständedemokratie.
Ich schließe mit folgender Überlegung ab: Es zeigt sich, daß die Utopien formal unterschiedlich sind, daß aber diese Formen zugleich auch unterschiedliche, ethische Ansätze in ihrem Verhältnis zur Wirklichkeit mit sich bringen. In deren Entwicklung vollzieht sich die Utopiegeschichte zwischen dem 16. und 18. Jahrhundert.
Ob dabei die moderne Utopie eine Antizipation der Zukunft leistet, das bleibt bei näherem Hinsehen doch fraglich. Es gibt eine Zeitabhängigkeit der Utopien. Sie schreiben die in der bestehenden Wirklichkeit liegenden Möglichkeiten in eine erdachte Zukunft hinein fort, aber sie verbleiben dabei doch in der Gleichzeitigkeit des Bewußtseins, in dem Gegenwart, Vergangenheit und Zukunft netzartig ineinander verflochten sind. Das, was die Theologie unter Providenz begreift, leistet die Utopie, wie mir scheint, nicht. Antizipieren und Hoffen sind in der ontologischen Struktur grundverschieden. Aber in allem stellt sich angesichts der Utopien die Frage, wie das Hoffen ethisch umzusetzen ist, als Denkspiel, als pädagogischer Tugendappell, als konservativ-christlicher Widerspruch oder als revolutionäres Gewaltmodell. Darum stellt uns die utopische Literatur vor die Frage nach der Ethik in der neueren Kirchengeschichte.

---

67. *F. Engels:* Die Entwicklung des Sozialismus von der Utopie zur Wissenschaft, in: Marx/Engels Werke, Bd. 19, Berlin 1976, S. 189ff.

Die Wiener Reichskrone
Christliches Symbol gegen deutschen Mythos

Reinhart Staats

Hier und heute, am gegebenen Ort und aus gegebenem Anlaß, darf wohl über die Reichskrone geredet werden. Sie ist aufgrund des ihr seit den napoleonischen Kriegen zugewiesenen Aufbewahrungsortes hier in der Wiener Hofburg zur »Wiener« Reichskrone geworden, wiewohl sie früher und längere Zeit aufgrund des der Reichsstadt Nürnberg im Jahr 1424 verliehenen und bis zum Jahr 1796, also fast 400 Jahre, ausgeübten Privilegs, Hort des Reichsschatzes zu sein, auch die »Nürnberger« Reichskrone genannt wird. Mit Heiliger Lanze, Reichsapfel, Zepter, Reichskreuz, Reichsschwert und anderen Reichskleinodien zählt die Reichskrone zu den Reichsinsignien, die das alte Reich in der Mitte Europas, das von 962 bis zum Jahr 1806 Bestand hatte, als ein christliches »Heiliges Römisches Reich« charakterisierten. Wer Kaiser dieses Reiches sein wollte, mußte über diese Insignien verfügen. Europa hatte – und hat – bekanntlich bis heute keine Hauptstadt. Doch wo immer große, die Reichseinheit garantierende Ereignisse stattfanden, Königskrönungen und Kaiserkrönungen in Aachen, Rom, Frankfurt und andernorts, verlieh die Anwesenheit der Reichsinsignien dem Reiche Recht und Gewalt. Selbstverständlich waren die Reichsinsignien 1521 auf dem Wormser Reichstag zugegen, wo der Fall Martin Luthers zum Hauptthema wurde; denn dies war der erste Reichstag des neuen Kaisers Karls V.

Nun stellt sich dem historisch gebildeten Betrachter gerade die Reichskrone als eines der ältesten, schönsten und bedeutsamsten Stücke der Reichsinsignien dar. Geschaffen wurde sie, wie heute allgemein angenommen wird, in den Jahren 961 bis 967 in einer westdeutschen Goldschmiede im Raum Köln/Essen. Die kunsthistorisch-materialtechnische Datierung und Lokalisierung kann durch theologiehistorische Beobachtungen bestätigt werden. Demnach ist das aus der Reichskrone ersichtliche theologische Programm die ästhetische Ausprägung einer theologisch begründeten Politik am ottonischen Hofe in den Jahren 961 bis 967. Der Auftraggeber der Reichskrone, der die aus ihr sprechenden christlichen Wertvorstellungen in seiner eigenen Politik auch verwirklichte, war sehr wahrscheinlich der höchste Geistliche im ottonischen Reich, der Reichsbischof Brun von Köln, ein Bruder Ottos des Großen.

Wien ist der Ort der Reichskrone seit bald zweihundert Jahren, und überwiegend waren es ja auch Kaiser aus dem Hause Habsburg, von Rudolf I. bis Franz II., die das Heilige Römische Reich unter dieser Krone repräsentierten. Doch das Thema »Mythos und Rationalität« provoziert den Kirchenhistoriker auch, nach dem ›geistigen‹ Ort der Reichskrone neu zu fragen. Spricht aus der Reichskrone ein Mythos oder eine Rationalität oder beides zusammen

Die Reichskrone, 10. Jh.

oder gar nichts von beidem? Die Ratlosigkeit des Kirchenhistorikers, auf diese sich nicht nur aus bloßem Anlaß stellende Frage eine Antwort zu finden, dürfte zusammenhängen mit der Ratlosigkeit, in welcher sich die Kirchengeschichtswissenschaft befand, als sie von der Theologie, die sich um die Entmythologisierung des Neuen Testamentes bemühte, im Stich gelassen wurde. Der jetzt von Kurt Hübner gegen ein früheres Entmythologisierungsprogramm erhobene Einwand ist jedenfalls im Blick auf die Kirchengeschichte richtig, daß so »nicht nur der größte Teil des Neuen Testamentes für den Glauben seine Bedeutung« verliere, sondern: »Es werden zudem noch über zweitausend Jahre christlichen Kults und christlicher Kunst zu sündiger Weltverfallenheit.« Und Hübner konnte, als er auf die Entsakramentalisierung als auf eine Folge der Entmythologisierung hinwies, eben das Beispiel der Reichsinsignien nennen, die noch den gegenwärtigen Betrachter am Schaukasten der weltlichen Schatzkammer innerlich berühren, ihm »mehr als Gold und Edelstein« bedeuten können, »genauso wie das Wasser, mit dem getauft wird, mehr als Wasser, der Meßwein mehr als Wein ist«.
Ja, manch heutiger Besucher der Schatzkammer mag sich heimlich gern eine vergangene Krönungsfeierlichkeit vor Augen ausmalen, so wie sich Goethe die vorletzte Kaiserkrönung mit dieser Krone, es war die Krönung Josephs II. 1764 zu Frankfurt, vorstellte: »Eine politisch religiöse Feierlichkeit hat einen unendlichen Reiz. Wir sehen die irdische Majestät vor Augen, umgeben von allen Symbolen ihrer Macht; aber indem sie sich vor der himmlischen beugt, bringt sie uns die Gemeinschaft beider vor die Sinne ...« (Dichtung und Wahrheit I,5). – Dennoch scheint mir die weitere Konsequenz Hübners, kirchenhistorisch beleuchtet, nicht zwingend notwendig zu sein, nämlich die Annahme einer »Wahrheit des Mythos« und die Unterscheidung zwischen echten Mythen und Pseudomythen (vgl. K. Hübner, Die Wahrheit des Mythos, München 1985, S. 337f., 350, 365). Es kann bezweifelt werden, daß das aus der Reichskrone sprechende Bildprogramm einen echten christlichen Mythos enthält. Ein Kirchenhistoriker, der sich um ein theologisches Urteil bemüht, weiß genug um die Gefahr, die dem echten Christentum von seiten gerade des echten Mythos droht, vom gnostischen Mythos bis zum germanischen Mythos des 19. und 20. Jahrhunderts.
An der neueren Geschichte einer Idee vom deutschen Reich als einem germanischen Großreich und an der in diese so fantastisch heidnische Geschichte hineingezogenen christlichen Kultur des Mittelalters durch ihre Präsentation als angeblich wesentlich deutscher Kultur läßt sich die Bedrohung der christlichen Kirchen durch den Mythos exemplarisch veranschaulichen – eine Geschichte, die uns freilich, nachdem sie vor fast einem halben Jahrhundert abrupt und schrecklich zu Ende gegangen ist, heute manchmal schon sehr fern und fremd und gelegentlich sogar tragikomisch vorkommen kann. Zum Beispiel wurde die frühmittelalterliche christliche Gefolgschaft pervertiert zur bedingungslosen Gefolgschaft des Führers in der SS. Als 1938

Medaille »Wilhelm I. Kaiser der Deutschen« nach der Kaiserproklamation, 1871.

die Reichskrone abgeholt wurde nach Nürnberg zum 10. Reichsparteitag – man sprach damals von der Heimführung der Ostmark ins Reich mitsamt den Reichskleinodien –, da standen die SS-Männer peinlich berührt vor ihrer deutschen Krone, weil darauf jüdische Könige des Alten Testamentes abgebildet sind.

In mittelalterlichen »Ordensburgen« sollte eine deutsche Rasseelite herangezüchtet werden. Mittelalterliche Kaiserdome wie in Braunschweig und Quedlinburg wurden zu Weihestätten deutscher Gläubigkeit. Die mittelalterliche Reichsstadt Nürnberg, einst Hort des Reichsschatzes, wurde nun in angemaßter Traditionspflege zur Stadt der Reichsparteitage. Und überhaupt wurde der Gedanke des Volkes, der im Mittelalter, so in der Krönungsliturgie der Ottonen, vor allem das christliche Volk, die Kirchengemeinde, meinte, zum Gedan-

ken des deutschen Volkes. Der erst im Jahr 1442 auftauchende Name »Heiliges Römisches Reich Deutscher Nation«, der nur gelegentlich »das in der deutschen Nation ruhende Imperium Romanum« (Schottenloher) bezeichnete und keineswegs ein nationalstaatliches Pathos beinhaltete, zumal dieser Name den älteren, eine europäische christliche Völkergemeinschaft bezeichnenden Namen »Heiliges Römisches Reich« lange nicht verdrängen konnte, wurde schon im 19. Jahrhundert zu einem Leitbegriff nationalistischer Geschichtsschreibung in deutschen Ländern einschließlich Österreichs. In extremer kleindeutscher Reichsinterpretation konnte Adolf Stoecker sogar einmal von der Verwirklichung eines »heiligen evangelischen Reiches deutscher Nation« im wilhelminischen Reich seit 1871 sprechen. Überaus populäre Kunstwerke dieses »zweiten« deutschen Kaiserreiches bezeugen diese Mythisierung der mittelalterlichen christlichen Kaiseridee, und sie sind zugleich von kunsthistorischer Seite ein Beleg dafür, daß spätere nationalsozialistische Wahnvorstellungen durchaus eine tiefe und breite Wurzel im deutschen Bürgertum hatten. Der neue Mythos von Größe und Herrlichkeit eines urdeutschen Reiches war nicht einmal wissenschaftsfeindlich. Dieser Mythos konnte wissenschaftlich untermauert werden von Natur- und Geisteswissenschaftlern aller Fakultäten!
Populäre Beispiele: Auf einer Medaille zur Reichsgründung 1871 winkt frohgemut eine »Germania« an Stelle jener Platte der Reichskrone, die auf dem Original die »Majestas Domini« darstellt. Folgenreich wurde dann auch, daß tatsächlich im Wappen des »zweiten«, kleindeutsch-preußischen Reiches eine Kaiserkrone ganz ähnlich der alten Reichskrone abgebildet ist. Auch die Reichskrone des schlafenden Kaisers Barbarossa auf dem Kyffhäuserdenkmal von 1896 zeigt nur noch in der Form einer Plattenkrone eine Ähnlichkeit mit der alten Reichskrone. Eindrucksvolles Beispiel einer volkstümlichen Auffassung ist auch die Darstellung der Reichskrone auf dem Niederwalddenkmal von 1890. Für die Finanzierung des Denkmals war im deutschen Volk jahrelang gesammelt worden, und als es schließlich fertig war, zeigte sich Bismarck entrüstet über die ihm sich allzu republikanisch und nationaldemokratisch von unten aufbauende Germania. Sie ist eine Mischung aus schlachtenjungfräulicher Walküre und der das Vaterland versinnbildlichenden deutschen Mutter, die mit triumphaler Geste die achteckige Krone des alten Reiches hoch hinausschwingt nach Westen zum Erbfeind Frankreich hin – wie eine Siegesbeute des deutschen Volkes. An dem Bildhauermodell der Germania des Niederwalddenkmals, das seit dem vorigen Jahrhundert in einem Museum in Dresden stand, wurde 1945 bei dem Dresden völlig vernichtenden Bombenangriff gerade ihre kleine Reichskrone total zerstört.
Die Reichskrone stellt sich im Original nun gewiß auch dem unvorbereiteten Betrachter als ein Herrschaftszeichen mit ausgesprochen christlicher Symbolik dar. Nicht der Begriff des Mythos, sondern der Begriff des Symbols bietet sich dem Kirchenhistoriker an, um den geistigen Gehalt dieser Insignie

Kaiser Barbarossa, Kyffhäuserdenkmal, 1886.

angemessen zu erfassen. Dabei muß wohl eine begriffliche Unschärfe in Kauf genommen werden, und es muß auch die Gefahr in Kauf genommen werden, daß das Symbol in unmittelbare Nähe des Mythos rücken kann (woran Joachim Scharfenberg unter Bezug auf Ernst Cassirer erinnert hat). Dennoch ist das Symbol, zumal das christliche Symbol, vom Mythos zu unterscheiden. Der Kirchenhistoriker hat sich von der Aufgabe seines Faches her mit zahlreichen Symbolen in der Kirchengeschichte zu befassen, beginnend mit den Sakramenten, dann der »Heiligen Schrift« als der seit dem zweiten Jahrhundert gewachsenen kanonischen Bibel der Christen, schließlich mit den Glaubensbekenntnissen der Alten Kirche, die tatsächlich damals schon »Symbole« hießen und die überhaupt am Anfang der Geschichte des Symbolbegriffs stehen. Der Reformierte und auch der Neuprotestant aus lutherischer Tradition wahrt gegenüber kirchlichen Symbolen gewiß inneren Abstand. Aber man muß sich klarmachen, daß selbst dem schärfsten Ikonoklasten im byzantinischen Reich wenigstens immer noch die Elemente der Eucharistie das einzige und wahre Bild Jesu Christi darstellten, wogegen manchem modernen Christen selbst diese minimale Erkenntnis nicht mehr einleuchtet. Es ist ein merkwürdiges Zusammentreffen, daß in diesen Septembertagen 1987 genau 1200 Jahre vergangen sind, als auf dem siebten ökumenischen Konzil von

Niederwalddenkmal, 1890.

Nizäa 787 – es war das letzte universale ökumenische Konzil – der Entscheid gefaßt wurde, daß Bilder und Symbole in der Kirche zwar nicht götzendienerisch angebetet, wohl aber andächtig verehrt werden sollen.
Methodisch läßt sich nun die historische Insignienforschung gut verbinden mit dem neuen Verständnis für Symbole nicht nur in der kunstwissenschaftlichen Symbolforschung, die Erwin Panofsky neu begründet hat, sondern auch in der theologischen Wissenschaft. Schon 1930 hatte Paul Tillich eine berühmte Definition des Symbols gegeben, die mir in jeder Hinsicht auf die Reichskrone anwendbar zu sein scheint. Tillich nannte vier Merkmale eines

Schilling-Museum, Dresden, Ecke Pillnitzer-Marschner-Str., Niederwald-Saal mit der zerstörten Germania, Innenansicht nach der Zerstörung (1945).

echten Symbols. Sein erstes und grundlegendes Merkmal ist seine Uneigentlichkeit. Sein zweites Merkmal ist seine Anschaulichkeit. Sein drittes Merkmal ist seine Selbstmächtigkeit. Das vierte Merkmal des Symbols ist seine Anerkanntheit. In umgekehrter Reihenfolge beginne ich mit dem letzten Merkmal. Die Reichskrone ist *anerkannt.* Sie ist auch ein Stück deutscher Sozialgeschichte. Aus allen gesellschaftlichen Gruppen kennen wir, besonders gut nachweisbar im 19. und 20. Jahrhundert, Reaktionen auf die Symbolik der Reichskrone – bis hin zum Bierdeckel. Bildbeispiele aus dem wilhelminischen Reich habe ich gerade gezeigt.

Zum anderen ist die Reichskrone, wenn wir dem Symbolbegriff Tillichs folgen, nicht nur anerkannt, sondern auch *selbstmächtig.* Nicht der Kaiser als Person, nicht Geblüt und Dynastie, sondern die Insignien als heilige Sachen garantieren die Herrschaft. So sah es das hohe Mittelalter. Als im Jahr 1024 die Kaiserwitwe Kunigunde dem neuen Herrscher Konrad II. am Tage seiner Wahl die Insignien überreichte, hat sie ihn, wie die Chronik sagt, »dadurch zur Herrschaft bevollmächtigt« (Wipo 2). Im Jahr 1105 wurde Heinrich IV. zu Ingelheim dadurch entthront, daß, wie eine andere Chronik berichtet, die Bischöfe »sich ein Herz faßten, auf den König eindrangen und ihm die Krone vom Haupte rissen ...« (Helmold 32). Als die Reichskrone in Habsburgischer Obhut auf der Kyburg in der Schweiz verwahrt wurde, konnte die Burgvögtin, die kaum jemals einen Kaiser zu Gesicht bekommen hatte, dennoch im Jahr 1316 schreiben: »Do daz Rich bi mir ze Kyburg was« (vgl. Staats S. 7). – Sogar noch die Väter der Paulskirchenverfassung von 1849 sahen sich berechtigt und genötigt, dem Preußenkönig Friedrich Wilhelm IV. eben diese Kaiserkrone aus Wien anzutragen. Gerade die Unumgänglichkeit dieses Symbols, die in ihrem rechtlichen Charakter liegt, macht ihre Selbstmächtigkeit aus.

Ferner ist die Reichskrone nun überaus *anschaulich,* ja anschaulich in ästhetisch wildschöner Pracht. So sei nun ihre äußere Form und ihr Bildgehalt erklärt. Der erst unter Konrad II. entstandene Bügel mit der Aufschrift »Chuonradus Dei Gratia Romanorum Imperator Augustus« ist natürlich nachträglich aus dem frühen 11. Jahrhundert. Das abnehmbare Stirnkreuz ist sehr wahrscheinlich gleichzeitig mit der Krone. Am unteren Rand der beiden Seitenplatten befinden sich je drei kleine waagerechte Röhrchen. Sie dienten zur Anbringung von nun ebenfalls verlorengegangenen »Pendilien«, längeren Kettchen, die vom Kronenrand bis zur Schulter hinabhingen. Am oberen Rand der Seitenplatten und an der Nackenplatte sind an den Innenseiten je drei schräg nach oben stehende Goldröhrchen angenietet. Sie waren die Halterung für einen ursprünglich dort angebrachten dreiteiligen, nach oben hinausstehenden Schmuck: mit Perlen und Edelsteinen verzierte Golddrähte, vielleicht in der Form von Lilien. Pendilien und Zierate sind von byzantinischen und abendländischen Kronen des 9. und 10. Jahrhunderts bekannt. Aber überhaupt die Tatsache einer Bildplattenkrone weist ebenso wie die darin verwandte, jedoch spätere ungarische Stephanskrone auf byzantini-

sches Vorbild hin. Die Reichskrone ist also in ihrem heutigen Aussehen ein Fragment. Wenn man ihre aufregende äußere Geschichte bedenkt, Raubüberfälle, Thronwirren, so ist das auch verständlich.
Ich möchte nun nur auf die auffallendsten biblischen Bezüge hinweisen, die aus der Krone sprechen. Die mit Hilfe zeitgenössischer Literatur des 10. Jahrhunderts (Liturgien, Chroniken u. a.) erweisbaren biblischen Bezüge in der Reichskrone sind von exemplarischer Bedeutung für politisch-theologisches Selbstbewußtsein am ottonischen Hofe. Am auffallendsten sind die Perlentore und die oktogonale Form. Sie erinnern an die in der Johannesapokalypse 21 dargestellte himmlische Stadt, das himmlische Jerusalem. Die mittelalterliche Vorliebe für die Heiligkeit der 8-Zahl hat hier also zur Gestaltung einer Krone im Oktogon geführt. Allein dieses Signum unterscheidet die Reichskrone von allen Kronen der Welt. Auch falls die italienische »Eiserne Krone« von Monza aus dem 9. Jahrhundert ursprünglich oktogonal gewesen sein sollte, was ich für eine abwegige Spekulation halte, ist doch die Reichskrone seit dem 10. Jahrhundert die einzige europäische Herrscherkrone in deutlich oktogonaler Form. Man sollte sich hier auch an die Schlußworte von Augustins »De civitate Dei« erinnert fühlen, die auf die ewige Glückseligkeit am letzten und »achten« Welttage hinweisen: Am achten Tage, als an einem ewigen Sonntag, »werden wir feiern und schauen, schauen und lieben, lieben und loben«.
Die Davidplatte führt ein Spruchband mit Psalm 99,4: »Honor regis iudicium diligit« (Die Ehre des Königs liebt den Rechtsspruch). – Die Salomonplatte hat ein Spruchband mit Prov 3,7: »Time dominum et recede a malo« (Ehre den Herrn und weiche vom Bösen). – Die Hiskiaplatte hinten rechts zeigt den Propheten Jesaja im Moment, da dieser dem todkranken König Hiskia Trost zuspricht. Der Prophet trägt ein Spruchband mit den Worten aus Jesaja 38,5: »Ecce adiciam super dies tuos XV annos« (Siehe ich verlängere deine Lebenstage noch um 15 Jahre). Gerade für diese Platte gibt es zahlreiche Paralleltexte in den Krönungsliturgien des 10. Jahrhunderts, aus denen zu erfahren ist: Auch der König ist ein sterblicher Mensch, auf die Gnade leiblichen Wohles angewiesen. – Vorn rechts sehen wir die Christusplatte mit dem Spruch aus Prov 8,15: »Per me reges regnant« (Durch mich herrschen die Könige). Der Spruch hat eine alte reichsrechtliche Tradition. Schon bei Augustin, dann im Reichsrecht Kaiser Justinians bis zur Kirchenordnung Bugenhagens, wird mit Prov 8,15 die kaiserliche und königliche Potestas von Christus selbst abhängig gemacht. Die Majestas-Domini der Reichskrone hat allein mit ihrem Platz vorn zur Rechten gegenüber den anderen Bildplatten eine Sonderstellung. Auch sonst hebt sich diese Platte ikonographisch von den übrigen Bildplatten ab. Die beiden Engel links und rechts sind wohl am ehesten als Seraphim im Sinne der Gottesoffenbarung von Jesaja 6 zu verstehen.
Die vier Edelsteinplatten entsprechen sich paarweise. Die jeweils kongruenten Seitenplatten erinnern an die Darstellung der Thronanbetung der 24 Ältesten

nach Johannesoffenbarung Kap. 4 und 22. Die fruchtähnlichen Perlen und Goldkügelchen lehnen sich wörtlich an die Früchte vom Holz des Lebens an, das zwölfmal im Jahr Frucht bringt (Offb 22,2). Aber auch ohne diese Erklärung aus der Johannesoffenbarung ist »der fruchtartige« Charakter des Ganzen auffällig: »Man wird an Beeren oder Baumfrüchte erinnert«, wie Hans Martin Decker-Hauff einmal treffend bemerkte. Und es leuchtet sehr ein, daß damit auf die Bekehrung der Heiden angesprochen sein könnte. Die leitmotivische Funktion von Offb 4 und 22 ist aus der Missionstheologie des Frühmittelalters, etwa aus der Ansgarvita, auch sonst bekannt. Die Doxologie bringt den Menschen das Heil und vermehrt die christlichen Völker. Kultus und Mission gehören zusammen. – In diesem Zusammenhang darf daran erinnert werden, wie sehr das 10. Jahrhundert die große Zeit einer imperialen missionarischen Machtentfaltung war. Unter den Ottonen wurden erstmals die Gebiete nördlich und östlich der Elbe missioniert, die Dänen, die Polen, Ungarn und Böhmen traten zur europäischen Völkerfamilie. Es begann die Geschichte des christlichen Europa unter Einschluß gerade auch Osteuropas. Es sei hervorgehoben die Gründung der Bistümer Ripen, Aarhus und Schleswig um 950 durch Otto den Großen und die um dieselbe Zeit erfolgte Einrichtung des ostholsteinischen Oldenburg als eines Ausgangspunktes der Mission bei den Slawen, auch die ebenfalls um 950 erfolgte Einrichtung der Bistümer Havelberg und Brandenburg und die 968 verkündigte Erhöhung Magdeburgs zum Erzbistum, so daß von dort aus die Unterbistümer Meißen, Merseburg und Zeitz entstehen konnten. Die Ausweitung dieser Missionspolitik auch nach Rußland ist als ottonischer Plan immerhin bemerkenswert, auch wenn dieser Plan schon im Jahr 959 scheiterte, weil die byzantinische Mission in Kiew den Ottonen zuvorgekommen war, was bekanntlich dann zur Taufe Vladimirs von Kiew jetzt vor tausend Jahren führte.

Die je kongruente Stirn- und Nackenplatte erinnert an das 2. Buch Mose, Kap. 28: Die zwölf Edelsteine auf dem Brustschild des alttestamentlichen Hohenpriesters werden dargestellt, zugleich aber wohl auch die zwölf Grundsteine in der Mauer des himmlischen Jerusalem nach Johannesoffenbarung 21,10–20.

Schließlich ist, um noch einmal auf Paul Tillichs hier so gut anwendbare Symboldefinition zurückzukommen, die Aussage der Reichskrone *uneigentlich*. Der Betrachter wird provoziert, nach dem zu fragen, was dieses Symbol symbolisiert. In ihr verbirgt sich ein Symbol höheren Ranges. Ich versuche, diesen höheren Sinn in einer Zusammenschau zu formulieren: Die Worte der Heiligen Schrift, direkt oder indirekt im Bild- und Edelsteinschmuck ausgedrückt, fügen sich zu einem geschlossenen Programm, das auch einer christologischen Formel des Frühmittelalters entspricht. Es ist die Lehre vom königlichen und priesterlichen, also vom zweifachen Amte Christi. Erst die Reformatoren (nicht Luther, sondern Calvin und Osiander) sollten ein dreifaches Amtsverständnis Christi postulieren, so daß das prophetische Amt fortan

aus dem königlichen ausgegliedert wurde und eine selbständige Funktion erhielt. Doch in der Reichskrone dominiert die altkirchliche und frühmittelalterliche rex et sacerdos-Vorstellung, die das prophetische Amt dem königlichen Amt zuordnet: Christus ist zuallererst »König der Könige«. So sagen es die vier Bildplatten, zuvörderst die Christusplatte. Christus ist zum anderen der »Hohepriester«. So sagen es die vier Edelsteinplatten, zuvörderst die Stirnplatte. Gleichsam als Summe gilt: Christus ist ewiger König und ewiger Priester im eschatologischen Sinn, so sagt es das umfassende Oktogon. Diesen ewigen Christus, einen König und Priester, repräsentiert schon in dieser Zeit der gekrönte Kaiser, er ist also auch ein König und ein Priester. Seine Krone erinnert all seine Gefolgschaft an die vom ewigen Priesterkönig Christus verheißene himmlische Zukunft des Gottesreiches, wie es die Johannesoffenbarung sagt, an »die heilige Stadt Jerusalem, herniederfahrend aus dem Himmel von Gott, welche die Herrlichkeit Gottes hat« (Kap. 21,10).
Nun vermissen wir ein letztes Merkmal, das freilich dem Protestanten Paul Tillich aus liberaler Tradition weniger wichtig sein konnte: Es ist die *Sakramentalität* des Symbols. Auch Tillich konnte nicht ganz leugnen, daß zumindest noch für Luther das Abendmahl ein Symbol schlechthin war, sofern sich in und unter ihm die reale Präsenz Christi zeigt. Im Blick auf die Reichskrone ist nun aber der sakramentale Charakter in ihrer Symbolik unübersehbar. Ihre mittelalterlichen Bewunderer haben das spontan empfunden. Sicher war die Reichskrone keine Reliquie wie die Heilige Lanze, aber sie wurde doch verwahrt und betrachtet wie eine Reliquie. Archäologische Burgenforschung hat nachgewiesen, daß sie und die anderen Insignien von Priestern bewacht wurden, die in einer Kapelle mit offenem Zugang zur Schatzkammer ihren täglichen Gebetsgottesdienst versahen. Vom 14. bis zum 16. Jahrhundert fanden in Prag und in Nürnberg einmal jährlich sogenannte Heiltumsweisungen statt. Das waren Wallfahrten zu den Reichsinsignien, die ihre Verehrung massenhaft bezeugten. Das Merkmal der Sakramentalität zeigt sich aber in der Reichskrone selbst in ihrem berühmtesten Edelstein, dem sogenannten »Waisen«.
Nur das Wichtigste sei mitgeteilt. Irgendwann nach dem Jahr 1350 ist der Waise verlorengegangen. Denn 1350 hinterließ dieser Edelstein sozusagen zum einzigen und damit auch zum letzten Mal ein amtliches Lebenszeichen in einer Inventarnotiz, angefertigt aus Anlaß der Übergabe der Reichsinsignien aus der Kanzlei Ludwigs des Bayern an Karl IV. Im 13. Jahrhundert hatte der Scholastiker Albertus Magnus den Waisen folgendermaßen gekennzeichnet: »Der Orphanus ist ein Stein in der Krone des römischen Kaisers; seinesgleichen findet sich sonst nirgendwo, weshalb er auch Orphanus heißt. Er ist aber in der Farbe wie Wein, freilich von zarter Weinfarbigkeit. Das heißt: Es ist so, als ob sich die strahlende und blitzende Weiße des Schnees in klares Weinrot verwandelt und davon überdeckt wird ...« Nach Albertus ist also die Farbkombination Rot-weiß bestimmend gewesen, wobei Rot die überwältigende Farbe

war. In späteren Rechtsquellen, wie in dem genannten Übergabeprotokoll von 1350 wird der »Wayse« im Lateinischen als »der Weiße« verstanden: »qui vocatur candidus«. Hier wäre der Ort, um über die eucharistische Sinngebung der Farben Rot und Weiß seit der Patristik bis ins hohe Mittelalter, ja bis zum Aufkommen der späteren rotweißen Nationalfarben, mehr zu berichten (denn wohl daher tragen Fahne und Wappen des alten Reiches ein weißes Kreuz auf rotem Grund. Von der Reichsfahne direkt ableitbar ist sicher das seit dem 14. Jahrhundert belegbare Schweizerkreuz und das Stadtwappen von Wien, weißes Kreuz auf rotem Grund. Selbst die Symbolik des »Danebrog«, der ältesten heute noch gültigen Nationalfahne, ist gewiß nicht vom Himmel gefallen, trotz der Legende, daß der »Danebrog« im Jahr 1223 vom Himmel herab ins dänische Heerlager zu Reval gefallen sein soll).
Bezüglich der mineralogischen Qualitäten sind sich die Gelehrten darin einig, daß es sich um einen Opal gehandelt haben müsse, was ja schon die Beschreibung des Albertus nahelegt. Die Diskussion, ob es sich um einen »Edelopal« oder einen »Jaspis-Opal« gehandelt habe, läßt gewiß die Entscheidung für einen Jaspis-Opal annehmbar erscheinen, weil in der biblischen Edelsteinsymbolik der Jaspis als Christussymbol eine große Rolle spielt. Der Name »Orphanus«, wörtlich: »das Waisenkind«, dürfte auf byzantinische und nicht etwa, wie einmal vermutet wurde, auf islamische Edelsteinterminologie zurückgehen, wie überhaupt die für das Jahr 1071 nachweisbare Tatsache einer kostbaren Perle namens »Orphanos« unter den Insignien des byzantinischen Kaisers den Schluß zuläßt, daß die ottonische Hofkapelle mit der Darstellung eines eigenen, nun abendländischen »Orphanos« in der Krone nicht nur eine orientalische Staatsinsignie kopieren, sondern daß sie damit auch mit Byzanz konkurrieren wollte. Der Spezialausdruck »Orphanos« dürfte nichts anderes als der dem Goldschmied auch heute bekannte »Solitär« sein – ein einzigartiger Edelstein von besonderer Schönheit.
Unser Wissen über die äußere Qualität des Waisen und seinen Namen ist also relativ sicher. Auch über den Sitzplatz des Waisen in der Krone herrscht in der Forschung weithin Einmütigkeit. Nachdem die frühere Theorie über zwei Waise als Leitsteine, je vorn und hinten, als widerlegt gelten kann, behauptet sich die These, daß sich der Waise an jener Stelle auf der Stirnplatte befunden habe, wo jetzt ein herzförmiger Saphir von graulila Farbe sitzt. Tatsächlich ist dort ein ursprünglicher Stein verlorengegangen und ersetzt worden, weil jetzt der Saphir dort nicht in seine goldene Fassung paßt. Ich habe dagegen Argumente genannt, die diese Annahme widerlegen können und die stattdessen den Waisen auf der Nackenplatte plaziert sein lassen. Doch in den neuesten Publikationen von Fillitz, G. Wolf und Kugler hat sich meine These nicht durchgesetzt. Bekanntlich brauchen richtige Erkenntnisse ihre Zeit zur Anerkennung. Oder sollte ich mich geirrt haben? Ich nenne noch einmal die hauptsächlichen Argumente, die für den Sitz des Waisen auf der Nackenplatte sprechen. Bestätigend kommen nun auch einige, früher mir in dieser Hinsicht

Reichskrone, Nackenplatte.

Reichskrone, aquarellierte Skizze von A. Dürer.

noch unbekannte Quellen aus der Geschichte mittelalterlicher Krönungszeremonien und Prozessionen hinzu. Sie zeigen, daß in der Antwort auf diese anscheinend so enge und spezialistische Frage ein gutes Teil deutscher Frömmigkeitsgeschichte und auch Rechtsgeschichte liegen könnte.
Gegen meine These wird im Grunde nur ein einziger Einwand erhoben: Mit der Plazierung des Waisen auf der Nackenplatte würde »die symbolhafte ›Proklamation‹ des ›Waisen‹ sinnlos« (G. Wolf); entsprechend dem Stirnmedaillon und der sonstigen Auszeichnung der Stirnseite auf antiken und byzantinischen Herrscherkronen könne auch in der Reichskrone nur die Stirnplatte als Ort für den Waisen in Frage kommen. Dagegen stehen nun folgende Beobachtungen:
1. Die Forschung hat zuwenig beachtet, daß auch auf der Nackenplatte ein Stein verlorengegangen ist. Hier handelt es sich um den mittleren Stein der zweiten Reihe von oben, der jetzt durch einen Hyazinth ersetzt ist. Der Verlust dieses Steines geschah nachweislich in den Tagen der Krönung Josephs II. zu Frankfurt im Jahr 1764. Der also moderne Hyazinth auf der Nackenplatte ist

rostrot mit einem von innen herausleuchtenden weißen Kern, so daß man fast fragen möchte, ob der Ersatzstein an die Beschreibung des Albertus Magnus erinnern wollte. Wie wenig in der späteren Bildtradition der Reichskrone die angebliche Plazierung des Waisen auf der Stirnplatte bemerkt wurde, beweist das Ölgemälde Albrecht Dürers mit Kaiser Karls Krone. Dort wird der mittlere oberste Stein der Stirnplatte in keiner Weise hervorgehoben. Dürer hat ihm mit einigen anderen Stellen einen grünlichen Ton gegeben. Auch eine aquarellierte Skizze Albrecht Dürers zeigt an der Stelle, wo gewöhnlich der mittelalterliche Waise vermutet wird, einen Edelstein mit deutlich grüner Farbgebung! Interessant für die Lösung dieses Problems ist auch ein kolorierter Kupferstich aus dem Jahre 1750, der den damaligen Zustand der Krone, in ihre einzelnen Platten zerlegt, festhielt – eine von Johann Adam Delsenbach im Auftrag des Rates der Stadt Nürnberg sehr sorgfältig durchgeführte Arbeit. Delsenbachs Wiedergabe der Nackenplatte zeigt an der Stelle des nach 1764 eingesetzten Hyazinths einen helleren, rosa-fleischfarbenen Stein. Den originalen Waisen wird Delsenbach gewiß nicht vor Augen gehabt haben, weil sich auch dieser Stein mit seiner deutlichen Einbuchtung in der rechten oberen Rundung nicht in die alte Fassung fügen will. Aber seine Farbangabe ist möglicherweise eine Erinnerung an die seit Albertus festgehaltene Überlieferung. Jedenfalls ist festzuhalten, daß gegen die These vom Sitz des Waisen auf der Nackenplatte aufgrund des technisch, materialen Befundes und der Bildtradition zur Reichskrone keine durchschlagenden Einwände erhoben werden können.
2. Sämtliche bekanntgewordenen Textquellen, die überhaupt eine direkte oder indirekte Angabe über den Ort des Waisen machen, sprechen vom Sitz des Waisen »auf dem Nacken« oder »hinten«. An erster Stelle sind hier die berühmten Königssprüche Walthers zu nennen. Eine besonders eindeutige Aussage ist jener Spruch, wo Walther das schon aus byzantinischer und ottonischer Hofpanegyrik bekannte Motiv des Morgensterns auf den Waisen der Reichskrone bezieht:

»swer nû des rîches irre gê
der schouwe wem der weise ob sîme nacke stê:
der stein ist aller fürsten leitesterne ...
er truoc des rîches zepter und die krône.
er trat vil lîse, im was niht gâch,
im sleich ein hôhgeborniu küneginne nâch. ...
die cirkel sint ze hêre, die armen künege dringent dich:
Philippe setze en weisen ûf, und heiz si treten hinder sich.«

Lachmann-Kraus 19,2–4; 19,10–16; 9,13–15

Allein diese uns so bekannte Dichtung Walthers läßt den Schluß zu, daß jedenfalls in staufischer Zeit der Waise tatsächlich hinten auf der Nackenplatte saß. Dennoch hat die germanistische Forschung diesen Schluß nicht zu

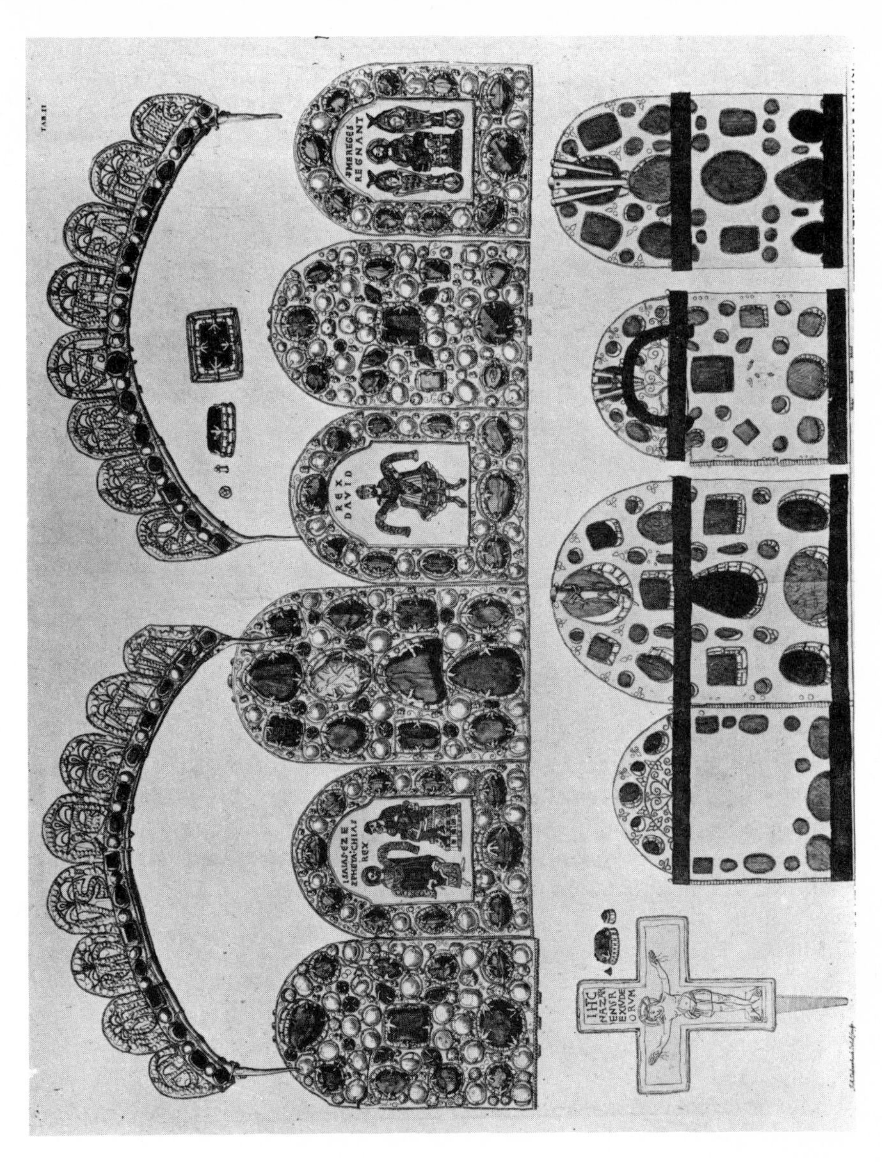

Reichskrone zerlegt, Stich von J. A. Delsenbach, um 1750.

ziehen gewagt; denn sie versteht, soweit mir bekannt, die Wendung »ob sîme nacke« im weiteren Sinne als auf dem Haupte befindlich. Diese Scheu, Walther beim Wort zu nehmen, dürfte freilich in einer »Petitio principii« liegen, wohl weil die Germanisten für die Auffassung des Waisen über dem Nacken des Königs eine Stütze am Objekt der Reichskrone vermißten. Doch eben gerade habe ich gezeigt, daß die Reichskrone selbst dieser Auffassung nicht entgegensteht. Erst recht muß der mittelhochdeutsche Ausdruck »Nakken« durchaus im heutigen Sinn verstanden werden. Es gibt dafür zahlreiche mittelhochdeutsche Textbelege. Ich nenne hier nur ein Beispiel: Der »Heinrich von Ofterdingen« hat dem Österreicher ein zusätzliches zweites Augenpaar gewünscht, damit er auch nach hinten sehen kann, mit dem provozierenden Satz: »got im noch ougen zwei beschere in sînen nac ...« Die Fülle der hier nicht ausschöpfbaren Parallelen muß ausreichen, um auch Walthers Ausdruck »ob sîme nacke« wörtlich zu verstehen.
Es gibt auch Rechtsquellen, welche die ältere Behauptung, daß sie von Walther abhängig seien, ad absurdum führen. Denn so weltfremde Literaturwissenschaftler waren und sind gelehrte Juristen gewöhnlich nicht, daß sie bei der Beschreibung eines in ihrer Zeit vorhandenen obersten Rechtsgutes die Zuflucht zu einem einzigen Vers eines hochmittelalterlichen Poeten hätten nehmen müssen. An erster Stelle ist die älteste wissenschaftliche Bearbeitung des Sachsenspiegels aus dem Jahr 1325 zu nennen, verfaßt vom bedeutenden Rechtsgelehrten Bologneser Schule, Johann von Buch. In einer seiner Glossen hat Johann von Buch eindeutig festgehalten, daß sich der Waise in der Kaiserkrone hinten »nackenwärts« befindet, und er versieht diese Tatsache mit einer geistreichen und rechtstheologischen Deutung. Bei Überprüfung verschiedener Überlieferungen dieser Glosse und ihres Kontextes ist doch übereinstimmend festzustellen, daß Johann wirklich eine Kaiserkrone und darin wirklich einen nach hinten ausgerichteten »kleinen« weißen Stein vor Augen hatte.
Da also die Plazierung des Waisen auf der Nackenplatte auch durch literarische Quellen sowohl der Poesie als auch der Rechtsgeschichte reichlich nachgewiesen werden kann, ist endlich nach dem liturgischen und höheren theologischen Sinn des Waisen an dieser so unauffälligen und daher gerade so auffälligen Stelle zu fragen. – Als erstes ist zu beachten, daß nach dem Krönungsbericht Widukinds von Corveys, den er zur Aachener Krönung Ottos im Jahre 936 gibt, die Insignien schon vor der Krönung »auf dem Altar« bereitliegen und es ist zu beachten, daß der Mainzer Erzbischof vor der Krönung mit Otto »hinter den Altar« (pone altare) trat (Res gestae sax. II 1). Es ist daher gut vorstellbar, daß im ottonischen Zeitalter die Krone während des Gottesdienstes mit der Nackenplatte zur Gemeinde hin und mit der Stirnseite zum Chor hin auf dem Altar lag. So konnte sie der hinter dem Altar amtierende Coronator auch bequem zur Hand nehmen, um sie dem König aufs Haupt zu setzen. Andernfalls müßten wir den krönenden Erzbischof beim Akt der

Krönung eine unliturgische Verdrehung seiner Arme zumuten. Bis zum Akt der Krönung lag also die Krone auf dem Altar, so daß der Waise zum christlichen Volk hin sichtbar war. Aus der Neuzeit, besonders aus dem 17. Jahrhundert, sind viele anschauliche Berichte über Kaiserkrönungen vorhanden. Sie machen deutlich, daß die Krönungszeremonie, wie es überhaupt seit dem hohen Mittelalter gottesdienstlicher Brauch wurde, nun »vor« dem Altar stattfand. Aber auch dabei und während langer Gebete müßte der Waise auf der Nackenplatte zum Reichsvolk hin gestrahlt haben, erst recht während der Eucharistiefeier, die der gekrönte Kaiser knieend vor dem Altar feierte, wobei er übrigens entsprechend der ihm zugesprochenen Weihe zum kirchlichen Diakonenamt das Abendmahl »in beiderlei Gestalt«, in Brot *und* Wein empfangen durfte. Freilich bleibt es gewagt, trotz der Beharrungskraft gerade kirchlicher Liturgien, eine frühneuzeitliche liturgische Form in Kontuität zum frühen Mittelalter zu sehen.
Erklärbarer wird der Sitz des Waisen auf der Nackenplatte der Reichskrone bei Betrachtung hochmittelalterlicher Krönungsprozessionen. Offensichtlich hat sich dem Betrachter das Bild von einem dem Kronenträger nachziehenden Gefolge tief eingeprägt. Die hintergründig durchaus theologische Sinngebung solcher Prozession läßt den gekrönten Kaiser als Stellvertreter Christi erscheinen und die nachziehenden Fürsten und Vasallen erscheinen wie die Jünger Christi. Es muß offenbleiben, ob hier so etwas wie die Umsetzung altgermanischer Gefolgschaft in den Gedanken der Nachfolge Christi stattgefunden hat. Aber das Bild von der Nachfolge Christi legt sich bei der Vorstellung einer Herrscherprozession im 12. Jahrhundert überaus nahe.
Schon 1950 hatte der Germanist Friedrich Ranke auf den merkwürdigen Befund hingewiesen, daß bei Prozessionen der Waise in der Reichskrone hinten sitzen könne, weil nach der Darstellung Walthers und anderer der Kaiser unter der Krone vor den Fürsten herziehe. Ranke kam damals zu der originellen These, daß der Herrscher vor dem Aufbruch zur Prozession die Reichskrone herumgedreht haben müsse. Auch Ranke war offensichtlich nicht klar, daß die Reichskrone selbst noch in heutiger Gestalt auf der Nackenplatte einen Platz für den ursprünglichen Waisen bereithält. Dennoch sollten Rankes weitere Überlegungen sehr ernst genommen werden. Ranke hat nämlich darauf hingewiesen, daß es im frühen Mittelalter einen Prozessionsbrauch gab, bei dem der Crucifixus nach hinten gewendet wurde, so daß die nachziehenden Pilger den Crucifixus und nicht die leere Rückseite des Kreuzes vor sich schweben sahen. Ranke erinnert an eine Stelle in Dantes »Göttlicher Komödie«, wo der Lyriker Statius sagt, er sei Christ und Poet geworden durch eine der Dichtungen Vergils. Der Kontext macht deutlich, daß Dante die in patristischer Zeit und auch noch im Mittelalter bekannte Gleichsetzung des augusteischen Zeitalters mit der Ankündigung des Kommens Christi anklingen läßt: »Du tatest wie der Wanderer in der Nacht, der hinten trägt das Licht, das ihm nicht nützet, doch allen denen, die ihm folgen,

leuchtet, als du die Worte sprachst: ›Es kommen neue Zeiten, Gerechtigkeit und Urzeit kehren wieder, es steigt ein neu Geschlecht vom Himmel nieder!‹ Durch dich ward ich Poet, durch dich ein Christ« (purg. 22,67–73).
Rankes Meinung, daß also bei Prozessionen im frühen Mittelalter die Christusdarstellung nach hinten zur nachziehenden Pilgerschaft zeige, läßt sich reich belegen. Seit dem Investiturstreit wird es zu einem Prozessionsbrauch exklusiv nur der Erzbischöfe und auch des Papstes, daß ihnen das Kreuz vorangetragen wird, und zwar so, daß ihnen das Bild des Gekreuzigten nach hinten zugewendet ist. Doch dieses sogenannte »Privilegium crucis« konnte sehr wahrscheinlich vor dem Investiturstreit ein Privileg auch, wenn nicht gar ausschließlich, des Königs und Kaisers sein. Bemerkungen des Honorius von Augsburg lassen darauf schließen, und eindeutig ist das der Fall bei Stephan, dem ersten »heiligen« König von Ungarn. Stephan war im Jahr 1000 vom Papst das Privileg verliehen worden, sich das Kreuz vorantragen zu lassen. Es gibt tatsächlich zahlreiche Belege von Prozessionskreuzen mit einer Darstellung des Gekreuzigten auf der Rückseite und es gibt sogar ein Beispiel, das für unser Thema ganz wichtig ist: das Lotharkreuz des Aachener Domschatzes, wie die Reichskrone aus dem 10. Jahrhundert. Ferner sind zu nennen die ottonischen drei Prozessionskreuze in Essen und das zu den Reichsinsignien gehörende Reichskreuz. Das interessanteste Beispiel ist aber die Reichskrone selbst. Auf der Rückseite des aufsteckbaren Stirnkreuzes, das nach heutigem Forschungsstand ebenfalls aus ottonischer Werkstatt stammt, findet sich die Darstellung des Gekreuzigten! Freilich bedeutet unser Vergleich, daß die Christusdarstellung auf der Rückseite des Kreuzes der Reichskrone für den dem Kronenträger unmittelbar Nachfolgenden sichtbar gewesen sein müßte. War der Nachfolger der Krone der krönende Geistliche, war es Ottos Sohn, der spätere Otto II.? Oder war es die Kaiserin oder Königin? Offene Fragen. Jedenfalls legt sich aus dieser Beobachtung nahe, daß der jetzige Kronenbügel, der den Blick zum Kreuz verstellt, keinen ottonischen Vorgängerbügel gehabt haben kann. Doch ist ja nicht einmal ganz auszuschließen, daß auch das Kronenkreuz erst später unter Heinrich II. der Krone aufgesetzt worden ist. Wie dem auch sei: Der auffällige Prozessionsbrauch in der Liturgie des »privilegium crucis«, wo Christus zurückblickt zu seinem Nachfolger, macht also die Plazierung des Waisen rückwärts auf der Nackenplatte auch christologisch evident.

Schließlich können wir den symbolgeschichtlichen Wert der Reichskrone in drei Thesen deutlicher hervorheben:
1. Als ein christliches Symbol ist die Reichskrone ein Symbol der christlichen Völker Europas. Sie ist nicht das Symbol eines großdeutschen oder kleindeutschen Reiches. Als man sie im 19. und 20. Jahrhundert so verstanden hatte, wurde ihre Symbolik verfremdet zum deutschen Mythos. An der Reichskrone kann exemplarisch deutlich werden, daß gerade die Geschichte Österreichs

und Deutschlands als die Geschichte der das Heilige Römische Reich überwiegend tragenden Völker mit nationalstaatlichen Begriffen nicht gründlich erfaßt werden kann. Gerade der Begriff des Reiches widerspricht nach seinem ursprünglich mittelalterlichen Verständnis jeder nationalistischen oder gar rassistischen Deutung der Geschichte der Völker Mitteleuropas.

2. *Die Kirchengeschichtswissenschaft kann daran erinnern, daß das Reich ursprünglich ein Begriff der europäischen Kultur und nicht der Barbarei war.* In der neueren Diskussion um die sogenannte »Identität« der Deutschen fehlt der Reichsgedanke. Doch hat der Reichsgedanke das politische Bewußtsein der Deutschen bis 1945 bestimmt, schließlich in der pervertierten Form des deutschen Mythos. In Wirklichkeit ist die durch den Reichsgedanken vermittelte kulturelle Identität sogar eine durch den christlichen Kultus vermittelte Identität gewesen. Im gemeinsamen Gottesdienst – beispielhaft auch noch bei einem Krönungsgottesdienst in der Neuzeit, welcher protestantische und katholische Reichsstände miteinander verband – wurde die Einheit des Reiches zur ökumenischen Wirklichkeit.

3. *Die Wahrheit des Mythos entscheidet sich an der Wahrheit des Symbols.* Wird die christliche Kirche zum »Haus des Mythos« (Hübner) verklärt, ist die Gefahr nicht ausgeschlossen, daß sie zum Haus der Idolatrie wird. Nur als Haus wahrer Symbole bleibt die Kirche eine christliche Kirche. Eine wahre christliche Symbolik der Reichskrone zeigt sich besonders in ihrer Unabgeschlossenheit oder – nach Tillichs Definition – in ihrer Uneigentlichkeit. Allein aufgrund ihres oktogonalen Grundrisses will die Reichskrone hinweisen auf das himmlische Jerusalem, das Reich Gottes. In diesem über sich hinaus und von sich fortweisenden Wesen, d.h. in ihrer Eschatologie, die nicht nur auf das »Woher?«, sondern auch auf das »Wohin?« klar antwortet, zeigt sich ein Unterscheidungsmerkmal zum Mythos. Denn hier steht der Mensch nicht vorn und blickt zurück zu Christus, sondern Christus ist vorn und blickt zurück zum Menschen seiner Nachfolge.

Literaturhinweise

Zur neuesten Reichskronenforschung vgl. *R. Staats:* Theologie der Reichskrone. Ottonische »Renovatio Imperii« im Spiegel einer Insignie (MGMA 13), Stuttgart 1976. – *H. Herkommer:* Der Waise, aller fürsten leitesterne, in: DVfLG 50 (1977), S. 44ff. – *R. Staats:* Nachfolge Christi in der Reichskrone, in: Symb. NF 7 (1985), S. 9–26. – *G. Wolf:* Der »Waise«. Bemerkungen zum Leitstein der Wiener Reichskrone, in: DA 41 (1985), S. 39–65. – *H. Fillitz:* Die Schatzkammer in Wien. Symbole abendländischen Kaisertums, Salzburg 1986. – *G. J. Kugler:* Die Reichskrone, 2., neubearb. und erg. Auflage, Wien 1986. – *H. C. Faussner:* Wibald von Stablo, der Trierer Dom- und Reliquienschatz und die Reichskrone, in: FS Nikolaus Grass (hg. von K. Ebert), Innsbruck 1986, S. 177–211.

Zur mittelhochdeutschen Bedeutung von »nac, nacke« = Hinterhaupt, Nacken (nicht allgemein »Haupt«, so aber Wolf a.a.O., Anm. 103) vgl. *M. Lexer:* Mittelhochdeutsches Handwörterbuch, Bd. 2, Leipzig 1876, S. 3. Zum Wort des Heinrich von Ofterdingen s. die Ausgabe von *A. Rompelmann:* Der Wartburgkrieg, S. 161, Nr. 15. Ich danke T. Tomasek für Hinweise.

Zum »Privilegium Crucis« vgl. *V. Thalhofer/L. Eisenhofer:* Handbuch der katholischen Liturgik,

Freiburg, 2. Aufl. 1912, Bd. 1, S. 577f. – *R. Lesage:* Liturgische Gewänder und Geräte, 2. Aufl., Aschaffenburg 1962, S. 18–19, 116–119. – *J. Nabuco:* Ius Pontificalium. Introductio in Caeremoniale Episcoporum, Paris 1959, S. 216f. Hierzu müßte auch beachtet werden *Honorius Augustodunensis* (früher oft Honorius von Autun genannt, gest. 1152): Gemma animae, cap. LXIX – LXXIII, in: PL 172, Sp. 565–567. Ich danke Stefan Rau (Münster) und Holger Roggelin (Kiel) für Hinweise.

Zu den neuzeitlichen Nationalsymbolen vgl. *H. Meyer:* Die rote Fahne, in: ZSRG 50 (1930), S. 310–353 (314f., 331–333). – *L. Tittel:* Das Niederwalddenkmal 1871–1883, Hildesheim 1975. – *K. H. Hesmer:* Flaggen, Wappen, Daten, 1976. – *H. Hattenhauer:* Deutsche Nationalsymbole, München 1984.

Zu *Paul Tillich:* Das religiöse Symbol (1930), vgl. *ders.:* Ges. Werke 5, Stuttgart 1978, S. 196–212.

4. Systematische Theologie

Hermann Deuser
Wolfgang Nethöfel

Mythos und Kritik
Theologische Aufklärung in Thomas Manns Josephsroman
Hermann Deuser

I. Das Mißverständnis

Literaturwissenschaft und Theologie hatten lange Jahre etwas Gemeinsames darin, daß sie Th. Manns Josephsroman mißverstehen mußten; und das nun gerade in der positionell gegensätzlichen, im Effekt aber ganz analogen Bewertung des »Mythischen« – diesem groß angelegten Kunstgriff Th. Manns, durch den er die literarisch wie theologisch übervolle Romantetralogie erst ermöglichte und zusammenzuhalten vermochte. Spricht der Literaturhistoriker zur Charakterisierung des Josephsromans von »Mythenparodie«[1], so hat das schnell den Zungenschlag von geschickt kaschiertem Atheismus, so als mache sich da einer – zum Genuß des spätbürgerlichen Lesers – über den längst als Aberglauben und Illusion enttarnten Mythos nun auch noch episch und ästhetisierend lustig. Spricht der Theologe – hier der vom Fach primär betroffene Alttestamentler C. Westermann – von einem »synkretistischen, mythisch-magisch-mystischen Denkraum«, in den Th. Mann den Joseph des Buches Genesis »verpflanzt« habe[2], so klingt das schnell nach Abwehrhaltung und Zensurierung durch eine Lehrinstanz, die den biblischen Offenbarungsglauben nach alter Sitte vom »Mythischen« (und ebenso vom Synkretistischen, Magischen, Mystischen) dogmatisch zu trennen verlangt.

Keine Frage andererseits, daß Th. Mann solche Beurteilungen geradezu provozieren mußte, wenn er selbst sein Werk als »Wahrheitsspaß«, »Mammut-Spaß« und schließlich als die »schöne Geschichte und Gotteserfindung von Joseph und seinen Brüdern« hat hinstellen können[3]. Auch ist überhaupt nicht in Zweifel zu ziehen, daß es sich bei dieser Neuerzählung der Josephsgeschichte um bewußt eingesetzten Mythos und ebenso auch um Parodie, Ironie und Humor handelt[4], all dies Schalkhafte, das Th. Mann trotz und wegen penibler Wissenschaftlichkeit, Ernsthaftigkeit und Weltverantwortung mit

1. Vgl. *G. von Wilpert (Hg.):* Lexikon der Weltliteratur, Stuttgart 1963, 2. Aufl. 1975, S. 863.
2. *C. Westermann:* Genesis 37–50 (BK 1/3), Neukirchen-Vluyn 1982, S. 289.
3. Vgl. im Briefwechsel: *Thomas Mann – Karl Kerényi.* Gespräch in Briefen, Frankfurt/M. 1960, S. 74 (Brief vom 7. X. 36) und S. 81 (Brief vom 9. IX. 38); und den letzten Satz am Ende der Romantetralogie: Joseph und seine Brüder IV: Joseph, der Ernährer, Frankfurt/M. 1983, S. 551. – *Th. Mann* wird im folgenden zitiert nach dieser Neuausgabe der ›Gesammelten Werke in Einzelbänden‹, der *Frankfurter Ausgabe* 1980–1986, hg. von P. de Mendelssohn (abgekürzt: FA). – Die Josephsromane (Joseph und seine Brüder I: Die Geschichten Jaakobs; II: Der junge Joseph; III: Joseph in Ägypten; IV: Joseph, der Ernährer) sind in dieser Ausgabe 1983 in vier Einzelbänden erschienen und werden zitiert mit den Bandnummern I–IV.
4. Vgl. Th. Mann im Brief an K. Kerényi (vom 7. X. 36), a.a.O., S. 74: »Die Idee hat einen stark humoristischen Einschlag, wie die ganze Theologie des ›Joseph‹, und mit dem Humoristischen

souveräner Virtuosität zu bieten hat. Daß diese Dimensionen des Josephsromans aber wie eine Travestie des »Mythos« überhaupt aufzufassen seien bzw. daß der biblische Stoff in einen pejorativ verstandenen »Mythos« sozusagen zurückentwickelt werde, das ist allerdings nach beiden Seiten zu bestreiten. Die Frage geht also dahin, die von Th. Mann gespürten, erarbeiteten und bewußt angezielten Überschneidungen von Theologischem und Literarischem aufzudecken, wie er sie für seine Zeit zu markieren sich gezwungen sah. Daß in der Epoche der Entstehung (1926–42) und unmittelbaren Wirkung der Joseph-Tetralogie zwischen Literaturkritikern und Theologen diese Schlüsselfrage kaum sachgemäß hat aufgegriffen werden können, muß nachträglich konstatiert werden. Die Gründe dafür sind in der Fixierung auf die sogenannte »christliche Dichtung« im Rahmenwerk von Konfessionalität ebenso zu suchen wie im Autonomiestreben neuzeitlicher Kunstauffassung, die gerade gegenüber Kirche und Theologie ihre Emanzipation zu beweisen und festzuhalten hatte[5]. So gesehen ist Th. Manns Zurückhaltung, seine »Vorsicht« in religiösen Dingen[6] nur allzu verständlich; doch um so bewundernswerter und prophetischer ist sein theologisch-literarischer Zugriff, der eben diesen Stoff zu dieser Zeit zu einem nicht mehr zu ignorierenden Modell biblisch-ästhetischer Maßarbeit realisierte. Zum Beispiel *so* muß heute erzählt werden; und das können wir inzwischen, nach dem selbstkritisch neu bestimmten Verhältnis von Theologie und Literatur (stellvertretend seien die Arbeiten von D. Sölle, K.-J. Kuschel und D. Mieth genannt[7]) sehr viel freier und damit auch sachkundiger beurteilen.

---

steht es eigentümlich: ganz unernst ist es zwar nicht, will aber auch nicht streng beim Worte genommen sein ...«

5. Vgl. zur Problemübersicht meine Beiträge in Kap. 3: »Literatur und Religion« des Sammelbandes: *A. Werner (Hg.):* Es müssen nicht Engel mit Flügeln sein. Religion und Christentum in der Kinder- und Jugendliteratur, München/Mainz 1982.

6. Vgl. Th. Mann im Brief an K. Kerényi (vom 7. X. 36), a.a.O., S. 75: »Auf einmal bin ich legitimiert, mich einen religiösen Menschen zu nennen – eine Selbsteinschätzung, deren ich mich, eben aus ›Vorsicht‹, sonst kaum getraute«; vgl. dazu *D. Mieth:* Epik und Ethik. Eine theologisch-ethische Interpretation der Josephromane Thomas Manns, Tübingen 1976, S. 50. – Es ist für die neuere Diskussion der Thematik ›Literatur und Theologie‹ selbstverständlich und muß doch ausdrücklich gesagt werden, daß ich dieser Arbeit von D. Mieth den Einstieg in die nähere Beschäftigung mit Th. Mann verdanke und folglich mehr Anregungen, als die gelegentlichen Anmerkungen werden belegen können. – Als Ausnahme gegenüber den theologischen/christlichen Abwehrgebärden zu Th. Mann ist früh jedenfalls der Beitrag von *E. Steinbach* zu nennen: Gottes armer Mensch. Die religiöse Frage im dichterischen Werk von Thomas Mann, in: ZThK 50 (1957), S. 207–242; zum Thema Mythos, a.a.O., S. 216; weitere Literatur in dieser Hinsicht vgl. bei *W. Kantzenbach:* Theologische Denkstrukturen bei Thomas Mann, in: NZSTh 9 (1967), S. 201–217.

7. Vgl. *D. Sölle:* Realisation. Studien zum Verhältnis von Theologie und Dichtung nach der Aufklärung, Darmstadt/Neuwied 1973. – *K.-J. Kuschel:* Jesus in der deutschsprachigen Gegenwartsliteratur, Zürich/Köln/Gütersloh 1978. – *D. Mieth:* Dichtung, Glaube und Moral. Studien zur Begründung einer narrativen Ethik mit einer Interpretation zum Tristanroman Gottfrieds von Straßburg, Mainz 1976, 1. Teil: »Das Erkenntnisinteresse der theologischen Ethik an der Dichtung«; hinzuweisen ist für diesen Diskussionszusammenhang auch auf die frühe Arbeit von *H.-E. Bahr:* Poiesis. Theologische Untersuchung der Kunst, München/Hamburg 1965; ebenso auf *K. Marti:*

Th. Mann selbst registrierte sehr genau die Reserviertheit sowohl der marxistischen Literaturkritik (G. Lukács) wie der katholischen Kirche gegenüber seinem ›Joseph‹, und beides hatte wiederum ebendenselben Grund, wenn auch aus gänzlich anderer weltanschaulicher Herkunft: Das Theologische im Mythischen wirkte anstößig!
Umgekehrt nun flüchtete Th. Mann vor den Dogmatikern zur »Humanistengemeinde«, wie er es in derselben Aufzeichnung zur eigenen Standortbestimmung formuliert hat[8]. Diesen Humanismus aber von Religion und Christentum abzutrennen, das macht den Kern des Mißverständnisses, dem sich in gewisser Weise auch Th. Mann selbst, wie unter Rollenzwang, fügte – obwohl seine Texte anderes im Josephsroman längst gewagt hatten. Dieses Mißverständnis kenntlich und überflüssig zu machen, verlangt wache und für ihre Zeit und Sprachmöglichkeiten feinfühlige Theologie. Th. Mann hätte sie nicht gescheut.

II. Das Mythische

1. Th. Mann, der intellektualistische Autor bürgerlicher Spätzeit, schreibt 1926–42 einen mythisch-theologisch-humanistisch angelegten Roman voller Humor, Weltbezug und durchsichtiger ethischer Programmatik. Daß und wie

---

Grenzverkehr. Ein Christ im Umgang mit Kultur, Literatur und Kunst, Neukirchen/Vluyn 1976; und vor allem auf *P. Tillichs* Kulturtheologie, die als seltenes Vorbild des Dialogs die Neubestimmung des Verhältnisses Theologie-Literataur hat inspirieren können, vgl. z. B. bei *D. Mieth:* Dichtung, Glaube und Moral, a.a.O., S. 31–40. – Was speziell zur Th.-Mann-Interpretation aus dieser Perspektive aufzuarbeiten ist, zeigt *Mieth,* Epik und Ethik, a.a.O., S. 206 ff., 215 ff.

8. Vgl. die Stelle aus ›Die Entstehung des Doktor Faustus‹ (1949), worin Th. Mann aus Anlaß des Lukács-Aufsatzes (der zu Th. Manns 70. Geburtstag erschienen war) wie folgt auf den Josephsroman Bezug nimmt: »sonderbar nur, daß in noch so wohlwollenden Würdigungen dieser kritischen Linie und Sphäre das Joseph-Werk konsequent ausgelassen, umgangen wird. Es ist das eine Sache der Observanz und totalitären Rücksicht: der ›Joseph‹ ist ›Mythos‹, also Ausflucht und Gegenrevolution. Schade. Und vielleicht nicht ganz richtig. Da aber auch die katholische Kirche das Werk nicht mag, weil es das Christentum relativiert, so bleibt ihm nur eine Humanistengemeinde, welche sich die Sympathie mit dem Menschlichen frei gefallen läßt, von der es in Heiterkeit lebt –« (*Th. Mann:* Rede und Antwort, FA 1984, S. 226). – Daß *D. Mieth:* Epik und Ethik, a.a.O., S. 16 f., Anm. 21 und S. 196, dieses Zitat unterschiedlich bewertet, wirft ein Licht auf die bleibenden Probleme einer theologischen Rezeption: Während Mieth einerseits Th. Manns theologische Position durchaus respektiert und sogar würdigt – vgl. S. 74: »Könnte man sich eine theologische Dogmatik vorstellen, der Skepsis und Zweifel sowie innerkritische Relativierung möglich wären, so wäre sie hier angedeutet«; ähnlich S. 81, 208 –, zieht er andererseits doch eine Trennungslinie zwischen Th. Manns »Humanismus« und der eigenen christlichen Position (S. 196 ff.). Das läßt sich nicht wegerklären mit der Tatsache von Th. Manns nur beschränkter Sicht der theologischen Dogmatik (S. 189 f., 193, 202), sondern Mieth muß schließlich zwischen der »Intention des Autors« und seinen als »theologisch offener« eingestuften Texten unterscheiden (S. 198), anders gesagt: zwischen explizitem und implizitem Verständnis des Christentums (S. 218) oder der »Erzählhaltung« und der »Haltung des Erzählten« (S. 217). Ob das Th. Manns Abraham-Interpretation im Josephsroman gerecht werden kann, ist eine Frage, die sich schon durch Mieths eigene Darstellung zur Sache aufdrängt (vgl. bes. S. 62–82 bei Mieth und dazu unten Kap. III: Die Gottesentdeckung).

das möglich wurde, hat die gelehrte Th.-Mann-Forschung längst mustergültig an den Quellen, die Th. Mann ebenso mustergültig gesammelt, exzerpiert und überliefert hat, nachkonstruieren können: Schopenhauers Willensmetaphysik, Nietzsches Psychologie und die in den ersten Jahrzehnten dieses Jahrhunderts unbändige Mythenentdeckung geben die Voraussetzungen, literarisch in eine andere Welt zu *übertragen,* was von dieser Welt zu sagen ist[9]. Daß dieses Programm zugleich kritisch und damit vernünftig und human vorgenommen wird, verdankt Th. Mann darüber hinaus der Rezeption der Psychoanalyse[10] wie der sich immer deutlicher herauskristallisierenden und schließlich durch die Emigration auch politisch zwingenden Abwehr gegenüber den dumpfen, inhumanen Mythenberufungen in Deutschland. Th. Mann konnte also und mußte zunehmend aggressiver seinen biblischen Roman, den »Judenroman«, von dem »faschistischen Pöbel-Mythos«[11] absetzen.
Mythos ist Aufklärung – auf diese Formel möchte ich Th. Manns Gegenhalten in der Programmatik des Josephsromans bringen. Gegen den Absturz in politischen Wahn wie gegen fanatisch-orthodoxe Glaubenspositionen erarbeitet er sich in Erzählhaltung, Stoff- und Sprachbehandlung einen eigenen Begründungszusammenhang für diese Formel.
Was dabei auf dem Spiel stand hat 1913 – um nur ein Dokument für diese Epoche anzuzeigen – E. Troeltsch in einem Aufsatz über »Logos und

---

9. Vgl. hier exemplarisch die Verteidigung der Humanität *Schopenhauers* trotz seiner Trieblehre und »Melancholie« im großen Schopenhauer-Aufsatz von 1938, in: *Th. Mann:* Leiden und Größe der Meister, FA 1982, S. 714f.; die Rühmung der Integration von Psychologie und Mythos bei *Richard Wagner,* die mit *Nietzsches* Entlarvungspsychologie und seinem Kult des instinktiven Heldenmenschen zusammentrifft, vgl. im Wagner-Aufsatz von 1933, in: Leiden und Größe der Meister, a.a.O., S. 721f., und im Nietzsche-Vortrag von 1947, a.a.O., S. 854ff. – Zu Th. Manns Quellenstudien und ihrer Verarbeitung vgl. als Übersicht *H. Kurzke:* Thomas Mann. Epoche – Werk – Wirkung, München 1985; detaillierte Quellenanalysen geben *H. Lehnert:* Thomas Mann – Fiktion, Mythos, Religion, Stuttgart 1965; *ders.:* Th. Manns Vorstudien zur Josephstetralogie, in: Jb. d. dt. Schillergesellschaft 7 (1963), S. 458–520; *ders.:* Th. Manns Josephstudien 1927–1939, in: ebd., 10 (1966), S. 378–406; *W. R. Berger:* Die mythologischen Motive in Thomas Manns Roman »Joseph und seine Brüder«, Köln/Wien 1971; *M. Dierks:* Studien zu Mythos und Psychologie bei Thomas Mann (Thomas-Mann-Studien, Bd. II), Bern/München 1972; zur integrierenden Verarbeitung der metaphysischen, mythologischen und psychologischen Systeme vgl. *Mieth:* Epik und Ethik, a.a.O., Kap. II.

10. Vgl. hierzu vor allem den Vortrag über *S. Freud* von 1929, worin bereits die Übernahme der romantisch-progressiven Mythologie-Entdeckung des 19. Jahrhunderts für die Kennzeichnung der politisierenden Gegenwart zu Beginn des 20. Jahrhunderts rundweg bestritten wird, in: Leiden und Größe der Meister, FA 1982, S. 886f. Der Vortrag gipfelt in der These: »Man kann sie (sc. die Psychoanalyse) antirational nennen, da ihr Forschungsinteresse der Nacht, dem Traum, dem Triebe, dem Vorvernünftigen gilt und an ihrem Anfange der Begriff des Unbewußten steht; aber sie ist weit entfernt, sich durch dies Interesse zur Dichterin des verdunkelnden, schwärmenden, zurückbildenden Geistes machen zu lassen. *Sie ist diejenige Erscheinungsform des modernen Irrationalismus, die jedem reaktionären Mißbrauch unzweideutig widersteht«* (a.a.O., S. 903).

11. Vgl. Th. Manns Vortrag von 1942 ›Joseph und seine Brüder‹, in: Rede und Antwort, FA 1984, S. 111.

Mythos« als das unabwendbare Wiederauftauchen des Mythos in der Stimmung des »religiösen Antiintellektualismus« diagnostiziert[12]. Zur Therapie dieser Krankheit blieb Troeltsch nur die Mahnung, sich vor neuen »Literaten-Offenbarungen« ebenso zu hüten wie vor der Abtrennung des Mythos vom Logos der Theologie[13]. Th. Mann hat im Josephsroman diese Situationsbestimmung in die ästhetische und – was die angezielte Rezeption betrifft – in gewissem Sinne auch in eine ethisch-gesellschaftspolitische Praxis umzusetzen versucht. Nachträglich hat er diese Zielsetzung wie folgt formuliert und verteidigt: »Das mythische Romanwerk« ist »nichts weniger als ein abseitiges, ausweichendes, zeitabgewandtes Produkt, sondern eingegeben von einem über das Menschlich-Individuelle hinausgehenden Interesse am Menschheitlichen ... Der Mythos wurde in diesem Buch dem Faschismus aus den Händen genommen und bis in den letzten Winkel der Sprache hinein humanisiert«[14].

2. *Mythos ist Aufklärung* – Th. Mann bestätigt damit auch die Analysen von Horkheimer/Adorno in der »Dialektik der Aufklärung« (1947), allerdings mit der entscheidenden Umkehrung der Akzentsetzung, daß nicht an der neuzeitlichen Aufklärung ihr immer schon angesagter Rückfall ins Mythische entdeckt, sondern daß an der Moderne ihr dringender Bedarf an Mythischem nachgewiesen wird – um der Humanität willen. Genau dies macht Th. Manns Definition des Mythischen aus, womit er zugleich eine eigene Entwicklungsstufe seiner Erzählhinsichten bezeichnen will: »das Typische, Immer-Menschliche, Immer-Wiederkehrende, Zeitlose, kurz: das Mythische. Denn das Typische ist ja das Mythische schon, insofern es Ur-Norm und Ur-Form des Lebens ist, zeitloses Schema und von je gegebene Formel«[15]. Anders gesagt: Das Mythische rettet vor Vereinzelung, vor dem Rückzug aufs bloß Individuelle; es widersetzt sich dem neuzeitlichen Nominalismus und kann die Realität des Menschheitlichen ganz unproblematisch voraussetzen.
Nun bestand – nach den Analysen der »Dialektik der Aufklärung« – die gefährliche Zweischneidigkeit des Mythos aber darin, daß seine Kraft: ganz unvoreingenommen und unverzerrt das Menschlich-Konkrete wahrnehmen und erzählen zu können, doch durch das mythische Schema: die »Immer-

---

12. *E. Troeltsch:* Logos und Mythos in Theologie und Religionsphilosophie, in: *ders.:* Ges. Schriften, Bd. II: Zur religiösen Lage, Religionsphilosophie und Ethik (Neudruck der 2. Aufl. 1922), Aalen 1962, S. 805–836; hier S. 816.

13. A.a.O., S. 817.

14. ›Joseph und seine Brüder‹ (1942), in: Rede und Antwort, a.a.O., S. 106.

15. A.a.O., S. 104; vgl. *Th. Manns* Definition des Klassischen zu Beginn der Lessing-Rede von 1929 als »ein erzväterlich geprägter Urtypus, in dem späteres Leben sich wiedererkennen, in dessen Fußstapfen es wandeln wird – ein Mythus also, denn der Typus ist mythisch, und das Wesen des Mythus ist Wiederkehr, Zeitlosigkeit, Immer-Gegenwart« (in: Leiden und Größe der Meister, FA 1982, S. 7). – Auch in der Freud-Rede von 1936 kommt Th. Mann in dieser Weise auf den Josephsroman zurück, vgl. a.a.O., S. 918–924.

gleichheit«, wieder zum Erstarren gebracht wurde[16]. Das Menschliche als solches wäre dann so unmöglich zu gewinnen wie der Mythos unter den Bedingungen aufgeklärter Vernunft unmöglich zu wiederholen wäre. Th. Mann reagiert auf diese Aporie mit der Gegenkraft von Ironie und Humor, indem er durch deren sympathetische Distanzwirkung die dunkle Gewalt des Mythos bricht, sie funktionalisiert und den Mythos spielerisch damit wieder ins Recht setzt: *von der Menschheit ursprünglich zu erzählen.*
Daß dazu die wissenschaftlichen Zugänge zum Mythos nicht ausgeschlossen werden, ist neuzeitlich (historisch-kritisch) selbstverständlich, aber die wissenschaftliche Akribie darf ihren Gegenstand nicht in den Zangen historischer Kausalität verkümmern lassen; ebensowenig darf die Mythos-Interpretation auf eine bestimmte Vororientierung (etwa J. J. Bachofen, E. Dacqué, D. Mereschkowski, A. Jeremias[17]) einseitig festgelegt werden. Zwischen Forschung und literarischer Lebendigkeit zu unterscheiden und beide sich gegenseitig begrenzen und inspirieren zu lassen – das macht die neue mythische Kraft des Erzählens aus. Th. Mann gewinnt diese originelle Kombination und diesen doppelbödigen Stil mit einfach sympathischer Leichtigkeit: »daß man auf humoristische Weise mythisch sein kann«[18]; und das ohne unsere »blitzblanke Neuzeitlichkeit« – wie es schon im »Vorspiel« zu den »Geschichten Jaakobs« heißt (I,23) – vergessen machen zu wollen.

3. Eine weitere spezifische Umkehrung von Mythos und Aufklärung ist im Vergleich von *biblischer Josephsgeschichte* in Gen 37–50 und Th. Manns Roman auffällig. Während sich in alttestamentlicher Sicht die Josephsgeschichte gerade durch ihre souveräne Zurückhaltung gegenüber allzu direkten göttlichen Eingriffen auszeichnet – denn Gottes planvolles Handeln geht die indirekten Wege geschichtlicher Gesamtabläufe, und eine Theophanie wie in Gen 46,1–5a, in der es heißen kann: »Da redete Gott zu Israel im Nachtgesicht« (46,2a), muß folglich als Einschub beurteilt werden, der in die Vätergeschichten und nicht in die Josephsgeschichte gehört[19]; während die

---

16. Vgl. *Th. W. Adornos* Essay ›Über epische Naivetät‹ (1943), in: *ders.:* Noten zur Literatur (Ges. Schriften, Bd. 11), Frankfurt/M. 1974, S. 34–35: »weil jedoch der Erzähler der Welt des Mythos als seinem Stoff zugewandt ist, war sein Beginnen, heute mit Unmöglichkeit geschlagen, stets schon widerspruchsvoll. Denn der Mythos, dem die rationale und kommunikative Rede des Erzählers samt ihrer subsumierenden Logik, welche alles Berichtete gleichmacht, als dem Konkreten nachhängt, dem, was von der nivellierenden Ordnung des Begriffssystems noch verschieden wäre – solcher Mythos ist gerade selber doch von der Wesensart der Immergleichheit, die in der ratio zum Bewußtsein ihrer selbst erwachte.«

17. Vgl. zu diesen Autoren vor allem die Analysen von *M. Dierks:* Studien, a.a.O., bes. Kap. II–V, IX u. X.

18. Vgl. Th. Manns Notiz ›Über den Joseph-Roman‹ von 1928, in: Rede und Antwort, a.a.O., S. 98.

19. Vgl. *C. Westermann,* BK I/3, a.a.O., S. 169ff. – Ich darf hier anmerken, daß ich die gewonnene Übersicht zur alttestamentlichen Diskussion dem Hauptseminar zur Josephsgeschichte (SS 1987) von Herrn Kollegen *H. J. Boecker,* Kirchliche Hochschule Wuppertal, verdanke. Vom Text der Bibel

Bibel in Gen 37–50 also betont nichtmythische Züge trägt, muß im Kontrast der Josephsroman wie eine *Remythologisierung* erscheinen[20]. Th. Manns moderner Wiederaneignungsvorgang wirkt deshalb auf den ersten Blick wie eine Rückversetzung in mythische Vorzeit, während die biblische Erzählung am plausibelsten (seit G. von Rad) der Weisheitsliteratur zugerechnet und damit von der Massivität mythischer Göttergeschichten ganz entschieden abgerückt wird[21]. Th. Manns mythischer Kunstgriff wäre dann vom biblischen Stoff her weder erforderlich noch legitimiert. Oder doch? – Ganz selbstverständlich redet die biblische Josephsgeschichte von *Gott,* vor allem in den berühmten Deuteworten Gen 45,5 ff. und Gen 50,19 ff., aber nicht nur dort[22]. Wie soll der moderne Roman damit umgehen? Kann er ohne weiteres diese biblische Voraussetzung übernehmen? Oder soll er den Plan Gottes mit Israel einfach wegsäkularisieren?
Th. Mann entschied sich für eine geniale Integration: den *humorvollen Mythos,* der wissenschaftlich, ästhetisch und theologisch zugleich standhalten soll. Denn zumindest dies hat die moderne Sicht mit der biblischen Geschichte gemeinsam: Erkannt zu haben, daß wir von den Vätern und ihren Gottesgeschichten (Gen 12–36), der »Patriarchenluft«, wie es H. Donner genannt hat[23], im Abstand leben und daß sich mit Joseph »ein grundlegender Wandel in dem, was wir Religion nennen«, ereignet[24]. Dann aber besteht ein Recht, diesen Wandel auch entsprechend ins Bild zu setzen, geradezu die

---

auszugehen, ist die allseits bekannte Forderung, die doch jeweils neu realisiert werden muß, und dazu braucht es die einladende Zusammenarbeit mit dem Exegeten; in diesem Falle kam es dazu.

20. Vgl. *G. von Rad:* Biblische Josephserzählung und Josephsroman (1965), in: *ders.:* Gottes Wirken in Israel. Vorträge zum Alten Testament, hg. von O. H. Steck, Neukirchen/Vluyn 1974, S. 285–304, hier: S. 298 ff.; und eben diese Beobachtung von literarischer Seite gefaßt bei *D. Sölle:* Realisation, a.a.O., S. 62: »Gemessen an diesem Stoff verfährt nun Thomas Mann erstaunlich: er remythologisiert die ursprünglich eher weltliche Erzählung und verknüpft sie mit der gesamten biblischen und orientalischen Religionsgeschichte.«

21. Vgl. vor allem *G. von Rad:* Die Josephsgeschichte (1954), in: Gottes Wirken in Israel, a.a.O., S. 22–41; vgl. als schöne Problemübersicht der literarkritischen Fragen *H. Donner:* Die literarische Gestalt der alttestamentlichen Josephsgeschichte, Heidelberg 1976; und zum jüngsten Forschungsstand *L. Schmidt:* Literarische Studien zur Josephsgeschichte, Berlin/New York 1986. – Ganz anders als bei von Rad wird das Verhältnis von Mythos und Geschichte diskutiert von *J. van Seters:* Der Jahwist als Historiker, hg. von H. H. Schmid (Theol. Studien 134), Zürich 1987, darin: Mythos und Geschichte, S. 65–95, mit der These der Historisierung des Mythos und der Mythologisierung der historischen Tradition auch im AT (den Hinweis auf die Arbeiten von J. van Seters verdanke ich Gesprächen mit *Fred Cryer,* Ruhr-Universität Bochum); diese Sicht wiederum entspricht *W. Pannenbergs* Interesse, Mythos in seiner Funktion als »gründende Urzeit« auch im AT und NT in besonderer Verarbeitung nachzuweisen, vgl. *W. Pannenberg:* Christentum und Mythos. Späthorizonte des Mythos in biblischer und christlicher Überlieferung, Gütersloh 1972, bes. IV–IX; hier S. 33.

22. Vgl. *C. Westermann,* a.a.O., S. 285 ff.

23. *H. Donner,* a.a.O., S. 12.

24. *C. Westermann,* a.a.O., S. 287, 288; vgl. ebd. Westermanns Korrektur der allzu »aufgeklärten« Interpretation durch G. von Rad.

Pflicht, Rechenschaft zu geben, wie *wir* Gottes Wirken verstehen können. Th. Mann hat dies getan, und der Mythos ist ihm dabei – humorvoll angeeignet – unentbehrlich geworden. Daß literarische Begeisterungsfähigkeit hinzugehört, gerade für diesen Stoff, dessen anrührend karge biblische Erzählkunst heute nach psychologischer und damit individueller wie allgemein-menschlicher Ausarbeitung verlangt, das nicht zuletzt hat Th. Mann gereizt, und er hat diese ästhetische Seite seiner biblischen Realisation sehr bezeichnend mit dem Goethe-Wort aus »Dichtung und Wahrheit« belegen können: »Höchst liebenswürdig ist diese natürliche Geschichte: nur erscheint sie zu kurz, und man fühlt sich versucht, sie in allen Einzelheiten auszuführen«[25].

4. »Mythos« also bleibt ein vieldeutiger Begriff[26], und es mag der besseren Übersicht dienen, die bisher angesprochenen Bedeutungsrichtungen noch einmal ausdrücklich hervorzuheben:

a) Rein stofflich gesehen kann Mythos gefaßt werden als überlieferte *Götter- und Heldenerzählung*[27], und für die Literaturwissenschaft sind solche Stoffe dann religionskritisch und historisch zu erklären, im übrigen aber als mögli-

---

25. Das Goethe-Zitat aus ›Dichtung und Wahrheit‹ findet sich bei Th. Mann zu Beginn des Vortrags ›Joseph und seine Brüder‹ (1942), in: Rede und Antwort, a.a.O., S. 102. Damit ist gegen von Rads Kritik dieser Goethe-Sentenz, vgl. *von Rad:* Gottes Wirken in Israel, a.a.O., S. 292, doch die Erzählbedürftigkeit von Gen 37–50 behauptet. Zwar zeigt die biblische Geschichte ihre durchaus eigenständige »Kunst des Erzählens« (*Westermann,* a.a.O., S. 279), an die angeknüpft (z.B. in der Leitmotivkonstruktion, vgl. *Westermann,* a.a.O., S. 280), aber über die auch hinausgegangen werden kann (z.B. wird dann die »Reflexion« des modernen Erzählers nicht zum Schweigen zu bringen sein, vgl. *Westermann,* a.a.O., S. 282). Th. Mann hat hier alle Chancen extensiv genutzt. Auch *H. Donner,* a.a.O., S. 9f., bezieht sich auf die Goethe-Stelle, aber nur, um den Kontrast zwischen Dichtung und Bibel zu beleuchten. Immerhin hat schon *H. Gunkel:* Genesis, 6. Aufl., Göttingen 1964, S. LIII, die »Weitläufigkeit«, die »›epische Breite‹« und die »besondere Erzählungskunst« der Josephsgeschichte hervorgehoben! – Zur Goethe-Anknüpfung Th. Manns vgl. auch die Hinweise auf den ›West-östlichen Divan‹ bei *H. Mayer:* Thomas Mann, (st 1047) Frankfurt/M. 1984, S. 192ff. – Es ist schade, daß H. Mayer das eigene und auch bei Th. Mann nachwirkende Gewicht der biblischen Motive, die gegen die mythisch-ironischen »Wiederholungen« stehen, nicht für die Interpretation auswertet.

26. Vgl. hier nur die Übersicht von *J. Sløk:* Art. Mythos und Mythologie I, in: RGG, 3. Aufl., (1960), Bd. IV, 1263–1268; und die Alternativen in der Diskussion um Mythos und Wissenschaft in *H. Posers* Einleitung zu dem Band: Philosophie und Mythos. Ein Kolloquium, hg. von H. Poser, Berlin/New York 1979, bes. S. VII–X.

27. Vgl. die präzis knappe Definition von *H. Gunkel:* Genesis, a.a.O., S. XIV: »›*Mythen*‹ – man erschrecke nicht vor diesem Worte – sind *Göttergeschichten*«. Dies ist eine traditionell »inhaltliche« Definition des Mythos, neben der »formale« und »funktionale« noch zu unterscheiden wären; vgl. *I. U. Dalferth:* Mythos, Ritual, Dogmatik. Strukturen der religiösen Text-Welt, in: EvTh 47 (1987), S. 272–291, hier S. 274; die oben gegebene Fassung als »Götter- und Heldenerzählung« ist bewußt weiter als bei Gunkel und entspricht damit der berechtigten Kritik *W. Pannenbergs* an der zu »engen« Mythosbestimmung der religionsgeschichtlichen Schule, vgl. *Pannenberg,* a.a.O., S. 27. – Zur Bedeutung der rein stofflichen Merkmalsangaben von Religion – für die Zuordnung von Theologie/Religion/Literatur – vgl. meine Abgrenzungsvorschläge in: *A. Werner (Hg.):* Es müssen nicht Engel mit Flügeln sein (s. Anm. 5), S. 96f., 124.

che literarische Verarbeitungsformen, d. h. als Fiktionsebenen, einzustufen und zu akzeptieren.
b) Die christliche Theologie neigt überwiegend dazu, im Mythos fremdreligiöse Ausdrucksformen natürlicher (polytheistischer) Frömmigkeit zu sehen, die in der Bibel der monotheistischen Tendenz nach als abgeschafft zu gelten haben. *Entmythologisierung* ergibt sich daraus als konsequentes theologisches Programm, und von daher erklären sich die Vorbehalte z. B. G. von Rads gegenüber Th. Manns Roman[28].
c) Geistesgeschichtlich gesehen zeigen das 19. und 20. Jahrhundert gegenüber der neuzeitlichen Aufklärung in *antirationalistischen* Schüben Rückfälle in den Mythos und seine wieder zugelassenen und gesuchten Wirklichkeitsdeutungen. Sie reichen von mittelalterlichen Romantisierungen über Weltpessimismus, Urzeittheorien und Schicksalsmythen bis zu Rassenwahnvorstellungen[29].
d) Th. Mann setzt nun gegen den politisierenden Katastrophenmythos Aufklärung und Kritik, aber nicht einfach die rationalistisch-destruktive, sondern die *humane,* die das Mythische als Sprachform und Weltorientierung ernst nimmt und braucht, um überhaupt wieder (literarisch) von Gott erzählen zu können – ohne sich dabei dem Mythos als dunkler Macht- und Sonderwelt auszuliefern. Mythos und Aufklärung greifen dabei ineinander, zeigen selbstkritisch Überlieferungsprozesse (wie es die Wissenschaften vorgeführt haben), deren Wert im Erzählen und Klären von Erfahrungen im Lebenszusammenhang liegt. Logos und Mythos sind demnach am geschicktesten im Epos zu vermitteln, denn der moderne Erzähler bringt sich selbst ins Spiel und damit den Logos nicht zum Schweigen, und die mythische Vergegenwärtigung und Wiederholung bleibt trotzdem das Element der Erzählung. Genau dies proklamiert das »Vorspiel« zur Romantetralogie in seinem letzten Abschnitt: »So spricht der Mythus, der nur das Kleid des Geheimnisses ist; aber des Geheimnisses Feierkleid ist das Fest... Fest der Erzählung, du bist des Lebensgeheimnisses Feierkleid« (I,52).

5. Im hier für die Interpretation von Th. Manns Josephsroman gebrauchten Sinn bedeutet Mythos folglich, zu *erzählen, was immer wieder (und deshalb immer schon) vorkommt.* Nicht daß wir dabei, wie in den Naturwissenschaften, die exakten Regeln wüßten, sondern die mythischen Wiederholungen sind dem Kontingenten abgerungen und verarbeiten dessen Mühsal. Deshalb ist der Mythos immer zugleich aufklärend, aufdeckend; entdeckend und erklärend will er sein – und das ist es, was er zu erzählen hat.
Drei Bestandteile, die Th. Mann genau beachtet und deren Vorkommen auch

---

28. *G. von Rad:* Biblische Josephserzählung und Josephsroman, a.a.O., bes. S. 298 ff. – Vgl. dagegen die in dieser Hinsicht überzeugende Kritik an *R. Bultmanns* Programm der »Entmythologisierung«, die Weltbild meint, aber fälschlich Mythos sagt, bei *W. Pannenberg:* Christentum und Mythos, a.a.O., S. 13–19, 64 f.
29. Vgl. zur Übersicht HWP 6, S. 281–318, bes. S. 288 ff.; und zu Th. Manns Stellung *H. Kurzke:* Thomas Mann, a.a.O., S. 246 ff.

demonstrativ herausstreicht, machen diesen Umgang mit dem Mythos aus: *erstens* der Vorgang lebendigen Erzählens selbst, wie es »sich *wirklich* zugetragen« hat[30]. *Zweitens* ist diese Wirklichkeit aber fiktiv, gemessen an wissenschaftlicher »Exaktheit«[31]. Da letztere die lebendige Wirklichkeit menschlicher Erfahrungen niemals ersetzen kann, kommt Wissenschaft im Roman nur unter Vorbehalt zum Zuge, der Erzähler braucht sie, und er spielt mit ihr; »humoristische Bibelkritik« und »essayistische Elemente« werden konsequent zum Formcharakteristikum des Romans[32]. Um es wiederum mit dem essayistischen »Vorspiel« des Romans zu sagen: »denn mit unserer Forscherangelegentlichkeit treibt das Unerforschliche eine Art von foppendem Spiel« (I,7). *Drittens* ist damit die ewige Wiederkehr, das »Typische« des Mythos konfrontiert mit seinem Vorkommen in der Zeit. Der moderne Erzähler reflektiert das Historischwerden aber nicht nur akademisch-distanziert, sondern realistisch bezogen auf die Menschenwelt, der er selbst angehört: *So* ereignet es sich jetzt! Dieses Jetzt aber hat die eigenartige Unmittelbarkeit, daß zu ihr hin Umwege gegangen werden müssen, mythische Umwege sozusagen; denn nur dann kann das, was sich wirklich ereignet, bestimmbar werden, wenn wir unsere schematisierenden Vorgriffe, unsere wissenssystematischen Vorurteile unterlassen können. Theologisch gesagt: Wenn wir den Vorrang Gottes *vor* unserer Erfahrung und *in* ihr und *gegen* sie geschehen lassen und dessen auch gewahr werden können.
Dieser erzkritische Gedanke, gemessen an purer Neuzeitlichkeit, hat Th. Mann um der Menschheit willen beschäftigt – und zu seiner Realisierung braucht er den Mythos. In dessen vorsintflutlicher Abwegigkeit nämlich kann eine andere Form von Vernunft zum Zuge gebracht werden: nicht die deduktiv-analytische, nicht die induktiv-empirische, sondern die, die, aus Spontaneität erzählend, Wahrheit entdecken läßt. So kommen Logos und Mythos im Erzählen zusammen[33], und dies Erzählen scheut nicht den göttlichen, anthropomorphen Humor: »Gott aber hatte seine Fingerspitzen geküßt und zum heimli-

---

30. *Th. Mann:* Ein Wort zuvor: Mein ›Joseph und seine Brüder‹ (1928), in: Rede und Antwort, a.a.O., S. 99; vgl. *Th. Mann:* Joseph und seine Brüder (1942), in: Rede und Antwort, a.a.O., S. 103: »Ich weiß noch, wie es mich erheiterte und wie sehr ich es als Kompliment empfand, als meine Münchener Abschreiberin, eine einfache Frau, mir das Maschinen-Manuskript des ersten Romans ... ablieferte mit den Worten: ›Nun weiß man doch, wie sich das alles in Wirklichkeit zugetragen hat!‹ Das war rührend; denn es hat sich ja gar nicht zugetragen.«

31. *Ebd.,* S. 99.

32. *Ebd.*

33. Vgl. sehr treffend bei *Mieth:* Epik und Ethik, a.a.O., S. 35: »Die ›mythische‹ Entdeckung des Erzählers Thomas Mann ist, daß er sich im ›Medium‹ des Erzählten begreift«. – Vgl. die Mythosbestimmung (von der Menschheitsentwicklung her gedacht) bei *H. Blumenberg:* Arbeit am Mythos, 3. Aufl., Frankfurt/M. 1984, S. 12: »Was durch den Namen identifizierbar geworden ist, wird aus seiner Unvertrautheit durch die Metapher herausgehoben, durch das Erzählen von Geschichten erschlossen in dem, was es mit ihm auf sich hat.« S. 18: »Der Mythos selbst ist ein Stück hochkarätiger Arbeit des Logos.«

chen Ärger der Engel gerufen: ›Es ist unglaublich, wie weitgehend dieser Erdenkloß mich erkennt!‹« (II,50).

III. Die Gottesentdeckung

Das theologisch mit Abstand aufregendste Kapitel der Joseph-Tetralogie ist das 2. Hauptstück des zweiten Romans (»Der junge Joseph«) mit der Titelüberschrift »Abraham«; und darin der zentrale Abschnitt: *»Wie Abraham Gott entdeckte«* (II,40–50). Die »fides creatix divinitatis«[34] hat hier eine mutige Neuaufnahme erfahren, die die moderne Sachproblematik mit aller Redlichkeit aufzeichnet und sich sprachlich mit größter Intensität in die schwierige Dialektik der Angewiesenheit von Gott und Mensch hineinversenkt. Solche Prägung trägt nun keineswegs nur dieses eine Kapitel, sondern die biblische Gottesentdeckung: daß Abraham Gott »hervorgedacht« hat (II,41, 43), stellt durchgängig die theologische Leitfigur vom »Vorspiel« des ersten Romans bis zu den Pharao-Szenen im vierten Roman (»Joseph, der Ernährer«). Dieser theologischen Spur sollen die folgenden Beobachtungen und Interpretationen nachgehen.

1. Abraham ist für den Josephsroman der biblische Typus des Gottesglaubens, wie er aus der Tiefe der Zeit heraustritt, um ein in der Zeit Neues festzuhalten. *Mythisch* ist daran, daß das »Geheimnis« (I,7) um Gott und Mensch wissenschaftlich nicht fixierbar, vergegenwärtigend als Abrahamsgeschichte erzählt werden muß: wie »vor längeren Zeiten – Joseph war sich nicht immer ganz im klaren darüber, wie weit es zurücklag« (I,9), Einmaliges sich in der Figur des Urvaters ereignet, »daß ihm sein Gott, der Gott, an dessen Wesensbild sein Geist arbeitete, der Höchste unter den anderen, dem ganz allein zu dienen er aus Stolz und Liebe entschlossen war« (I,11). *Historisch* ist daran, daß Th. Mann diese Figur zugleich wissenschaftlich absichern will. Die Züge des Wanderers und »Mondmannes« übernimmt er dazu bis in feinste Details von A. Jeremias[35], und Th. Mann erweist sich darin, wie W. Jens es genannt hat, wahrhaft als »Meister der höheren Abschreibe-

34. WA 40 I, 360,5; vgl. *A. Peters:* Rechtfertigung (HST 12), Gütersloh 1984, S. 49 u. Anm. 81.

35. Th. Mann benutzte die 3. Aufl. von *A. Jeremias:* Das Alte Testament im Lichte des Alten Orient, Leipzig 1916. Vgl. zur Einstufung von A. Jeremias in der Schule der »Panbabylonisten« *H.-J. Kraus:* Geschichte der historisch-kritischen Erforschung des Alten Testaments von der Reformation bis zur Gegenwart, Neukirchen/Vluyn 1956, S. 274f., 281; und vor allem *M. Dierks:* Studien, a.a.O., S. 245f. – Zwei Beispiele für direkte Übernahmen im Abraham-Text des ›Vorspiels‹: »Ur Kaschdim« und der »Sin-Gott« (I,9) – vgl. bei Jeremias, a.a.O., S. 259, 261, 266; Abraham als Wanderer, als »Mahdi«, und als »Mondmann« (I,10) – vgl. bei Jeramias, S. 268ff. Zu dieser und den anderen Quellen für die Abrahamsdarstellung vgl. die Angaben bei *Mieth:* Epik und Ethik, a.a.O., S. 72f. Anm. 12. Man kann es bedauern, daß Th. Mann gerade diese und nicht andere Autoren für seine atl. Studien herangezogen hat (vgl. *G. von Rad,* in: Gottes Wirken in Israel, a.a.O., S. 304, Anm. 25), entscheidend ist festzustellen: »Thomas Mann hat sich hervorragend in diese biblische Sehweise einzufühlen verstanden« (*Mieth,* a.a.O., S. 74).

kunst«[36]. Denn sosehr ihm gerade diese Vorlage (wegen des Zusammenspiels von Mythologie, kritischer Wissenschaft und biblischer Orientierung) nahestand, so beliebig erscheint sie doch, gemessen an dem, was nun wirklich alttestamentlich, mythisch (im Sinne Th. Manns) und literarisch daraus erwächst: Abrahams allererstem »Auszug« eignet eine »Sinnbetonung von Widerspruch und Auflehnung« (I,9), ein religions- und ideologiekritischer Widerspruch zur Umwelt also; es ist »geistliche Unruhe«, »Gottesnot«, die ihn zwingt auszuwandern – und darin liegt das Neue dieser »Gotteserfahrung« (I,12). Diese nahezubringen – das bewerkstelligt der Erzähler über einen Mittelsmann, die mythisch angelegte Figur des Eliezer. Historisch gesehen ist Eliezer eine gänzlich datenlose Erscheinung (der namentlich nur in Gen 15,2 genannte Erbe Abrahams wird gern mit dem Großknecht in Gen 24,2 in Verbindung gebracht, dem Brautwerber Isaaks), woraus Th. Mann die Urform des Überlieferers, des Weisen, des ältesten Knechtes, des Hauslehrers für Joseph zu bilden versteht, der die Zeiten und »Sphären« überspannt: »es hatte ihn immer gegeben an den Höfen von Abrahams geistlichem Familienstamm« (II,36 f.). Und eben dieser Eliezer ist der vermittelnde Erzähler, in dem der historische Abstand schon für Joseph – und damit für uns Leser der Geschichten – zum Verschwinden gebracht werden kann. Solche gemischte, teils abgesicherte, teils bewußt aufgekündigte Geschichtsverfügung hält sich allein im Ton der Erzählung. Der Gott genauer suchende Abraham ist vom Zweifel getrieben, »und da mit zweifelnder Seele nicht gut stillsitzen ist, so hatte er sich eben in Bewegung gesetzt« (I,10).

2. Ironie und Humor ermöglichen Distanznahme und Sympathie zugleich[37]; beides kann nie böse ausgelegt werden, und die integrierende Kraft zwischen Glauben und Wissen, Geschichte und Gegenwart ist um so größer. Mythisch ist Th. Mann dabei der Zugang zu Sprachfeldern, die sonst verschlossen blieben: göttlichem Humor, der rückhaltlos anthropomorph eingespielt wird. Gottes Pläne haben, humorvoll gesungen, Jakob »nasgeführt«; Gott »schaberneckt« (IV,439, 444)[38], und er ist deshalb als Partner des Menschen hineinverwickelt ins Allermenschlichste, dessen gewaltiges Gegenüber er doch

---

36. *W. Jens:* Der Rhetor Thomas Mann, in: *ders.:* Von deutscher Rede, München 1969, S. 129–150, hier S. 132f. – Was »höhere Abschreibekunst« bezüglich historischer Räume, Gestalten, Kunstgegenstände bedeuten kann, das belegt ausführlich der Band *H. Wysling (Hg.):* Bild und Text bei Thomas Mann, Bern/München 1975, zum Josephsroman hier allein S. 186–319.

37. Die Begriffe Ironie und Humor müssen hier nicht weitergehend differenziert werden, vgl. zur Th.-Mann-Interpretation die Hinweise bei *Mieth,* a.a.O., S. 50ff., 127f. Bezeichnend ist nur, daß mit dem Übergehen von Ironie zu Humor sich eine immer stärkere Einlassung auf das Menschliche und damit das Religiöse erkennen läßt, und *diese* Begriffsbestimmung von Ironie und Humor steht nicht zufällig der in *S. Kierkegaards* Stadienlehre sehr nahe (worin bekanntlich die Ironie als Confinium zwischen Ästhetik und Ethik, der Humor als Confinium zwischen Ethik und Religion figurieren).

38. Vgl. zu diesen Stellen *Mieth,* a.a.O., S. 187.

bleibt. An diesem Widerspruch und Wechselverhältnis arbeitet Abrahams Gottesentdeckung. Einerseits ist da Gott der freundliche Mitspieler, der sich »vor Freude seine Finger geküßt«[39], weil endlich ein Mensch, »dieser Erdenkloß«, ihm, Gott selbst, in angemessener Verehrung auf die Schliche gekommen ist (II,40,50) und nicht mehr »irgendeinem Elchen oder Ab- und Untergott« dient (II,40). Andererseits wird es todernst, denn sich auf den »Letzthöchsten« einzulassen heißt doch, »das Gute und Böse, das Plötzliche und Grauenhafte sowohl wie das segenvoll Regelmäßige« in dieser einen »Macht« zu »versammeln« (II,42); es heißt (wie nach Th. Mann »Lot selbst ... bleichen Angesichts« Abraham gegenüber einwendet): »Wenn aber dein Gott dich verläßt, so bist du ja ganz verlassen!« (II,43).
Diesen äußersten Sinn hat Abrahams Gottesentdeckung, und deshalb ist es keineswegs leichtfertig oder gar sophistisch[40], sondern nur sachgemäß, hier die gefährliche Schwebe des »Hervordenkens« nicht zu unterdrücken. Denn die Gottesentdeckung hat unabwendbar die zwei Seiten einer Relation: Gott wird entdeckt als »etwas furchtbar Sachliches« außerhalb und dem Abraham gegenüberstehend, und doch ist es seine (Abrahams) »Seelengröße« (II,43), die mit dieser Entdeckung des »Letzthöchsten« nicht nur korrespondiert, also wächst (II,42), sondern die in gewissem Sinne auch mitverantwortich bleibt *für* eben diese »Größe« Gottes. Der Feuerbachsche Projektionsvorwurf ist hier aufgefangen: Abraham – und d.h. ja der Mensch in seiner Menschwerdung im Gegenüber zu Gott und seiner Gottwerdung[41] – ist keineswegs »Erzeuger« dessen, was er »hervordenkt«, aber doch wäre das Hervorgedachte nicht ohne ihn, der es »erkannte, ... lehrte und denkend verwirklichte« (II,43).

3. Diese Relation von Menschwerdung und Gottwerdung ist treffend erfaßt als »der Ursprung des Bundes« (II,43). In ihm sind die Bundespartner gegenseitig ansprechbar, ihre Verpflichtungen sind einklagbar, und psychologisch genau leitet Th. Mann hier die Emotionalität des atl. Gottesverhältnisses ab: Aus dem rechtlichen Eingebundensein folgt »die verfluchte Möglichkeit des Bundesbruches, des Abfalls von Gott» (II,47), und damit verbunden »Schuldgefühl« und »Gottesfurcht« (II,46). Das sind die menschlichen, seelischen Konsequenzen, die mit Abraham neu in die Welt eintreten dadurch, daß mit der monotheistischen Erhöhung Gottes zugleich ein menschliches Ich

39. Vgl. zum orientalischen Hintergrund dieses Gottesbildes (das im übrigen aber auch an Gen 8,21 erinnert) bei *Mieth,* a.a.O., S. 77.
40. Vgl. *Mieths* Abwehr des Vorwurfs »sophistischer Theologie« (M. Dierks), a.a.O., S. 73, Anm. 12. – Immerhin hat Th. Mann selbst seine Abraham-Interpretation als »ziemlich kecke und geistlich wohl einigermaßen anstößige Definition des ›Bundes‹« einstufen können, vgl. im Brief an K. Kerényi (vom 7. X. 36), in: Gespräch in Briefen, a.a.O., S. 74.
41. Vgl. *Mieth,* a.a.O., S. 72: »Parallelität von Gottwerdung und Menschwerdung«.

wächst; überspitzt gesagt: »Ich, Abram, und in mir der Mensch, darf ausschließlich dem Höchsten dienen« (II,40)[42].
Wieder vom anderen Ende der Relation her gesehen, bedeutet diese Emotionalität des Bundes für Gott, »eifersüchtig« (II,46) auf dessen Einhaltung bestehen zu müssen. Th. Mann hat diesem Gottesaffekt noch eigens eine schöne Erklärung dafür abgelauscht, warum in der Jakobsgeschichte (Gen 29,31) nach Gottes Anordnung Rahel, die Jakob liebte, unfruchtbar, Lea, die Jakob zurücksetzte, aber fruchtbar bleiben sollten. Th. Mann sieht darin zunächst, von der Anlage seiner Jakob-Charakterisierung her motiviert, eine Strafe für Jakobs »Gefühlsherrlichkeit« (I,317). Aber dazu gehört auch die theologische Erfassung dieser Reaktion Gottes, denn sie begründet sich aus dem Gottesbund mit Abraham (I,317f.), aus der »Wechselseitigkeit der Bezüge« zwischen Gott und Mensch, worin Gottes »Eifersucht« mit der »Gefühlsüppigkeit« Jakobs in Konkurrenz tritt (I,318). Damit taucht das für den Bundesgedanken nun essentielle Motiv des *Sichentwickelns* auf, denn Eifersucht ist sozusagen ein früher Entwicklungsstand im wechselseitigen Gottwerden und Menschwerden, der hier gegen Jakob noch einmal ins Feld geführt wird; ein »Wüstenrest«, der allerdings auf die Emotionalität des Bundesverhältnisses im ganzen verweist: »Leidenschaft ..., daß gerade erst in der Leidenschaft das tosende Wort vom ›lebendigen Gott‹ sich recht erfüllt und bewährt« (I,319).
Schlägt in der Gotteseifersucht eine Gottesklage kritisch gegen Jakob durch, so hat umgekehrt Th. Mann in Jakobs Trauer über den Verlust Josephs (Gen 37,33–35) eine urmenschliche Gottesklage gegen Gott erstehen lassen. In einer ungeheuerlichen Szenerie wird darin Jakob zu Hiob, der mit Gott um die Entwicklung des Bundes rechtet. Während Eliezer jetzt die Rolle des Bewahrers hergebrachter Theologie und angemessener, die Würde und das rituell Zulässige nicht überschreitender Trauergebärde spielt, steigert sich

42. Hinweise zur Interpretation dieser Texte im Zusammenhang der Geschichte *Josephs,* die Th. Mann ja erzählen will, müssen weitgehend ausgeblendet werden. Es ist in den ›Geschichten Jaakobs‹ immer zugleich Josephs Vorgeschichte mitzulesen, die darin aus ihrer religiösen Urperspektive heraus beleuchtet wird und in der der unfromm-selbstbewußte und darin doch erwählte junge Joseph alles mit einseitiger Akzentverschiebung verstehen muß – was Th. Mann mit Fleiß und Vorbedeutung anmerkt: »(Dem Joseph gefiel es)« (II, 40); »Joseph, so jung er war ...« (II, 42); vgl. dazu die Erläuterungen bei *Mieth,* a.a.O., S. 65. – Seine Erwählung anders als egozentrisch zu deuten, das muß Joseph in folgender Lebenserfahrung erst lernen! Zu beachten ist für die Interpretation also jeweils die Entwicklungsschicht, innerhalb deren jeweils das Erzählarrangement seine Perspektive gewinnt: (1) Ursprüngliche (mythisch vergegenwärtigte) Abrahamsreligion, (2) Jakobs Zwischenstellung im Übergang von den Vätern zu den Israel-Söhnen, (3) Joseph als die moderne Figur in Übermut und reflektierter Distanz – gerade auch rückblickend auf die Religion der Väter; von ihm her sind Ironie und Humor erst legitimiert. – Vgl. diese Erzählschichtung am Beispiel von Isaaks Opferung (Gen 22), von Th. Mann in I, 101 ff. (»Die Prüfung«) erzählt, in meinem Beitrag: Gottes Handeln – Rechtfertigung, Versöhnung und Erlösung, in: Marburger Jahrb. Theologie I, hg. von W. Härle/R. Preul (MThSt 22), Marburg 1987, S. 33–55, hier S. 46–48.

Jakob in Bundesklage, die von Gott Humanität einfordert: »Sprich nicht von außen, Eliezer, sondern von innen! Was denkt sich Gott, daß er mir auflegt, wovon sich mir die Augen verdrehen und ich von Sinnen komme, weil's nichts für mich ist?« (II,255). – »Nein, ich bin ohne Besinnung, mein Hausvogt. Gott hat sie mir entrissen, nun höre meine Worte! ... Aber was ist mit ihm, und wo wäre er ohne uns, die Väter und mich? Ist er kurz von Gedächtnis? Hat er vergessen des Menschen Qual und Mühsal um seinetwillen, und wie Abraham ihn entdeckt und hervorgedacht ... Hat er des Bundes vergessen, daß er mit seinen Zähnen auf mich knirscht und sich gebärdet, als wäre ich sein Feind? Wo ist meine Übertretung und Missetat? ... Spottet er des Menschengeistes, daß er im Übermut umbringt die Frommen und Bösen? Aber wo wäre denn er auch wieder ohne den Menschengeist? Eliezer, der Bund ist gebrochen ... *Gott hat nicht Schritt gehalten* – verstehst du mich wohl? Gott und Mensch haben einander gewählt und den Bund geschlossen, auf daß sie recht würden einer im anderen, was sie sind, und heilig würden einer im anderen« (II,258 f.).

4. Jakobs Hiobrede zeigt dann am Ende des Kapitels (»Jaakob trägt Leid um Joseph«), daß die Kraft des Bundes gerade darin besteht, das erfahrene Leid, das Opfer des Sohnes (hier, wie durchgängig im Josephsroman mit christologischem Anklang und in ntl. Sprache[43]), wiederum in die Gottesrelation hineinzubeugen[44]. Das Wechselverhältnis des Bundes trägt und erträgt die Gottesklage, versteht Gott also zugleich als majestätisches Gegenüber wie als sich in der Menschwerdung des Menschen mitentwickelnden und zu bean-

---

43. Vgl. II, S. 61: »Hat Gott seinen einigen Sohn dahingeben müssen ...« – Zu den christologischen Bezügen vgl. die Materialsammlung von *T. Schramm:* Joseph-Christus-Typologie in Thomas Manns Josephsroman, in: Antike und Abendland 14 (1968), S. 142–171. – Für *Th. Manns* mythische Gesamtsicht ist sehr sprechend die Stelle im Wagner-Aufsatz von 1933, in: Leiden und Größe der Meister, a.a.O., S. 725, 726: »Die Perspektive reißt auf bis ins Erste und Früheste menschlichen Bildträumens. Tammuz, Adonis, die der Eber schlug, Osiris, Dionysos, die Zerrissenen, die wiederkehren sollen als der Gekreuzigte, dem ein römischer Speer die Seitenwunde reißen muß, auf daß man ihn erkenne, – alles, was war und immer ist, die ganze Welt der geopferten, von Wintergrimm gemordeten Schönheit umfaßt dieser mythische Blick.« Genannt sei in diesem Zusammenhang auch die *Lutherstelle,* auf die *T. Schramm,* a.a.O., S. 142, hingewiesen hat: »Joseph in Egypten, wie Gen. am 41. geschriben stehet, ist auch gewesen eine figur Christi. Denn Joseph wird von seinen eigenen bruedern vorkaufft, dornach durch die Hure, des Putiphars, des Hoffmeisters Weib, als er ihr nicht folgen wil, so belogen, das er ins gefengnis geworffen wirdt. Dornach als Joseph lang im gefengnis gelegen, kompt gott und bringet ihn zw solchen ehren, das er mus Herr und fuerst werden ueber gantz Egyptenlandt« (Predigten 1526, WA 20, 362, 36–41).

44. Damit kehrt Jakob die Gottesverteidigung Eliezers als Vorwurf gegen Eliezers Gottesverständnis, weil er, Jakob, Verteidigung und Tröstung nötig habe, niemals Gott! Denn Gott ist »noch über Gott ... ewig noch über sich selbst!« (II, 262). Klingt diese letzte Wendung durchaus nach mystischer Gotteslehre, so ist doch Th. Manns Theologie nicht mystisch geprägt, sie sucht nicht Einheit oder Identität, sondern Weltgestaltung – und dazu dient der Bundesgedanke. – *Mieth,* a.a.O., S. 77 f., 193, erinnert in anderem Zusammenhang an Meister Eckhart, um eine mögliche geistesgeschichtliche Wurzel für Th. Manns Gotteslehre zu erhellen.

spruchenden Partner. Th. Mann hat diese – darin implizit angelegte – Doppelung und Dynamisierung seines Gottesgedankens nicht weiter analysiert, wohl aber hat er ihr anthropologisch stärksten Ausdruck gegeben in Passagen, die an lutherische Theologie erinnern[45]. Gottesentdeckung im Bund mit dem Höchsten bedeutet »Gottesfurcht« (II,43), aber zugleich »Vertraulichkeit und Freundschaft« (II,44), kurz: ein »simul« von Fürchten und Lieben Gottes; in der mythisch-humorigen Sprache des Josephsromans lautet das dann so: »und tatsächlich hatte Urvater zuweilen eine Art gehabt, mit Gott umzugehen, die das Erstaunen von Himmel und Erde hätte erregen müssen, ohne die Berücksichtigung der verschränkten Besonderheit dieses Verhältnisses. Wie er zum Exempel den Herrn freundschaftlich angelassen hatte beim Untergange von Sodom und Amorra, das war in Anbetracht von Gottes furchtbarer Macht und Größe vom Anstößigen nicht weit entfernt gewesen. Aber freilich, wo sollte es anstoßen, wenn nicht bei Gott, – der es gut aufnahm?« (II,44). Wieder im Ernst gesprochen, organisiert sich in Abrahams Gottesentdeckung eine Fassung des Theodizeeproblems, die das Gewicht der Frage nach dem Bösen aufheben kann in eine strukturell theologische Lösung. Die Korrespondenz der »Seelengröße« Abrahams mit dem »Außensein Gottes« (II,44) muß ja doch *alles* auf den »Letzthöchsten« zurückführen, wie es Jakobs Gottesklage schon unter Beweis gestellt hat. So holt Th. Mann die Schöpfungsmacht des *einen* Gottes in die Gottesentdeckung (II,44 f.), und aus der Sicht Abrahams läßt sich das lakonisch in dem Satz formulieren: »Er (sc. Gott) war nicht das Gute, sondern das Ganze« (II,45). Gesteigert aber wird diese theologische Lösung schließlich noch in der wirksam offenen, menschlich nachzuerfahrenden Wortbildung von Gottes *»Außennähe«* (II,46). Zu diesem prägnant gelungenen Kompositum arbeitet sich die Sprache der Erzählung hindurch über Bildungen wie: »Gottes Größe ... außer ihm« (II,43), Gottes »Außensein« (II,44) und »Außengröße« (II,46); auch wirkt hier wiederum die »höhere Abschreibekunst« mit, denn Th. Manns zweiter atl. Ratgeber, Joh. Hempel, hatte den Glauben Israels mit der »Formel Abstandsgefühl: Verbundenheitsgefühl« bezeichnet[46]. Der Roman nutzt diese wissenschaftliche Information und vertieft sie – über die mythische Gottesentdeckung des Urvaters – durch ein literarisch realisiertes, menschheitsgeschichtlich aufgeklärt angelegtes Gottesbild. Die aufgeklärte Perspektive geschieht im Namen Josephs[47], des

---

45. *Mieth,* a.a.O., S. 139, verweist in anderem Zusammenhang auf Th. Manns Stellung zu Luther; vgl. zu »Thomas Manns Lutherbild« bei *H. Lehnert,* a.a.O., 1965 (s. Anm. 9), S. 140–223.

46. *Joh. Hempel:* Gott und Mensch im Alten Testament. Studie zur Geschichte der Frömmigkeit, Stuttgart 1926, S. 3, 173 ff.; vgl. zu dieser Anknüfung bei *Mieth,* a.a.O., S. 76 f. und Anm. 16.

47. Hierzu ist noch einmal auf die Erzählschichten hinzuweisen, wie sie exemplarisch auch für die humanisierende und aufklärende Intention in der Erzählung ›Die Prüfung‹ (I, 101 ff.) voneinander abzuheben sind (s. Anm. 42). Jakob schon, der sich noch mit Abraham religiös und direkt identifizieren möchte, »versagt« (I, 104) vor dem geforderten Opfer im Namen Gottes, Joseph humanisiert diese Gottesgeschichte endgültig, sie ist ein »Greuel« (I, 105) und gehört als solches

selbstbewußten, herkunftskritischen, Verantwortung lernenden und zivilisationsgeprägten Spätlings, der sich in der Gottesentdeckung Abrahams seiner unaufgebbaren Vorgeschichte versichert. Aus der Perspektive Abrahams gesagt: Mit Gott »verbunden ... durch die Erkenntnis und geheiligt durch Gottes erhabenes Du- und Da-Sein« (II,46). Beides: Gottes Gegenüber und seine unbedingte Menschlichkeit bindet der harte und schöne Ausdruck von Gottes »Außennähe« zusammen.

5. Selbst in dieser Gottesbenennung beruhigt sich die Entdeckung Abrahams nicht. Das »Hervordenken« nämlich gerät – atl. konsequent – in eine selbstbezügliche Brechung, was den Vorgang der mythisch angelegten Erzählung betrifft. Denn der biblischen Entmythologisierungstendenz[48] nun doch Respekt verschaffend, muß konstatiert werden: »Es gab von Gott keine Geschichten!« Der Mythos der Religionen und Götter ist unterbrochen durch die »Geschichtenlosigkeit« von Abrahams Gott (II,47). Aber, wo Mythos und monotheistische Aufklärung aufeinandertreffen, da tritt nicht Schweigen ein, sondern ein anderer Modus des Erzählens, der einem entscheidend Neuen gerecht werden muß: Gottes Geschichte betrifft die »Zukunft«[49]. Mit dieser eschatologischen Wendung wird Th. Mann der atl. Theologie wahrhaft gerecht – auch wenn sich dies nur als eine Überwältigung des vom Autor beabsichtigten mythischen Programms durch die biblischen Quellen begreiflich machen lassen sollte[50] –, und der Roman grundiert von hier aus alle seine theologischen Bezüge mit dem geschichtsoffenen Gottesgedanken. Jetzt erst

---

Exempel erzählt und interpretiert. Vgl. dazu auch *Th. Manns* Selbstinterpretation im Vortrag von 1942, in: Rede und Antwort, a.a.O., S. 115: »Aus dem Ursprünglichen und Einfach-Vorbildlichen, dem Kanonischen führte es ja ins Komplizierte, Verwickelte, Späte ...«; vgl. ebd., S. 116 zu »Gottesgreuel« und »Gottesdummheit«.

48. Zur Weiterführung des Entmythologisierungsaspekts in der Unterscheidung Joseph – Pharao vgl. bei *Mieth,* a.a.O., S. 93; prinzipiell zu Aufklärung und Mythos ebd., S. 40; zur Bedeutung der Träume – wiederum in der Differenz Joseph – Pharao ebd., S. 111 f.

49. Auch die theologischen Informationen zur Eschatologie können von *Joh. Hempel* bezogen sein, vgl. *Hempel,* a.a.O., S. 184 f. Anm.; vgl. aber vor allem Th. Manns Notiz, die sich im Zusammenhang seiner Mereschkowski-Exzerpte findet und die von *H. Lehnert,* Vorstudien, a.a.O. (s. Anm. 9), 1963, S. 502, mitgeteilt wird: »Das Neue, das Israel bringt, ist der *Gedanke der Zukunft.* Osiris *war,* Tammuz *war,* aber Messias wird sein«. – *H. Blumenberg:* Arbeit am Mythos, a.a.O. (s. Anm. 33), S. 158, Anm. 33, ist der Hinweis von H. Lehnert wichtig, Th. Mann habe von Max Weber den Gedanken aufgenommen, daß der Monotheismus Israels notwenig eine Theogonie ausschließe (vgl. dazu *H. Lehnert:* Vorstudien, a.a.O., 1963, S. 512 f. (Blumenberg gibt hier fälschlich den Jg. 1966 an). – Es ist jedenfalls deutlich, daß Th. Mann hier der atl. Entmythologisierung ohne Abschwächung gerecht wird, und dies veranlaßt auch *G. von Rad,* in: Gottes Wirken in Israel, a.a.O., S. 302, Anm. 22, seine theologische Kritik unter Vorbehalt zu stellen – was aber nur den Wert einer Fußnote und keine Rückwirkungen auf seine Gesamtinterpretation hat.

50. Nach *Mieth,* a.a.O., S. 198, geht Th. Mann in seinen Texten über die eigene theologische Intention hinaus. Die Gesamtinterpretation des Josephsromans, die dadurch bei Mieth einen charakteristischen Bruch erfährt (s. Anm. 8), sollte vielleicht umgekehrt von diesem atl.-theologischen Überschuß ausgehen und ihn in die Intentionen des Autors hineinzunehmen wagen. – Auch

bekommt die Formel: »Mythos ist Aufklärung«[51] ihre entschieden theologisch-kritische Seite. Was Th. Mann bewußt durch die *Psychologisierung*[52] der Charaktere, über den biblischen Stoff hinausgehend und aufklärend gegenüber der eigenen Mythisierung der Räume und Zeiten, leistet, das geschieht *theologisch,* indem die gerade nicht menschenverachtende Zukunft Gottes den mythischen Kreislauf von Typisierung und Wiederholung entkräftigt. Genau dies trifft Th. Manns proklamiertes »humanes Interesse«, das das »Religions- und Mythengeschichtliche« durchdringen soll[53], mit anderen Worten: kritisch aufklärt, und dafür ist die atl. Eschatologie der theologische Impuls in der Gottesentdeckung Abrahams.
Aber auch diese Dimension erfährt noch eine weitere Profilierung dadurch, daß Th. Mann die theologischen Konsequenzen nun doch auch des Gottesgedankens nicht auf sich beruhen läßt. Wenn von Gott zu erzählen heißt, seine Zukunft ins Spiel zu bringen, dann gehört zu der damit offenen Verwirklichung die Erfahrung utopischer Differenz: ein »Zug von Erwartung und unerfüllter Verheißung«, ein »Leidenszug« (II,48). Der »harrende Gott der Zukunft« (II,50) ist folglich unabgeschlossen kommend, und diese Spannung, diesen »Zug des Noch-Nicht« faßt das Abraham-Kapitel kurzerhand in den Satz: »Gott litt« (II,49)[54].
Nehmen wir hinzu, daß bereits im Schlußabschnitt des »Vorspiels« vom Gott der Zukunft die Rede geht, dessen »Dinge im Werden waren« (I,50), und daß Th. Mann, den Josephsroman interpretierend, sogar explizit sagen kann: »auch Gott unterliegt der Entwicklung, auch er verändert sich«[55], so darf diese Gotteslehre, weitergehend als Th. Mann selbst es hat sehen können, mit *der* Religionsphilosophie in ergänzenden Vergleich gebracht werden, die zur selben Zeit sich gezwungen sah, den Gottesbegriff derart zweifach zu fassen: in Gottes ewiger Ursprünglichkeit und in Gottes mitleidender Entwicklungsfähigkeit – ich meine *A. N. Whiteheads* Ableitungen von Gottes Ur- und Folgenatur in »Prozeß und Realität« (1929)[56].
Rückgreifend auf die zuvor als anthropologisch herausgestellten Implikationen der Gottesentdeckung, lesen sich jetzt Stellen über »das Plötzliche und Grauenhafte« wie das »segenvoll Regelmäßige« Gottes (II,42), über »Gottesfurcht« (II,46) und »Vertraulichkeit« (II,44), schließlich über »Seine Außennähe« (II,46) noch einmal in anderem und genauerem Licht. Daß, von Th.

G. von Rad, a.a.O., S. 302, muß natürlich zu der Lösung neigen, daß »der alte Stoff den Dichter gewissermaßen übermocht« habe!
51. S. o. Kap. II, 1 u. 2.
52. Sehr schön zusammengefaßt von *Mieth,* a.a.O., S. 32 f.
53. Vgl. *Th. Manns* ›Fragment über das Religiöse‹ (1931), in: Über mich selbst, FA 1983, S. 375.
54. Vgl. die Darstellung dieser Textzusammenhänge bei *Mieth,* 79 ff.
55. ›Joseph und seine Brüder‹, (1942), in: Rede und Antwort, FA 1984, 115.
56. *A. N. Whitehead:* Prozeß und Realität. Entwurf einer Kosmologie. Frankfurt am Main, 2. Aufl. 1984, bes. 5. Teil.

Mann her gesehen dazu und den religiösen Sprachraum vorbereitend und aufbauend, die mythischen Hintergrundwelten in Fülle adaptiert werden mußten, ist als Wagnis und rücksichtslose Erfahrungsöffnung zu werten, die sich nichts verstellen und vormachen lassen will. Um auch dies mit Whiteheads Religionsphilosophie zu parallelisieren, hierzu dessen Sentenz: »Die Philosophie darf nicht die Mannigfaltigkeit der Welt vernachlässigen – die Feen tanzen, und Christus wird ans Kreuz geschlagen«[57].
Gottesentdeckung – das ist Menschwerdung und Gottwerdung im Wechselverhältnis des Bundes[58], in Nichtidentität und Zusammenhang. Die respektvolle und wachsame Beachtung *dieser* Weiterentwicklung macht geradezu Th. Manns religiöses Bekenntnis aus, zu dem er sich – nicht zuletzt durch die Arbeiten am mythischen Roman! – doch durchringen und bereit finden konnte: Religiosität »ist *Aufmerksamkeit* und *Gehorsam;* Aufmerksamkeit auf innere Veränderungen der Welt, auf den Wechsel im Bilde der Wahrheit und des Rechten; Gehorsam, der nicht säumt, Leben und Wirklichkeit diesen Veränderungen, diesem Wechsel anzupassen und so dem Geiste gerecht zu werden«[59].

IV. Das kritische Verhältnis

Abrahams Gottesentdeckung bleibt für den Josephsroman bodenständig und dient so der religiösen Fundierung und Identifikation der aufgeklärt-intellektuellen Position Josephs. Traumdeutung und Staatsklugheit verdanken sich in Josephs Karriere nicht dunklen Geheimmächten, sondern der besseren Übersicht, und taktisch geschickt und beharrlich spielt er das noch gegen Pharaos Reformreligion aus. Th. Mann hat – hierin einmal ganz unhistorisch – bewußt einen religiösen Grundsatzdisput (in erhabenem, königlichem Stil) zwischen Joseph, dem geistlichen Erben Abrahams, und Echnaton (Amenophis IV.), dem Kulturerben Äygptens, in der »Kretischen Laube« arrangiert[60]. Die Szene

---

57. A.a.O. 604.

58. Vgl. *Mieth,* 94f.

59. Rede und Antwort, a.a.O. 115; dazu parallel, wenn auch noch nicht so präzise formuliert, ist die Stelle im Brief an K. Kerényi (vom 7. X. 36), Gespräch in Briefen, a.a.O. 75: »Religion als Gegenteil der Nachlässigkeit und Vernachlässigung, als acht geben, beachten, bedenken Gewissenhaftigkeit, als ein *behutsames* Verhalten, ja als metus und schließlich als sorgend achtsame Empfindlichkeit gegenüber den Regungen des Weltgeistes«.
Daß diese Definition des Religiösen ihre Schwächen hat, daß sie sozusagen zu großflächig angelegt ist gemessen am einzelnen Leben, soll hier nur am Rande vermerkt werden. Eine Szene des Josephsromans, an der diese Grenze vielleicht sichtbar werden kann, ist die ästhetisierende Rolle Josephs zu »Mont-kaws bescheidenem Sterben« (III, 313ff.). Ästhetik ist nicht Moral (vgl. Mieth, 166 Anm.), vor allem aber längst nicht selbsterfahrene Wirklichkeit, sondern ein – hier humoristisch gesuchter – Zugang zu dieser.

60. Drittes Hauptstück des vierten Romans (IV, 133ff.). Vgl. zur historischen Konstruktion *H. Mayer,* a.a.O. (s. o. Anm. 25), 210ff. Während die Josephszeit mit der Zeit der Hyksos in Ägypten (um und nach 1700 v. Chr.) verbunden werden muß, und das entspricht der 15./16. Dynastie, vgl. *J. H. Breasted:* Geschichte Ägyptens. Wien 1936, 326f., ist Echnaton (Amenophis IV.) auf 1370–1352

wird beherrscht von Josephs humorvoll plaudernder und in jedem Schritt überlegener Gesprächsführung, die sich in ihrem theologischen Kern auf Abrahams Ichwerdung und Gottesentdeckung beruft, die Entdeckung des »Letzthöchsten« (IV,191 ff.) – und dies wird jetzt souverän von allem orakelhaft Dunklen abgehoben (IV, 149 ff.). Gerade die Abrahamsreligion soll als »Gottesverstand« und »Gottesvernunft« ins Licht kommen, verbunden mit geistiger Freiheit, in der sie wuchs: »daß sich das Bindend-Musterhafte des Grundes mit der Gottesfreiheit des Ich erfülle« (IV,151)[61]. Theologische Aufklärung kommt zustande, weil aus den mythisch-räumlichen Sphären des Oben und Unten, der Abrahamsreligion und Äygptens, eine zukunfts- und verwirklichungsoffene Vermittlungsfigur aufscheint im »Geheimnis« der »Vereinigung« von Geist und Natur: »zur Gegenwart eines Menschentums, das gesegnet wäre« (I,47). Deshalb kann Joseph der letztlich verfehlten Reformtheokratie Echnatons mit Abrahams Gottesbund entgegentreten, denn dieser verlangt Weltgestaltung in der *gegenseitig* verpflichtenden Heiligung (IV,180 ff.). Ins mythisch-religiöse Gespräch vertieft, setzt Joseph aufklärend den biblischen Akzent der *Außennähe* Gottes: »Der ihr (sc. der Sonne) aber die Wege wies, ist ferner als fern und doch nah in demselben Maß – näher als nah« (IV,197).
Aus den mythischen Mustern und Vätergeschichten ist die Lehre der Menschwerdung und Gottesvernunft zu ziehen, dazu dienen jene, und dazu werden sie durch Ironie und Humor im Vorgang des Erzählens. Das »Fest der Erzählung« – und Joseph bereitet es hier vor Pharao![62] – ist im Gange und eben der Roman selbst: des »Lebensgeheimnisses Feierkleid« (I,52). In dieser mythischen Wiederholung und theologischen Belehrung kann daher am Ende die Übernahme von Gen 50,19 f. (»... Ihr habt Böses gegen mich im Sinn gehabt, Gott aber hatte dabei Gutes im Sinn ...«) auch den Josephsroman dominieren: Joseph ist keineswegs wie Gott (IV,550), *der* nämlich hat Regie geführt, und die Brüder hatten darin die schlechteren Rollen. Ziel aber kann nur die Zukunft der Menschen, nicht die tyrannische Gebärde eines Mächtigen sein[63]: »Denn ein Mann, der die Macht braucht, nur weil er sie hat, gegen Recht und Verstand, der ist zum Lachen. Ist er's aber heute noch nicht, so soll er's in Zukunft sein, und wir halten's mit dieser« (IV,550 f.).

(18. Dynastie) zu datieren (Th. Mann hat das Werk von Breasted benutzt, vgl. *H. Lehnert,* 1966, a.a.O. (s. o. Anm. 9), 400).
Was H. Mayer offenbar nicht einbezieht ist die Tatsache, daß auch diese Geschichtskonstruktion auf *A. Jeremias* zurückweist, der diese Verbindung nahelegt, vgl. Jeremias, a.a.O. (s. o. Anm. 35), 351 f.; darauf wiederum hat *M. Dierks,* a.a.O. 246 hingewiesen.

61. Vgl. dazu auch *Mieth,* 86 ff.
62. Vor allem glänzend im Gesprächseinstieg mit der Erzählung von Jakob und Esau (IV, 159 ff.)!
63. Vgl. dazu *Th. Mann*s politische Bezugnahmen und die Friedensutopie im Vortrag zum Josephsroman von 1942, in: Rede und Antwort, 117: »... daß wir ›den Frieden gewinnen‹ werden. Das Wort ›Friede‹ hat immer religiösen Klang, und was es meint, ist ein Geschenk der Gottesklugheit.«

Aus dem erzählten Mythischen heraus bildet sich der Kontrast von »Gottesdummheit« und »Gottesklugheit«[64], überholter Vorzeiterfahrung und wacher Gegenwartsgestaltung. Damit ist der Mythos nicht rationalistisch ausgerottet, sondern, wie Adornos »Ästhetik« – auch im Blick auf Th. Mann – formuliert hat, »besänftigt«[65]; oder anders: »Das Epos ahmt den Bann des Mythos nach, um ihn zu erweichen«[66].

Mythos und Kritik – das ist folglich eine Sache auf Gegenseitigkeit, und es könnte die Proportion aufgestellt werden, daß sich kritische Aufklärung zum Mythos verhält wie Literatur zur Theologie. Die Sach- und Sprachkundigkeit des einen gilt damit als unentbehrlich für die hergebrachten – und darin ebenso unentbehrlichen – Weltorientierungen des anderen. Doch kann es bei dieser kompromißhaften Verhältnisbestimmung nicht sein Bewenden haben. Denn sie zeigt zwar die Kompliziertheit unseres gebrochenen Traditionszuganges (dem sich Th. Mann mit allem Ernst gestellt hat), nennt aber noch kein Kriterium für eine kritische Bewertung oder Entscheidung im umstrittenen Fall. Ich versuche dazu drei Thesen zum Abschluß:

1. Die vorgeführte literarisch-theologische Bearbeitung des Mythischen zeigt dieses als Ingredienz von Religion, sofern versucht wird, die Abständigkeit des mythischen Welterfahrens wieder anzunähern, um ein Stück Religiosität als menschlich wesentliche Haltung und Verantwortlichkeit wieder ins Recht zu setzen. Es ist evident, daß für Th. Mann dabei nicht theoretisch erst die Rationalität des Mythos nachgewiesen werden muß[67], sondern danach gefragt wird, was *Macht* über die Menschen hat und wie damit umzugehen sei. Das entspricht eher einer geschichtsphilosophischen als einer theoretischen Einstellung.

2. Das bedeutet für den Mythos: Er kann nicht mehr unbesehen zur Wirkung kommen oder einfach als solcher übernommen werden, sondern er bedarf eines kritisch bewußten Rahmenwerkes, das sich umgekehrt seiner selbst versichert, indem es die mythischen Sprachmöglichkeiten bearbeitend umzusetzen versucht. Das tut Th. Mann, indem er einerseits über das Mythische Sprachzusammenhänge und Weltorientierungen neu erschließt, und indem er andererseits und zugleich damit in theologischer Aufklärung die *»Fleischwerdung des Mythos«*[68] betreibt.

3. Die eigentliche Problemstellung lautet dann: Theologie und Religion,

---

64. A.a.O. 116; vgl. dazu *Mieth,* 88 f., 103 ff., 109, und die vielfältigen Belege in Josephs Auftreten vor Pharao; vgl. auch oben in Anm. 42 u. 47 zur mehrschichtigen Interpretation von Gen 22.

65. *Th. W. Adorno:* Ästhetische Theorie. Ges. Schriften 7. Frankfurt am Main 1970, 277.

66. *Adorno,* Noten zur Literatur, a.a.O. (s. o. Anm. 16), 35.

67. Vgl. das gegenteilige Unternehmen von *K. Hübner:* Die Wahrheit des Mythos. München 1985, hierzu vor allem die Bezüge zu den Arbeiten von E. Cassirer und zum französischen Strukturalismus, bei Hübner, 61 ff., 66 ff. Ergebnis kann hier immer nur eine mehr oder weniger plausibel nachgewiesene Strukturanalogie von Mythos und Wissenschaft sein.

68. *Th. Mann,* ›Über den Joseph-Roman‹ (1928), in: Rede und Antwort, 98.

wovon Mythos und Kritik, Literatur und Mythos Teilbereiche abdecken; diese aber könnten modellhaft sein für die *Humanisierung*[69] der religiösen Tradition und unsere Aufklärung durch deren Wiederaneignung.

69. Vgl. als Hauptbeleg bei *Th. Mann* im Vortrag von 1942, in: Rede und Antwort, 106.

Vom Mythos zu den Medien
Christliche Identität im konsensuellen Wandel
Wolfgang Nethöfel

Das[1] gegenwärtig neuerwachte Interesse am Mythos entspringt einem ungestillten Bedürfnis nach religiöser Orientierung. Das ist in einer christlich geprägten Kultur allemal Anlaß zu theologischer Selbstkritik. Denn was wissen wir wirklich über die Entstehung christlicher oder auch nur religiöser Identität? Nun soll diese theologisch-selbskritische Frage die Frage nach dem Mythos, jenem schillernden Objekt der Begierde, nicht ersetzen. Ich bin überzeugt, daß gerade am Leitfaden dieser zweiten Frage eine theologische Selbstorientierung möglich ist, die in der zunehmend von elektronischen Medien bestimmten Gegenwartssituation des Christentums das aktuelle Interesse am Mythos in sich aufhebt und die Mythosdiskussion trotz ihres weiten Kontexts weiterhin theologisch zu thematisieren erlaubt. Gegenwärtig erleben wir, wie die einen die Wiederkehr des Mythos begrüßen, als enthalte er die Botschaft noch, die erst eine entmythologisierende Auslegung aus ihm entfernt habe. Andere klammern sich an solche Verfahrensweisen moderner Theologie, als ob mit ihrem Ende: in einem elektronischen Zeitalter die Botschaft des Evangeliums unhörbar werden müßte im multimedialen Lärm neuer Mythologien. In solch einer verwirrenden Situation stellt sich die theologische Aufgabe, zwischen *verbum internum* und *externum Dei* zu unterscheiden. Sie wird mit Recht schon in den Prolegomena der Dogmatiken angesprochen – aber ebenso mit Recht wird dort, wenn schon nicht immer auf die Trinitätslehre, so doch vorausverwiesen auf die Menschwerdung Gottes und auf die Rechtfertigungslehre. Es entspricht protestantisch-theologischer Tradition, sich von dorther zu kritischer Sachlichkeit befreien und gleichzeitig in die Pflicht nehmen zu lassen, den Weg durchs Material auch zu gehen. Und es ist meine durch erneute Erfahrung begründete Überzeugung, daß nur dieser Weg theologisch ertragreich ist. Ich mußte dazu allerdings diesmal in weit auseinanderliegenden Fachgebieten eine in Bewegung geratene Forschungslage in ihrem Richtungssinn interpretieren, und ich habe mich von diesen Einschätzungen in meinem systematisch-theologischen Überlegungen stark abhängig gemacht. Mir scheint das Ergebnis das Risiko wert zu sein – vor allem wegen der systematisch- und praktisch-theologischen Forschungs- und Handlungsperspektiven, die sich von ihm aus erschließen.
Auf dem Weg dorthin verlasse ich jedoch nach meinem Einleitungsteil (I) zunächst den Mythos. Denn er ist das Standardmedium oraler Tradition, während das Christentum von seinen Ursprüngen und seinen ersten Auspräg-

1. In einzelnen Formulierungen greife ich Fragen und Gespräche im Anschluß an den Vortrag auf.

gungen her Produkt einer semiliteralen Gesellschaft ist. Auch wegen dieser komplizierten Zwischensituation werde ich (in Teil II) zunächst ein exegetisches und hermeneutisches Minenfeld durchqueren müssen, um in die Neuzeit zu gelangen. Dort allerdings ist die Prägung christlicher Identität durch den Übergang von der literalen zur technisch vermittelten Identitätsbildung gekennzeichnet. Unsere theologische Kultur ist noch weitgehend von der Verarbeitung dieser Differenz bestimmt. Dies wird (in Teil III) zu bedenken sein, weil sonst der Schlußteil (IV) ohne Fundament bleibt, in dem ich mich dem gegenwärtigen Kulturwandel durch elektronische Medien zuwende. In jedem Teil betrachte ich nach diesen wechselnden Voraussetzungen das Christusparadigma in seinen verschiedenen medialen Erscheinungsformen und skizziere dann Umrisse eines theologischen Paradigmas als Verstehenshintergrund dieser Formen und ihrer Veränderung.

I.

Was wissen wir eigentlich über den Mythos[2]? Lassen Sie mich kurz in Erinnerung rufen: Die traditionellen philologischen Schwierigkeiten der Mythosinterpretation sind nicht wirklich überwunden. Sie betreffen einmal den Begriff des Mythos, sofern er unter Berufung auf antike Quellen dem Logos entgegengesetzt wird[3]. Orientieren wir uns nämlich an diesen Kontexten, so ergibt sich ein verwirrender Befund. In vielen Fällen ist ein Handlungszusammenhang als Absicht, Vorgang oder Bericht gemeint – also eigentlich ein Logos. Dem entspricht, daß einige der uns wohlbekannten Mythen »*(hierós) lógos*« genannt werden konnten. In anderen Texten wiederum begegnet Logos deutlich als Gegenbegriff zum Mythos. Dabei wird dieser allerdings nicht durch ein definitorisches Gattungs-, sondern eher durch ein kontingentes Merkmal gekennzeichnet: Er entstammt einem unglaubwürdigen Überlieferungszusammenhang. Während so alles Mythos (wie Logos) sein kann, macht in einer anderen Gruppe von Texten der Kontext den Bezug so eindeutig, aber für eine traditionelle Gattungsbestimmung so unfruchtbar wie möglich: Mythos ist das, was Homer und Hesiod, später Herodot und Plutarch und die Verfasser einiger anderer kanonisierter Quellenschriften überliefert haben. Die traditionellen Schwierigkeiten betreffen sodann, ausgehend von der Bedeutung der Begriffe, das Verstehen der Sache des Mythos. Es ist nach wie vor schwierig herauszufinden, was die Substantive im Mythos bzw. die Namen der Götter jeweils bedeuten sollen. Und es ist schwierig, exakt zu erfassen, welchen Vorgang die Verben, besonders die Verben des Entstehens

---

2. Dieser Einstieg ins Thema ist näher aufgeführt in: Mythos und Logos – systematisch-theologische Erwägungen (Loccumer Protokolle 62), 1986.

3. Vgl. z. B. *Walter Burkert*: Art. Mythos, Mythologie I: Antike, in: HWP 6 (1984), S. 281–283; *Marcel Detienne*: Mythologie ohne Illusion, in: *Claude Lévi-Strauss/Jean-Pierre Vernant u. a. (Hg.)*: Mythos ohne Illusion (franz. 1980), Frankfurt 1984, S. 12–46.

und Werdens, in einem Mythos beschreiben. So wissen wir bei vielen klassischen Texten nicht, ob uns eine alte Geschichte von der Geburt eines göttlichen Wesens oder eine begriffliche Theorie vorgetragen wird, die einen neuen Sachverhalt erschließt.

Der Fortschritt der neueren Mythosforschung in Klassischer Philologie und Ethnologie hat die alten Schwierigkeiten nicht etwa beseitigt. Er bestand eher darin, sie zu radikalisieren und in Schwierigkeiten neuer Art hineinzuführen. Viele der heutigen Interessenten verbindet noch das überkommene Verständnis von Mythos, das man in Anlehnung an Hermann Gunkel auf die Kurzformel »heilige Göttergeschichte« bringen könnte. Denn so wäre der Mythos eine nach Funktion, Inhalt und Form wohldefinierte Gattung[4]. Aber an dieser Formel stimmt nichts ganz – was den Verdacht mindestens nahelegt, sie könne ganz und gar nicht stimmen. »Mythos« kann bei den Griechen alles, von der Weltentstehung über einen beliebigen Vorgang bis zum schlechten Witz zum Gegenstand haben; er kann im Epos wie in Prosa, in der Tragödie wie in der Komödie überliefert werden, als Geschichte entfaltet, im Nebensatz zusammengezogen, komprimiert zum Epitheton – und dieses Spektrum läßt schon erwarten, daß er ebenso feierlich deklamiert wie einfach wiedergegeben, andachtsvoll überliefert wie lächerlich gemacht oder verachtet werden kann: daß er, so scheint es jedenfalls, privat wie öffentlich von praktisch jedermann im Munde geführt werden konnte: undefinierbar.

Der ethnologische ergänzt diesen altphilologischen Primärbefund. »In einem Mythos kann alles vorkommen«, stellte Claude Lévi-Strauss 1955 in seinem bahnbrechenden Aufsatz »Die Struktur der Mythen« fest. Skeptisch war er damals auch gegenüber Mythosdefinitionen von psychischen oder sozialen Funktionen her. Seine strukturale Analyse sollte ihm allerdings helfen zu »verstehen, daß sich die Mythen von einem Ende der Welt zum anderen einander so sehr ähneln«[5]. Inzwischen wankt auch hier der Boden. Heute fragt z. B. der Afrikanist Pierre Smith nach einem Versuch von Gattungsbestimmungen an einem umfassenden Korpus von mündlichen Erzählungen: »Wo sind da überhaupt die Mythen?« Und er antwortet: »Nirgends, wenn man damit eine bestimmte Gattung meint. Überall ein bißchen, wenn man verschiedene Erzählungen meint, in denen sich die Strukturen mythischen Denkens

---

4. Dies zeigt gerade der Neubestimmungsversuch von *Clemens Petersen*: Mythen im Alten Testament. Bestimmungen des Mythosbegriffs und Untersuchung der mythischen Elemente in den Psalmen (BZAW 157), Berlin 1982; Gunkel spricht zwar gelegentlich nur von Göttererzählung im Unterschied zur Erzählung von Menschen (Sage), er zieht dann aber in diese Form-Differenzierung die Bestimmung der sozialen Funktion hinein, das Heilige zu vergegenwärtigen. Auf nichts anderes zielt die nachgetragene Bestimmung: »(W)as Gott und Göttern zukommt, ist gewaltiger, als was man Menschen zutrauen mag. Im Mythos also gelten andere Voraussetzungen, andere Dimensionen als in der Sage« (Die israelitische Literatur, 1925, Nachdruck Darmstadt 1963, S. 16). Das ist präzise die von Peterson vermißte besondere Zeitdimension des Mythos.

5. Strukturale Anthropologie I (franz. 1958), Frankfurt/M. 1967, S. 228.

unterschiedlich verkörpern.« Ihm scheint – so das Fazit – »die traditionelle Verwechslung dieses Begriffs mit einer besonderen Erzählgattung nicht angebracht«, und er fordert, »gründliche Untersuchungen von Gattungen und Themen vorzunehmen, denen das Glück nicht zuteil geworden ist, mit jenem griechischen Namen getauft zu werden«[6]. Kennzeichnend für die Situation sind die Minimal- bis Paradoxbestimmungen der Fachleute: »ein Komplex von traditionellen Erzählungen«[7], »die Rückseite, das Andere des wahren Diskurses, des logos« für die Antike; und für heute einfach: »ein Begriff, den die Anthropologen ... der intellektuellen Tradition des Abendlandes entlehnt haben«[8].

Was wissen wir über den Mythos? Für den Ethnologen löst sich dieses Wissen auf in der Konzentration auf bestimmte Themen, die gerade durch die Vielfalt ihrer Vermittlungsformen als Brennpunkt sich überlagernder Bedeutungen die Aufmerksamkeit auf sich ziehen. Auch so kann christliche Identität in den Blick genommen werden. »Um aus einem Kind z. B. einen Christen zu machen«, erläutert Pierre Smith diese Sichtweise,

> begnügt man sich nicht damit, ihm die Evangelien und Auszüge aus der Bibel vorzutragen, sondern man bringt ihm auch Gebete und die Zehn Gebote, kirchengeschichtliche Dogmen, das Leben der Heiligen, den Katechismus und die Moral bei; es werden ihm Strafpredigten gehalten, Exerzitien auferlegt und die Paulusbriefe vorgelesen; es wird zur Messe geschickt, man läßt es beichten und an Prozessionen und Zusammenkünften teilnehmen; man läßt es singen und gibt ihm fromme Bilder etc. Auf diese Weise erscheint der Inhalt der einzelnen Indoktrinationsformen subjektiv durch die Gesamtheit der anderen bestätigt,

folgert der Ethnologe, »und das mytische Denken kann sich in einem relativ geschlossenen Kreislauf entwickeln«[9]. – Ein Bild, dem man einen gewissen Realitätsgehalt sicher nicht absprechen kann. Sicher ist allerdings auch, daß für uns christliche Identität verbunden ist mit der Überwindung dieses Indoktrinationsterrors mythischer Tradition.

Paradoxerweise steht in der abendländischen Traditionsgeschichte auch dabei ein Mythos am Anfang, lediglich ein anderes Bild stellt sich ein: Das Licht der Wahrheit scheint grell in jene dunkle Welt der Vorzeit hinein, und deren Schattenbilder versinken für den, der, in diesem Licht stehend, nach der Wahrheit der Tradition fragt. Platons Höhlengleichnis beschreibt dieses Zusammentreffen zweier Welten als überaus schwierigen und vor allem als schmerzhaften Prozeß. Wir dürfen uns vorstellen, daß draußen Sokrates wartet mit seinem unaufhörlich bohrenden Fragen. Beeinflußt von seinem

---

6. Stellungen des Mythos, in: Mythos ohne Illusion, a. a. O., S. 62, 66.
7. *Walter Burkert*: Griechische Religion der archaischen und klassischen Epoche (Die Religionen der Menschheit 15), Stuttgart/Berlin/Köln/Mainz 1977, S. 32. Zu Burkerts kritischer Wiederanknüpfung an die klassische Gattungsdefinition s. Anm. 14.
8. *Jean-Pierre Vernant*: Der reflektierte Mythos, in: Mythos ohne Illusion, a. a. O., S. 8f.
9. Stellungen des Mythos, in: Mythos ohne Illusion, a. a. O., S. 65.

Torontoer Kollegen, dem Soziologen Harold Adams Innis[10], hat der Altphilologe Eric Havelock Platons Wirken in den Zusammenhang des Übergangs von der mündlichen Überlieferung zur Schriftkultur gestellt[11]. In seinem Kampf gegen die Dichter ist Platon Repräsentant und Anwalt jenes neuen Menschentyps, der vor dem Hintergrund medial fixierter Überlieferung durch Vergleichen und Prüfen die Wahrheit seiner Rede selbst verantwortet und dies auch von anderen fordert – gegen die Überlieferung der Dichter, in der verkörperte: impersonalisierte Sprachmuster direkt eingeprägt werden. Wir müssen, um die ganze Dramatik des Vorgangs zu verstehen, das überhelle Bild draußen vor der Höhle mit der von Platon immer wieder beschworenen Verzauberung kontrastieren, die von jener traditionellen Vermittlungssituation ausgeht. Havelock erläutert nicht nur, wie dabei die Person des Vermittlers zum universalen Signifikanten, ja zur life metaphor für die Kontinuität des Gruppenlebens wird. Er macht auch verständlich, daß das Herausgerissenwerden aus dieser Verzauberung durch Tanz und Gesang der Musen die Menschen wütend und gefährlich machen kann: wie Platons Lehrer am eigenen Leib erfahren mußte.
Wenn man sich in jene von Havelock rekonstruierte idyllische Situation versetzt, in der schriftlose Kulturen überdauernde Informationen vermitteln, versteht man die Sehnsucht nach dem Mythos. Als Christ gerät man in ein Dilemma: So ähnlich müßte ja die Vermittlungssituation des »Urevangeliums« ausgesehen haben. »Wort und Tat Jesu« sind impersonalisierte Botschaft. Und wenn wir den Wahrheitsgehalt jener ethnologischen Ad-hoc-Applikation mythischer Kommunikation auf die christliche Erziehung bedenken, wiederholt sich ja diese phylogenetische Vermittlungssituation tatsächlich in der Ontogenese christlicher Existenz. Schließlich wäre ein systematisch-theologisches Motiv ins Feld zu führen: die Schwierigkeit, christliche Identität ohne irgendeinen Bezug zur Person Jesu als Bild oder Gestalt zu formulieren[12].
Auf der anderen Seite stehen solcher mythischen Identitätsbildung nicht nur theologisch-kritische Bedenken entgegen. Die heraufbeschworenen Bilder mythischer Überlieferungssituationen führen in ziemlich handfeste Orientierungsschwierigkeiten im Umgang mit diesem Phänomen, bei denen die Theologie in guter Gesellschaft ist. Erstens stehen diese Bilder quer zur überkom-

---

10. Vgl. bes. Empire and Communications, Oxford 1950; The Bias of Communication, Toronto 1951.

11. Vgl. bes. Preface to Plato, Cambridge/Mass. 1963. Dem widerspricht Platons Polemik gegen die (Verzauberung durch) Schrift(-muster) nur scheinbar: vgl. *Hans-Georg Gadamer*: Unterwegs zur Schrift?, in: *Aleida* und *Jan Assmann/Christof Hardmeier (Hg.)*: Schrift und Gedächtnis. Beiträge zur Archäologie der literarischen Kommunikation, München 1983, S. 10–19, und zum weiteren hermeneutischen Kontext *Johann Figl*: Text, Tradition und Interpretation. Schriftliche Objektivierung als hermeneutisches Problem in Hans-Georg Gadamers ›Wahrheit und Methode‹, in: Kairos 20 (1978), S. 281–292.

12. Vgl. *Eilert Herms*: Luther und Freud. Ein Theorievergleich, in: WzM 39 (1987), S. 280–297.

menen Gattungsdefinition. Die Inhalte mythischer Kommunikation sind eine Art Grundschulbestand der Stammesenzyklopädie – also eigentlich nur von ihrem Sitz im Leben her zu bestimmen. Die Form aber – Erziehung durch (Sprach-)Rhythmus: »Musik« im Sinne Platons – steht für eine prägende Face-to-face-Kommunikation, für die Niklas Luhmanns Beschreibung gilt, daß

> Information, obwohl sie als Ereignis verschwindet, nicht verloren-(geht). Sie hat den Systemzustand geändert, hat damit einen Struktureffekt hinterlassen, und das System reagiert dann auf diese geänderten Strukturen und mit ihnen[13].

Wenn daher Walter Burkert den Mythos eine »angewandte Erzählung« nennt, eine »primäre Verbalisierung von überindividuellen, kollektiv wichtigen Aspekten der erfahrenen Wirklichkeit«, so ist trotz der scheinbaren Anschließbarkeit an traditionelle Definitionen der Rahmen einer literarischen Gattungsdefinition gesprengt[14]. Was diese betrifft, so ist – jedenfalls für die Antike – tabula rasa; wir können jenen von Smith wie von Havelock rekonstruierten Bildern allenfalls einen Gegensatz zwischen ryhthmisch geprägter, musterbildender und überdauernder Sonntags- und ephemerer Alltagskommunikation in mündlichen Kulturen entnehmen. Aber diese ist eben in jedem Sinn vergangen, während »Mythos« auf die diachrone und synchrone Präsenz von allem zielt, was nicht vom Logos der Schrift erfaßt wird: die Tradition ebenso wie die Kommunikation der Vorzeit und der Barbaren sowie den Überlieferungszusammenhang unter und zwischen Kindern, Frauen und Alten.
Zweitens also verbergen und bewahren doch zugleich jene heraufbeschworenen Überlieferungsbilder eine Differenz, in der sich der (anschließend permanente) Übergang zwischen zwei Kommunikations- und Überlieferungssystemen niedergeschlagen hat. Mit der Rede vom Mythos grenzt sich der Logos ab von seinem Gegenüber: der mündlichen Überlieferungskultur. «Mythos« gehört in die Selbstthematisierung des Logos; so begründet und stabilisiert sich ein schriftzentriertes Überlieferungssystem durch die Aufrechterhaltung einer Differenz – vielleicht bis auf den heutigen Tag. Nur ein Rahmen, der diese Systemabgrenzung übergreift, kann die Theorieschwierigkeiten überwinden, in die der Mythos hineinführt. Das legt aber als methodische Konse-

---

13. Soziale Systeme. Grundriß einer allgemeinen Theorie, Frankfurt/M. 1984, S. 102.
14. Die konnotative Dimension des Mythos zielt auf Handlungsalgorithmen, die denotative auf »Realität im diesseitigen, handfesten Sinn« (Literarische Texte und funktionaler Mythos: Zu Istar und Atrahasis, in: *Jan Assmann/Walter/Burkert/Fritz Stolz*: Funktionen und Leistungen des Mythos. Drei altorientalische Beispiele (OBO 48), Freiburg/Göttingen 1982, S. 65; vgl. auch *ders.*: Structure and History in Greek Mythology and Ritual, Berkeley/Los Angeles/London 1979, S. 1–34: »The Organization of Myth«). Genau in dieser Verschränkung kann der Mythos in beliebiger Genauigkeit als alternatives wissenschaftliches Paradigma rekonstruiert werden – das ist richtig gesehen von *Kurt Hübner*: Die Wahrheit des Mythos, München 1985, der mit diesem fruchtbaren und (wie auch hermeneutischer Reflexion sich wohl erschließen müßte) gegenwärtig alternativlosen Ansatz seiner Analyse in der Nachfolge von Cassirer und Lévi-Strauss steht.

quenz nahe, nicht nur die griechische Rede vom Mythos, sondern jede kulturelle Äußerung zunächst auf ihr Überlieferungssystem zu beziehen. Die schmale Pforte einer wohl in neuer Weise radikalen Überlieferungskritik muß denn auch das Wissen um den griechischen Mythos heute nicht allein durchschreiten. Als weiteres Ergebnis der jüngeren Mythosdiskussion ist auch die ethnologische Abwendung von den universalistischen Konzeptionen mythischen Denkens und mythischer Strukturen festzuhalten. Statt dessen konzentrieren sich beide Disziplinen auf die »dichte Beschreibung« der Überlieferungssysteme einer bestimmten Kultur[15] – und auf die besonderen Probleme, vor die der Übergang von einem Überlieferunssystem zum anderen die kollektive und dann auch die individuelle Identitätsbildung stellt.
Daher meine ich, daß jene heraufbeschworenen Bilder drittens gerade in ihrer Differenz in den theoretischen wie methodischen Rahmen passen müssen, in dem auch christliche Identitätsbildung zu betrachten ist. Dann können wir jetzt schon sagen: Jesus mag in »mythischen«, d. h. oralen Kommunikationszusammenhängen als Christus impersonalisiert werden. Aber das, worauf sich christliche Identität bezieht, kann damit nicht einfach identisch sein. Durch jene Differenz ist vielmehr die Arbeitsaufgabe präzisiert, und die nächsten Schritte sind vorgezeichnet. Wie läßt sich hier die Konstante: ich nenne sie das »Christusparadigma«, und wie läßt sich die Variable bestimmen – so, daß wir uns in gegenwärtigen Umbruchsituationen daran orientieren können? Oder: Welche Anforderungen stellt das Christus- an das theologische Paradigma?

II.

Leider zeigt schon ein Blick in die Entstehungssituation des Christentums, daß die Verhältnisse von Anfang an sehr viel komplizierter waren, als der harte, aber klare Kampf zwischen Logos und Mythos in Griechenland ahnen läßt. Denn wir begeben uns damit von dem im zweiten Anlauf schnell literal gewordenen Stadtkulturen Griechenlands in den schwierigen Bereich offensichtlich begrenzter Literalität, der die biblische Überlieferungssituation charakterisiert. Theoretisch-methodisch ist die Fachdiskussion allerdings auch auf diesem Gebiet, so meine ich vor allem bei Alttestamentlern herausgehört zu haben[16], gekennzeichnet durch eine Abkehr von übergreifenden theologischen Aussagen und von großen geschichtlichen Hypothesen und Konstruktionen. Auch hier steht – ausgelöst durch die kritische Frage: Was wissen wir eigentlich wirklich über die Geschichte Israels? – vor dem Durchbruch eines neuen Forschungsparadigmas die Konzentration auf den Überlieferungsvorgang selbst.

15. So Clifford Geertz (in Anlehnung an Gilbert Ryles »thick description«); vgl. Dichte Beschreibung. Beiträge zum Verstehen kultureller Systeme, Frankfurt/M. 1983.
16. Ich danke vor allem Bernd Janowski für zahlreiche Hinweise und Anregungen und für kritisch-förderliche Gespräche.

Dabei wird vermutlich das Verständnis dafür wachsen, daß die griechischen Philosophen, auf die wir unser christlich-abendländisches Wahrheitsbewußtsein und die alttestamentlichen Propheten und Priester, auf die wir unser Geschichtsbewußtsein zurückführen, Parallelgestalten sind und mehr als das. Denn mit der Einsicht, wie verschieden bestimmte Gesellschaften auf die Schrift als Möglichkeit reagieren, kulturelle Informationen zu speichern, schärft sich doch auch der Blick auf einen gleichen Richtungssinn der Veränderungen, die sich daraus ergeben[17]. Auch treten die direkten Einflüsse und dauernden Verbindungen zwischen Griechenland und Palästina in der Zeit, als sich in beiden Ländern die Buchstabenschrift durchsetzte, immer deutlicher hervor[18]. Und schließlich zeigt die Verlagerung des Forschungsinteresses auf die notwendig vorauszusetzenden Institutionen der Archivierung, der Schrift und der Schreiber, der Schulen und der Schulbildung[19], daß dies zwar – wie in Griechenland – zunächst staatliche Institutionen sind. Aber die Beherrschung der Schrift ist hier wie dort nicht auf diesen gesellschaftlichen Bereich begrenzt. Wie es dort daneben die Philosophen und deren Schulen gibt, gibt es hier, im sich formierenden Israel, so etwas wie eine Schreiberkaste Jahwes, zu der wir auch die Propheten und ihre Schulen zählen müssen[20]. Es scheint nun möglich zu sein, entlang dieses institutionellen Gerüsts überlieferungsgeschichtliche Verzweigungspunkte auszumachen wie die Überlieferung von Listen und Genealogien – aber eben auch die Rede oder besser: die von außen nicht wirklich kontrollierbare Berufungsmöglichkeit auf ein »Wort Jahwes«.

Der so in Israel sich herausbildende Gegensatz zwischen der schließlich kanonisierten und der schließlich häretisierten oder einfach übergangenen Glaubensüberlieferung ist nicht bloß eine andere Codierung des Gegensatzes von Logos und Mythos. Der Vergleich belegt eher noch einmal die kulturelle Relativität des griechischen Traditionsbewußtseins. In Israel grenzt sich ein schriftgebundenes zugleich gegen ein mündliches und gegen andere Überlieferungs- und Religionssysteme ab, die ebenfalls schon unter dem Einfluß der Schrift stehen. Diese Gegebenheit erklärt natürlich nicht, aber sie beleuchtet Themen wie »Israel und Jahwe« als den diachronen und »Israel und die

---

17. Vgl. z. B. *Jack Goody (Hg.)*: Literalität in traditionalen Gesellschaften (amerik. 1968), Frankfurt/M. 1981, sowie die Beiträge in: Schrift und Gedächtnis, s. Anm. 11.

18. Vgl. *Walter Burkert*: Die orientalisierende Epoche in der griechischen Religion und Literatur (SHAW.PH 1984/1), Heidelberg 1984, bes. S. 29–35: »Schrift und Literatur im 8. Jahrhundert«, und S. 106–110: »Stilistische Gemeinsamkeiten orientalischer und griechischer Epik«, sowie: Funktionen und Leistungen des Mythos, s. Anm. 14.

19. Vgl. z. B. *Norbert Lohfink*: Gottesvolk als Lerngemeinschaft. Zur Kirchenwirklichkeit im Buch Deuteronomium (BiKi 39), 1984, S. 90–100.

20. Und wir müssen auch in Israel mit weiter verbreiteten Grundkenntnissen rechnen, als es zunächst den Anschein hat; vgl. *A. R. Millard*: The Practice of Writing in Ancient Israel (BA 35), 1972, S. 98–111.

Völker« als den damit sich verschränkenden synchronen Aspekt seiner Identitätsbildung. Ziemlich hell ist damit allerdings beleuchtet, warum sich in den Quellen nicht die vorliterarische Tradition, sondern der sehr viel spätere Kampf um sie niederschlägt. Die schriftlich überlieferte Glaubensgeschichte Israels will offenkundig ähnlich wie der Logos Griechenlands zunächst einmal aus sich selbst heraus verstanden werden, d. h. von der Funktion her, die sie in der Zeit ihrer Fixierung für die Identitätsbildung Israels hat. Wir erleben gegenwärtig, daß es ähnlich schwer ist, über die vorstaatliche Glaubenstradition Israels zu sprechen wie über die griechische Welt vor dem Einzug der Schrift.

Wohl aber gibt die andere Lösung Israels weiteren Aufschluß über den revolutionären Umschwung, den die Herauslösung aus dem mündlichen Traditionszusammenhang bedeutet – zunächst für die kollektive Identitätsbestimmung[21]. Diese war in Israel anfangs die gewöhnliche der patriarchalen Tradition. Sie ist noch an der »Geschichte der Väter« abzulesen, mit der sich Israel entlang der patrilinearen Erbfolgekette definiert. An ihr entlang muß dem einzelnen erzählt werden, wie Erbe und Segen vom Vater über den jeweils ältesten Sohn auf das Kollektiv gekommen sind, an und in dem er sich bei seiner Identitätsfindung orientiert. Die wirkliche Botschaft der Überlieferungsgeschichte Israels entspricht aber auch dort schon wie später im ganzen eher dem Arrangement der Geschichte von der Thronfolge Davids. Denn erzählt wird nicht die Investitur des ältesten Sohns und legitimen Erben, sondern die des von Jahwe geliebten jüngeren Sohns. Man kann darüber spekulieren, welches Trauma der Illegitimität Israel so verarbeitet hat, nachdem wir dieses Schema nicht mehr direkt auf eine Landnahme vom älteren »Bruder«, der sich verfehlt hat, beziehen können. Sicher aber ist, daß das aus vorstaatlicher Zeit stammende Schema sich durchhält und bewährt bis ins Exil hinein: wo nämlich gerade ein ganz untypischer Gott der Väter sich des Volkes ohne staatliche Macht erbarmt, es erretten und schließlich erheben wird[22].

Solche traditionssprengenden, geschichtsträchtigen Botschaften stehen im Kontext eines bestimmten institutionellen und – wohl im Schwerpunkt – medialen Wandels. Das zeigt sich wie im Modell, wenn heute ein Ethnologe in der Perspektive der von Innis beeinflußten Torontoer Schule »Die Vermittlung islamischen Wissens im westlichen Sudan« betrachtet[23]. In der extrem patriarchalen Dyula-Gesellschaft sind selbst in Gelehrten-Familien die älteren Söhne meist Landwirte und Händler; fast ausschließlich jüngere Söhne üben

---

21. Den folgenden Zusammenhang habe ich näher ausgeführt in: Genese und Struktur pneumatologischer Erkenntnis, als Ms. gedr. in: Erkenntnistheorie und Pneumatologie I, S. 6–34 (Referate für den Ferienkurs vom 6.–8. 10. 1986 in Neuendettelsau).

22. An Dtn 26,5–11 erläutert von *Georg Braulik*: Sage, was du glaubst. Das älteste Credo der Bibel – Impuls in neuester Zeit, Stuttgart 1979.

23. Vgl. Ivor Wilks, in: Literalität in traditionalen Gesellschaften, s. Anm. 17, S. 233–281.

sich in das schriftlich überlieferte islamische Wissen ein. Diese Weitergabe schriftlichen Wissens unter Jüngeren endet mit der Übergabe einer genealogischen Liste, in die sich der Schüler einreihen darf. Dabei wird Unerhörtes denkbar: »Ein Mann ist ein *karamoko* (Gelehrter, W. N.) sagen die Dyula, ›wegen der Kette (*isnad*) seines Wissens, nicht wegen der Kette seiner Vorfahren‹.« In jenen Isnad aber können sich die Söhne fremder, ja sogar nichtmoslemischer Völker einreihen[24]. An solche Wissensketten hatten sich in Israel (wie in Griechenland) Vorstellungen gebunden, die noch schärfer den individuellen Aspekt dieses zwar revolutionären, aber eben doch dieses Traditionsprinzips auf den Begriff brachten: Die Weisheit befähigt den einzelnen, gemäß dem Wort Jahwes (dem Logos gemäß) zu handeln, auf das er sich gegen jede Autorität berufen kann.

Ich denke, daß die gegenwärtige Forschungslage der alttestamentlichen Wissenschaft den Blick auf solche Zusammenhänge begünstigt. Nun weist Norbert Lohfink gelegentlich darauf hin, daß die zu beobachtende kritische Reduktion des alten Forschungsparadigmas selbst aussieht wie eine Rückkehr zu den Vätern[25]. Er erinnert an den ja gerade wegen seiner Überlieferungskritik revolutionären Entwurf der »Geschichte Israels« von Martin Noth. Aber dessen konstruktive Hypothesen sind ja selbst noch Gegenstand der Kritik geworden, während wohl nicht zufällig Julius Wellhausens noch radikalere Reduktion auf die »Geschichte der Überlieferung« (vor dem Hintergrund einer Dekonstruktion der Traditionen über den Kultus) immer aktueller zu werden scheint[26]. Ist es dann nicht zukunftsweisend, daß auch Bultmanns »Theologie des Neuen Testaments« von demselben radikalen überlieferungskritischen Ansatz geprägt ist: »*Die Verkündigung Jesu* gehört zu den Voraussetzungen der Theologie des N(euen) T(estaments) und ist nicht ein Teil dieser selbst?«[27] Was wissen wir wirklich über die ersten Ausprägungen des Christusparadigmas in jener semiliteralen Welt biblischer Überlieferung?

Jedenfalls sollten wir mit neuer Aufmerksamkeit betrachten, daß Jesus als Lehrer auftrat und daß er auch als »erhöhter Herr« die Seinen belehrte[28]. In beiden Fällen wird die alttestamentliche Tradition des kontinuierlichen Traditionsbruchs fortgesetzt: Jesus konnte in seiner Lehre in jedem Sinne als neuer

---

24. *Wilks*, in: Literalität, s. Anm. 17, S. 244.

25. Vgl. Warum wir weiter nach Israels Anfängen fragen müssen. Was läßt sich von der ›Landnahme‹ wissen?, in: KatBl 110, S. 166–175.

26. So programmatisch in dessen »Prolegomena zur Geschichte Israels« (1883), Nachdruck Berlin/Leipzig 1927, S. 13.

27. 9. Aufl., Tübingen 1984 (1958), S. 1; ebenso programmatisch ist der sich anschließende Hinweis auf »Die Geschichte der synoptischen Tradition« (1921), Göttingen 1979.

28. Vgl. das Material bei *Rainer Riesner*: Jesus als Lehrer. Eine Untersuchung zum Ursprung der Evangelien-Überlieferung (WUNT R. 2/7), Tübingen 1981, sowie *Birger Gerhardsson*: Manual and Manuscript. Oral Tradition and Written Transmission in Rabbinic Judaism and Early Christianity, Uppsala 1961.

Mose verstanden werden[29]; Paulus glaubt die gebrochene Siegeslinie der jüngeren Brüder (und der sie unterstützenden Frauen) in Israel zu verlängern, indem er selbst zum Lehrer wurde, der den Heiden Christus gegenwärtig macht[30]. Wird so der Realgrund einer zwischen Kerygma und Überlieferungsgeschichte vermittelnden Typologie erkennbar, wie sie Gerhard von Rad als Strukturprinzip einer »biblischen Theologie« vorschwebte[31]? Ich meine, daß wir damit statt dessen einer Besonderheit aller ursprünglich schriftbeeinflußten Religionen in semiliteralen Gesellschaften auf der Spur sind, die wir als erstes notieren sollten, wenn wir die eigentliche Anfangsepoche christlicher Identitätsbildung im Dienste gegenwärtiger Orientierung betrachten. In diesen Gesellschaften, in jenen Religionen schwankt die Erinnerung an den Stifter in charakteristischer Weise zwischen bloßer Verehrung und förmlicher Vergottung. Aber er bleibt stets gegenwärtig sowohl als Stabilität garantierender Schöpfer der Welt des Wissens und der Weisheit, in der das Kollektiv sich orientiert, als auch in seiner Funktion als »Trickster« des Wissens, der immer wieder die identifizierende Lektüre des einzelnen legitimiert. Christen, Juden und Muslime werden daher »Leute des Buches« vor einem bestimmten Hintergrund und in besonderer Weise[32]. Als Lehrer setzt der Vermittler religiöser Identität in semiliteralen Gesellschaften jenen antitraditionalen Zusammenhang des »Isnad« fort und ermöglicht tendenziell eine Identität neuen Typs. Zugleich aber leitet er seine Autorität »patrilinear« vom Urheber dieser revolutionären Tradition ab und appräsentiert sie und damit auch jenen Lehrer selbst in einer Weise, die der mündlich impersonalisierenden Vermittlungsform mindestens analog ist. Es gibt daher Strukturmerkmale christlicher Identität, die als Ausprägungen gleichsam einer »natürlichen Christologie« auch für Verehrer von Mani und Mose, Mohammed und Buddha kennzeichnend waren. Denn auch diese wurden (bzw. werden noch) ebenso wie Jesus auf eine Weise appräsentiert, die zwischen der Person und ihrer »Sache«, einem »Nicht-mehr-Kennen-nach-dem-Fleische« und einem »Sein-in« vermittelt[33]. Ich nenne diese Appräsentation des ursprünglichen Lehrers als Medium religiöser Identitätsbildung in semiliteralen Gesellschaften dessen »Lehrgestalt«.

---

29. Vgl. bes. Mt 5,17–48.
30. Vgl. bes. Röm 9,6–13.
31. Vgl. Theologie des Alten Testaments II, 8. Aufl., München 1982 (1960), S. 380–447, sowie die Beiträge im Themenband JBTH 1, 1987 zu »Einheit und Vielfalt Biblischer Theologie«.
32. *Siegfried Herrmann* stellt Siegfried Morenz' an das Deuteronomium anknüpfenden Thesen über »Entstehung und Wesen der Buchreligion«, in: ThLZ 75 (1950), S. 709–716, in den größeren Zusammenhang von ursprünglich gesehener »Geschichte« und gehörter »Historie« – der aber schon in Ägypten durch genealogische Musterspeicher vermittelt wird: Geschichtsbild und Gotteserkenntnis. Zum Problem altorientalischen und alttestamentlichen Geschichtsdenkens (1977), in: *ders.*: Gesammelte Studien zur Geschichte und Theologie des Alten Testaments (TB 75), München 1986, S. 9–31.
33. Vgl. 2 Kor 5,16 f.

Auch diese Gestalt zwischen oraler und literaler Tradition steht quer zu gewohnten Vorstellungsmodellen. Dies ist als zweites festzuhalten, wenn wir die anfängliche Bildung christlicher Identität in systematischer und praktischer Absicht betrachten. Wer hier nur die Begegnungsgebundenheit und die aktualistischen Momente beachtet, übersieht den situations- und zeitübergreifenden Aspekt von traditionssprengenden Vorgängen, in denen auch intersubjektive, ja objektive Wahrheitsansprüche und -kriterien eingeprägt werden. Nur werden – trotz aller Bemühungen – eben nicht gleichbleibende Informationen über etwas Gleichbleibendes »draußen« mit Hilfe eines konventionalisierten Regel- und Zeichensystems vermittelt. Dies ist die semantische Fiktion des Beobachters. Rekonstruieren wir jedoch modellhaft von einer zweiten Beschreibungsstufe aus, was er »wirklich« sieht, so müssen wir entlang der Traditionslinie die materielle Kontinuität einer Mustervermittlung – vom »historischen Jesus« zu uns – unterscheiden von dem »autopoietischen« Rearrangement der Menschen, die diese Muster jeweils verarbeiten[34]. Das Christusparadigma ist also einerseits zu bestimmen als das, was in jenem einen kontinuierlichen Traditionsstrom von damals bis heute immer wieder in medialer Vermittlung überliefert worden ist und diesem evolutionären Prozeß seine unverwechselbare Gestalt gibt. Andererseits entsteht es immer wieder neu als spontane Reaktion auf diese Überlieferung und muß dann zunächst als Selbstorientierung verstanden werden. Es verwirklicht sich als unableitbar individuelle Gestalt im Lebensprozeß[35]. Erst von dem damit gesetzten theoretischen Hintergrund läßt sich die religiöse Identitätsbildung qua Lehrgestalt in ihrer Eigentümlichkeit erfassen. Die Überlagerung personal appräsentierter Muster ist in der Semiliteralität durchbrochen (aber eben nicht vollständig ersetzt) durch den kontrollierenden Bezug auf einen zweiten Musterspeicher: die heilige Schrift. So prägt sich dem Individuum gleichzeitig mit den Grundmustern der Tradition eine, sagen wir ruhig: erkenntniskritische Differenz ein. Religiöse Identitätsbildung unter dem Einfluß der Schrift, die Oswald Spengler die »Sprache« und das »große Symbol der Ferne« genannt hat[36], impliziert immer die Möglichkeit, sich gerade identifizierend vom Face-to-Face-Zusammenhang der oralen Überlieferungskultur distanzieren zu können. In dieser

---

34. Vgl. dazu *Humberto R. Maturana (u. a.)*: Erkennen. Die Organisation und Verkörperung von Wirklichkeit, Braunschweig 1985; *ders./Francisco J. Varela*: Der Baum der Erkenntnis. Die biologischen Wurzeln des menschlichen Erkennens (span. 1984), Bern/München/Wien 1987, bes. S. 221–255: »Sprachliche Bereiche und menschliches Bewußtsein.«

35. Weitere kategoriale Bestimmungen müssen außerhalb der Prolegomena in der Christologie entfaltet werden. Sie führen in Abhängigkeit von den je festgehaltenen aktuellen Unbeliebigkeiten zu ästhetischen, d. h. wahrnehmungsabhängigen Gestaltkriterien der Integration und der Ausgrenzung. Zur Durchführung sei vorläufig (wegen der vielfältigen Analogien, die sich von einem anderen Paradigma aus ergeben) auf Schleiermachers »Glaubenslehre« verwiesen.

36. Der Untergang des Abendlandes. Umrisse einer Morphologie der Weltgeschichte (1923), Nachdruck München 1969, S. 737f., 731.

Differenz setzen sich Individuum und soziales System wechselseitig voraus, oder: »Sinn ermöglicht die Interpenetration psychischer und sozialer Systembildungen bei Wahrung ihrer Autopoiesis«, wie Luhmann in der Verarbeitung der biologischen Erkenntnislehre Humberto Maturanas sagt[37].
Gegen beide ist kritisch einzuwenden, daß die Bestimmtheit und Unbeliebigkeit, die Gestalthaftigkeit von Individuum, Gesellschaft, Geschichte und Evolution methodisch abgearbeitet, statt in universalen Systemen durchdekliniert werden muß. Daher sollten wir drittens – gerade wenn wir uns hier und heute orientieren wollen – so lange wie möglich die singulären Differenzen aus der Anfangssituation des Christentums im Auge behalten; zumindest als kritisches Korrektiv bei der Kategorienbildung. Entlang einer unumkehrbaren Verlaufsrichtung bilden sich um die Zeitenwende religiöse als geschichtliche Individualitäten immer auch aus als gestaltbildende Grenzziehungen innerhalb der weiten Muster-Topologie des zwischen Semi- und Fast-Literalität schwankenden Hellenismus. Der wohl auch literarisch archaisierende Wanderradikalismus der Jesusbewegung auf der einen, die Brief- und Buchkultur des Paulus und des Lukas mit der Tendenz zur Welt- als literalen Religion auf der anderen Seite, dazwischen der Chiasmus zwischen starkem Kontrollbedürfnis und wachsender literarischer Produktion, vor allem in der apokalyptischen Literatur: sie verweisen auf psychisch-soziale »Interpenetrationen«, die quer zu gewohnten hermeneutischen (wie sozialwissenschaftlichen) Kategorien stehen. Bedenken wir, wo hier Konstanten und wo Variablen sind, dann zeigt sich eine vielleicht ambivalente, aber in jedem Fall nicht oberflächliche Berechtigung der exegetischen Konzentration auf den Überlieferungsvorgang: Wenn wir kritisch die Geschichte der Überlieferung schreiben, statt uns gleichsam einzuschwingen in die geträumten Überlieferungen – mögen diese nun als »Wahrheit« oder als »Geschichte« oder sonstwie daherkommen –, dann mögen wir zwar zunächst gegen die Intention der Autoren verstoßen und die Traditionen durchbrechen, die sie inaugurierten. Aber wenn wir im Interesse gegenwärtiger Orientierung kontrollierend zurückgreifen auf materiell fixierte Traditionsmuster, verfahren wir nicht anders, als sie einst verfahren sind – und nicht anders als Jesus selbst[38].

---

37. S. Anm. 13, S. 297.
38. Zwar wird man wegen der fehlenden institutionellen Voraussetzungen nicht so weit gehen können, wie *Bultmann* noch in seinem Jesus-Buch: »(Dieser Titel ›Rabbi‹) besagt, wenn man ihn ernst nehmen darf, daß Jesus zum Stande der Schriftgelehrten gehörte, daß er eine zunftmäßige Ausbildung erfahren und die vorgeschriebenen Prüfungen absolviert hatte ... Ist es vielleicht so, daß dieser Prophet aus dem Schriftgelehrtenstande hervorgegangen war?« (Jesus [1926], Tübingen 1983, S. 43; vgl. *ders.*: Die Geschichte der synoptischen Tradition, s. Anm. 27, S. 52.) Doch Jesus wuchs im Kontakt mit der schriftzentrierten Synagogenkultur auf (vgl. *Riesner/Gerhardsson*, Anm. 28). So ist *Paul Gerhard Müller*: Der Traditionsprozeß im Neuen Testament. Kommunikationsanalytische Studien zur Versprachlichung des Jesusphänomens, Freiburg/Basel/Wien 1982, zwar einerseits zuzustimmen, wenn er das Christusparadigma aus seiner Gefangenschaft im Schriftmedium befreien will. Andererseits aber übersieht er nun umgekehrt, daß gerade die

Verweist dieser kritische Algorithmus also direkt auf die Konstante christlicher Identität? Wir müßten dann nicht nur, wenn wir zurück- und uns umblicken in der Gegenwart, in Frage stellen, ob das Christusparadigma überhaupt in oralen Kulturen impersonalisiert werden kann. Zu fragen ist, ob das Christusparadigma nicht derart an eine schriftkontrollierte Vermittlung gebunden ist, daß es zugleich beschränkt ist auf den Bereich der Schriftreligionen[39]. Zu denen hätten wir dann – mutatis mutandis – auch die klassische griechische Philosophie zu zählen, so daß sich eine präzise Bestimmung des von Jacques Derrida im Anschluß an Martin Heidegger beschworenen »Logozentrismus« als Problemanzeige nahelegt[40]: Schriftreligion als die zum universalen Paradigma gewordene Selbstideologisierung des Schriftsystems gegenüber einer mündlichen, »mythischen« Überlieferungskultur. Da dies auch eine Abgrenzung gegenüber allen Kulturen impliziert, die jenes System heute in Frage stellen – wie die aktuellen mytischen Reprisen – oder die es modifizieren und vielleicht überwinden – wie die elektronischen Medien: sollten wir diese Herausforderung mit hineinnehmen in die Rekonstruktion unserer religiösen Gegenwartssituation.

III.

Um einen steilen, schnellen Einstieg in die Problematik christlicher Identitätsbildung in der Neuzeit zu finden, verweise ich auf jenen Star der Torontoer Schule, dessen Aufstieg und Fall viele ihrer erhellenden Einsichten dauerhaft überstrahlt hat. Marshall McLuhan hat bei seinem Weg ins Weltmediendorf wohl etwas zu rasch die »Gutenberg-Galaxis« durchquert[41]. Aber vielleicht

---

kritisch-regulierende, Distanz und Freiheit gegenüber der Tradition ermöglichende Funktion der Schrift – um es einmal so herum zu sagen: dem Taditionsprozeß nicht äußerlich ist. Das sola scriptura gilt zwar steng genommen nur gegenüber einem katholischen Traditionsprinzip, das Tradition und Schrift juristisch-institutionell verbindet und eigentlich ein sola traditione ist. Aber es verweist darauf, daß sich auf diese Weise der Traditionsprozeß im Neuen Testament eben prinzipiell nicht fortsetzen läßt.

39. Einige Aspekte dieser Frage beleuchten die Beiträge in: *Walter Seidel (Hg.)*: Offenbarung durch Bücher? Impulse zu einer ›Theologie des Lesens‹, Freiburg/Basel/Wien 1987.

40. Vgl. bes. Grammatologie (franz. 1977), Frankfurt 1971, S. 173.

41. Vgl. Die Gutenberg-Galaxis (amerik. 1962), Düsseldorf 1968; Die magischen Kanäle (Understanding Media, 1964), Düsseldorf/Wien 1968; zur damaligen Kritik vgl. z. B. *Gerald Emanuel Stern (Hg.)*: McLuhan, für und wider, Düsseldorf/Wien 1967, und z. B. *Umberto Ecco*: Vom Cogito interruptus (ital. 1967), in *ders.*: Über Gott und die Welt, München/Wien 1985, S. 245–265 (vom traditionell interpretierten Zeichenparadigma aus). Zusammen mit Edmund Carpentier gab McLuhan die Zeitschrift »Explorations« heraus (Toronto 1. 1953 – 9. 1959). James W. Carey läßt ihn als Schüler des Propheten Innis zur Verkörperung eben der modernen positivistischen Revolution gegen das Heilige werden, vor der dieser gewarnt habe (*Harald Adams Innis/Marshall McLuhan*, in: The Antioch Review 26, 1967, S. 5–37), während Neil Compton dessen intellektuellen Werdegang wohl zutreffender als konsequente Flucht eines zum Katholizismus konvertierten Antimodernen in die Postmoderne interpretiert (The Paradox of Marshall McLuhan, in: New American Review 2, New York 1968, S. 77–94).

konnte nur so sichtbar werden, wie am Beginn der Neuzeit die Mechanisierung der Schrift durch den Buchdruck einherging mit dem Bau wissenschaftlicher Instrumente, den man komplementär begreifen muß als Literalisierung des Handwerks. Beide verbindet nämlich eine – nach der Buchstabenschrift – zweite Normierung gespeicherter Kulturmuster, die diesmal deren mechanische Reproduktion ermöglicht[42]. Jetzt erst werden geschriebene Kopien, die Kritikinstrumente der literalen Epoche, selbst vergleich- und kontrollierbar. Nun prägte diese Manuskriptkultur, wie hier nachgetragen werden muß, immer nur Inseln in einem semi- oder illiteralen Meer. Und es muß auch nachgetragen werden, daß diese Schriftkultur zwar den Zusammenhang impersonalisierender Musterprägung durchbrach, im ganzen aber handwerklich-rhythmisch blieb. Das zeigt jeder Blick in die Praxis des mittelalterlichen Wissenschaftsbetriebs[43]. Trotz der Absicht bloßer Re-Formatio erfordert jedoch die Orientierung in einer Welt von gedruckten Texten, sich selbst von jener literalen Überlieferung noch zu distanzieren. Und erst zugleich mit jenem Überlagerungseffekt, im Takt jener Dauerreflexion entstehen massenhaft Erinnerungsspuren individueller Subjekte, die sich an unverwechselbarer Stelle in der Weltgeschichte einordnen. Alle kollektiven Muster müssen denotiert und eingepaßt werden in diesen privilegierten narrativen Rahmen. Wir entdecken so einerseits, wie sich die welthistorischen Leistungen von Religionsstiftern und -erneuerern: wie sich innerhalb des christlichen Traditionszusammenhangs die extremen Bewußtseinslagen eines Paulus, eines Augustin, eines Luther vervielfältigen in kleiner Münze. Auf der anderen Seite können wir rekonstruieren, wie die »berichtigende« Normalisierung von Karten, Tabellen und Grafiken und selbst der Begriffsschrift der Mathematik über die Druckerstuben hinaus das Handwerk erfaßt und eine ebenfalls privilegierte, nämlich unumkehrbare und einmalige Geschichte der naturwissenschaftlich-technischen Entwicklung erzeugte[44]. Die Verbindungslinien werden oft übersehen, sind aber zahlreich. Wie hier die Druckerpresse dem Bau naturwissenschaftlicher Instrumente und Maschinen zuzuordnen ist und wie die Maschine nicht nur zum Paradigma für die Natur, sondern auch für den Menschen wird, so wird dort: im technizistisch argumentierenden Antitraditionalismus

---

42. Vgl. zum folgenden (und im Kontrast zu McLuhan) *Elizabeth L. Eisenstein*; The Printing Press as Agent of Change. Communications and Cultural Transformations in early-modern Europe, 2 Bde., London/New York/Melbourne 1979.

43. Vgl. etwa *Jean Leclercq*: Wissenschaft und Gottverlangen. Zur Mönchstheologie des Mittelalters (franz. 1957), Düsseldorf 1963.

44. Angeregt von McLuhan, beschrieb *Walter J. Ong* den pädagogischen Einfluß des Petrus Ramus als Ausbreitung eines Denkmusters, das die Bahnen neuzeitlichen Denkens vorzeichnete – und für das die drucktechnisch leicht reproduzierbaren Schemata kennzeichnend waren: Ramus. Method, and the Decay of Dialogue. From the Art of Discourse to the Art of Reason, Harvard 1958.

der neuzeitlichen Philosophie das auf reproduzierbare Muster hin kontrollierende Naturverhältnis der Neuzeit auf den Begriff gebracht[45].
Man könnte dann in jener Mitte zwischen den Extremen nach der Einheit zwischen Formalität und Kreativität suchen, durch die der neuzeitliche Mensch sich in seiner Welt orientiert – ein nacharistotelischer Platonismus würde sichtbar, den man auf den Spuren Havelocks mit der mechanisierten Literalität der Neuzeit zusammenschauen müßte. Aber hier ist auch bei McLuhan der Bereich, wo es spekulativ wird. Deutlich ist, daß die Funktion der Lehrgestalt, die Existenz im Kosmos des Wissens zu orientieren, gerade durch die Differenz zwischen dem Kulturbereich der Zweckursachen und dem Bereich natürlicher Wirkungen aufgefangen und gesellschaftlich bearbeitet wird. Auch die Unterscheidung von Kultur- (oder Geistes-) und Natur- (sowie Ingenieurs-)wissenschaften hält beide Extreme getrennt – und es lag verführerisch nahe, daß die Theologie sich nach Theorie und Methode entschlosen in die erste Gruppe eingereiht hat. Denn hier werden die sinnorientierenden Geschichten der Tradition weitererzählt. Freilich werden sie dabei heute – mit Rudolf Bultmann zu sprechen – notwendig entmythologisiert *statt* interpretiert. Die christliche wie überhaupt die religiöse Tradition in der Neuzeit bewegt sich nur auf einem Bein voran. Eingeschlossen ins Getto der Geisteswissenschaften verliert sie nach und nach die Fähigkeit zum kritischen Anschluß an die Sinnproduktion neuzeitlicher Gesellschaften im ganzen. Auf der anderen Seite macht es jene sinnstruktierende gesellschaftliche Grunddifferenz schwierig, nichtbeliebige gesellschaftliche und technische Vorgaben und Rückwirkungen religiös zu thematisieren. Die praktische Vermittlung zwischen dem Reich der Freiheit und dem Reich der Notwendigkeit wird dem einzelnen zugelastet, und diese ethische wird *wie* und *als* religiöse Identität bestimmt[46].
Ich möchte auch vor diesem Hintergrund einige Aspekte festhalten, die zur gegenwärtigen Orientierung beitragen können. Erstens: Die Neuzeit hat Probleme mit der Gestaltwahrnehmung und -tradierung. Obwohl diese Aufgabe bis in die jüngste Zeit immer wieder den Geisteswissenschaften zugespielt worden ist und dort auch aufgegriffen wurde – als »Verstehen« einer Ganzheit im Unterschied zu ihrer »erklärenden« Analyse –, entzieht sich auch hier die wahrnehmungsschulende und formprägende Orientierungskraft der Traditionsmuster dem theoretischen wie praktischen Zugriff. So wird für die neu-

---

45. Vgl. dazu etwa *Hans Sachsse*: Anthropologie der Technik. Ein Beitrag zur Stellung des Menschen in der Welt, Braunschweig 1978, bes. S. 180–197: »Die technizistische Philosophie von Descartes bis Feuerbach«.
46. Dies belegt anschaulich die Reduktion der Identitätstheorien auf das Paradigma der Moderne in der Entwicklungslinie von *Jean Piaget*: Das moralische Urteil beim Kinde (franz. 1932), Zürich 1954, über *Lawrence Kohlberg*: Zur kognitiven Entwicklung des Kindes (amerik. 1966–1969), Frankfurt 1974, zu *Jürgen Habermas*: Kultur und Kritik, Frankfurt 1973, bes. S. 118–223; *ders.*: Zur Rekonstruktion des Historischen Materialismus, Frankfurt/M. 1976, bes. S. 63–91).

zeitliche Theologie Jesus zum Christus als Führer zu oder eigentlich nur als Leitstern persönlicher Gewißheit, Wahrheitsfähigkeit und für das Streben zum Guten.

Zweitens: Dies steht in einer eigentümlichen Spannung zu den Inhalten, an denen sich das Christusparadigma als, um es einmal polemisch zu sagen: individualisiertes Regulativ transzendentaler Ideen zu bewähren hat. In der Welt der Christen nämlich wachsen die Objektbereiche von Geistes- und Naturwissenschaften immer mehr zusammen, und zwar indem die Ergebnisse freier Handlungen als mediale Prägungen notwendige Bedingungen von Folgehandlungen werden. Aber natürliche und technische »Objekte« zeigen sich ja überhaupt nur als Antworten auf die mathematisch-axiomatischen und konstruktiv-kreativen Entwürfe des Menschen, eben seines Geistes. Und umgekehrt ist genau diese Korrespondenz der tiefste, weil metabiologische Ausdruck unserer Naturverbundenheit. Jesus ist also, in der Neuzeit zum Christus eines Paradigmas der »zwei Kulturen«[47] geworden, dessen bestimmte Umrisse heute sichtbar werden – was sicher schon Ausdruck eines neuen Übergangs ist. Sein Rahmen heißt Evolution – in jener die Naturwissenschaften voraussetzenden Tiefendimension, die Teilhard de Chardin und Whitehead visionär erschlossen haben[48]. Am deutlichsten greifbar wird jene Gestalthaftigkeit des Gesamtprozesses, der zwischen Natur und Kultur vermittelt, in der Entwicklungsgeschichte der Technik. Sie ist der evolvierende Rahmen externalisierter Hypothesen, als dessen Antworten Kultur und Natur dann gesellschaftlich real werden. In diesem Kontext sind Bücher und Instrumente mit uns ko-evolvierende Musterspeicher an der kulturellen Grenze, die unseren Umweltbezug stabilisiert. Semi- und auch bloß handwerklich-literal vermittelte Traditionen werden ausgegrenzt durch die bereits quasi-naturhaft vorgegebenen Resultate und Voraussetzungen einer technisch sich konkretisierenden und *daher* geschichtlichen Beziehung zwischen Kultur und Natur. Die religiöse Identitätsvermittlung am Beginn der Neuzeit trennt sich nicht allein und nicht vor allem durch die neuen »Diskurse« von Vernunft, Freiheit, Geschichte, Existenz und Verantwortung von traditionalen Autoritätsverhältnissen.

Daraus sind drittens Folgerungen für das theologische Paradigma zu ziehen, in dem sich Identitäten und Differenzen christlicher Traditionsvermittlung erkennen und denken lassen. Das Christusparadigma vermittelt sich als Muster in einer Grenzschicht zwischen einem Indiviuum und seiner Umwelt, in der es wieder andere Individuen gibt. Eben für diesen koevolvierenden

---

47. Vgl. *Charles Percy Snow*: Die zwei Kulturen (The Two Cultures and the Scientific Revolution, 1959), Stuttgart 1967.

48. Vgl. dazu: *Stefan Niklaus Bosshard*: Erschafft die Welt sich selbst? Die Selbstorganisation von Natur und Mensch aus naturwissenschaftlicher, philosophischer und theologischer Sicht (QD 103), Freiburg/Basel/Wien 1985.

Kontaktbereich zwischen autopoietischen Einheiten möchte ich im Anschluß an Maturana den Ausdruck »konsensuelles Milieu« vorschlagen[49]. Medien sind gestaltbildende Musterspeicher im konsensuellen Milieu. In der Regel überlagern sich verschiedene Medien zu einem Konsensualitätssystem, das sich gerade durch seine internen Differenzen, d. h. durch die Abgrenzung der verschiedenen Übermittlungs- und Speicherungssysteme voneinander, stabilisiert. In diesem Sinne sind von der Körperoberfläche über die Sprache, die Schrift und die Technik heute alle Medien auch an der christlichen Identitätsbildung beteiligt. Und vor diesem Hintergrund werden nun auch die elektronischen Medien, die zunehmend unsere kulturelle Gegenwartssituation bestimmen, zum Thema christlicher Theologie.

IV.

Gestaltlosigkeit scheint das Kennzeichen des technisch vermittelten Christusparadigmas der Moderne zu sein. Doch in Wahrheit ist es nur für die moderne theologische Metasprache durchsichtig geworden auf das in Geltung stehende Paradigma der Moderne; es ist Inbegriff des Wahren, Guten, Gültigen geworden und wird für die moderne theologische Reflexion ununterscheidbar von den einzelnen Gestalten, die sie sich erschließt. Schon das ist wohl – wie gesagt – nur aussprechbar, weil sich eine erneute Verschiebung im konsensuellen Milieu anbahnt, die das gültige als ein bestimmtes Paradigma kenntlich macht. Die sinnstiftende Differenz zwischen Kultur und Natur ist abgelöst worden und aufgehoben in der zwischen Gesellschaftssystem und Umwelt[50], die ganz andere Bezüge und Identitäten zu thematisieren erlaubt. Parallel dazu löst sich die Koppelung aller, auch der technischen Kulturmuster an die Speicherung durch die mechanisierte Schrift. Die naturwissenschaftliche Ausbildung enthält immer weniger historische Elemente und wird immer mehr zur Anpassung an das Milieu technisch-industrieller Laboratorien, die

49. Dies ist nicht mit der von (Habermas und) Karl-Otto Apel entfalteten Konzeption »konsensualer Kommunikation« zu verwechseln: »Ein konsensueller Bereich ist ein Bereich ineinandergreifender (verzahnter oder einander auslösender) Zustandssequenzen, der durch ontogenetische Aktionen zwischen strukturell plastischen zustandsdeterminierten Systemen erzeugt und bestimmt wird ... Lebende Systeme erzeugen konsensuelle Bereiche durch die Aufrechterhaltung ihrer lebendigen Organisation« (Die Organisation des Lebendigen: eine Theorie der lebendigen Organisation (1970), in: Erkennen, s. Anm. 34, S. 138; vgl. z. B. Biologie der Sprache: die Epistemologie der Realität (1978), bes. a. a. O., S. 255–263: »Sprache und konsensuelle Bereiche«.

50. Vgl. *Niklas Luhmann*: Ökologische Kommunikation. Kann die moderne Gesellschaft sich auf ökologische Gefährdungen einstellen?, Opladen 1986. Luhmanns Rat, die christliche Religion möge in den ökologischen Orientierungsschwierigkeiten »(festhalten) an der durch Jesus gelebten und bezeugten Sicherheit des Begleitetseins durch Gott« (S. 193), sollte allerdings ergänzt werden durch eine Aufforderung an die Theologie, diese Sicherheit auch geltend zu machen in einem Plädoyer für Unbeliebigkeiten quer durch Luhmanns Systemdenken hindurch. Als konkurrenzfähige Grunddifferenz bietet sich die Unterscheidung von paradigmatischen und syntagmatischen Orientierungen an.

im ganzen zum kulturellen Musterspeicher werden[51]. In der modernsten Roboterfabrik der Welt, bei Fanuc am Fuße des Fudjijama, gibt es bereits keine Bibliothek mehr. »Meine Leute brauchen keine Bücher«, sagt der Leiter dieser Fabrik. »Wenn Ingenieure lesen, können sie nichts Neues entdecken. Wenn sie an der Vergangenheit hängen, können sie die Zukunft nicht erfinden.«[52] Mit einem gewissen Recht könne man das Buch den Computer des 15. Jahrhunderts nennen – aber dann wird schlagartig deutlich, daß der Computer heute die Ablösung der Schrift durch die direkte Musterspeicherung signalisiert. Dies tritt durch den graphischen Zugriff auf Genmuster-»Bibliotheken«, durch die analogen Steuerungs- und Konstruktionstechniken nur an die Oberfläche, und es wird eher in ein exotisches Licht getaucht durch die ersten Experten-Systeme, die direkt auf Sprachmuster reagieren. Die »künstliche Intelligenz« der Computer war immer schon unsere externalisierte natürliche Intelligenz[53] – sie deutet eher das Ende eines Übergangszeitalters an, das man zugleich als technisch ermöglichte volle Literalität wie als literal noch gebundene Semi-Technizität kennzeichnen könnte. Insofern verweisen die Computer auf das, was die elektronischen Medien im Kern sind: Musterspeicher; und diese weisen über das, was die Computer gerade lernen: Gestalten zu erkennen und zu produzieren, voraus auf das, was sie noch werden können: biotechnisch externalisiertes Leben.
Diese Hintergrundgestalten verschwinden immer wieder im Nebel unvorhersehbarer Entwicklungen. Das im Vordergrund Erkennbare reicht aber aus, um innerhalb des hier skizzierten theologischen Paradigmas die Veränderungen unserer elektronischen Medienlandschaft in eine Beziehung zu denjenigen Problemen christlicher, ja religiöser Identität zu setzen, die viele von uns bedrücken und in deren Kontext die Frage nach dem Mythos heute zunächst begegnet. Die Bücher Neil Postmans: »Das Verschwinden der Kindheit«[54] und: »Wir amüsieren uns zu Tode« mit dem Untertitel »Urteilsbildung im Zeitalter der Unterhaltungsindustrie«[55] (natürlich in der Tradition der Torontoer Schule) machen das elektronische Zeitalter für Entwicklungen verantwortlich, in denen die Voraussetzung christlicher Identität gefährdet zu sein scheinen. Dabei geht es im Kern nicht um intellektuelle Fähigkeiten. Aber die Rechtfertigungslehre scheint ein reifes Ich im Sinne Freuds vorauszusetzen, das Fernseh- und Computerzeitalter scheint dessen Reifung zu verhindern. Die moderne Theologie denkt das theologische Subjekt gleichzeitig als ver-

---

51. Vgl. *Karin Knorr-Cetina*: Die Fabrikation von Erkenntnis. Zur Anthropologie der Naturwissenschaft, Frankfurt/M. 1984.
52. *Tiziano Terzani*: Es gibt in der Welt nichts Vergleichbares. Über die japanische Roboterfabrik Fanuc am Fudjijama, in: Spiegel 40 (1986), Nr. 33 (vom 11. 8.), S. 114.
53. Vgl. dazu etwa die plastische Einführung von *Douglas R. Hofstadter*: Gödel, Escher, Bach, ein Endlos Geflochtenes Band (amerik. 1979), Stuttgart 1985.
54. Amerik. 1982; Frankfurt/M. 1985.
55. Amerik. 1985; Frankfurt/M. 1985.

antwortungs- und diskursfähig. Der postmoderne »neue Sozialisationstyp«, der jetzt zum Yuppie herangewachsen ist, fällt durch alle ihre Begriffsnetze – ganz zu schweigen von praktisch-theologischen Orientierungen in dieser schwierigen Situation[56].

Der von McLuhan und Ervin Goffman ausgehende amerikanische Mediensoziologe Joshua Meyrowitz weckt in einem Buch mit dem treffenden deutschen Untertitel »Wirklichkeit und Identität im Medienzeitalter« allerdings mindestens Zweifel an der Vollständigkeit solcher Analysen[57]. Wie er am Beispiel von Politik, Frauenbewegung und Kindererziehung zeigt, hat das Fernsehen durch Bilder aus dem sozialen »Bühnenhintergrund« die privaten und öffentlichen Orientierungsmuster umgeprägt, und zwar ziemlich unabhängig von der Ideologie, die die Macher propagierten. Die Revolte der sechziger Jahre sei die Manifestation der ersten abgeschlossenen Fernseh-Sozialisation, und diese sei weder gescheitert noch spurlos durch Institutionen integriert worden, sondern beweise unter der anhaltenden Mithilfe jenes Mediums ihre Wirksamkeit bis heute in den hellwachen Emanzipationsbewegungen von Minderheiten in allen gesellschaftlichen Bereichen. Freilich, so auch Meyrowitz, sei dabei ein neuer Sozialisationstyp entstanden, der in Zukunft noch deutlicher Gestalt annehmen werde: der »Jäger und Sammler im Informationszeitalter«. So wie einst in jenen Gesellschaften haben wir ein lockeres Verhältnis zu unseren »Häuptlingen« auf Zeit; so wie dort sind die Frauen unter uns vergleichsweise emanzipiert; und so wie dort lassen wir unsere Kinder in Selbstverantwortung hineinwachsen, statt sie zu pädagogisieren. Meyrowitz beschreibt dies im Unterschied zu vielen radikalen Medienkritikern vorsichtig als Tendenz, die weder notwendig besser noch schlechter sei als der gegenwärtige Zustand und zudem spiralförmig Vor- mit Rückwärtsbewegungen vereine[58].

Ich verhehle nicht, daß mir das Bild von den Jägern und Sammlern gefällt. Es erinnert nämlich erstens daran, daß weit unter dem technischen vermittelten Bücher-Christus, dem Leitstern moderner Orientierung, der Lehrdiskurs des Christus als Magister nie ganz verstummt – daß aber beide ihren Ort und ihr Bild, vielleicht auch ihr Licht und ihr Leben empfangen von heute vielfach

---

56. Mit welchem Typus von Schwierigkeiten Theologie und christliche Verkündigung hier kämpfen, zeigt das Dilemma neokonservativer Politik. Das freie Spiel der Kräfte, das sie favorisiert, produziert eben jene Medienwirklichkeit, deren Ergebnisse: vom Dauerfernsehen bis zum Horrorvideo ihre proklamierten Moral- und Wertvorstellungen untergräbt. Schlimmer: dann werden die so Sozialisierten niemals die leistungsorientierten und verantwortungsbewußten, notfalls verteidigungsbereiten Familienväter und -mütter, die im neokonservativen Gesellschaftsbild vorausgesetzt sind. Allenfalls manipulierte Wähler und fanatisierte Mini-Rambos ließen sich so produzieren; vgl. *Jochen Schulte-Sasse*: Der Angriff auf Libyen und Hands Across America als Postmoderne Ereignisse, in: kultuRRevolution 15, Mai 1987, S. 32–39.

57. Die Fernsehgesellschaft (No Sense of Place, 1985), Weinheim/Basel 1987.

58. A. a. O., S. 207–222: »Woher kommen wir, wohin gehen wir«, bes. S. 212–214: »Jäger und Sammler im Informationszeitalter« und S. 214–216: »Gut oder schlecht? – Wirklich oder unwirklich?«

überlagerten, in ursprünglichen Situationen aber immer wieder neu eingeprägten christlichen Sprach- und Körpermustern: sie zusammen ermöglichen heute christliche Orientierung. Ohne diese gelegentlich aufgefrischte ontogenetische Medienschulung als »Verstehenshintergrund« hätten wir heute weder ein Mythos- noch ein Problem mit den elektronischen Mitteln der Musterspeicherung. Zweitens führt jenes Bild plastisch vor Augen, daß die Begegnungen zwischen Menschen häufiger werden, die nicht nach Art seßhafter Gesellschaften im selben Ordnungsraum zusammenleben. Immer seltener ist es möglich, sich am Christusparadigma innerhalb des theologischen Paradigmas der Moderne zu orientieren. Und wenn wir an die vielen denken, die den dort vorausgesetzten Diskurs nicht führen können oder wollen, an die Kinder und Alten, an viele unsere eigenen Körper- und Gemütszustände: eine seltene Ausnahme und dünne Schicht war dies immer schon. Das verweist auf die universal gültige Wahrheit, daß alle Menschen nur durch Selbstorientierung auf Christus hin orientiert werden können. Drittens verbindet das Bild von den kommenden Jägern und Sammlern beide Aspekte: Es führt, ob nun als archaische Bedrohung oder exotische Einladung verstanden, abermals in eine bestimmte und eigentümliche Welt universal gültiger Wahrheiten: eine Welt zudem, in der deutliche Wahrnehmungen und richtige Bezeichnungen überlebenswichtig sind.
Schließlich aber: In solchen rousseauschen Bildern und Utopien wird Trauerarbeit geleistet. Jeder Wechsel des Leitmediums: von der Oralität zur Literalität, von dort zur Technik löste kollektives Leid massenhaft aus und ging wegen der Diskriminierung des alten Leitmediums einher mit kulturellen Verlusten ungeheuren Ausmaßes. Ähnliches läßt sich schon für den Spracherwerb am Anfang der Kulturgeschichte vermuten, der die Kommunikation durch das bloße Medium Körper ablöste[59], und es ist zu befürchten, daß all dies sich wiederholt, wenn wir jetzt eintreten ins Zeitalter der elektronischen Medien. Aber vielleicht weil wir wieder in so einem Übergang stehen, ist es schwer zu entscheiden, ob die immer wieder aufbrechenden Widersprüche im Erkennen auf der sicheren Position eines radikalen Konstruktivismus ausbalanciert werden sollen, der dabei nur eine jedesmal andere Musterprägung rekonstruiert[60], oder ob wir bei der Rekonstruktion dieser Abfolge über die Unumkehrbarkeit hinaus in der kulturellen Phylogenese ein Vorurteil bestätigen können, das uns unsere Sozialisation nahelegt: daß nämlich alle diese Opfer aufgewogen werden durch einen Zuwachs an Prägnanz bei der Kommunikation aller Muster, also auch des Christusparadigmas. Das evolutionäre Mittel wären immer neue schmerzhafte interne Differenzierungsschnitte:

---

59. Hier ergeben sich Übergänge zum evolutionsbiologischen Religionsverständnis; vgl. die Beiträge in Zygon. Journal of Religion and Science.
60. Vgl. *Siegfried J. Schmidt (Hg.)*: Der Diskurs des Radikalen Konstruktivismus, Frankfurt/M. 1987.

Mengenbildung, und wir könnten dann parallel zur Reihe Körper-, Sprach-, Schrift-, technische und elektronische Medien eine Entwicklungslinie der Muster nachzeichnen, die über »Mythos, Ritual, Dogmatik« hineingeführt hat in die durch den gesellschaftlichen Diskurs immer noch getrennten Textwelten von Technik und Ethik[61]. Im Zeitalter elektronischer Medien lägen Verlust und Gewinn dicht beieinander. Doch wenn in solch einer Situation im Gewande einer Antwort, die die Schriftkultur einst gab, der Mythos als Medium oraler Kultur vor uns hintritt, dann ist, wie gesagt, noch nicht einmal wirklich entschieden, ob wir ihn als Einladung verstehen sollen, es noch einmal ganz anders zu machen – oder ob er uns vor die Entscheidung stellt, unsere kulturelle Vergangenheit entweder verdrängend oder bewußt zu integrieren.

Ein theologisches Paradigma, das dem Mythos kritisch bis zu den elektronischen Medien folgt, erlaubt immerhin, unaufgeregt diese Frage zu stellen. Darüber hinaus ermöglicht es, die echten Chancen und die wirklichen Gefahren zwischen Mythos und Medien gemeinsam mit anderen zu erforschen. Der Theologie bietet sich dabei im Übergang zur postmodernen elektronischen Musterkommunikation die Chance, wieder deutlicher zur Kunst paradigmatischer Orientierung überhaupt zu werden. Dabei spielen allgemeingültige Einsichten etwa in die materielle Kontinutität der Mustervermittlung oder in die sittliche Unmöglichkeit, autopoietische Prozesse kausal zu steuern, in Übergangszeiten sicher eine besondere Rolle. Für eine christliche Theologie ist durch solche solidarische gesellschaftliche Arbeit nur, aber immerhin der Hintergrund geklärt, vor dem die bäuerlichen Informationsbesitzer in den Dörfern und Städten gestern und heute ebenso wie die Jäger und Sammler einst und in der Zukunft durch das Christusparadigma auf Gott hin orientiert werden können. Natürlich wird sie in ihren Hauptteilen diese christliche Orientierungsgestalt für unsere Zeit und für diese Medienwelt beschreiben, und sie wird an Orientierungsgestalten aus anderen Zeiten und anderen Medienwelten erinnern. Sie wird dabei nicht nur über diese Zeiten und Welten orientieren, sondern sich auch selbst als eine solche christliche Orientierungswelt verstehen. Aber gerade dann zeigt sich, daß wir in bezug auf diese Orientierungsmöglichkeit selbst weder das Heil zu erhoffen haben im Rückgang auf frühere noch Unheil befürchten müssen wegen bloßen Ursprungs zu

---

61. Vgl. *Ingolf U. Dalferth*: Mythos, Ritual, Dogmatik. Strukturen der religiösen Textwelt, in: EvTh 47 (1987), S. 272–291. Dort ist die hier unternommene theologische Rekonstuktion des Mythos eingepaßt in den Rahmen eines erweiterten Zeichenparadigmas. Gegen Dalferths These, daß »die Text-Welt des Mythos die Aporie menschlicher Existenz, ... die des religiösen Rituals die Präsenz des Heils (signalisiert)« (a. a. O., S. 287) spricht außer der Möglichkeit, beide könnten dieselbe Funktion (gehabt) haben, die Beobachtung, daß sich ihre Muster häufig überlagern. Beides schließt eine getrennte Evolution nicht aus, aber es läßt eher auf eine mediale Musterdifferenzierung schließen, und »nur« eine solche ist dann auch zur Dogmatik hin zu vermuten. Deren Sachfragen bleiben gestellt durch das Muster selbst.

neuen Konsensualitätsformen[62]. Daß das Christusparadigma orientiert, liegt nicht bei uns – oder: Das Medium ist nicht die Botschaft[63].

---

62. Vgl. neben einerseits *Dalferth*, s. Anm. 61, andererseits *Eilert Herms*: Gottes Wirklichkeit, in: *Wilfried Härle/Reiner Preul (Hg.)*: Marburger Jahrbuch Theologie 1 (MThSt 22), S. 82–101, 1987. Ich will diese Ansätze mit jenen Extremmöglichkeiten nicht identifizieren, sondern festhalten, wie sich durch unsere Gespräche meine Auffassungen geklärt und – wie ich hoffe – vertieft haben.
63. Vgl. dagegen *McLuhan*: The Medium is the Message, New York 1967; Die magischen Kanäle, s. Anm. 41, S. 17–31.

5. Praktische Theologie

Klaus Winkler

Symbolgebrauch zwischen Partizipation und Regression C. G. Jung und die Folgen für die Seelsorge

Klaus Winkler

Einstimmung

Es legen sich bei Auseinandersetzung mit der wahrlich komplizierten Materie drei »Vorbemerkungen zur Sache« nahe:

1. Die Zahl der Veröffentlichungen zum Thema »Symbol« in neuerer und neuester Zeit ist sowohl auf humanwissenschaftlicher als auch theologischer Seite unübersehbar. Es gilt also, wesentliche Bezugspunkte zu finden und demnach gezielt Literatur auszuwählen. Versucht man eben dieses unter pastoralpsychologischem Aspekt, so fallen zwei Veröffentlichungen ins Auge, die im zeitlichen Unterschied von zehn Jahren erschienen sind. Im psychoanalytischen Bereich veröffentlichte A. Lorenzer 1970 den schmalen Band »Kritik des psychoanalytischen Symbolbegriffs«[1]. In der sehr differenzierten und komprimierten Studie wird versucht, das Symbolverständnis der Psychoanalyse vor einer möglichen Ghettoisierung zu bewahren und in ein tragfähiges Verhältnis zu demjenigen anderer und betont empiriebezogener Sozialwissenschaften zu bringen. – Im theologischen Bereich veröffentlichten J. Scharfenberg und H. Kämpfer ihr sog. »Werkstattbuch«: »Mit Symbolen leben. Soziologische, psychologische und religiöse Konfliktberatung.«[2] Hier geht es darum, die Erkenntnisse der Humanwissenschaften für das bessere Verständnis jener konfliktlösenden Aussagen und Symbole in Dienst zu nehmen, die Bibel bzw. religiöse Tradition anbieten. – Nun aber der auffällige Tatbestand: In beiden Veröffentlichungen spielt die »Komplexe Psychologie« C. G. Jungs keine Rolle. Bei A. Lorenzer wird nicht einmal Jungs Name erwähnt. Scharfenberg/Kämpfer schreiben: »An manchen Punkten haben wir uns für Vereinfachungen entschieden und auch vieles weggelassen. So wird man vergeblich eine differenziertere Auseinandersetzung mit dem Symbolbegriff C. G. Jungs und dem des Strukturalismus suchen.«[3] Ob nun aus Gründen erkenntnistheoretisch verankerter Mißachtung (so bei dem Neomarxisten Lorenzer) oder aber aus Gründen einer als notwendig erscheinenden Vereinfachung: Es könnte sein, die auffällige Aufwandsersparnis ist alles andere als zufällig und drückt ein nicht nur theoretisches, sondern affektives Mißbehagen aus. Es könnte sein, dieser Widerstand entspricht einer Abwehr, die nicht nur vorläu-

1. *A. Lorenzer*: Kritik des psychoanalytischen Symbolbegriffs, Frankfurt/M. 1970.
2. *J. Scharfenberg/H. Kämpfer*: Mit Symbolen leben. Soziologische, psychologische und religiöse Konfliktbearbeitung, Olten/Freiburg i. Br. 1980.
3. A. a. O., S. 7.

fige Ungeklärtheiten, sondern prinzipielle Unklarheiten betrifft. Genau dieser Frage wird später noch nachzugehen sein.

2. Wenn im Bereich einer seelsorgerlich handelnden Praktischen Theologie vom Symbolgebrauch die Rede ist, so provoziert dies bei gegenwärtiger Lage der Dinge automatisch An- und Rückfragen an die Systematische Theologie. Gerade in der Auseinandersetzung mit der Begrifflichkeit C. G. Jungs genügt es einerseits nicht mehr, sich auf analoge Aussagen seiner theologischen Zeitgenossen (etwa auf den formal so überaus ähnlichen Symbolbegriff bei Paul Tillich) zu berufen. Andererseits kann die Aufarbeitung der immer neu andrängenden wissenschaftstheoretischen Probleme auf Dauer nicht ausgespart bleiben, wie das etwa in den ersten eineinhalb Jahrzehnten der Seelsorgebewegung aus guten Gründen nahelag. Die einseitig kognitive Attitüde der praktisch handelnden Theologen von einst muß nicht mehr bewußt einseitig durch eine betont pragmatische Attitüde allein kompensiert werden! Viel eher geht es jetzt darum, die zusätzlichen Erkenntnisse der Pastoralpsychologie zu integrieren. Dies sollte freilich geschehen, ohne sie bequemlich einebnen zu wollen und damit ihrer innovativen Impulse zu berauben. – Sehen wir recht, so werden im gegebenen Zusammenhang die systematischen Theologen dort ins Gespräch zu ziehen sein, wo es um die Begriffe »Erfahrung« und »Transzendenz« geht. Auch diese offenen Fragen sind wieder aufzugreifen.

3. Da die vorliegende Auseinandersetzung mit dem Symbolgebrauch in der Folge Jungscher Psychologie schon vom Titel her auf eine Distinktion der Erlebensweisen von »Partizipation« und »Regression« abhebt, sind beide Begriffe im Hinblick auf unser Vorhaben zu definieren. Wir fassen im folgenden Partizipationsfähigkeit mit Leopold Szondi als Voraussetzung für das Anteilnehmen des einzelnen an Menschen und an Dingen, an der Natur bzw. an der Gesamtheit wahrnehmbarer Phänomene auf.
In der Folge der Möglichkeit Anteil zu nehmen, bildet der Mensch Familien, Gruppen, Klassen, Völker, zu denen er sich zugehörig vorfindet[4]. – Wichtig ist einmal, daß der Begriff »Partizipation« bei dieser Definition als Formalbestimmung in Gebrauch genommen und auf menschliches Verhalten bezogen werden kann. Wichtig ist weiter, daß es möglich ist (wie etwa bei Hans-Ulrich Gumbrecht unter sozialpsychologischem Aspekt und im Kontext von Anteilnahme an politischen Gruppierungen, von Wahlverhalten usw.), »eine eigenartige Ambivalenz in der Partizipation« anzunehmen[5]. In aller Deutlichkeit

---

4. Szondis Grundannahme ist formuliert in Anlehnung an *Werner Huth*: Die Schicksalsanalyse Leopold Szondis, in: Die Psychologie des 20. Jh.s, Bd. III, Zürich 1979, S. 295 ff.
5. *Hans Ulrich Gumbrecht*: Wahlkämpfe in der Bundesrepublik Deutschland aus kommunikations-soziologischer Perspktive, in: Die Psychologie des 20. Jh.s, a. a. O., Bd. VIII, 1979, S. 527 ff., hier S. 533.

abgegrenzt werden soll der Begriff für unsere Verwendung dagegen vom bekannten Ausdruck »participation mystique« im Sinne Lévy-Bruhls, der sowohl die logische Abstraktion als auch Zwiespältigkeitserleben ausschließt, rationales Handel nicht von magischen Praktiken zu unterscheiden vermag und damit dem nahhekommt, was in der psychoanalytischen Terminologie als »Primärprozeß« bezeichnet wird[6]. – C. G. Jung selber ist naheliegenderweise von seinem anthropologischen Ansatz her an der »participation mystique« besonders interessiert. So etwa in den »Psychologischen Typen«, wo es unter diesem Wortgebrauch darum geht, daß sich das Subjekt auf magische Weise »... mittels *mystischer Identifikation* des Objektes bemächtigt«[7]. Auch in dem hochinteressanten und sehr lesenswerten Brief an Walter Bernet vom 13. VI. 1955, in dem Jung auf dessen Buch »Inhalt und Grenze der religiösen Erfahrung« eingeht, wird dieser Ausdruck gebraucht[8]. Aber C. G. Jung kann den Begriff auch in dem hier verwendeten Sinne, d. h. in der Formalbestimmung eines inhaltlich noch nicht strukturierten Anteilnehmens, gebrauchen. So etwa, wenn er ein zeitgemäßes Bewußtsein dahingehend beschreibt, daß es »... in Partizipation mit der Anschauungswelt steht«[9]. – Und weiter: Wir fassen im folgenden Regression mit Laplanche/Pontalis im psychischen Bereich auf als »... ein Zurück von einem bereits erreichten Punkt aus bis zu einem vor diesem gelegenen Punkt«. »Formal gesehen bezeichnet die Regression den Übergang zu Ausdrucksformen und Verhaltensweisen eines vom Standpunkt der Komplexität, der Strukturierung und der Differenzierung aus niedrigeren Niveaus.«[10] Mit diesen Formulierungen ist der rückschrittliche, entwicklungshemmende Aspekt des Begriffes freilich besonders betont. Daß das Phänomen »Regression« auch noch in weiteren Funktionen bestimmbar ist, zeigt schon der Titel des bekannten Buches von Michael Balint »Therapeutische Aspekte der Regression«, in dem Freuds Einsichten differenziert und »gutartige und bösartige Formen der Regression« voneinander unterschieden werden[11]. Rudolf Heinz faßt die gegenwärtige Erkenntnislage so zusammen: Der »Vorstellung eines Rückganges, Rückschrittes verdankt sich die Bezeichnung Regression. Ein solcher Rückschritt hat aber den positiven Sinn, durch Senkung des Anpassungsniveaus eine sichere Startbasis zu gewinnen, um in einem neuen Anlauf das ursprüngliche Scheitern des Lösungsverhaltens wettzumachen. Diese Regressionsauffassung unterstreicht ich-psychologisch den Anpassungssinn der Regression in einem

---

6. Vgl. *L. Lévy-Bruhl*: Die geistige Welt der Primitiven, Stuttgart 1978.
7. *C. G. Jung*: Psychologische Typen, Zürich 1950, S. 397.
8. *C. G. Jung*: Briefe in drei Bänden, Bd. 2, 1946–1955, Olten/Freiburg i. Br. 1972, S. 495 ff., hier S. 502.
9. *A. a. O., Bd. 1, 1906–1945, S. 305.*
10. *J. Laplanche/J. B. Pontalis*, Das Vokabular der Psychoanalyse, Zweiter Band, Frankfurt 1975, S. 436.
11. Vgl. *M. Balint*: Therapeutische Aspekte der Regression, Stuttgart 1970, bes. S. 145 ff.

besonderen Maße; entsprechend wird der in der psychoanalytischen Literatur vorherrschende Fluchtaspekt nur als ein Ausschnitt des Gesamtprozesses der Regression angesehen«[12]. Bei Kenntnis dieses Forschungsstandes wird – wie gesagt – Regression im Rahmen unseres Themas in der früheren und engeren Auffassung in Gebrauch genommen. Das zielt auf einen rein situativen Vorteil ab! Einmal läßt sich daraufhin besser aufzeigen, wie leicht sich die verschiedenen Aspekte eines Regressionsvorganges miteinander verwechseln lassen. Zum anderen ist beabsichtigt, den hier vorwiegend negativ definierten Regressionsbegriff in deutliche Spannung zu dem vorwiegend positiv definierten Partizipationsbegriff zu bringen. Gerade an der Arbeit mit dieser Spannung ist uns gelegen. – Soweit die drei »Vorbemerkungen zur Sache«. Ein erster Gedankengang im Rahmen unseres Themas lautet auf diesem Hintergrund:

I. Symbolerleben im Dienste individueller Konfliktberatung und als Voraussetzung eines menschenwürdigen Daseins

Wir setzen zunächst bewußt mit einer allgemein und neutral gehaltenen Wortbestimmung ein. Friedrich W. Doucet schreibt unter dem Stichwort »Symbol«: »Begriff für ein Objekt, Bild, Sprachausdruck usw., die für etwas anderes stehen, etwas anderes vertreten. Der Begriff S. ist vieldeutig. Kennzeichnend für das S. zur Abgrenzung von Allegorie, Zeichen, Signal usw. ist sein Doppelcharakter. Symbole habe sowohl einen *eidetischen* wie einen *operativen* Sinn. Der eidetische Sinn bezieht sich auf die Gemeinsamkeit mit den Objekten, Ideen, Vorstellungen usw., die sie vertreten, der operative Sinn umfaßt die Wirkung, die von Symbolen ausgeht.«[13] »Vieldeutigkeit« und »Doppelsinn« bzw. »Doppelcharakter«: diesen wesentlichen Eigenschaften des Symbols korrespondiert auf der Erlebensseite eine (vom einzelnen Individuum freilich nur mehr oder weniger bewußt wahrgenommene) Ambivalenzempfindung. Von E. Bleuler in die Fachliteratur auf dem Gebiet der Psychopathologie eingeführt, wird der Begriff Ambivalenz bald immer allgemeingültiger benutzt. Er bezeichnet »das Nebeneinanderbestehen zweier entgegengesetzter Gefühle mit einander widersprechenden Affekten«[14]. Gerade im Hinblick auf diesen Begriff aber gilt Freuds Grundforderung im besonderen Maße: Wo Es war, soll Ich werden. D. h., Ambivalenzen auszuhalten, sich Ambivalenzen bewußt zu stellen, sich durch das Vorhandensein entsprechender Gefühle zu reflektierten Entscheidungen herausfordern zu lassen, gehört zu den notwendigen Ich-Leistungen. Es sind jene anstrengenden Ich-Leistungen des

12. *Rudolf Heinz*: Über Regression, in: Die Psychologie des 20. Jhs., a. a. O., Bd. II, 1976, S. 493ff., Zitat S. 493f.

13. *Friedrich W. Doucet*: Psychoanalytische Begriffe. Vergleichende Textdarstellung Freud – Adler – Jung, 5. Aufl., 1975, München 1972, S. 155.

14. Vgl. *F. W. Doucet*, a. a. O., S. 27.

Individuums, die dasselbe reifen, und d. h. »erwachsen« werden, lassen. Damit ist nun ein wichtiger Punkt für unsere spätere Auseinandersetzung mit C. G. Jung erreicht: Wie gesagt, ist die Mehrdeutigkeit für das Symbol konstitutiv (so auch Scharfenberg/Kämpfer, a. a. O., S. 46). Nur unter dieser Voraussetzung kann ein Symbol »Ausdruck eines individuellen inneren Konfliktes« sein und der gezielte Umgang mit Symbolen zur ebenfalls gezielten Lebenshilfe geraten (Scharfenberg/Kämpfer, a. a. O., S. 21).
Nur so macht es Sinn, wenn A. Lorenzer in seiner genannten Veröffentlichung durchgehend darauf abzielt, einer De-Symbolisierung im Erlebens- und Handlungsbereich eine Re-Symbolisierung therapeutisch gegenüberzustellen und so Konfliktlösungen einzuleiten. Aber nun: Ebenso konstitutiv für diese nutzvolle und effektive Ingebrauchnahme von Symbolen ist dann deren bleibender konkreter Bezug auf grundsätzlich mögliches und situativ ständig neu auslösbares Ambivalenzerleben. Nur so nämlich bleibt der konfliktbehaftete Mensch trotz seines Leidensdruckes wenigstens prinzipiell entscheidungsfähig! Und im überindividuellen Bereich ist nur unter der Voraussetzung einer ständig aktualisierbaren Ambivalenzspannung denkbar, daß eine von erwachsener Bewußtheit getragene Beschäftigung mit Symbolgeschehen – wie Scharfenberg/Kämpfer schreiben – »zu einem erregenden Abenteuer des menschlichen Geistes werden könnte«[15]! Die Notwendigkeit einer bleibenden Korrespondenz zwischen Symbolgebrauch und Ambivalenzerleben zeigt sich dann freilich auch, wenn man die andere Seite der Medaille ins Auge faßt. Für Lorenzer dokumentiert sich die folgenschwere Depravierung des ursprünglich vom Symbolerleben gesteuerten Verhaltens im (neurotisch vorgezeichneten) Klischeeverhalten. Er faßt zusammen: »Die Merkmale dieses klischeebestimmten Verhaltens sind ...: fehlende Erkennbarkeit – Determiniertheit – unverzögerte Entladung – Irreversibilität – Unabhängigkeit und Tendenz zum Einschleifen – Umweltverhaftung, d. h. Verhaftung an einer ›Szene‹ und ›szenische Reproduktion‹, d. h. Wiederholungszwang – entwicklungsgeschichtliche Verankerung. Alle diese Merkmale teilt das klischeebestimmte Verhalten, wie es als Folge einer Verdrängung vorkommt, mit den tierischen Lebewesen, die ein Auslöseschema erwerben.«[16] Hier wird einmal Symbolgebrauch zum Kennzeichen einer wirklich menschenwürdigen Daseinsform, die – übrigens bei Aufnahme der Gedankengänge Ernst Cassirers[17] – den Menschen vom Tier unterscheidet, aber dauernd zu verkommen droht. – Hier wird zum anderen sehr deutlich, daß Klischeeverhalten nicht nur Symbolerleben, sondern auch Ambivalenzerleben prinzipiell ausschließt. Und hier wird schließlich ausgesagt, daß die Depravierung menschlich möglichen Symbolerlebens zu Klischeeverhalten die Folge eines (therapeutisch angehbaren)

15. *Scharfenberg/Kämpfer*, a. a. O., S. 70.
16. *A. Lorenzer*, a. a. O., S. 103f.
17. Vgl. *Ernst Cassirer*: Philosophie der symbolischen Formen, 3 Bde., 2. Aufl, Darmstadt 1953.

Verdrängungsvorganges ist. – Dieser rote Faden wird von Scharfenberg/ Kämpfer wiederaufgenommen und fortgesponnen. Auch sie sprechen von drohender seelischer Verarmung ohne Symbolgebauch, zeigen auf, was »emotionale oder kreative Verkümmerung« genannt zu werden verdient und durch das Surrogat einer künstlichen »Emotionalität gleichsam aus der Tüte« (a. a. O., S. 78) mitnichten ausgeglichen werden kann. Sie machen auf die entsprechende Gefahr für unser Zusammenleben aufmerksam, wenn Klischees und bloße »Zeichen« an die Stelle lebendig wirksamer Symbole treten (a. a. O., S. 79f.). Und sie reden den offiziellen Vertretern der Religion ins Gewissen, doch nicht länger über den mißverständlichen »Zeichen der Zeit« die eigentlichen »Symbole der Zeit« zu vernachlässigen (a. a. O., S. 69). Sehr deutlich wird von den beiden Autoren auch der Stellenwert des Ambivalenzbegriffes herausgearbeitet[18]. Scharfenberg hebt »die stets gleichen Grundambivalenzen und ihre ›Aufhebung‹ im religiösen Symbol« hervor und bezeichnet Regression und Progression, Autonomie und Partizipation, Realität und Phantasie als zumindest vorläufig benennbare Gegensatzpaare im menschlichen Erleben. Sie alle betreffend, heißt es: »Daß wir über eine Sache gleichsam zwei Meinungen in unserem Inneren haben, daß wir unser Gefühlsleben als schwankend und wechselhaft erleben und nie zur absoluten Eindeutigkeit bringen können, das ist die allerstärkste Gewißheit im Blick auf unsere innere Erfahrung.« – »Die Gefühlsambivalenz des Menschen stellt eine anthropologische Konstante dar.«[19] Vor allem aber wird im selben Kontext (und für unsere Thematik wichtig!) davon ausgegangen, daß »die Symbole vor allem zu dem Zweck gebildet wurden, um die Ambivalenz zwischen den genannten Polen auszudrücken und ›aufzuheben‹ (im berühmten Hegelschen Doppelsinn), das heißt also, daß die Spannung erhalten bleibt und damit neue geschichtliche Möglichkeiten aus ihr entwickelt werden können«[20]. – Auch für H.-J. Thilo sind Symbol und Ambivalenz in seinem Buch »Die therapeutische Funktion des Gottesdienstes« eng aufeinander bezogen. Denn von der Liebe Gottes und zugleich von seinem Zorn kann man nur im Symbol reden. Und so »deutet das Symbol die Zwiespältigkeiten des Lebens als Ausdruck der Ambivalenz der Schöpfung« (a. a. O., S. 32). – Nur im Zusammenhang mit der Annahme solcher Grundambivalenzen kann also von menschlichen Grundstrukturen und eben auch von Grundkonflikten im intra- und interpsychischen Bereich die Rede sein. Deren Aufarbeitung wird daraufhin gleichsam in Zusammenarbeit mit dem Symbol geschehen[21]. – Schließlich spielt aber auch hier der von Lorenzer bei der Klischeebeschreibung gebrauchte Begriff der Verdrängung eine wichtige Rolle. Scharfenbergs Plädoyer für einen konfliktlösenden Symbolge-

18. *J. Scharfenberg/H. Kämpfer*, a. a. O., S. 170ff.
19. A. a. O., S. 171f.
20. A. a. O., S. 173.
21. Vgl. die Zusammenstellung bei *J. Scharfenberg/H. Kämpfer* a. a. O., S. 197.

brauch hängt naheliegenderweise von einer im Rahmen der neueren psychoanalytischen Theoriebildung schon vollzogenen Revision der ursprünglichen Freudschen Auffassung ab. Die Umkehrung der anfänglich konzipierten Freudschen Theorie wird zur Voraussetzung seiner Basisannahme: »Nicht die Verdrängung ruft die Notwendigkeit zur Symbolisierung hervor, sondern der Verzicht auf den Umgang mit Symbolen schafft die Verdrängung. Das Symbol ist nicht das Symptom einer Menschheitsneurose, sondern dann, wenn man die symbolische Kommunikation einstellt, droht die Neurose.«[22] Ähnlich wie Freud selbst seine ursprüngliche Angsttheorie revidierte (aus: »Die Verdrängung macht Angst«, wurde: »Die Angst macht Verdrängung«), mußte demnach unter dem Druck der Realität eine zeitgemäße Psychoanalyse die ursprüngliche Symboltheorie ganz neu fassen (aus: »Die Verdrängung schafft Symbole«, wird nun: »Die nichtgelebten Symbole schaffen Verdrängung«). Nur eben: Die Revision der Angstdefinition hatte lediglich Folgen für die psychoanalytische Theoriebildung bzw. entsprach deren Ausdifferenzierung. Eine Revision des Symbolbegriffs dagegen hat Folgen, die in den Bereich der anthropologischen Grundannahmen bzw. der weltanschaulichen Prämissen hineinreichen. Nicht eben zufällig fordern Scharfenberg/Kämpfer deshalb gerade in diesem Kontext: »Unserer Meinung nach sollte es nicht nur eine psychologische Religionskritik, sondern auch eine religiöse Psychologiekritik geben.«[23] Religion als Ausgangsbasis für Kritik an einer Wissenschaft, die sich gern rein empirisch orientiert verstehen möchte: Das mündet geradezu in die brisante Fragestellung ein, wo denn dann Symbole letztlich verankert sind. Wenn sie einerseits nicht als Produkte eines Verdrängungsprozesses aufgefaßt werden, andererseits aber nicht einfach offenbarungspositivistisch vom Himmel fallen sollen, steht gleichsam automatisch eine Beschäftigung mit C. .G. Jung ins Haus. Ist er – aus der Distanz zum historischen Streit zwischen Freud und ihm um die »Wandlungen und Symbole der Libido« betrachtet – nicht gerade wegen seines Symbolverständnisses als ein »früher Prophet« einzustufen? Haben jene Theologen, aber auch Pastoralpsychologen, recht, die in C. G. Jung den der Realität gegenüber eigentlich offenen, dazu der Religion freundlich zugewandten Tiefenpsychologen sehen? Ist er, der u. a. schon in den 30er Jahren eine Veröffentlichung über »Die Beziehungen der Psychotherapie zur Seelsorge«[24] lieferte, gar zu den Pionieren der Seelsorgebewegung zu rechnen? Was aber besagt dann das eingangs erwähnte Unbehagen in der psychoanalytischen und theologischen Rezeptionskultur? An solche Fragestellungen schließt sich unser nächster Reflexionsgang an.

---

22. A. a. O., S. 67.
23. A. a. O., S. 80.
24. *C. G. Jung*: Die Beziehungen der Psychotherapie zur Seelsorge. Zürich 1932 (II 1948).

II. C. G. Jung: Das Symbol und der prinzipiell offene Transzendenzbegriff

Für C. G. Jungs »Komplexe Psychologie« mit ihren zentralen Begriffen Komplex, Archetypus, Kollektives Unbewußtes, aber auch Schatten, Animus, Anima sowie Selbst und Individuation ist der Symbolbegriff in einer spezifischen Ausprägung unverzichtbar. Deutlich zeigt das die zusammenfassende und sehr gründliche Darstellung von Jolande Jacobi »Komplex, Archetypus, Symbol in der Psychologie J. G. Jungs«[25]. – Jung selbst grenzt den Begriff zunächst sehr nachdrücklich vom »Zeichen« ab und schreibt dann: »Das S. ... setzt immer voraus, daß der gewählte Ausdruck die bestmögliche Bezeichnung oder Formel für einen relativ unbekannten, jedoch als vorhanden erkannten oder geforderten Tatbestand ist.« Oder: Sonst Unaussprechliches wird in unübertrefflicher Weise dargestellt[26]. Die Vieldeutigkeit ist damit bereits garantiert: Jedes Individuum wird das Unaussprechliche anders verarbeiten. Formal gesehen ist hier zunächst noch nicht mehr ausgesagt als etwa schon Hegel in seiner »Ästhetik« zum selben Thema und unter der Überschrift »Die Zweifelhaftigkeit des Symbols« beschreibt und wonach eine bestimmte Gestalt einen Inhalt »unter mehreren Bedeutungen, als deren Symbol sie oft durch entferntere Zusammenhänge gebraucht werden kann«, zu repräsentieren vermag[27]. Inhaltlich gesehen aber hängt die Mehrdeutigkeit des Symbols in Jungscher Sicht eng mit dessen »Bipolarität« zusammen. Diese Bipolarität des Symbols bedeutet, daß sich in ihm sowohl bewußte als auch (kollektiv) unbewußte Erlebensmöglichkeiten ausdrücken. Gerade in der Verbindung beider Elemente besteht ja die charakteristische »Brückenfunktion« des Symbols. Jolande Jacobi schreibt dazu: »Der Unterschied zwischen dem personalistisch-konkretistischen und dem symbolisch-archetypischen Verstehen und Deuten der Symbole, das, was *Freud* und *Jung* grundsätzlich trennt, wird hier eindeutig offenbar.«[28] Genau dieser Unterschied betrifft aber nun nicht eben nur verschiedene Schwerpunktbildungen innerhalb einer Theorie. Er betrifft darüber hinaus einmal allgemein den jeweiligen Wirklichkeitsbegriff. Er betrifft zum anderen sehr konkret den Stellenwert, den das (für uns unverzichtbare) Ambivalenzerleben im Hinblick auf den Symbolgebrauch bekommt.

Zunächst das eine: Im schroffen Gegensatz zu dem – wie Eilert Herms mit Akribie aufweist[28a] – eher positivistischen Wirklichkeitsverständnis bei Freud schreibt Jung (in Auseinandersetzung mit dem scholastischen Universalienstreit): »Die lebendige Wirklichkeit ist weder durch das tatsächliche, objektive

25 . *J. Jacobi*: Komplex, Archtypes. Symbol in der Psychologie D. G. Jungs, Zürich 1957.

26 . Vgl. *C. G. Jung*: Psychologische Typen, a. a. O., S. 643.

27 . *G. W. F. Hegel*: Ästhetik, 1. Bd., Berlin/Weimar 1984, S. 301.

28 . *J. Jacobi*, a. a. O., S. 104.

28a. Vgl. *E. Herms,* Die Funktion der Realitätsauffassung in der Psychologie Sigmund Freuds. Überlegungen zur möglichen Bedeutung von Theologie für die psychoanalytische Theoriebildung, in: *H. Fischer* (Hg.), Anthropologie als Thema der Theologie, Göttingen 1978.

Verhalten der Dinge, noch durch die ideelle Formel ausschließlich gegeben, sondern nur durch die Zusammenfasung beider im lebendigen psychologischen Prozeß, durch das ›esse in anima‹.«[29] Auf die Frage, wie weitgehend und wie konsequent C. G. Jung in, mit und unter diesen Bestimmungen erkenntnistheoretisch Kantianer ist und bleibt, kann im gegebenen Rahmen nicht eingegangen werden[30]. Wichtig für unseren Zusammenhang ist vor allem, wie der Tiefenpsychologe im Verbund mit dem »esse in anima« den Transzendenzbegriff bestimmt und praktisch handhabt. Prinzipiell ist Transzendenz für Jung schlechterdings unfaßbar und unaussprechbar. Sie ist es aber nicht aus dem Interesse an einem glaubenskonstitutiven »extra nos« heraus, sondern sie ist es, weil jede Fassung, jedes Aussprechen transzendenter Größen sofort wieder dem bewußten Bereich anheimfallen muß. Die Schwierigkeit taucht dann dort auf, wo Jung den sowohl philosophisch als theologisch gefüllten Transzendenzbegriff einerseits aufnimmt, andererseits aber in ganz anderer Beziehung und Bedeutung anwendet. Er kann von »Bewußtseinstranszendenzen« reden[31]. Ein rein formaler Wortgebrauch? Er kann aber auch alle christliche Doktrin als Ausdruck für das transzendent Psychische bezeichnen[32]. Ist damit das »eigentlich« von Christen Geglaubte noch gar nicht betroffen oder doch schon? Unter dem Eindruck neuerer Sprachtheorie läßt sich zumindest fragen, ob die logische Struktur einer psychologischen Aussage nicht notwendigerweise auch den ontologischen Aspekt beinhaltet und Jung damit letztendlich Psychologismus vorzuwerfen wäre[33]. Was der Schöpfer der Komplexen Psychologie selber möchte, ist freilich etwas anderes. Er tritt für einen weltanschaulich möglichst offenen Transzendenzbegriff ein. So kann er Glaubenaussagen einerseits und seine Basisaussagen über die archetypischen Determinanten empirisch faßbaren Geschehens andererseits im Hinblick auf deren jeweils transzendente Verankerung rein logisch nebeneinander bestehen lassen. Dann aber scheinen die zunächst kategorial getrennten Bestimmungen ihm doch wieder in eins zu fließen! Dann kann er sogar die berüchtigte reduktionistische »Nichts-als«-Formel benutzen: »Denn was ist schließlich Weltanschauung? Doch nichts als ein erweitertes oder vertieftes Bewußtsein«, schreibt er in »Seelenprobleme der Gegenwart«[34]. Anders gesagt: Da ist prinzipielle Offenheit für sehr verschiedene Deutungen des Transzendenz-Immanenz-Problems angesagt. Aber dabei gibt es keine weltanschauliche oder auch theologische Transzendenz-

---

29. *C. G. Jung*: Typen, a. a. O., S. 70f.
30. Vgl. dazu meine Dissertation »Dogmatische Aussagen in der neueren Theologie im Verhältnis zu Grundbegriffen der Komplexen Psychologie C. G. Jungs« (Maschinenschrift).
31. So in *C. G. Jung*: Mysterium Coniunctionis, Zürich 1955, S. 4.
32. So in *C. G. Jung*: Aion, Zürich 1951, S. 253.
33. So etwa *L. Gabriel*, in: Zum Problem der religiösen Aussage, in: Wissenschaft und Weltbild, 6. Jhrg. Heft 2, S. 49ff., hier S. 51.
34. *C. G. Jung*: Seelenprobleme der Gegenwart, 5. Aufl., Zürich 1950, S. 267.

bestimmung, die nicht eng (und damit aufhebbar!) erschiene gegenüber der ins wahrhaft unendliche »kollektive Unbewußte« hinein amplifizierbaren Bewußtseinstendenz. – Noch anders gesagt: Die von Jung vertretene weltanschauliche Offenheit des Begriffs Transzendenz manifestiert sich bei näherem Hinsehen eher in einer Offenheit, die das Verhältnis der Erlebensqualitäten »bewußt – unbewußt« betrifft. Innerhalb dieses Gegensatzpaares ereignen sich Transzendierungsvorgänge, die per definitionem unabschließbar sind, ohne daß bei diesem letztlich funktionalistischen Gebrauch des Begriffs Transzendenz der Raum des Psychischen je verlassen werden kann. Eine derart korrelativ zur Immanenz gesetzte Transzendenz aber fällt früher oder später der empirischen (bzw. psychologischen) Bestimmbarkeit anheim. Das trifft auch dann zu, wenn Jung auf einem bestimmten und bestimmenden Abstraktionsniveau die Unbestimmbarkeit zum Prinzip macht. Die prinzipielle Offenheit verwandelt sich unter der Hand und bei ihrer Inanspruchnahme im therapeutischen oder aber seelsorgerlichen Bereich nur allzu leicht in eine prinzipielle Ungeklärtheit. Diese wiederum fällt in eins mit jener »letzten Unklarheit«, die es vom Individuum als Korrelat zu seiner natürlichen Wahrnehmungs- und Erkenntnisbeschränkung scheinbar zwingend zu aktzeptieren gilt. Fatalerweise hat eben diese »letzte Unklarheit« für viele eine Affinität zum »Mysterium«. Fallen diese beiden Größen aber unreflektiert ineinander, so ist die emotionale Abwehr gegen eine im Sinne des Erkenntnisfortschritts notwendige intellektuelle Aufklärung und gegen Emanzipation von kurzschlüssiger Schicksalsgläubigkeit nicht weit. Die für C. G. Jungs Symbolbegriff konstitutive Bipolarität kommt dieser Tendenz, sich vom ewig und grundsätzlich »Unerklärbaren« in besonderer Weise faszinieren zu lassen, entgegen. Denn es klingt für einen Zeitgenossen mit dementsprechender Erwartungshaltung verführerisch, wenn Jung schreibt: »Der Ort oder das Medium der Verwirklichung (sc. des Menschen) ist weder der Stoff noch der Geist, sondern jenes Zwischenreich subtiler Wirklichkeiten, das einzig durch das Symbol zureichend ausgedrückt werden kann. Das Symbol ist weder abstrakt noch konkret, weder rational noch irrational, weder real noch irreal, es ist jeweils beides ...«[35]

Soviel zu den problematischen Begriffsbestimmungen von »Wirklichkeit« und »Transzendenz« bei C. G. Jung. Bleibt – wie angekündigt – in diesem Kontext noch zu fragen, was dieser Ansatz bzw. dieses Symbolverständnis für den Umgang mit Ambivalenzerleben bedeutet. Jung ist an diesem Begriff ganz offensichtlich wenig interessiert (so kommt er etwa in den umfangreichen Briefbänden überhaupt nicht vor!). Wo er ihn vereinzelt aufführt, geschieht dies mit deutlich negativer Attitüde. Ambitendenz bzw. Ambivalenz sind kennzeichnend für einen archaischen Zustand der Psyche[36]. Oder aber Ambivalenz

---

35. *C. G. Jung*: Aion, a. a. O., S. 387 f.
36. *C. G. Jung*: Typen, a. a. O., S. 565 f.

und Ambitendenz sind entwicklungshemmende Eigenschaften der undifferenzierten psychologischen Funktionen (Denken, Fühlen, Empfinden, Intuieren), die es voneinander abzuheben und nach ihren Einzelementen zu differenzieren gilt[37]. Genau dieses Desinteresse an der Funktion des Ambivalenzerlebens als einer entscheidungsfördernden Ich-Leistung im Umgang mit Konfliktsituationen erscheint uns als symptomatisch! Auch wenn das sog. »vereinigende Symbol« die Spannung zwischen individuell ausgeprägter und doch kollektiv gesteuerter Vorfindlichkeit immer neu »aufhebt« und so allmählich Individuation provoziert, bleibt die Frage offen, wie denn Konfliktlösungen in der Praxis ohne eine enge Beziehung zwischen dem »mehrdeutigen Symbol« einerseits und dem Ambivalenzerleben andererseits vermittelt werden können. Es fragt sich, welche Folgen die Vernachlässigung dieser Verhältnissetzung hat. Werden bei solchem Symbolgebrauch wirklich »neue geschichtliche Möglichkeiten« im Sinne Scharfenbergs aus der Ambivalenzspannung entbunden? Dazu der dritte Gedankengang.

III. Wer in der Seelsorge Symbole gebraucht, der achte auf die Folgen!

Zunächst noch eine weitere Definition: Wir fassen Seelsorge auf als »Ermöglichung eines spezifisch christlichen Verhaltens zur Lebensbewältigung«[38]. Dabei gehören zu einer gelungen vollzogenen Lebensbewältigung sowohl Konfliktbearbeitung und -lösung als auch Krisenaufhebung. Eine Seelsorge, die in diesem Sinne dazu beitragen möchte, das Leben durch seine verschiedenen Phasen hindurch zu bewältigen, ist darauf eingerichtet, je nach Situation und realem Bedarf entweder Entwicklungshilfe zu bieten oder aber Trost zu vermitteln. Bei dieser Intention tauchen allerdings im Hinblick auf das gegenwärtige Konkurrenzverhältnis zwischen Seelsorge und Psychotherapie sofort zwei Fragestellungen auf. Die erste Frage lautet: Welches unaustauschbare und möglichst auch unverwechselbare Charakteristikum zeichnet seelsorgerliches Verhalten aus? Was also ist das eigentlich Christliche an der Seelsorge? Auf unser Thema zugeschnitten: Ist der Gebrauch biblischer Symbole bereits ein ausreichendes Merkmal? – Die zweite Frage lautet: Welcher Anpassungsmodus wird im Rahmen einer Konflikt- und Krisenbearbeitung nahegelegt? Mit H. Hartmann läßt sich das »fitting together« vom Individuum her auf die Umwelt zu in seiner alloplastischen und autoplastischen Form durchaus als positive, und d. h. lebensgestaltende, Anpassungsleistung des »Ich« auffassen[39]. Daneben aber kann Anpassung bleibend mit einem guten Stück Selbstaufgabe um der situativen Erleichterung und Entängstigung im Konfliktfall willen verbunden sein. Dieser Anpassungsmodus

---

37. A. a. O., S. 576 f.
38. Vgl. meinen Art. »Seelsorge«, in: TRT, hg. von E. Fahlbusch, Bd. 5, 4. Aufl., 1983, S. 28 ff., hier S. 28.
39. Vgl. *H. Hartmann*: Ich-Psychologie und Anpassungsproblem, 2. Aufl., Stuttgart 1970.

ist insofern als negativ einzuschätzen, als er die mögliche Persönlichkeitsentwicklung hemmt oder sogar unmöglich macht. Er korrespondiert mit dem Interesse, Ambivalenzzustände so weitgehend wie möglich zu vermeiden und diese Vermeidungstendenz nötigenfalls durch (mehr oder weniger offene) Ideologiebildung abzustützen. Dabei gehört zur Gretchenfrage, ob nämlich der eine oder der andere Anpassungsmodus überwiegt, die weitere Frage nach dem Umgang mit den Verhaltenselementen Partizipation und Regression. Gelingt es, Partizipation als Anteilnahme an Mitmensch und Umwelt innerlich so zu gestalten, daß der einzelne sich gleichzeitig die Fähigkeit zur Distinktion zwischen subjektiver Vorfindlichkeit und objektiver Gegebenheit erhält? Oder aber wird Partizipation in diesem Sinne aufgegeben zugunsten eines emotional undifferenzierten Ergriffenseins in der Nähe der »participation mystique«? Und: Werden Regressionszusstände im Hinblick auf ihre benignen und malignen Wirkungsweisen differenziert? Oder gerät das (seelsorgerliche bzw. therapeutische) Hilfsangebot an einen (von Ambivalenzspannungen angestrengten) Klienten in eine ganz andere Richtung? Gerät es zur Aufforderung, sich mit der Übernahme psychologischer bzw. theologischer Einsichten gleichzeitig alte (und d. h. in der Regel infantile!) Sehn-Süchte zu erfüllen und dabei in den Zustand unkritischer Anhängerschaft und Idealfixierung zu regredieren? – Beide Fragestellungen, die nach dem seelsorgerlichen Charakteristikum und die nach dem intendierten Anpassungsmodus, sind gezielt einzubringen, wenn es darum geht, sich mit den Folgen der Psychologie C. G. Jungs für die Seelsorge auseinanderzusetzen. Auf dieser Basis unsere Stellungnahme:

Wir meinen unter pastoralpsychologischer Wahrnehmungseinstellung, daß C. G. Jungs Psychologie vor allem von ihrem Symbolbegriff her eine Affinität zur Archaisierung des Partizipationserlebens und zur Förderung regressiver Bedürfnisse entwickelt. So aber verlockt sie im Konfliktfall zum Ausweichen in symbiotisches Verhalten. Im Rahmen des Jungschen Konzepts schafft sicher nicht die Verdrängung die Symbole! Im Gegenteil: Nicht gelebte Symbole führen auch hier per definitionem zu Störungen. Für die Praxis aber besteht die Gefahr, daß mit und unter dem Gebrauch von Symbolen die Verdrängungsmechanismen unvorteilhaft ausgewechselt werden, d. h., daß die Konfliktabwehr nur verschoben wird. Das läßt für die Übernahme Jungscher Grundannahmen in die Seelsorge die negativen Auswirkungen einer doppelten Tendenz befürchten:

Das ist einmal die Tendenz, die »Ermöglichung eines spezifisch christlichen Verhaltens« gegenüber einer nicht eingrenzbaren, aber unter gewissen Umständen sehr faszinierenden Religiosität zu relativieren. So aber wird die Bearbeitung von Lebens- und Glaubenskonflikten mit dem Ziel, eigenständige Bewältigungskompetenz zu erwerben, eher gehemmt als gefördert.

Hierzu eine kurze Beispielsszene aus der eigenen Praxis: Eine 42jährige Pfarrfrau, seit 19 Jahren mit einem etwa gleichaltrigen Mann verheiratet, zwei Kinder im Pubertätsalter, seit fast zwei Jahrzehnten ohne eigene Berufstätigkeit, kommt erstmalig zum Psychoanalytiker, der gleichzeitig Theologe ist. Sie möchte unter der Voraussetzung behandelt werden, daß der Analytiker als Therapeut oder auch als Seelsorger jedenfalls nach der Psychologie und Methode C. G. Jungs mit ihr arbeite. Sie habe seit längerer Zeit sehr viel von Jung gelesen. Besonders die Lektüre von »Die Beziehungen zwischen dem Ich und dem Unbewußten« und »Antwort auf Hiob« habe sie stark fasziniert und ihr Denken geprägt. Als Grund, eine Behandlung anzustreben, gibt die Frau an, starke Auseinandersetzungen mit ihrem Mann, ja, sowohl eine akute Ehe – als auch eine Glaubenskrise hinter sich zu haben. Sie sagt: »Im Zusammenhang mit meinem Jung-Studium hat sich das alles mehr oder weniger als Problem aufgelöst. Die Kämpfe mit meinem Mann haben spürbar nachgelassen. Wir achten uns in dem gemeinsamen Bewußtsein, jeder für sich seinen eigenen Charaktertyp leben zu müssen und dennoch irgendwie miteinander auskommen zu wollen. Auch im Glaubensbereich hat mich Jung ein neues Verstehen gelehrt. Ich habe begriffen, daß Christsein nicht unbedingt in Kirchentreue aufgehen muß, sondern daß unser Glaube sich in ganz große Zusammenhänge einordnen läßt. Man muß ja gar nicht alles wörtlich nehmen! Man kann das, was über Gott und auch über Jesus Christus gesagt wid, rein symbolisch verstehen. Die Leute begreifen das bloß nicht, aber mich hat es sehr erleichtert.« Jetzt komme die Frau zum Therapeuten bzw. Seelsorger, weil sie ihre neue innere Situation noch als ungeschützt empfinde und Unterstützung brauche. Sie wirkt bei diesem Anliegen locker, sogar fröhlich, wehrt aber deutlich jede kritische Infragestellung ihrer Haltung und Einstellung ab. Als der Psychoanalytiker mitteilt, er meine auch, daß eine Konfliktbearbeitung notwendig sei, arbeite aber nicht im Rahmen der Jungschen Psychologie, wirkt die Frau enttäuscht, kann sich aber auf keine weitere Auseinandersetzung einlassen und erkundigt sich nach der Adresse eines Jungianers. Dem Therapeuten erscheinen damit die vordergründig ausgesetzten Konflikte der Pfarrfrau sowohl im Partnerschafts- als auch im Glaubensbereich eher zugedeckt als angenommen.

Soviel zu dem einen Teil der doppelten Tendenz in der Folge des Jungschen Ansatzes. Daneben kann bei Identifikation eines Seelsorgers (bzw. Psychotherapeuten) mit der Jungschen Position die andere von uns befürchtete Tendenz zum Tragen kommen. Wie schon ausgeführt, besteht sie darin, Partizipation im Sinne icherhaltender und ichstärkender Anteilnahme am Beziehungsgeschehen zu hemmen, dagegen Regression ganz einseitig, und d. h. in ihrer das notwendige Ambivalenzerleben abwehrenden Funktion, zu fördern. Auch hierbei kommt dem Symbolgebrauch eine Schlüsselfunktion zu. Als Beispiel soll eine Veröffentlichung des Pfarrers, Beratungsstellenleiters und Psychotherapeuten Jungscher Richtung, Helmut Hark dienen. Sie ist 1984 unter dem Titel »Religiöse Neurosen« erschienen[40]. Es muß in unserem Zuammenhang nicht darauf eingegangen werden, ob es heute noch opportun ist, religiöse bzw. sog. ekklesiogene Neurosen von den sonstigen charaktertypischen Neuroseformen besonders abzuheben. Es kann sehr wohl darauf hingewiesen werden, daß das Buch eine Fülle nützlicher Grundeinsichten in psychodynamische Abläufe sowie deren Störungen und Therapie in erfreulich zugänglicher Form vermittelt. Es spiegelt tatsächlich den breiten Erfahrungshorizont seines Autors wider, wie der Klappentext nahelegt. Gleichzeitig aber wird es damit zum Beleg für die eben genannte Tendenz und Befürchtung. Im

---

40. *Helmut Hark*: Religiöse Neurosen. Ursachen und Heilung, Stuttgart 1984.

gegebenen Rahmen müssen zwei kurze Texthinweise zur Verdeutlichung genügen.

Im ersten Text führt Hark vor, wie er im Sinne der Komplexen Psychologie amplifiziert, also von den psychischen Vorfindlichkeiten her auf die sog. »ganzheitliche Erfahrung, die Göttliches und Menschliches zu verbinden vermag«[41], hin das Erleben ausweiten möchte. Eine Frau L. erlebt in einer Behandlungsstunde einen befreienden Gefühlsdurchbruch. »Nach dem Ausbruch eines Tränenstroms schwieg Frau L. noch einmal lange und setzte das Gespräch dann stockend fort ... Sie berichtete, daß sich durch das Weinen die Verhärtungen ihrer Gefühle gelöst hätten. Das Aufatmen und die erlebte Befreiung beschäftigten sie bis zum Abschluß der Stunde.«[42] So weit und akzeptabel die Beschreibung eines kathartischen Elementes innerhalb eine Konfliktbearbeitung. Dann aber führt der Therapeut für den Fall der im Grunde als prototypisch verstandenen religiösen Neurose seine eigentliche Intention an. Wie die Bibel zeige, stecke hinter aller Traurigkeit die Möglichkeit der Gotteserfahrung. »Hier wird deutlich, daß die seelischen Erfahrungen keineswegs im emotionalen Bereich steckenbleiben müssen, sondern zu einer spirituellen Erfahrung werden können.«[43] Jetzt geraten nicht nur die verschiedensten Erfahrungsbegriffe durcheinander – es werden auch von einer ganz bestimten therapeutischen Zielvorstellung her Angebote gemacht, die entsprechend eingestimmte Klienten zu symbiotisch vorgezeichneter Anteilnahme und Regression verlocken.
Der zweite Texthinweis soll aufweisen, wie konsequent der Gebrauch biblischer Symbole unter diesem Vorzeichen zur Ausschaltung von Ambivalenzgefühlen führen kann. Hark zeichnet das (seelsorgerliche?) Gespräch mit einer Frau Eibe auf, in dem neben zahlreichen Träumen auch viele biblische Bilder eine ausschlaggebende Rolle spielen. In diesem Zusammenhang heißt es:
»*Eibe*: ... Diese Bilderwelt, wenn sie einmal angeregt ist, ist sehr schön und hilfreich, doch ich will nicht verschweigen, daß sie auch belastend sein kann. Es war manchmal zuviel des Guten oder vielmehr des Bedrängenden. Die Träume in den letzten Jahren zeigen oft, daß so viel da ist, daß die Gefäße nicht ausreichen, um alles aufzunehmen. Mir fällt dabei der reiche Fischfang ein, da ging es ähnlich. Es wurden so viele Fische gefangen, daß das Netz fast zerriß. So geht es mir auch mit den Träumen. Oft denke und empfinde ich, daß der Kopf oder die Seele gar nicht alles verarbeiten kann. Es ist manchmal wie bei einer Zerreißprobe.«
Hark: Hatten Sie das Gefühl, daß diese Bilderwelt zu einer Bilderflut würde, ähnlich wie die Sintflut? Und hatten Sie die Hoffnung, Sie hätten eine »Arche Noah«, in der Sie Zuflucht finden, um damit in dieser inneren Lebendigkeit, die in Ihnen aufgebrochen ist, schwimmen zu können? Wie sehen Sie das?
»*Eibe*: Ja, die Sintflut ist ein guter Vergleich! Es war zeitweise eine wahre Sturmflut, durch die ich mich bewegen mußte.«[44] – Soweit dieser Gesprächsausschnitt. An ihm sollte aufgezeigt werden, wie suggestiv ein Jungianer Bilder und Symbole einsetzen kann, um die sehr deutlichen Zwiespältigkeitsgefühle und starken Beunruhigungen der Frau Eibe in ein umfassendes Geborgenheitsgefühl hinein aufzulösen. Seine Gesprächspartnerin reagiert übrigens gefügig und listig zugleich. Sie nimmt sein Bild auf und dreht ihm doch sein Symbol gleichsam im Munde herum. Wie der Gesprächsfortgang zeigt, folgt sie dabei im ganzen gesehen aber durchaus seiner Seelenführung.

C. G. Jung und die Folgen für die Seelsorge: Nach allem Gesagten sind noch zwei Mißverständnisse auszuschließen. Einmal sollte die kritische Infragestellung der Jungschen Position und deren praktischer Konsequenz nicht den Eindruck erwecken, ein entsprechendes Vorgehen könne den Ratsuchenden nicht in

---

41. A. a. O., S. 183.
42. A. a. O., S. 182.
43. A. a. O.
44. A. a. O., S. 193f.

seinen akuten Schwierigkeiten helfen. Die Frage lautet ausschließlich, zu welchem Preis und mit welchen Konsequenzen diese Hilfe geschieht. – Zum anderen kann es gar nicht darum gehen, Symbolgebrauch und Seelsorge grundsätzlich auseinanderdividieren zu wollen. Es wäre von erheblichem Nachteil, hinter die theoretischen Einsichten und praktischen Vorschläge von Scharfenberg/Kämpfer zurückkehren zu wollen. Nur sollte ein Voranschreiten auf dem Gebiet religiösen Symbolgebauchs in der Seelsorge von sehr kritischen anthropologischen und theologischen Reflexionen im Hinblick auf die Zielvorstellungen im Rahmen eines vertretbaren Menschenbildes begleitet bleiben. In diesem Sinne sind die abschließenden Anregungen aufzufassen.

Schlußbemerkung

Die Auswirkungen C. G. Jungs, seiner Komplexen Psychologie und besonders seines Symbolbegriffs auf die theoretische Einstellung und das konkrete Verhalten des Seelsorgers fordert gerade den Pastoralpsychologen heraus, kritisch zu reagieren. Im seelsorgerlichen Handlungsbereich ist das gegenwärtige Klima unausweichlich von der Konkurrenz mit bzw. der Verhältnissetzung zu den Humanwissenschaften und deren Konfliktlösungsangeboten bestimmt. Will sich die Seelsorge hier weder »ausliefern«, wie das als Fehlentwicklung R. Riess beschreibt[45], noch folgenschwere Berührungsängste entwickeln (wie sie sich mit erschreckenden Auswirkungen in der »Befreienden Seelsorge« eines Adams zeigen[46]), so ist das Gespräch mit der Systematischen Theologie nicht nur allgemein zu pflegen. Es ist bei gezielter Schwerpunktbildung gleichzeitig auf die gegebenen Umstände zu beziehen. Um systematisch-theologische Hilfe sollte sich – wie wir meinen – die gegenwärtige Seelsorge bei Forschung, Lehre und praktischem Vollzug vor allem im Hinblick auf die folgenden Fragestellungen bemühen:

1. Wie komme ich als Seelsorger in Besitz einer angebbaren und theologisch vertretbaren Anthropologie? Hier ist sehr wohl zu beachten, was W. Pannenberg im Hinblick auf Karl Barth schreibt: »Durch die *Abweisung* der Anthropologie ist sie erst recht in die *Abhängigkeit* anthropologischer Bedingtheit geraten ...«[47] Andererseits kann auch auf die Anknüpfungsthese nicht mehr unbefangen zurückgegriffen werden (so oft das auch unreflektiert in der Praxis weiter geschieht!); denn: »Bei solcher Anknüpfung wird die nichttheologische Anthropologie nicht kritisch verwandelt und durch solche Verwandlung hindurch kritisch angeeignet.«[48] Auch H.-J. Thilo scheint uns das hier offene Problem eher persönlich als allgemeingültig zu lösen, wenn er zwar

45. *R. Riess*: Seelsorge. Göttingen 1973.
46. *J. E. Adams*: Befreiende Seelsorge, 6. Aufl., 1982.
47. *Wolfhart Pannenberg*: Anthropologie in theologischer Perspektive, Göttingen 1983, S. 16.
48. A. a. O., S. 19.

nicht »das Wesen der Religion in dem Beziehungsverhältnis des Menschen zu einer von ihm geahnten Überwelt (Wobbermin)« sehen, noch sich der dialektischen Theologie anschließen will, sich dann aber »systematisch« in der Nähe D. Bonhoeffers vorfindet[49]. Die Antworten hängen sehr eng mit der nächsten Frage zusammen:

2. In welcher Begrifflichkeit wird von mir als Seelsorger »Transzendenz« gefaßt und in, mit und unter dem poimenischen Handeln »ins Spiel« gebracht? Genügt mir der formale bzw. funktionale Aspekt, welchem mit Jung im Sinne der Bewußtseinstranszendenz Unendlichkeitscharakter eignet und der in dieser Unabgegrenztheit eine qualitative Wertung erfährt? Gilt es – wie es W. Pannenberg[50] unternimmt –, die nach Plessner für das Menschein konstitutive Exzentrität, Weltoffenheit und eben Möglichkeit zur Selbsttranszendenz aufzugreifen und ins Christliche hinein auszuweiten? Komme ich weiter, wenn ich mit H.-J. Thilo sog. »Realität« von sog. »Wirklichkeit« trenne und dann Transzendenz so bestimme, daß sie als »das Leben in einem dauernden Wechsel zwischen Realität und Wirklichkeit« aufgefaßt werden kann[51]? Die Auseinandersetzung darüber, was wirklich wirkt, wenn es in der Seelsorge um Konfliktbearbeitung und Symbolgebrauch geht, hängt auch mit der nächsten Frage eng zusammen:

3. Welche Auffassung von Funktion und Stellenwert einer sog. »religiösen Erfahrung« prägt eigentlich mein seelsorgerliches Handeln? Ist mir bewußt, daß ich mich auch als Seelsorger unreflektiert dem heute üblichen alltagssprachlichen Rekurs auf »religiöse Erfahrung« anschließen kann, wie ihn Eilert Herms[52] beschreibt? Und mache ich mir mit diesem Autor zusammen klar, daß diese sprachgeschichtliche Situation mich als Theologe ständig vor die Aufgabe stellt, »das Gemeinte durch Beziehung auf die schärferen Profile der theoretischen und dogmatischen Tradition zu klären«[53]? Relativiert sich z. B. gegenüber einem archetypisch strukturierten Ergriffensein und in der Folge des Symbolgebrauchs im Sinne C. G. Jungs jene Vorfindlichkeit, die Dietz Lange in seinem Buch »Erfahrung und die Glaubwürdigkeit des Glaubens« so beschreibt: »Die Mitteilung von Erfahrung führt also auch und gerade im Bereich des Glaubens zu keiner Sicherheit gewährenden Eindeutigkeit, sondern bleibt dem Zweifel ihrer Glaubwürdigkeit ausgesetzt.«[54]
Und wie paßt »eine durch das *Wort vom Kreuz* ermöglichte Erfahrung mit der

---

49. *A. J. Thilo*: Die therapeutische Funktion des Gottesdienstes, Kassel 1985, S. 70.
50. *W. Pannenberg*, a. a. O., S. 57ff.
51. *Thilo*, a. a. O., S. 15.
52. *E. Herms*: Art. Erfahrung, in: Evangelisches Kirchenlexikon, Bd. 1, 3. Aufl., Göttingen 1986, Sp. 1065f., hier Sp. 1070.
53. A. a. O., Sp. 1071.
54. *Dietz Lange*: Erfahrung und die Glaubwürdigkeit des Glaubens, Tübingen 1984, S. 103.

Erfahrung« zum genannten Klima? Ist diese Aussage E. Jüngels[55] nach der »Überwindung« Thurneysens durch die Seelsorgebewegung für mich als praktizierender Seelsorger eine situationsinadäquate Ärgerlichkeit oder ein zu neuer Nachdenklichkeit zwingendes Ärgernis?
Im Zusammenhang mit dem Symbolgebrauch haben wir noch etliches zu tun, um mit diesen Fragen adäquat umzugehen.

55. Vgl. *E. Jüngel*: Gott als Geheimnis der Welt, 3. Aufl., Tübingen 1978, S. XIII.

6. Religions- und Missionswissenschaften

Horst Bürkle
Kurt Rudolph
Manfred Büttner

Theologische Konsequenzen aus der Wiedereröffnung des Zugangs zum Mythos

Horst Bürkle

Die Mythenforschung besonders der ersten Hälfte unseres Jh.s hat der Theologie vorausgearbeitet. Wesen, Funktion und Wahrheit des Mythos traten dabei zunehmend deutlicher zutage. Auf breiter Front von den allgemeinen Kulturwissenschaften über die Völkerpsychologie, die philosophische Hermeneutik und die Tiefenpsychologie bis zur Ethnologie und zur Religionsphilosophie und zu den Ergebnissen der vergleichenden Religionsgeschichte kamen Forschungserträge zusammen, die eines deutlich werden ließen: Die Dimension des Mythischen ist eine Grundstruktur unseres menschlichen Seins. Sie ist nicht einfach überholbar durch vermeintliche Aufklärungsprozesse. Sie kann und darf nicht in Gegensatz gebracht werden zu den Erkenntnismöglichkeiten menschlicher *ratio*. Zu ihr steht sie in notwendiger und ergänzender Spannung. Die Wahrheit des Mythos ist deshalb nicht antirational, ja – sie ist nicht einmal arational. Sie ist transrational in einem eigentümlichen Sinne: So wie die ›Sprache‹ der Musik und der Dichtung oder des darstellenden Kunstwerkes Wahrheit vermittelnd kundtut, so spricht auch der Mythos seine ihm eigene offenbarerische Sprache. Er bleibt dabei Vehikel und vermittelndes Medium für Inhalte, die sich seiner bedienen. Man kann darum vom Mythos als ›Mittler‹ sprechen. An der Frage, was und wer sich im Mythos ausspricht, scheiden sich dann allerdings die Geister.
Die für die Theologie relevante Frage kann deshalb nicht lauten: Was muß an die Stelle des Mythischen treten? Darum kann es keinen Gegensatz zwischen einem *kerygma* und dem Mythos geben. Das zu Verkündigende ist immer auch wesentlich mythisch bestimmt und bedingt. Das Wesen christlicher Offenbarung bestimmt hier auch das Mythische. Es liegt in der durch und durch geschichtlichen Einbettung der Selbstkundgabe Gottes. Vorbereitet durch die Geschichte des Alten Bundes, begleitet von der Geschichte der Religionen im Vorderen Orient und in der hellenistisch-römischen Welt, entbirgt sie ihr Geheimnis in der Geschichte der Fleischwerdung des Sohnes. Als Geschichte Gottes aber blieb sie in der Geschichte nicht verrechenbar. Immer sprengte sie den Rahmen des Datierbaren und in die Anschaulichkeit des bloß Gegenwärtigen Integrierbaren. Weil es sich hier um letztgültige, erfüllende Offenbarung handelt, wird das geschichtlich vor Augen Liegende aufgenommen in das Geheimnis seines Ursprungs und seines göttlichen Zusammenhanges. Das Bekenntnis »Gott in Jesus von Nazareth« ist die unauflösbare Verbindung von geschichtlichem Ereignis und mythisch vermittelnder Aussage transgeschichtlicher Wahrheit. Noch einmal: Nicht der Mythos an sich ist die Wahrheit, sondern die in mythischer Aussage sich

kundgebende Wahrheit des im Sohn sich offenbarenden Gottes. In diesem Sinne allein kann für den christlichen Theologen gelten, was Walter F. Otto über die Rolle des Mythos allgemein festgestellt hat: In den verschiedenen Formen des Mythos gewinnt Göttliches für den Menschen erst seine vergegenwärtigende Gestalt. »Dieses Menschliche des Mythos geringzuschätzen und gar aus der Religion verbannen zu wollen ist ein arges Mißverständnis. Der Mythos im Worte ist die Inkarnation des Göttlichen im Menschlichen.«[1]
In diesem Sinne kann es sich für die Theologie in der Kritik am Mythos nie um seine Eliminierung handeln. Zu behaupten, daß das Kerygma »Gott war in Christus« das Ende alles Mythischen bedeute, ist ein Widerspruch in sich. Es käme der Behauptung gleich, daß diese Botschaft das Ende aller Sprache sei. Die Sprache als religiöse Mitteilung bleibt zutiefst mythisch eingebunden – es sei denn um den Preis, daß sie ihre offenbarungsvermittelnde Qualität verliert und sich im begrifflich-rationalen, vordergründig bleibenden Informationsakt erschöpft. Ihre Kritik wird überhaupt erst stichhaltig, wo sie dem Anspruch vor- und außerchristlicher Mythen entgegentritt, sie ihres letzthinnigen Anspruchs auf den Menschen entkleidet und sie in den Bereich des Vorläufigen verweist. Eben dieses aber kann nur dort gelingen, wo die anderweitig behauptete und in Anspruch genommene Dimension des Mythischen von der christlichen Wahrheit besetzt bleibt, oder sachgemäß ausgedrückt, wo das Ereignis der Fleischwerdung Gottes im Sohn seinen alle Weltgeschichte umgreifenden, Zeit und Raum transzendierenden und den Kosmos erfüllenden übergeschichtlichen Zusammenhang behält. Darum ist es »möglich, daß der über die Offenbarung reflektierende Glaube und die sie vermittelnde Verkündigung vom Mythos und seinen Elementen dort Gebrauch macht, wo es geboten erscheint, um die Heilstiefe, das Übernatürliche, das Übergeschichtliche, das Transempirische der Offenbarung auszusagen. Das im Mythos gegebene Verstehen wird einberufen, um den in der Offenbarung gegebenen universalen Dimensionen die angemessenen Chiffren zu leihen. Durch diese Beziehung des Mythos auf die Person, die Geschichte und das Heilswerk Jesu Christi wird der Mythos erfüllt und aufgehoben zugleich, sein in Christus gegebenes Ende ist zugleich seine Vollendung«[2].
An die Stelle einer theologischen Kritik am Mythos und seiner letztendlichen Eliminierung tritt darum die Mythenkritik. Mit dieser Voraussetzung treten wir ein in die Räume der Begegnung und theologischen Auseinandersetzung mit den Ansprüchen der großen außer- und nebenchristlichen, den synkretischen und quasireligiösen Bewegungen unserer Zeit. In ihnen begegnet uns das ungeschmälerte Volumen religiöse Ganzheitsschau beanspruchender Botschaften und Hoffnungen. Jene nur mythisch zur Sprache zu bringenden und

---

1. »Der urspüngliche Mythos«, in: *K. Kerényi (Hg.)*: Die Eröffnung des Zugangs zum Mythos, Darmstadt 1967, S. 274.
2. *H. Fries*: At. Mythos IV: Systematik, in: LThK 7, Sp. 751.

in die religiöse Praxis einzubeziehenden übermenschlichen und außergeschichtlichen Dimensionen fordern eine missionarisch gesinnte Theologie heraus. Wozu? Doch wohl dazu, daß sie nicht länger den Rückzug auf einseitige anthropologische Belange betreibt. Dazu, daß sie nicht für ein paar Linsengerichte an diskutablen gesellschaftspolitischen Fortschrittsentwürfen ihr Erstgeburtsrecht auf die das Ganze der Geschichte und des geschöpflichen Seins erfüllende Christuswirklichkeit hin verkürzt.
In diesem Sinne ist unser Thema zugleich ein missionstheologisches. Missionstheologie hier verstanden als die Aufgabe, die ihre Reflektion an jene Grenzen verlegt, die es in der Begegnung mit den vor- und außerchristlichen und also geschichtlich noch vorläufigen Heilsbotschaften zu überschreiten gilt. Wir fragen nach Einsichten, die nicht schon im Blick auf den theologischen gegenwärtigen ›Ist-Zustand‹ zu gewinnen sind. Mit Hilfe der für Kirche und Theologie relevanten Ergebnisse der modernen Mythenforschung fragen wir – und das kann nur ansatzweise geschehen – nach den daraus zu gewinnenden Einsichten. Dazu aber bedarf es für den Missionswissenschaftler zugleich jenes oben angedeuteten ›Grenzganges‹. Erst bei ihm sind in der gegenwärtigen außerchristlichen religiösen Landschaft die Anstöße zu gewinnen, die solcher Reflexion ihre Dringlichkeit und ihren missionarischen Impetus verleihen. Im begrenzten Rahmen eines Einzelvortrags muß das Ganze ›pars pro toto‹ und an Hand von modellhaft ausgewählten Beispielen erfolgen. Dazu führen wir uns die für unsere interessenleitende Fragestellung relevanten Ergebnisse neuerer Mythenforschung vor Augen. Daraus sollen Einsichten gewonnen werden, die als Anstöße für weitere theologische Besinnung und für das missionarische Selbstverständnis der Kirche daraus folgen.

Es war *Walter F. Otto*[3], der den Totalanspruch einer rational erhellten und kausal erklärenden naturwissenschaftlich-technischen Denkweise hinsichtlich der dem Menschen begegnenden Wirklichkeit wieder in seine Schranken verwiesen hat. Was für die Theologen unserer Zeit den Maßstab für ihre Hermeneutik abzugeben schien – nämlich der sog. moderne Mensch mit seinem Welt- und Selbstverständnis –, erscheint ihm torsohaft und in seinem Ausschließlichkeitsanspruch unbegründet. Auf der Suche nach der dem rationalen Zugriff verborgenen, weil nur im eigenen Entbergen sich kundgebenden Wirklichkeit, war er dem Wesen des Mythos auf die Spur gekommen. Als klassischer Philologe hatte er im Umgang mit dem griechischen Erbe, ähnlich wie *U. von Wilamowitz-Moellendorf*[4], in ihm die Begegnung mit der Ursprungsmächtigkeit des Seins selbst entdeckt. Es war jene Wirklichkeit, die der Marburger *Rudolf Otto*[5] mit dem Begriff des Numinosen belegt hatte. Sie

3. *W. F. Otto*: Die Götter Griechenlands, 6. Aufl., Frankfurt 1970.
4. Der Glaube der Helenen, Darmstadt 1955.
5. Das Gefühl des Überweltlichen (Sensus Numinis), München 1932.

widerfährt dem Menschen. Ihr gegenüber gibt es Staunen und Erschüttertsein. Sie umgreift den sich selbst setzenden, in seiner in Anspruch genommenen Freiheit sich selbst bestimmenden Menschen. Seine Definitionen von Wirklichkeit erscheinen hier als höchst vorläufige, bedingte und sich wieder und wieder ablösende Entwürfe und Skizzen. Gegenüber dem Unausdenklichen wird das bloß Gedachte erkennbar. Nicht, daß jenseits dieser Grenze die *ratio* verabschiedet sei. Aber sie ist einbezogen als Dienerin der Wahrheit, nicht länger als ihre beherrschende Richterin. Das Vermögen, im und durch den Mythos wahrzunehmen, wird so zum Ausdruck echter Geschöpflichkeit des Menschen.

Ungestraft kann und darf eine christliche Theologie nicht darauf verzichten, dasjenige, was im Umgang des Menschen mit Gott in die Dimension des Mysteriums gehört, was den Chrakter des Wunderbaren und Verborgenen trägt, wesentlich mitzudenken. Von ihrem Gegenstand her weiß sie mehr als der sich selbst allein reflektierende moderne Mensch. Er, für den »die Aussicht nach droben verrannt« ist[6], für den Himmel und Hölle zu den Phantasieprodukten einer unaufgeklärten Weltsicht gehören, kann nicht Garant für die Rahmengebung noch möglicher theologischer Aussagen sein. Was Walter F. Otto vor gut 30 Jahren noch einer »jüngst vergangenen Generation« ins Stammbuch schrieb, behält prinzipielle Gültigkeit für eine jede Theologie, die meint, sich ins Schlepptau zeitgeistiger Vordergründigkeit nehmen lassen zu müssen. Sie arbeitet dabei wie mit einem künstlich aufgesetzten Teleobjektiv. Was in Wirklichkeit in die Distanz gehört, wird herangeholt und in die Vordergründigkeit der aktuellen Szene eingeordnet. Das Unverfügbare erscheint verfügbar, so es nur gelingt, ihm den selbstgefertigten optischen Rahmen zu verpassen. Das sich mir Entziehende, das Unerreichbare ist jetzt greifbar geworden. Es bedarf auch nicht länger des Entschlusses zum Aufbruch, um jene Distanz selbst erlebend zu durchmessen. In solcher Nahtechnik entpuppt sich die Erfahrung des Glaubens als zu eliminierendes Störelement. Sie gerade läßt sich nicht im Vorgriff positivistischer Sprachlogik definieren. Die Gnosis des christlichen Glaubens vollzieht sich nach anderer Art als die objektivierende Beschreibung einsichtiger Sachverhalte. In dieser Hinsicht bleibt die Sicht, die Walter F. Otto seiner Beschäftigung mit den griechischen Mythen verdankt, theologisch von Bedeutung.

In seinem Vorwort zu dem Martin Heidegger 1955 gewidmeten Festschriftbeitrag »Die Zeit und das Sein«[7] benennt er die Einäugigkeit einer auf Vordergründigkeit eingestellten amythischen oder genauer: antimythischen Wirklichkeitsbetrachtung. »Die jüngst vergangenen Generationen waren überzeugt, daß es die Sache der Naturwissenschaft und der mit ihr verbundenen Philosophie sein müsse, das Wesen der Dinge und die Möglichkeit der

---

6. J. W. von Goethe.
7. »Die Zeit und das Sein«, in: *W. F. Otto*: Die Gestalt und das Sein, Darmstadt 1959, S. 3.

Erfahrung zu bestimmen, daß also die Wirklichkeit eben das und nichts anderes sei, als was sich dem rechnenden und messenden Verstand zu erkennen gibt. Das ist auch heute noch die Überzeugung aller Aufgeklärten. Freilich wußte man immer zugleich von einer ganz anderen Welt, deren Gestalten das Gemüt bewegen, indem sie dem gesamten Dasein einen Glanz und eine Würde verleihen, die ihnen die wissenschafliche Forschung und Denkweise niemals geben kann ... Aber man gewöhnte sich daran, in zwei ganz verschiedenen Welten abwechselnd zu leben, in einer realen und in einer imaginären. Und wenn die Frage auftauchte, wie dann eine imaginäre Welt so beschaffen sein könnte, daß sie uns nicht bloß unterhält und erheitert, sondern mit einer Überzeugungskraft zu uns spricht, die eigentlich nur der Wahrheit zukommt, ja, die uns erhebt und fähig macht, das Leben in einem höheren Sinne zu erfahren und zu erleben, so war man mit Antworten verschiedener Art bei der Hand, die aber alle darauf hinausliefen, daß der Menschengeist das Vermögen habe, aus sich heraus Bilder zu erzeugen, die ihm wahr erscheinen, ihn trösten und beglücken können.«
Wiedereröffnung des Zugangs zum Mythos bedeutet hier, die bleibende Gültigkeit und Wirklichkeit dieser Dimension zu erschließen. Was sich in der Wiederentdeckung jedoch in seiner allgemeinen Bedeutung für das Vernehmen des Menschen herausschält, erhält für die christliche Inanspruchnahme mythischer Vermittlung ihre spezifische und ausschließliche Bedeutung. Entgegen einer Verbannung mythischer Sprache und ihres kultischen Ausdrucks in die Vorzeit noch primitiven Denkens gewinnt bei W. F. Otto der Mythos seine bleibende, gegenwärtige Funktion. Aber anders als für den Mythenforscher Otto, erschöpft sich die theologische Bedeutung des Mythos nicht darin, daß sich in ihm »die Inkarnation des Göttlichen im Menschlichen« – wie er es sagt, – in seiner eshaften Allgemeinheit ereignet. Der im Fleisch erschienene Gottessohn vollendet die vorläufige Funktion alles Mythischen als solche »Inkarnation des Göttlichen«, insofern er die Inkarnation des Vaters selber ist. Damit nimmt er den Mythos endgültig in Anspruch und erfüllt ihn bleibend in seiner bisherigen Funktion. Jede andere Füllung des Mythos bleibt damit dieser Inkarnation theologisch zugeordnet.
Den ethnologischen Forschungen *Bronislaw Malinowskis* verdanken wir eine andere wichtige Erkenntnis. Zugang zum Verständnis des Mythos gewinnt man nicht in der wissenschaftlich-theoretischen Beschäftigung mit ihm. »Die Beschränkung der Erforschung des Mythos auf die bloße Untersuchung von Texten war für das wahre Verständnis seines Wesens verhängnisvoll.«[8] Der Mythos hat soz. seinen Sitz im Leben. Er lebt eingebettet in den Zusammenhang des Ganzen. Ihn begründet er, das Leben zugleich in seinen Abläufen und Verhaltensweisen motivierend. Zum Verstehen gehört der »Kontext des lebendigen Glaubens«, »die Möglichkeit, Erklärungen von echten Gläubigen«

8. »Die Rolle des Mythos im Leben«, in: Die Eröffnung des Zugangs zum Mythos, S. 182.

zu erhalten. »Gelebte Sitten und Volksbräuche« sind es, in denen sich Mythisches verlebendigend ausspricht und darstellt. Diese Einsicht des Feldforschers wendet sich korrigierend und kritisch gegen alle vorangegangene bloße Theoriediskussion. Sie richtet sich gegen eine isolierte Behandlung dieser Texte und ihrer Inhalte. Das Leben aus den verborgenen Quellen des Glaubens selber ist der hermeneutische Zirkel, in den es verstehend einzutreten gilt. M. a. W.: Der Zeuge selber ist es, der dem Zeugnis mit seinem gelebten Glauben nicht nur die Verifikation verleiht. Er ist das unentbehrliche Bindeglied zwischen der Botschaft und ihrem Empfänger. Es gibt keinen anderen Zugang des Verstehens, es sei denn durch denjenigen, der in und aus dieser geglaubten Wirklichkeit lebt und sie in seinen vielfältigen Verhaltensweisen – als einzelner und in der Gemeinschaft – bezeugt.
Auf jener fernen Korallen-Inselgruppe der Trobriand-Inseln nordöstlich von Neuguinea erhellt sich für Malinowski das Geheimnis dieses inneren Bezugsgeflechtes. Hier wird eine »unerläßliche Funktion« des religiösen Glaubens erfüllt: »Er gibt dem Glauben Ausdruck, Erhöhung und Gesetz; er sichert und stärkt die Sitte; er bürgt für die Wirklichkeit des Ritus und enthält praktische Regeln für das menschliche Verhalten.« Der Mythos erscheint Malinowski als »ein lebenswichtiges Element der menschlichen Zivilisation«, als »wirksame Kraft«, nicht als »intellektuelle Erklärung oder künstlerische Phantasie«, sondern als »ein Grundgesetz des Glaubens und der Sittlichkeit«[9].
Wir werden darum auch als Theologen guttun, die Debatte um den Mythos nicht länger zu isolieren von Lebensvollzügen und Gestaltungen kirchlichen Lebens und der persönlichen Frömmigkeit. Von den Geheimnissen christlichen Glaubens reflektierend zu reden ist eines. Aber um sie zu erfassen, sie verstehend, an ihnen Anteil zu gewinnen ist ein anderes. Gerade weil sich der Glaube nicht im Schauen bewegt[10], ist seine Art der Gnosis besonderer Art. Sie ist eingebettet und gebunden an den Mitvollzug und an die Teilhabe. Die Entdeckung dessen, was der Glaube glaubt, ist an die Hermeneutik der existentiellen Erfahrung gebunden.
Auf der Linie der Malinowskischen Verstehensvoraussetzungen liegen auch andere Einsichten neuerer Mythenforschung. Sie beziehen sich auf den Zusammenhang von religiösem Vollzug und mythisch vermittelter Wirklichkeit. Mythos und Ritus fordern und bedingen sich gegenseitig. *Gerhard Nebel* hat in bezug auf die mythischen Strukturen im homerischen Totenkult den Finger auf diesen inneren Zusammenhang gelegt. Der Kult ist der Schlüssel zur Entbergung der verborgenen Wirklichkeit, in diesem Falle zur Gemeinschaft mit den Ahnen. Das Vergangene wird – mythisch bekundet – im Ritual in die Gegenwart eingeholt. Zum Wissen um das Frühere kommt die Unmittelbarkeit des im Kult sich wieder und wieder Vergegenwärtigenden. Er »kräftigt

---

9. A. a. O., S. 183.
10. 2 Kor 5,7.

ihre Wirklichkeit, er öffnet sich ihrer wirkenden Wirklichkeit«[11]. Die religiöse Handlung bekräftigt, was als mythische Botschaft überliefert wird. Wenn man in diesem Zusammenhang sich dessen erinnert, was *Bruno Gutmann*[12] in bezug auf bestimmte Gemeinschaftsrituale bei den Wadschagga am Kilimandscharo herausgestellt hat, wird vollends deutlich, welche für die Gemeinschaft konstitutive Rolle dem Kult zukommt, so etwa beim Bau einer Hütte. Das Ganze ist wie eine ausdrucksvolle Liturgie zur Bezeugung und zur Erneuerung der bestehenden Gemeinschaft. Sie aber ist ein ›Corpus mysticum‹ aus Lebenden und Verstorbenen, umfaßt das Gegenwärtige und das Uranfängliche, das Sichtbare und das Unsichtbare. Symbolisch und zugleich effektiv bringt jede der beim Bau erforderlichen Verrichtungen die in den begleitenden Gesängen zum Ausdruck kommenden Mythen ins Anschauliche. Neben Tanz-, Kult- und Weihehandlungen bezeugt dieses Beispiel besonders deutlich, wie religiöses Ritual und die Sprache des Mythos sich gegenseitig fordern und interpretieren. *Karl Kerényi* weist in seinen Untersuchungen zum Wesen des Mythos immer wieder gerade auch auf dieses sich gegenseitige Bedingen von religiöser kultischer Handlung und mythischer Rezeption hin. Für ihn erscheinen Kulthandlungen ebensooft als Darstellungen von Mythologemen, wie Mythologeme sich als ›Erklärungen‹ von Kulthandlungen darbieten. »Kult und Mythologie beruhen auf demselben Weltaspekt. Dem modernen Menschen liegen beide gleich fern.«[13] Von den zahlreichen Stimmen neuerer Mythenforschung zu diesem Aspekt sei hier nur noch einmal Walter F. Otto erwähnt. Der Mythos als »kultische Handlung« ist Lebensgestaltung. Als solche liegt sie »der gesamten Daseinshaltung des Menschen zugrunde«[14]. Theologisch relevant bleibt diese Erinnerung im Blick auf eine Entwicklung, die in rationaler Rede die Vermittlung der Heilswirklichkeit beschränken zu können meint. Der Verlust der sakramentalen Handlungen und der Verzicht auf die in den verschiedenen rituellen Vollzügen sich darstellende und teilgebende Heilswirklichkeit mußte darum folgerichtig auch die Sprache des Mythischen verstummen lassen. Sakramentsverfall und Entmythologisierung gehen Hand in Hand. Wenn das in mythischer Form Überlieferte nicht mehr in partizipativen symbolischen Handlungen vermittelbar bleibt, muß es ins Abseits eines überholten esoterischen Vorstellungsgutes geraten. Dann aber erstirbt auch das anhaltende Gebet und die kontemplative Betrachtung; denn die Kommunikation des Betenden vollzieht sich ja in jene Dimension des Verborgenen und Unanschaulichen hinein, die mit der Bezeichnung ›mythisch‹ umschrieben wird.

---

11. Zit. bei *K. Hübner*: Die Wahrheit des Mythos, München 1985, S. 230.
12. *F. Krüger (Hg.)*: Die Stammeslehren der Dschaga, Bd. I–III (Arbeiten zur Entwicklungspsychologie), München 1932.
13. »Was ist Mythologie?«, in: Die Eröffnung des Zugangs zum Mythos, S. 232.
14. »Der ursprüngliche Mythos«, a. a. O., S. 275.

Mircea Eliade hat in seiner Darstellung des indischen Mythos auf einen anderen wichtigen Aspekt hingewiesen. Er betrifft die Durchbrechung der Grenzen von Raum und Zeit. Er spricht vom »Schrecken der Zeit«, jener zyklisch sich wiederholenden kosmischen Abläufe eines ewigen Stirb und Werde. »Im Symbol und im Ritus wird die Welt in der Tat periodisch immer wieder von neuem erschaffen. Mindestens einmal im Jahr wiederholt man die Kosmogonie, und in gleicher Art dient der Weltschöpfungsmythos einer ansehnlichen Reihe von Handlungen als Vorbild: zum Beispiel der Eheschließung oder den Heilungen.«[15] Erst vor diesem gesamtkosmischen Hintergrund gewinnt nun die Bannung solchen »Schreckens der Zeit« in Gestalt der indischen Heilswege ihren Sinn. Die für den Inder entscheidende Heilserfahrung besteht in der Aufhebung dieser ›Knechtschaft‹ unter die kosmischen Zeitabläufe, seines Eingebundenseins in die Welt der *māyā* und des *samsāra*. »Die Befreiung von der diesseitigen Welt und die Erringung des Heils bedeuten zugleich die Befreiung von der komischen Zeit ... Der Akt der Durchbrechung des Raumes und der Akt der Durchbrechung des Zeitverlaufs gehören zusammen.« Davon weiß auch der Buddha-Mythos, der sich mit seiner Geburt verbindet, zu berichten. In seinen anschaulichen Darstellungen läßt er den Buddha die sieben Stockwerke des Weltalls durchmessen und ihn damit Raum und Zeit transzendieren. »Der Akt der Durchbrechung des Raumes und der Akt der Durchbrechung des Zeitverlaufs« haben für die Religion konstitutiven Charakter.

Dies gilt in einem noch anderen und grundlegenden Sinne für das in die Geschichte und damit an bestimmte Orte und Zeit verweisende christliche Heilsverständnis. Es bedarf der zeittranszendenten und raumtranszendenten mythischen Vermittlung, wenn es in seiner biblisch bezeugten kosmischen Ewigkeitsdimension festgehalten werden soll. Wo sie abgeschnitten wird, wird zugleich der Zugang zur Wirklichkeit des nachösterlichen und erhöhten Christus versperrt. Die Theologie muß sich dann auf die überschaubaren Themen des Tages reduzieren. Sie aber verlieren ihren Bezugsrahmen in der das All umgreifenden Christusherrschaft. Hand in Hand geht eine Einbuße an geschichtlich-endzeitlicher Orientierung. Die Erfüllung der Geschichte bleibt Enthüllungsgeschehen dessen, was christlicher Glaube hier und jetzt schon erschaut, worauf er sich bezieht und woran er Anteil nimmt. Daß die irdische Pilgerschaft zum Abbild himmlischer Herrlichkeit zu werden vermag, daß – allgemein gesprochen – alles Zeitliche für den Glauben eine Analogie des noch verborgenen Ewigen wird[16], wie es z. B. in der göttlichen Liturgie der Ostkirche zum Ausdruck kommt, macht die Dimension des Mythischen unentbehrlich. Auch hier liegt Erinnerung an eine Feststellung Eliades nahe. Sie erhält im Blick auf eine ungekürzte Apperzeption der Christuswirklichkeit und

---

15. Ewige Bilder und Sinnbilder, Frankfurt/M. 1986, S. 82, 84 u. 87.
16. 1 Kor 13, 12.

ihrer theologischen Ausdeutung erst ihre volle Relevanz: »... die Mythen sind keineswegs ›nicht verantwortete‹ Schöpfungen der Psyche; sie entsprechen einer Notwendigkeit und erfüllen eine Funktion: nämlich die geheimsten Formen des Seins bloßzulegen.«[17] Der Glaube bekennt Jesus Christus als das ›Neue Sein‹. Aber gerade als das neue Sein bleibt er unter den Bedingungen der Geschichte, in Raum und Zeit, verborgene, im Zeichen und in Hinweisen sich entbergende Wirklichkeit. Die ins Bewußtsein und in die Anschaulichkeit ragenden Gestaltungen und Verwirklichungen der Glaubenswahrheit aber sind und bleiben Verweise in das größere Geheimnis. Es liegt jenseits unserer raumzeitlichen Vorstellungswelt. Sie transparent werden zu lassen für die ›Hintergründe‹, aus denen sich Glaube in der Zeit speist, dazu bedarf es der symbolischen, ›uneigentlichen‹, in diesem Sinne mythischen Sprache und Vorstellung.

Einen Versuch der Versöhnung zwischen mythischem Denken und wissenschaftlicher Analyse der Wirklichkeit hat zuletzt *Kurt Hübner* in seinem Werk »Die Wahrheit des Mythos« (München 1985) unternommen. Im Unterschied zu den bislang erarbeiteten Zugangswegen zum Verstehen und Deuten mythischer Gegebenheiten, die im Bereich der Kulturgeschichte, der Ethnologie und Religionswissenschaft sowie der Psychologie lagen, will er »Methoden und Ergebnisse moderner Wissenschaftstheorie und Analytik auf das von der Mythos-Forschung erarbeitete Material« anwenden. Damit will er erreichen, daß »die wissenschaftstheoretisch untersuchten wissenschaftlichen Denk- und Erfahrungsformen mit denjenigen des Mythos systematisch« verglichen werden können. »Wissenschaft wie Mythos« gilt es »im Blick auf ihre Erkenntnisleistung und ihren Wert gegeneinander abzuwägen«[18]. Wir müssen es uns in diesem Zusammenhang versagen, die ausführlichen Untersuchungen, die Hübner zu diesem Zweck in seinem Buch anstellt, hier darzustellen. Wir beschränken uns daher auf die für unsere Fragestellung relevanten Ergebnisse. Das Ergebnis seiner kritischen Analyse der Gültigkeit dessen, was er die »wissenschaftliche semantische Intersubjektivität« nennt, lautet: Auch solche als wissenschaftlich exakt geltende Rationalität hat ihre Gültigkeit immer nur in einem »begrenzten Rahmen« und für einen »begrenzten Zeitraum«. »Sie ist daher etwas Geschichtliches.«[19] Als solches unterliegt sie aber notwendig Wandlungen und ähnlich wie die Sprache Schwankungen und Entwicklungen. Dennoch, so stellt Hübner heraus, gilt die der Wissenschaft eigene Semantik im Gegensatz zum Mythischen als das Eindeutige, das Exakte. Dem Mythos dagegen wird der Charakter des Vagen und des beliebig Auslegbaren zugeschrieben. Eine solche Behauptung aber entbehrt des Sinnes und ist der Sinnlosigkeit des Satzes vergleichbar ›Paris liegt rechts‹. Entscheidend

17. A. a. O., S. 13.
18. Die Wahrheit des Mythos, S. 17.
19. A. a. O., S. 273.

kommt es auf das Bezugssystem an. Dieses erst verleiht einem solchen Urteil seinen Sinn. Darum läßt sich auch über die Genauigkeit einer mythischen Aussage kein zutreffendes Urteil abgeben, indem man sie einem anderen Bezugssystem unterwirft. Die Dimension bedarf zu ihrer Erschließung und Deutung eben des »übergeordneten Zweck- und Lebenszusammenhanges, der eine mythische Welt kennzeichnet und der sich ... weitgehend von demjenigen der Wissenschaft unterscheidet«. Wenn aber Rationalität und Exaktheit keine »absoluten, sondern nur relationale Begriffe« sind, dann – so kann Hübner folgern – ist »die Wissenschaft auch nicht exakter als die heutige Lebenswelt«[20].
Dem Mythos kommt auf diese Weise seine eigene ›Rationalität‹ zu. Er wird unter Berufung auf die Kriterien, die wissenschaftstheoretisch für die Exaktheit wissenschaftlicher Urteile in Anspruch genommen werden, von dem Verdikt freigesprochen, das ihn als beliebiges, zufälliges und unverbindliches Produkt einer wissenschaftlich überholten Wirklichkeitsschau abtun zu müssen meinte. Ja, Hübner fordert für den Mythos nicht nur sein eigenes Recht als Zugangsweise zur Wirklichkeit gegenüber der sog. exakten Forschung. Er spricht beiden, der wissenschaftlichen wie der mythischen Erfahrung, die »gleiche Struktur« zu: »Sie verwenden das gleiche Erkärungsmodell. In beiden können wir reine Erfahrung von einer solchen unter Voraussetzungen unterscheiden. Die reine Erfahrung ist intersubjektiv zwingend gegeben. Sowohl in der Wissenschaft wie im Mythos gibt es das Verfahren des ›trial and error‹ ... Die Unterschiede zwischen wissenschaftlicher und mythischer Erfahrung liegen also ausschließlich im Inhaltlichen.«[21]
Bringen wir die von Hübner vorgelegten Untersuchungen auf einen Nenner, der es uns erlaubt, Konsequenzen für den theologischen Umgang mit dem Mythos zu ziehen. Der Anlaß, der die Theologie eine ganze Generation lang in der Entmythologisierungsdebatte beschäftigte, erscheint unter dem Blickwinkel moderner wissenschaftstheoretischer Erkenntnisse gegenstandslos. Ein sog. modernes, und das hieß doch immer: naturwissenschaftlich begründetes, exaktes Weltbild und Wirklichkeitsverständnis läßt die mythische Erfahrungs- und Vorstellungsdimension der Bibel und des vorneuzeitlichen Menschen nicht mehr nachvollziehbar erscheinen. Jetzt aber kommt auf Grund einer von der Wissenschaftstheorie selbst erarbeiteten mehrdimensionalen Erfassungsweise von Wirklichkeit zugleich nicht nur die Möglichkeit, sondern die Notwendigkeit in Sicht, für die Inhalte christlichen Glaubens die Sprache des Mythos in Anspruch zu nehmen. Nicht ein Theologe, sondern ein heutiger Philosoph und Wissenschaftstheoretiker warnt die Theologie vor dem Verlust dessen, was sie ihres Themas und ihres Auftrages verlustig gehen lassen müßte. Für ihn steht fest, daß »unser sog. aufgeklärtes und wissenschaftliches

---

20. A. a. O.
21. A. a. O., S. 287.

Zeitalter ... in Wahrheit weder rationaler noch vernünftiger als andere« ist. »Es wird nur so genannt.«[22] Hübners jüngste Beschäftigung mit dem Mythos ist eine Herausforderung an die Theologie, ihre illegale Ehe mit einem inzwischen relativierten Absolutheitsanspruch eines sog. modernen Selbstverständnisses zu lösen und sich wieder der Sprache in ihren symbolischen und rituellen Kontexten zu bedienen, die allein ihrem Gegenstand gerecht zu werden vermag.

Die stärkste Weitung des Mythosbegriffs finden wir heute bei *L. Kolakowski* in seinem 1974 in zweiter Auflage erschienenen Werk »Die Gegenwärtigkeit des Mythos«. Kolakowski geht es darum, zu zeigen, daß die das menschliche Leben bestimmenden wesentlichen Entscheidungen sich einer erkenntnistheoretischen Begründung entziehen. Das Einsichtige, für die reflektierende Vernunft Zugängliche erscheint hier als das Sekundäre und Abgeleitete. In dieser Hinsicht gehören für ihn Entscheidungen im Bereich der Werte, bestimmte Erkenntnisweisen, das Verhalten zur Natur, aber auch die in der Liebe sich aussprechende Beziehung zwischen Menschen in den Bereich des Mythischen. Um beim Beispiel der letzteren zu bleiben: Die hier zutage tretende »Totalität des Verlangens« gründet in einem »Ursprünglichen«, ja – »Unfehlbaren«. Was sie sich bewußtzumachen vermag, bleibt der »Relativität des Erfahrbaren unterworfen. Was erfahrbar ist, bleibt aber doch Teil eines Ganzen. Dieses Ganze aber umgreift die Möglichkeiten der einzelnen Erfahrungsmomente. Es ist viel mehr als deren Summe. Was in die Erscheinung zu treten vermag, ist immer ein Partielles aus einem gründenden, nicht mehr aufzuhellenden und somit gar nicht zu begründenden Zusammenhang«[23]. Das bestimmt bei Kolakowski die Gültigkeit des Mythos. Jede den Menschen bestimmende Entscheidung ist darum ihrem tiefsten Ursprung nach mythisch bestimmt. Sie mag sich noch so rational und argumentativ geben. Jeder Versuch einer erkenntnistheoretischen Rechtfertigung der für unser Leben entscheidenden Verhaltensweisen muß deshalb aufgegeben werden und dem »Verzicht zugunsten des Mythos« Platz machen[24]. Mythos ist hier die Chiffre für das letztlich Unergründliche, bleibt geheimnisvolle Vorgabe und verborgene Realität. Nun müssen wir mit Recht fragen, ob diese Ausweitung des Begriffs des Mythos dem im strikten Sinne bisher Gemeinten noch gerecht wird. Wichtiger als diese kritische Begriffsbestimmung erscheint es mir jedoch, daß auch von seiten der Philosophie und der Erkenntnistheorie im besonderen heute wieder »Verzichte zugunsten des Mythos« eingefordert werden, d. h. hier zugunsten einer Begegnung mit Wirklichkeit, die sich jeder Aufschlüsselung versagt. Was ansichtig wird und rational bestimmbar, ist Teilerfahrung eines unendlich Überragenden. Darum ist mythische Sprache

---

22. A. a. O., S. 289.
23. Die Gegenwärtigkeit des Mythos, 2. Aufl., München 1974, S. 64.
24. A. a. O., S. 32.

nicht allein als religiöse Aussage, sondern im Blick auf das Leben selber in dieser Hinsicht die einzig angemessene. »Das bedeutet nichts anderes, als daß die mythische Deutung solcher Vorgänge, es handle sich hier um Wirksamkeit eines Numinosen, die exakte Beschreibung der Art darstellt, wie sie im Grunde erfahren werden. Diese Beschreibung trifft, scheinbar paradoxerweise, selbst dann zu, wenn wir uns mit aller Leidenschaft gegen den Mythos wenden.«[25]
Der Theologe und der Religionswissenschaftler wird mit solcher Ausweitung und Verallgemeinerung des Mythosbegriffs seine Probleme haben. Aber bei aller Bemühung, die von der Religionswissenschaft neu erarbeitete Mythenthematik auch theologisch zu berücksichtigen, muß ihn das hier auf breiter Front aufbrechende Interesse am Mythos aufmerksam werden lassen. Es könnte ja sein, daß er sich mit seiner ihm gewohnten traditionellen wissenschaftlichen Vorliebe für die vermeintlich ›exakteren‹ historischen Fragestellungen einerseits und den der Tagessituation verpflichteten »Genetiv-Theologien«[26] andererseits einer, ja – der entscheidenden Dimension seines ›Gegenstandes‹ begibt. Hat die außertheologische Erforschung hier zu ihrem Thema gemacht, was für die christliche Theologie unentbehrlich ist und vom Mysterium der Fleischwerdung Gottes her letztgültig in Anspruch genommen werden darf? Immer wieder weisen die Evangelien und die Briefe des Neuen Testmants auf die verborgenen Zusammenhänge unseres In-Christo-Seins zurück. Von der Geburtstradition der Synoptiker über die Wundergeschichten (*sämeia*-Quelle), die Jesus-Logien und die Gleichnisreden zum Charakter der *basileia* bis hin zu den Passionstexten und den Erscheinungen des Auferstandenen zieht sich diese Dimension des *mystärion* als die wesentliche und alles entscheidende hindurch. Was geschichtlich geworden ist, was in Gestalt von zunächst mündlichen Gemeindeüberlieferungen, schließlich in kodifizierter textlicher Gestalt uns überkommen ist, war und ist seinem ursprünglichen Sinn und Selbstverständnis nach Verweis in das in ihnen sich anzeigende Geheimnis der Menschwerdung Gottes. Die Spuren zu zeigen, die dieses Geschehen nachforschbar und kritisch überprüfbar in der Geschichte hinterlassen hat, war und bleibt ein verdienstvolles Bemühen der Theologie. Aber der Eifer und der Stolz in dieser Sache dürfen nicht in den vermeintlich vernunfterhellten Räumen einer »Offenbarung als Geschichte« enden. Die hier zu erhellenden Spuren wollen ja hinausführen über raumzeitliches Geschehen. Gerade darin liegt ihre offenbarerische Qualität. Ein Offenbarungsverständnis, das sich nur noch ›geschichtlich‹ zu artikulieren vermag, hat ja als Begleitverständnis die theologische Auslieferung ans ›Zeitgeschichtli-

---

25. Die Wahrheit des Mythos, S. 377.
26. Gemeint ist damit der Anspruch, einen partiellen oder auch aktuellen Aspekt in den Rang der Theologie als ganzer zu heben, z. B. »Theologie der Revolution«, »Theologie des Feminismus« etc.

che‹. Es ist doch nicht zu übersehen, daß das sog. Zeitgeschichtliche, die aktuellen Herausforderungen durch Gesellschaft, politische Konstellationen und die Themen des Tages innerhalb der neutestamentlichen Zeugnisse eigentümlich überblendet werden von der *visio beatifica* der verborgenen Christusherrlichkeit.
Was hätte hier nach Maßstab unserer heutigen »Genetiv-Theologen« nicht alles auf die ›Tagesordnung‹ einer gesellschaftsrelevanten synoptischen und paulinischen Verkündigung gehören müssen! Die geschichtlich-situationellen Zustände waren ja in keiner Weise etwa erfreulicher als diejenigen, deren sich die Menschheit heute erfreut. Statt dessen wagt es die Schrift im Durchblick auf die neue Wirklichkeit des erhöhten Christus vom zu Ende gehenden alten Äon zu sprechen, dessen Leiden im Lichte der zukünftigen Herrlichkeit nicht zählen[27]. Die Briefe des Apostels Paulus sind durch und durch bestimmt von der *communio* und der *communicatio* mit dem in seiner Christengemeinschaft gegenwärtigen Herrn. Daß der Jesus der Geschichte kein Thema für den Apostel ist, hat nicht nur mit seiner Biographie zu tun. Die überwältigende Wirklichkeit des Gegenwärtigen läßt ihn und seine Gemeinde, die nicht mehr auf das Sichtbare, sondern auf das Unsichtbare schauen, das Zeitliche zu einem abkünftigen Modus des Neuen Seins, Christus, werden. Wie anders sind die Martyrologien der frühen Kirche, angefangen von der Steinigung des Stephanus[28], zu begreifen? Hier hat nicht nur ein in bildreicher mythischer Ausmalung berichtender Verfasser der Apostelgeschichte den Himmel und seine göttlichen Heerscharen in den Blick genommen. Die Teilhabe an der Herrlichkeit des erhöhten Christus läßt das Sterben des Zeugen als ein Zu-ihm-hin-Erhöhtwerden erfahren. Solche Gewißheit ist nichts Abstraktes. Sie ist gefüllt und für den Glauben *contra speciem* ›anschaulich‹ mit allen Inhalten, die sein geistiges Auge zu schauen vermag. Worauf es ankommt, liegt nicht mehr länger im ›Geschichtlichen‹. Mythisch gesprochen: Nicht im ›Hier‹, sondern im ›Dort‹ findet der Glaube seine Erfüllung, ist der Wiedergeborene ›zu Hause‹. Die Existenz des Christen kann darum jetzt schon als himmlisches *politeuma* bezeichnet werden[29]. Irdische, sichtbare, zeitliche Existenz hat lediglich Spiegelfunktion[30]. Sie reflektiert – und dies höchst gebrochen – die dem natürlichen Auge und Herzen verborgene neue Christuswirklichkeit.
Man könnte darum den *Cantus firmus* der neutestamentlichen Zeugnisse als das Zursprachebringen der Geheimnisse Christi[31] bezeichnen. Damit hängt alles andere zusammen, was in Sachen Soteriologie, Anthropologie, Ekklesiologie gesagt werden kann.

27. Röm 8,18.
28. Apg 7,54–59.
29. Phil 3,20.
30. 2 Kor 3,18.
31. Eph 1,9; 6,19; Kol 1,26; 2,2 u. a.

Am Beispiel der letzteren soll abschließend noch einmal verdeutlicht werden, was um der Erfassung dieses Geheimnisses willen die mythische Sprache für die Theologie beinhaltet. Alles, was neutestamentlich zum Wesen der Kirche gesagt ist, ruht auf dieser raum-zeit-tanszendenten gegenwärtigen Einheit im Herrn. Alle Gemeindeordnung, jede apostolische Weisung ins konkrete Verhalten in der Gemeinschaft hat ihren gründenden Zusammenhang in der neuen Christuszugehörigkeit als Gliedschaft seines Leibes. *soma Christou* ist hier nicht verstanden als ein Analogon, das besonders enge Beziehungen einer soziologisch bestimmbaren Gruppe bezeichnet. Die paulinischen Texte lassen gar keinen Zweifel daran, daß es sich hier um eine Wesenseinheit mit dem Haupt, daß es sich um das In-Christo-Sein handelt. Dieses mit der Leibgemeinschaft der Ehe verglichene Mysterium – lat. *sacramentum* – hat die Qualität eines neuen Seins. Es ist m. a. W. ontologisch, keineswegs bloß epistomologisch i. S. uneigentlicher mythischer Rede zu verstehen. Dieser transformative Charakter der Christuszugehörigkeit ist für die theologische Erfassung dessen, was über die Kirche zu sagen ist, schlechthin wesentlich. Aus diesem raum-zeitlich-übergreifenden sakramentalen Sein folgt alles andere. Es ist die unsichtbare ›Vernetzung‹ mit allen denjenigen, die in diese Leib-Christus-Einheit gehören, deren Spuren sich nach geschichtlichen Maßstäben nur unzureichend ›entdecken‹ und auffinden lassen, die wir ›hier und heute‹ als die längst Vorangegangenen oder als die noch Zukünftigen nicht im Blick haben können, aber auch hinsichtlich der Zusammengehörigkeit der vielen, die sich im ›Heute‹ weltweit nicht kennen und doch diesen sakramentalen Leib bilden. Kommunikation in Christus bedeutet darum immer wieder erneute Vergliederung der vielen in die verborgene Einheit des Ganzen. Das Sichtbare an dieser Gemeinschaft speist sich aus ihrem unsichtbaren Christusleib. Auferbauung dieses Leibes hat darum die Stärkung dieser Mysteriengemeinschaft zur Voraussetzung. Alles, was die verborgene Verbindung zum Haupt stärkt, kommt dem organischen Leben dieses Leibes zugute: das anhaltende Gebet und die im Symbol und in der rituellen Handlung sich vollziehende Feier seiner Gegenwart. M. a. W.: Die Investition ins Geheimnis Christi ist der unmittelbarste und grundlegende Dienst an der Gemeinde.
An den Fronten missionarischen Dienstes wird diese Dimension der Christusgemeinschaft von eindeutiger Wichtigkeit. Wenn wir uns die genuinen Beiträge afrikanischer und asiatischer Theologen darauf hin ansehen – nicht diejenigen, die in ihren Tagesthemen Exporttheologie Europas und der USA darstellen –, bewegen sie sich bevorzugt in diesem Bereich des Transgeschichtlichen. Hier sei nur stichwortartig daran erinnert: die nicht nur für afrikanisches Erbe unausweichliche Antwort auf die Frage nach dem Schicksal der Toten und ihre Einbeziehung in die Gemeinschaft in Christus, die in die verborgenen Wechselbeziehungen und in die raumtranszendenten Bereiche hineinweisenden und -wirkenden rituellen Handlungen, die in den indischen Traditionen beheimateten kosmischen Zusammenhänge zwischen dem indivi-

duellen Dasein und der verborgenen *brahma*haften Partizipation, die über alles geschichtlich Faßbare hinausweisenden Weltzeitalter und die Einbettung in die unsichtbaren *karma*-Voraussetzungen. Der Weg des Buddha weist ins unanschauliche Geheimnis, seine Richtung geht ›von außen‹ nach ›innen‹. Hier liegt der für die Zukunft zu erwartende Beitrag einer afrikanischen und asiatischen Christenheit, vielleicht dürfen wir sagen, ihre ökumenische Rükkerstattung an eine abendländische Christenheit. Der Tendenz des Westens, die verborgene Weisheit Gottes in die Pluralität der *kerygmata* des Tages umzumünden, setzen sie die unergründlichen Dimensionen auf Grund ihrer Erfahrung und ihres Lebens in der alles Denkbare übersteigenden Christusherrlichkeit entgegen. Aus den frommen Übungen und Überlieferungen ihrer Vätertraditionen kommend, sind ihre Augen noch nicht geblendet von den künstlichen Lichtquellen einer sich selbst erhellenden und ihre Situation ausleuchtenden Gesellschaft. Das biblische *thaumazein* ist für sie noch kein überfälliger Fremdbegriff geworden. Die für den christlichen Glauben entscheidenden Durchblicke, die Gnosis der Hingabe und des Herzens, müssen hier dem von neuzeitlicher Selbstanmaßung gesteckten Rahmen alles Möglichen und Denkbaren noch nicht zum Opfer fallen.
Kirche Jesu Christi in den Völkern dieser nichtchristlichen Kulturen und Religionen aber macht zugleich noch etwas anderes deutlich: Der Weg in die neue Christuszugehörigkeit, die Einverleibung in die Gliedschaft des die Zeiten und Räume umgreifenden *soma Christou*[32], ist keineswegs bloß die Wende von der einen mythischen Beinhaltung zu einer anderen. Das neue Sein in Christus ist seinem Wesen nach ein Leben aus dem Unergründbaren und Unverfügbaren und wesentlich mythisch und symbolisch zur Sprache und zum Ausdruck zu bringen. Die Sprache des Mythos aber ist hier eine durch die Heilsgeschichte ›qualifizierte‹. Helmut Thielicke hat dafür die Bezeichnung von der »Gebrochenheit des Mythos« gewählt. Gemeint ist damit zweierlei: Unverzichtbarkeit der Sprache des Mythos einerseits, zugleich aber das ihn als heilsgeschichtliches Geschehen begründende und verifizierende Handeln Gottes andererseits. In der Inanspruchnahme des Mythischen vollzieht sich für den christlichen Glauben die Verbindung von Mythos und Geschichte. Jesus Christus rückt eben nicht in die ungeschichtliche Sukzession indischer Heilsbringer (*avatāras*) ein. Das Geheimnis seiner Inkarnation sprengt den zeitlosen Zyklus sich unendlich wiederholender Emanationen göttlichen Seins. Obwohl Schau ins Christusgeheimnis, erschöpft sich der Glaube nicht im namenlosen Grund meditativer Versenkung. Asiatische Kosmologie läßt neu aufmerken auf die das All umgreifende Herrschaft des erhöhten Christus. Aber er, um dessentwillen der Kosmos geschaffen wurde und in dem er seinen Grund hat[33], ist der im Fleisch Erschienene

32. Kol 1,17 ff.
33. Kol 1,16.

– nicht namenloses *tao*, nicht allgegenwärtiges göttliches *brahma*. Das mythisch zur Sprache gebrachte, raum-zeit-entgrenzte Neue Sein in Christus ist zugleich seine Person. Das innerste Geheimnis des mythisch allein zu vermittelnden »Es« ist »ER«. Das Unbenennbare und alles Erkenntnisvermögen Überschreitende des Geheimnisses Gottes und seines Christus trägt die unveräußerlichen Züge der Person Jesu von Nazareth. In dieser Einheit liegt die Versöhnung von Geschichte und Ewigkeit. In ihr erfüllt sich die spannungsvolle Zusammengehörigkeit von Mythos und Rationalität.

Mythos – Mythologie – Entmythologisierung
Kurt Rudolph

»Zu den Ergebnissen der Begriffsgeschichte von ›Mythos/Mythologie‹«, heißt es in dem umfangreichen Forschungsbericht von Axel Horstmann[1], »gehört der Verlust aller Hoffnung auf allgemein akzeptierte Definitionen und Theorien – selbst was die Abgrenzung von ›Mythos‹ und ›Mythologie‹ untereinander angeht; ebenso aber das Wissen um das unvermindert starke Provokationspotential, welches dem Phänomen bis heute innewohnt und für ›wissenschaftliches Verstehen‹ die Paradoxie der Aufgabe verschärft: das noch als ›wirksam‹ Gespürte ohne Verkürzung zu ›objektivieren‹, das als ›fremd‹ Empfundene unverfälscht mit Hilfe von Kategorien auszusagen, die adäquat scheinen und es alsbald in ein uninteressant ›Vertrautes‹ verwandeln!« (244). So kann »Mythos«, von Franz Dornseiff ein Gebilde von unsäglicher Allhaltigkeit bezeichnet, als ein eminent hermeneutisches Paradigma gelten (ebd.)
Die Wiederaufnahme der Mythosdebatte zeigt, daß die in den fünfziger Jahren so leidenschaftlich diskutierte Frage der »Demythologisierung« im Raume des Christentums keinesfalls als gelöst bzw. beendet angesehen werden kann. Der Religionshistoriker, der diese Problematik einerseits als von außen, andererseits, sofern er der christlichen Tradition irgendwie verhaftet ist, auch von innen, das heißt persönlich engagiert, betrachtet, sieht sich dabei immer wieder aufgefordert, aus seiner Kenntnis und Reflexion über die verhandelten und strapazierten Begriffe europäischer Traditionsgeschichte etwas beizutragen, was irgendwie eine gewisse neutrale, aber gerade darum hilfreiche Stellungnahme einschlägt. Meiner Erfahrung nach ist allerdings meist wenig Hoffnung, daß die Theologie daraus gewissen Nutzen ziehen wird, da für sie Religionswissenschaft entweder selbst als quasitheologische Disziplin oder als ein Vorhof oder gar Vorstufe zu ihr eingestuft wird. Es ist zu hoffen, daß die wachsende Neuaufnahme des Erbes der Religionsgeschichtlichen Schule auch dazu führen wird, die Religionsgeschichte stärker in das Bewußtsein gegenwärtiger Theologie zu rücken[2]. Theologie läßt sich meines Erachtens heute nicht mehr ohne religionsgeschichtliche Kenntnis treiben, anderenfalls wirkt sie antiquiert und hoffnungslos unzeitgemäß. Dies zeigt sich gerade bei dem zu behandelnden Thema des Mythos. Schon in der »Entmythologisierungsdebatte« zu Zeiten Rudolf Bultmanns ist nur sehr vereinzelt die Stimme

1. Archiv für Begriffsgeschichte 23 (1979), S. 7–54, 197–245; *ders.*: in: Historisches Wörterbuch der Philosophie 6 (1984), S. 283–318.
2. Vgl. jetzt *G. Lüdemann/M. Schröder*: Die Religionsgeschichtliche Schule in Göttingen. Eine Dokumentation, Göttingen 1987.

der Religionswissenschaft vernommen worden, und die später dazu veröffentlichten religionswissenschaftlichen Arbeiten fanden wenig Resonanz. Wir sollten deshalb gezielt und bewußt darauf hinarbeiten, daß bei der Neuauflage des alten Themas die Stimme der Religionswissenschaft deutlich zur Geltung kommt.

Im folgenden möchte ich in drei kurzen Abschnitten, die in der Überschrift genannten Begriffe und die damit bezeichneten Sachverhalte verhandeln. Dabei werde ich verschiedentlich bewußt darauf zurückgreifen, was ich in meinem »Beitrag der Religionswissenschaft zum Problem der sogenannten Entmythologisierung«, der 1970 in der (offenbar wenig gelesenen) österreichischen Zeitschrift Kairos erschienen ist, dazu ausgeführt habe[3].

I.

Mit dem Begriff *Mythos* ist in den abendländischen Humanwissenschaften bekanntlich eines der vielen Worte aus der Grazität aufgenommen worden, die unsere metasprachliche Terminologie bestimmen. Mythos und Mythologie werden als »umbrella terms« parallel zu anderen ähnlichen wissenschaftlichen Termini technici verwendet, um überhaupt vergleichende Arbeit möglich und verstehbar zu machen. Die damit gegebene Problematik ist den Einsichtigen gerade in letzter Zeit immer stärker zum Bewußtsein gekommen: Es werden hier bestimmt objektsprachliche Worte – hier die griechisch-römische Tradition – zu metasprachlichen umfunktioniert; dies geht nicht ohne Brüche und Verbiegungen ab. Mythos mit seiner Grundbedeutung »Wort, Rede, Aussage« oder »Geschichte, Erzählung, Gerücht« hat einen vielfältigen Wandel bereits in der Grazität durchgemacht, an dessen Ende die Gleichsetzung mit »Fabel, Mär, Märchen, unwahre Geschichte« steht, die das Christentum weithin rezipiert (vgl. schon 1 Tim 1,4; 4,7; 2 Tim 4,4; 2 Petr 1,16; Tit 1,4) und dadurch die antike Ambiguität des Wortes bis in unsere Zeit überliefert hat. Die Religionswissenschaft hat sich dessen aus dem Erbe der klassischen Philologie bemächtigt und ist mit ihm anfangs recht fraglos im ständig größer werdenden Garten der Religionen hausieren gegangen. Daher kann Marcel Detienne mit Recht sagen: »Vom Mythos sprechen heißt immer griechisch oder von Griechenland sprechen.«[4] Damit ist die mit diesem Begriff gesetzte Bedeutungsgeschichte indirekt auch in die Wiedergabe der objektsprachlichen Welt der außereuropäischen Kulturen eingetragen worden, was bis heute ein Großteil der Mißverständnisse und Fehlurteile verusacht hat. Andererseits hat die zunehmende Kenntnis der nicht »klassischen« Überlieferungen, gefördert durch Ethnologie und Orientalistik (Entzifferungen von Hieroglyphen und Keilschrift), einen Wandel in der Betrachtung von Mythos und

---

3. Kairos 12 (1970), S. 183–207.
4. *M. Detienne*: Mythologie ohne Illusion, in: *C. Lévi-Strauss/J. P. Vernant u. a.*: Mythos ohne Illusion (ed. suhrkamp 1220), Frankfurt/M. 1984, S. 28.

Mythologie eingeleitet, der die Singularität gerade der griechisch-römischen und später christlichen Konzeption stärker in den Blickpunkt rückte und einer gerechteren Beurteilung der religiösen Bedeutung der Mythen einleitete.
Das Auf und Ab in der Verhältnisbestimmung von Mythos, Mythologie und Kult im 19. und 20. Jh. bedarf keiner ausführlicheren Erörterung mehr. Der Überbewertung des Mythos in der ersten Hälfte des 19. Jh.s, basierend eben auf der griechischen Überlieferung und der romantischen Welterfassung, folgte eine Unterbewertung zugunsten von Kult und Ritual. Erst in den 20er Jahren unseres Jh.s begann eine erneute Rückbesinnung auf die emimente Rolle der Mythen im religiösen Leben, eingeleitet durch die ethnographischen Arbeiten von Bronislaw Malinowski[5] und Konrad Theodor Preuss[6], so daß eine ausgewogene Relationsbestimmung von Fall zu Fall, von Kultur zu Kultur, heutzutage Platz gegriffen hat. Die »Myth- and Ritual-School« ist wohl die letzte Schulbildung der Religionswissenschaft, die das Thema in grundätzlicher Weise aufnahm und generell (d. h. aber auch dogmatisch) zu beantworten suchte. Am Ende, also heute, dieser hermeneutischen Situation steht die Frage, wie kann der Religionswissenschaftler den traditionellen, sehr befrachteten »Mythos« als Teil unserer wissenschaftlichen Metasprache sinnvoll und ertragreich in das Geschäft seiner vergleichenden bzw. systematischen Arbeit einbringen, ohne den objektsprachlichen Gegenständen oder Tatsachen Gewalt anzutun[7], andererseits aber auch den Ausverkauf des Begriffes durch Entleerung seines einstigen Inhalts und seiner ursprünglichen Funktion durch die inflationäre Verwendung in den Humanwissenschaften nicht mitzuvollziehen und wenigstens im eigenen Bereich möglichst zu beenden. Meines Erachtens gibt es dazu nur einen Weg, der schon mit anderen derartigen »umbrella terms« eingeschlagen worden ist, nämlich den Begriff aufzuspalten in verschiedene Bedeutungskategorien, die zwar zusammengehalten werden durch den gemeinsamen metasprachlichen Nenner, eben des »Mythos« bzw. der »Mythologie«, aber es erlauben,den Zuwachs oder Überschuß, der dem Wort im Laufe der Bedeutungsgeschichte und der Verwendung bis in unsere Zeit zugekommen ist, mit einzubeziehen. Dadurch ist es meines Erachtens auch möglich, den objektsprachlichen Gegebenheiten eher gerecht zu werden; sie sollten Teil der Klassifizierung sein. Eine derartige Differenzierung hat zuerst Carsten Colpe vorgeschlagen, und zwar vor elf Jahren auf dem Evangelischen Theologenkongreß in Wien 1966, der ich mich in dem obengenannten

---

5. Myth in Primitive Psychology, London 1926, deutsch in: *B. Malinowski*: Magie, Wissenschaft und Religion und andere Schriften (Fischer Wissenschaft), Frankfurt/M. 1973, S. 77–129.
6. Der religiöse Gehalt der Mythen, Tübingen 1933.
7. Ethnologen bestreiten heute überhaupt den Wert des Begriffes für ihre Forschung, da er von dem Forscher in die Vielfalt der Überlieferungen eingetragen wird (so P. Smith, in: *C. Lévi-Strauss, J.-P. Vernant u. a.*: Mythos ohne Illusion, S. 47 ff.).

Beitrag grundsätzlich angeschlossen habe[8]. Ich möchte dieses Vorgehen noch einmal mit neuen Argumenten zur Diskussion stellen.
Grundsätzlich lassen sich zwei Formen des Mythos feststellen:
1. Der Mythos mit mythischer, ungebrochener Valenz; es ist der, den man auch als »echten« oder »lebendigen Mythos« bezeichnet hat. Es ist die »heilige Erzählung«, im Unterschied zu den mehr oder weniger belanglosen Geschichten, die in einer religiösen Überlieferung entweder (noch) eine enge Bindung zum Kult besitzt, also kultisch-rituelle Bedeutung hat, oder zumindest, wie sich Pierre Grimal ausdrückt, »zu den wesentlichsten Elementen des Bewußtseins« gehört und so eine »Realität des Kollektivbewußtseins ist, die sich im individuellen Bewußtsein spiegelt, nicht anders als etwa die Sprache«[9]. Für diejenigen, die den Mythos leben, wird er zur Wirklichkeit oder gehört untrennbar zu den Mitteln, die Wirklichkeit zu erfassen[10]. Auf diese Weise ist der Mythos Ausdruck des sogenannten »mythischen Bewußtseins«, das wir an den Anfang menschlicher Daseinsbewältigung zu stellen gewohnt sind und das noch in der Äußerung eines Navaho-Indianers zum Ausdruck kommt: »Die Erkenntnis einer guten Erzählung schützt Heim, Kinder und Eigentum. Ein Mythos ist wie ein großes Steinfundament, es dauert lange Zeit.« Ursache von Kult, Sitte und Verhalten wird durch einen solche »heilige Erzählung« begründet, indem sie von den Ereignissen in Ur- oder Vorzeit, dem vorbildhaften und stiftenden Handeln von Göttern und Geistern oder Ahnen berichtet. Offensichtlich haben wir in solchen Mythen den Kern der einstigen religiösen Bedeutung derselben zu sehen. Kult, Mythos und Frömmigkeit bilden von Haus aus einen geschlossenen Zusammenhang, der zerbrechen kann (die Gründe dafür lassen wir jetzt beiseite) und dadurch zu der anderen Art von Mythen führt,
2. denjenigen ohne mythische und kultische Valenz, dem »gebrochenen Mythos« (so Paul Tillich)[11]. Man kann ihn auch den »defunktionierten« oder »uneigentlichen« Mythos nennen, der oft von den Gläubigen selbst als »unwahr« empfunden wird. An ihn kann sich allerdings eine neue Funktionalisierung anschließen, eine »Umfunktionierung«, etwa durch Einbau in einen neuen, sei es religiösen, philosophischen oder weltanschaulichen Zusam-

8. *C. Colpe*: Das Phänomen der nachchristlichen Religion in Mythos und Messianismus, in: NZSThRh 9 (1967), S. 42–87, bes. S. 49–62; vgl. auch *ders.*: Mythische und religiöse Aussage außerhalb und innerhalb des Christentums, in: Beiträge zur Theorie des neuzeitlichen Christentums. Festschrift W. Trillhaas zum 65. Geburtstag, hg. von H.-J. Birkner und D. Rössler, Berlin 1968, S. 16–36.
9. Mythen der Völker, Bd. I, Frankfurt/M. 1967, S. 19 (franz.: Mythologies, Paris 1963, Vol. 1, S. 9). Vgl. auch zusammenfassend *C. J. Gulian*: Mythos und Kultur (suhrkamp tb 666), Frankfurt/M. 1981, S. 56 ff.
10. Vgl. *M. Detienne*, a. a. O. (Anm. 4), S. 48. Darüber handelt *C. J. Gulian*, a. a. O., ausführlich (bes. 73 ff., 97 ff., 123 ff.).
11. Gesammelte Werke V, S. 187, 190, 193, 203 f.

menhang, der dann dem Prozeß der »Demythisierung« zuzurechnen ist, worauf noch einzugehen ist.
Eine wesentliche Rolle spielt die Formulierung des Mythos, da er ja eine Aussage beinhaltet. Form und Inhalt sind zunächst aufeinander angewiesen, wenigstens im mündlichen Stadium der Überlieferung. Es gibt allerdings oft keine strenge Trennung in der Form, höchstens in der Vortragsweise, dem Anlaß oder dem Ort der Wiedergabe des Mythos. »Märchen«, »Sprichwort«, »Legende« sind sekundäre Kategorien, die von dem Forscher eingetragen werden[12]. Ein entscheidender Einschnitt ist in jeder Hinsicht der Übergang zur Schriftlichkeit, da von hier ab die Formulierung einer mythischen Erzählung der Literaturwerdung unterliegt, die nicht nur bloß dem Inhalt verhaftet ist, sondern den Formgesetzen literarischer Überlieferung folgt und der Auslegung (Interpretation), Kommentierung und Ergänzung ausgesetzt ist, ein Vorgang, der auch eine Kodifizierung oder gar Kanonisierung einschließen kann. Carsten Colpe hat diesen Prozeß als einen Akt der Rationalisierung betrachtet, so daß wir hier jetzt erstmalig den Mythos mit Ratio vor uns hätten[13]. Dies ist jedoch ein schwer gangbarer Weg, da ja jede irgendwie gemachte Aussage, die dem Mythos eignet, etwas mit Ratio zu tun hat, insofern sie auf Verständlichkeit und Kommunikation Anspruch erhebt. Die Formulierung des Mythos selbst, schon auf der mündlichen Stufe, ist bewegt von der Ratio; anders ist verständliche, sozialbezogene Rede nicht möglich. Insofern ist das Problem Mythos und Rationalität nicht als Gegensatz zu verstehen, sondern als komplementärer Vorgang beim »Aufgang des Bewußtseins«, sofern der Mythos Teil der primären Stufe der Bewußtwerdung durch Sprache ist, und daran sollte meines Erachtens kein Zweifel gelassen werden: Mythos ist auf jeden Fall nicht das Ende der Ratio, sondern ihr Beginn. Alle Mythen, die wir in der einen oder anderen Form vor uns sehen, sind nicht irrationales Geplapper, sondern verständnisvolle Rede und Aussage (gerade auch als Aitiologie!) über existentiell erkannte Probleme der frühen Menschheit gewesen. Es sind oder waren, wie sich Jean-Pierre Vernant ausdrückt, »ernsthafte Erzählungen, die im Modus des Fiktiven und Phantastischen von ganz wesentlichen, mit den Grundwahrheiten der Existenz zusammenhängenden Dingen sprechen«[14]. Ob sie deshalb im Sinne von Claude Lévi-Strauss als Ausdruck ewiger Strukturformen des menschlichen Geistes auszulegen sind, bleibt eine andere, hier nicht weiter zu verfolgende Frage. An der inneren besonderen Rationalität des Mythischen sollte jedenfalls nicht gezweifelt werden.

12. Vgl. dazu *J.-P. Vernant*, a. a. O. (Anm. 4), 9; *M. Detienne*, ebd., S. 34 ff.
13. Mythische und religiöse Aussage, S. 22; vgl. bereits meine Bemerkung dazu in: Der Beitrag der Religionswissenschaft (s. Anm. 3), S. 189, Anm. 22.
14. Mythos und Gesellschaft im alten Griechenland (ed. suhrkamp 1381), Frankfurt/M. 1987, S. 203.

Was allerdings mit dem Übergang von der Rede zur Schrift einsetzt, ist der bald sichtbare Gegensatz des Mythos zum Logos. So ist es jedenfalls paradigmatisch in Griechenland der Fall gewesen[15]. Sprachlich ist allerdings *logos* und *mythos* bei den frühen Philosophen noch austauschbar[16]. Hesiod führt seine Weltalterlehre als einen *logos* ein[17]. Der Prozeß, der den *mythoi* als *hieroi logoi*, von der Sprache her, einen Ort jenseits von der auf strenge Analyse und genaue Formulierung bedachten philosophisch-logischen Argumentation zuweist, hat den Stellenwert der Mythen in vielen Kulturen (nicht nur in Griechenland) verändert (vgl. China, Indien). Das Mythisch-Wunderbare (*mythodēs*) tritt der wahren Rede (*alēthinos logos*) gegenüber (bahnbrechend bei Platon). Der Logos wird als Schrift zur öffentlichen Veranstaltung und so zum Feind des ebenfalls auf Öffentlichkeit angelegten Mythos bei den Griechen; damit setzt eine Entwicklung ein, an deren Ende wir noch im 20. Jh. stehen. Nach M. Detienne hat der *logos* überhaupt erst den *mythos* als solchen thematisiert; er hat ihn in den Bereich des Unglaubwürdigen, Gerüchthaften (*phēmē* oder *plásmata*), des Unwahren verwiesen[18]. Dieser Gegensatz ist allerdings nur die eine Seite der Medaille. Eine andere Seite zeigt sich in der Verbindung von Mythos und Logos. Sie tritt dann ein, wenn der Mythos auf einer neuen Stufe der rationalen Durchdringung seiner Aussage reflektierbar mit philosophisch-logischen Mitteln begründet. Auch hier kann es zu zwei Weisen der Funktion kommen:
1. Der Mythos mit Logos und mythischer Valenz, das heißt der Mythos, der mit Hilfe symbolischer und abstrakter Begriffe arbeitet, zum Zwecke einer theosophischen Weltauslegung wie etwa in der Gnosis und im Manichäismus, dem iranischen Zurvanismus oder der indischen Atman-Brahman-Lehre. Man hat hier oft von einem »Kunstmythos« gesprochen (so Richard Reitzenstein), was eine unglückliche Formulierung ist, denn es geht nach wie vor um eine religiöse und auch zum Teil kultisch verankerte bzw. funktionierende Form des Mythos. Er dient in dieser Form noch als geglaubte bildhafte Aussage und verpflichtende Vergegenständlichung metaphysischer Wahrheit. Der Übergang zur Mythologie ist hier natürlich schnell gegeben (s. u.).
2. Der Mythos mit Logos ohne mythische Valenz ist von Platon (Phaidon, Staat, Symposion) als erster eingeführt worden, nämlich als ein Mittel, Unanschauliches anschaulich zu machen, zu erklären, was durch Gleichnis und Bild leichter ist, als es der abstrakte Logos vermag. Einen anderen Gebrauch der mythischen Redeweise lehnt Platon als lügenhaft und unwahr ab. Mythos ist hier bloße bildliche Fassung einer philosophischen Idee, symbolische oder gar ironische Rede, ohne religiös-magische oder kultische Bedeutung. Auch

---

15. Vgl. *Vernant*, ebd., S. 189f.; *M. Detienne*, in: Mythologie ohne Illusion (Anm. 4), S. 12–46.
16. Vgl. *Detienne*, S. 31f. (Belege: Parmenides, Empedokles).
17. Werke und Tage, Z. 106 (Loeb Classics No. 57, 10).
18. Vgl. a. a. O., S. 29ff.; *Vernant*, ebd., S. 8f.

die griechischen Historiker (besonders seit Thukydides) sehen in den Mythen, wenn überhaupt nur Verkleidungen für rational Greifbares, das heißt für historische Vorkommnisse der Vorzeit. Die griechischen Tragiker schließlich verformen den Mythos zu einem Modell menschlichen Strebens und Leidens, geben ihm so zwar eine neue Art religiöser Valenz (wie etwa bei Sophokles), aber dem traditionellen Mythos wird dadurch der verdiente Abschied als Kinder- oder Ammenmärchen gegeben. Es ist der Prozeß der Entmythisierung, der hier eine weitere Stufe erreicht hat.

3. Der vom Logos infizierte Mythos hat demnach durchaus den Weg zu einer verpflichtenden Bindung, sei er religiöser oder quasireligiöser bzw. moralischer Natur vor sich: Er hat ihn in Form der Ideologie seit alters beschritten. Einen Anschluß an den Mythos mit mythisch-religiöser Valenz hat er dabei wohl nirgends wieder erreicht, auch wenn es mitunter so scheint. Eine der besten Studien zu diesem Phänomen hat Roland Barthes in seinen »Mythologies« (deutsch: »Mythen des Alltags«) vorgelegt[19]. Der Mythosbegriff wird hierbei selbst ideologisiert und so als semiologische Metasprache entlarvt. Mit der klassischen Mythoskonzeption hat dies allerdings wenig zu tun; aber es handelt sich dabei um die konsequente Durchführung der logischen Argumentation gegen den substantialisierenden, paradigmatisch angelegten Mythos, den schon Platon und Aristoteles aufs Korn genommen hatten. Welche Rolle die »ideologischen Mythen« oder Ideologismen in unserer Zeit gespielt haben und immer noch spielen, brauche ich nicht weiter auszuführen. Es ist deshalb Vorsicht geboten bei der Neuaufwertung von Mythen und Mythologien; sie können nur noch in ideologisierter Form auftreten und verfallen dem Verdikt illegitimer Erbschaft.

II.

Mit meinen Ausführungen, die weder auf die Attribute »mythisch« und »mythologisch« noch näher auf den Inhalt des Mythos in seinen verschiedenen Konstituenten eingehen konnten[20], bin ich schon in das Gebiet der Mythologie vorgestoßen. Bedeutete das Wort in der Grazität einfach »das Erzählen eines Mythos, einer Geschichte«, dann nach Abwertung des Mythos zur Fabel eben »das Erzählen von Fabeln, erdichteten, unwahren Geschichten«, oder (als *mythologia*) bloß »Roman, Fiktion«, so ist mit den Humanisten des 16. Jh.s der Ausdruck zum Terminus technicus für die Gesamtheit der antiken mythischen Überlieferung, besonders für das System der griechischen Göttergeschichten geworden und schließlich (seit dem 18. Jh.) auch die Beschäftigung mit diesem Bereich als einer wissenschaftlichen Disziplin, wie sie noch Hermann Usener im Sinne unserer Religionswissenschaft verstan-

---

19. *R. Barthes*: Mythen des Alltags (ed. suhrkamp 92), Frankfurt/M. 1964; s. dazu meine Ausführungen in: Der Beitrag (s. Anm. 3), S. 190f.
20. Vgl. ebd., 192f.

den hat[21]. Akzeptabel ist heute allein die Auffassung, die unter Mythologie ein bewußt geschaffenes oder geschichtlich gewordenes System aus einzelnen Mythen, das heißt lokalen mythischen Überlieferungen, versteht. Dazu kann es kommen, wenn ein Berufsstand vorhanden ist, der die lokalen Überlieferungen oder Mythen sammelt, ordnet, klassifiziert. Schon schriftlose Kulturen besitzen »Formulierer der Mythen«, die »Denker«, wie sie Paul Radin genannt hat. Sie bereiten den Weg für die Mythologen, Priester, Dichter und Theologen. Gebunden ist dieser Vorgang im wesentlichen an eine »theologische«, rationale und literarische Bemühung um die gesammelte religiös-mythische Überlieferung, ein Vorgang, der Teil der Literaturgeschichte und der Ästhetik ist. Da das ursprüngliche Verständnis der Mythen weithin geschwunden ist, sind Symbolik und Allegorie dabei notwendige Hilfsmittel der Erklärung. Es ist ein Spätstadium des Mythos, das uns in den Mythologien entgegentritt. Voraussetzung dafür ist weithin eine zunehmende rationalistische Mythenauslegung, in deren Folge es zur Theologie kommen kann (wie z. B. in Ägypten)[22]. Auch hierbei läßt sich analog dem Mythos noch unterscheiden:

1. Mythologie mit noch mythischer Valenz, das heißt mit Glaubensbezug und teilweise kultischer Verwendung. Der Grad dieser Form hängt von der Verwurzelung einer Mythologie in der jeweiligen lebendigen Religion ab, und natürlich von der Stufe der Reflexion des Logos, des wissenschaftlich-philosophischen Denkens. Beispiele dafür sind z. B. Ägypten, Babylonien, Griechenland, Japan, der Manichäismus und der Gnostizismus. In einzelnen Fällen kann es zur sekundären Ritualisierung von Mythologien kommen (wie z. B. in den spätantiken Mysterienreligionen oder der Gnosis), aber auch natürlicherweise zu sekundären oder gar tertiären »Anwendungen« und Erklärungen (s. weiter unten).

2. Weitaus mehr gilt von der Mythologie, daß sie jede mythische oder religiöse Valenz verloren hat. Hier hat der Logos den Mythos quasi verschlungen, daher Mytho-logie genannt. In der Hauptsache ist sie in dieser Form nur noch literarisch-dichterischer Gegenstand, deren Wert nicht mehr im Religiösen, sondern im Ästhetischen zu suchen ist. Künstliche oder künstlerische Auffrischung können ihr nur beschränkte Geltung verschaffen, sind aber bis heute ein Mittel, verbunden mit einer neuen »Anwendung« (durch Allegorie, Symbolik, Philosophie) mythologische Stoffe in Schauspiel, Oper und Literatur wieder zu verwenden. Damit erklärt und beweist sich die Überzeitigkeit derartiger entfunktionalisierter Mythologeme (d. h. Bruchstücke von Mytholo-

21. Vgl. *H. Usener*: Mythologie, in: ARW 7 (1904), S. 6–32 (Vorträge und Aufsätze, Leipzig 1907, S. 1–35).

22. Vgl. u. a. *Jan Assmann*: Ägypten – Theologie und Frömmigkeit einer frühen Hochkultur (Urban TB 366), Stuttgart 1984, bes. S. 21 ff., 67 ff., 178 ff., 192 ff., 198 ff. Die von Assmann verwendete Unterscheidung von »implizierter« und »explizierter« Theologie ist sehr hilfreich. Für Griechenland vgl. *B. Gladigow*: Mythologie und Theologie, in: *H. von Stietencron (Hg.)*: Theologen und Theologien in verschiedenen Kulturkreisen, Düsseldorf 1986, S. 70–88.

gien). In welcher Weise dies in der modernen Literatur erfolgt ist, zeigt das Buch von *John B. Vickery*: Myths and Texts. Strategies of Incorporation and Displacement, London 1983[23].

3. Derartige entmythisierte Mythologien, wenn man so sagen kann, können ebenfalls zu bloßen profanen Ideologien umfunktioniert werden (wozu das Buch von Roland Barthes zu vergleichen ist). Ideologien erhalten mythologischen Charakter, wenn sie aus dem Schatz der mythologischen Tradition drapiert werden (wie z. B. die nazistische Germanologie aus dem Schatz der altdeutschen Mythologie, der Phönikianismus in Syrien der 20er Jahre oder der Pharaonismus Ägyptens aus der gleichen Zeit; man kann auch an die Ägyptomanie des 18. Jh.s denken). Andererseits kann es aber zur Mythologisierung wissenschaftlicher Begriffe und technischer Mittel kommen[24]. Mythologie wird hier zum Mittel einer Behelfssprache für Freiräume oder noch unbesetzter Bereiche des Denkens, so wie es einst Platon vorgeführt hat.

Mit dem Prozeß von Mythologisierung ist bereits ein Schritt in die Richtung von Ent- oder De-Mythisierung getan, die uns zum Schluß noch beschäftigen soll, da sie Teil des Themas ist und uns zu Fragen grundsätzlicher Art überhaupt führt.

III.

Die Enthmythisierung ist von der Entmythologisierung zu scheiden, obwohl in beiden Prozessen gleiche hermeneutische Mittel zur Anwendung kommen[25]. Beide Ausdrücke sind natürlich wenig glücklich, aber sie lassen sich heute nicht mehr ersetzen (über ihren Ursprung bin ich nach wie vor nicht recht im Bilde; hat sie Bultmann aufgebracht?). Gemeint ist jedenfalls ein weithin universaler und unumkehrbarer Vorgang, der Mythos und Mythologie nach Verlust ihrer mythischen bzw. mythologischen Valenz durch hermeneutische Methoden einen neuen Bedeutungs- oder Sinngehalt abgewinnt, der dem ursprünglichen in Mythos und Mythologie manifestierten Denken (als realistischer direkter Aussage) nicht mehr entspricht.

1. Die »Enthmytisierung« kann nach Form und Inhalt durch die bekannten Verfahren erfolgen:

- Historisierung (z. B. im Alten Testament, in Rom, Griechenland oder Ägypten);
- Allegorisierung (z. B. bei Philo von Alexandria);

---

23. Weitere Literatur dazu: *M. Schmeling*: Der labyrinthische Diskurs. Vom Mythos zum Erzählmodell, Frankfurt/M 1987; *S. Mosès*: Spuren der ›Schrift‹. Von Goethe bis Celan, Frankfurt/M 1987; *D. Borchmeyer (Hg.)*: Wege des Mythos in der Moderne. R. Wagners »Der Ring des Nibelungen«, München 1987.
24. Vgl. *C. Colpe*: Das Phänomen, S. 79ff.; *Mortimer Taube*: Der Mythos der Denkmaschine, Hamburg 1966; *L. Kolakowski*: Die Gegenwärtigkeit des Mythos, München 1973, 3. Aufl., 1984 (das polnische Original erschien 1972).
25. Vgl. meinen Beitrag, 198ff.

- Symbolisierung (vgl. Stoa, antike Romanliteratur);
- Mythologisierung im Sinne von Poetisierung, Literarisierung bzw. Ästhetisierung (s. o.);
- Rationalisierung oder Szientifizierung (in Philosophie und früher Naturwissenschaft der Griechen);
- Psychologisierung (z. B. bei Freud, Jung usw.);
- Existentialisierung (Rudolf Bultmann).

2. Die »Entmythologisierung« ist der gleiche Vorgang im Bereich einer Mythologie im oben dargestellten Sinne und betrifft sowohl die Auslegung des sie konservierenden mythologischen Weltbildes als auch Teile desselben, die sich erhalten haben bzw. tradiert worden sind. Vorrangig richten sich entmythologisierende Prozesse gegen die mythologische Denkweise, nicht gegen die mythologische Form als solche, da diese in Gestalt von literarisierten und ästhetisierten Göttergeschichten bereits der direkten Kritik entzogen sind. Dichtungen dieser Art unterliegen den literarischen Gesetzen; ihre Stoffe sind jederzeit frei verfügbar und können neue Funktionen und ideologische Valenzen erhalten. Auch dabei stellen sich die entmythologisierenden Mittel ein in Form von Historisierung, Allegorie, Symbolisierung, theologischer Dogmatisierung oder philosophischer und naturwissenschaftlicher Rationalisierung, aber auch praktische Ent-ideologisierung durch Ideologiekritik, durch Psychologisierung und Existentialisierung. Die »fabulierende Mythologie« (so Karl Kerényi) ist z. B. bei den Griechen und Römern, vielleicht auch in Ägypten und Babylonien, sicher in Indien, durch den entmythologisierenden Akt der Theologie nicht nur verändert, sondern beendet worden. Gibt die Mythologie (wie schon bei den Mythen sichtbar) ihr lebendiges Dasein im Sinne unmittelbarer religiös-mythologischer Funktion auf, dann »umhüllt sie sich mit dem Schleier des Geheimnisvollen; ihre innere Wahrheit, ihre Wirksamkeit dringen nicht mehr nach draußen, und man beginnt nach ihrer Bedeutung zu fragen – was während ihrer Lebenszeit undenkbar gewesen wäre«[26].

Ich muß hier ein Eingehen auf die externen bzw. exogenen oder internen bzw. endogenen Ursachen für die genannten historischen Vorgänge schenken[27]. Bekanntlich ist die legitime Form, in der Entmythisierung bzw. Entmythologisierung durchgeführt wird, die in allen Religionen der Schriftkulturen nachweisbare produktive Arbeit der Auslegung (Hermeneutik) der Überlieferung. Über Legitimität und jeweilige Adäquatheit dieser Arbeit befindet entweder die Gemeinschaft als solche oder (meist) die etablierten maßgebenden religiösen Vertreter (seien es Theologen, Priester, Rechtsgelehrte, Philosophen) dieser Gemeinschaft. Der Prozeß ist natürlich, worauf nur noch hingewiesen werden kann, zunächst beschränkt auf die Kreise der Elite, der Intellektuellen, d. h.,

---

26. *P. Grimal*, a. a. O. (Anm. 9), S. 21.
27. Vgl. zusammenfassend in meinem Beitrag S. 199.

der Trend vom Mythos zum Logos ist ein begrenzter und nicht allumfassend; er ist gebunden an professionelle »Wahrheitszentren« (P. Veyne), die eine Art »Mythenzensur und Symbolkontrolle«, wie sich B. Gladigow ausdrückt[28], ausüben. Entmythologisierende Handlungen bestehen daher neben bzw. zusammen mit dem Fortbestehen des mythischen bzw. mythologischen Weltbildes und seiner Objektivationen in einzelnen Bereichen der Gesellschaft (schichtenspezifische Lokalisierung religiöser Vorgänge). Dies ist ein religionssoziologisches Problem und muß hier ausgelassen werden.

Nicht auslassen möchte ich allerdings die Frage der Beziehungen von Religion und Mythos. Faßt man Mythos (einmal im Singular gesprochen), wie es heute in Ethnologie und Religionswissenschaft üblich ist, als »heilige Erzählung« (*sacred narrative*)[29] auf, dann gibt es keine Religion ohne eine solche, da sie zentrale, begründende Aussagen einer religiösen Tradition beinhaltet. Setzen wir die von mir angeführten Differenzierungen ein, so ist ohne weiteres festzustellen, daß wir Religionen mit »lebendigem Mythenbestand« haben, solche mit »entmythisierten Mythen«, seien es Historien, Allegorien, Symbole, Dogmen (die schon von Tillich als »Mythen auf dem Boden nachmythischer Geisteslage« bezeichnet worden sind)[30], und Religionen mit stark rationalisierten Mythen (z. B. im Buddhismus). Im Hinblick auf die Mythologie, wie wir sie definiert und beschrieben haben, sind de- und remythologisierende Vorgänge von Wirkung auf die religiöse Tradition und ihre jeweilige Bedeutung und Sinngebung (z. B. die Auslegung der heiligen Schriften in den mystischen Überlieferungen von Judentum, Christentum und Islam) bis hin zu der Bloßlegung des Kernes einer Religion, wie vor allem in den biblischen Religionen.

Religionshistorisch gesehen, gibt es Religionen ohne Mythologie, da sie im Laufe der Zeit oft ihren mythisch-religiösen Wert als solchen verloren haben, während der Verlust des »echten«, kultisch-relevanten Mythos als »heiliger Erzählung« in allen Religionen in Vergangenheit und Gegenwart ihre Selbstaufgabe bedeutet. Auslegung, Neubesinnung auf ihn, mit Einsatz der hermeneutisch-legitimen Prinzipien, ist der einzige Weg, den die Religionsgeschichte kennt, um ihn am Leben zu erhalten. Mit dem sog. Aufgang des Bewußtseins und der Entstehung des Mythos (oder der Mythen) bis hin zur Entfaltung der modernen Selbstreflexion des Bewußtseins im Zuge der Rationalisierung und Logik unserer Zeit, ist die mythische Überlieferung der ständigen Interpretation ausgesetzt gewesen. Die Kontinuität und Konstanz

---

28. In: *A. und J. Assmann (Hg.)*: Kanon und Zensur. Archäologie der literarischen Kommunikation II, München 1987, S. 138–168.
29. So der Titel des Sammelbandes von Alan Dundes, Berkeley 1984, der eine sehr gute Auswahl von modernen Mythos-Theorien bietet.
30. Gesammelte Werke V, S. 192.

des Mythos ist bedingt durch seine Hermeneutik; beide bilden zwei Seiten eines Tatbestandes. Seine Polyvalenz aber wird durch die de- oder entmythisierenden bzw. entmythologisierenden Prozesse demonstriert.
Paul Veyne hat in seinem lesenswerten Buch »*Les Grecs ont-ils cru à leurs mythes?*« (1983; deutsch 1987 unter dem Titel: Glaubten die Griechen an ihre Mythen?[31]) recht scharfsinnig die mit der Überlieferung der griechischen Mythologie gestellten Probleme analysiert und daraus als Philologe bemerkenswerte erkenntnistheoretische Folgerungen gezogen, die ich an den Schluß meiner Ausführungen stellen möchte. Trotz der vom Logos diktierten unterschiedlichen »Reinigung« des Mythos, wie sie sich etwa bei Plutarch (Theseus I,5) ausdrückt, hat dieser seine Rolle und Bedeutung als Objekt des Interesses bis zum Ende der Antike behalten. Die Reduzierung der Mythen auf unterschiedliche Grundaussagen, seien es historische Ereignisse, physikalische Erscheinungen oder schwer auszumachende urzeitliche bzw. vorgeschichtliche Vorgänge, kann nicht darüber hinwegtäuschen, daß man im Mythos einen Wahrheitskern suchte. Glaubte der einfache Bauer ungeteilt an ihre überlieferte »Wahrheit« über Götter, Geister und Heroen, so der Gelehrte (Philosoph, Schriftsteller, Rhetor, Naturwissenschaftler) an seine verborgene Weisheit, die es zu entdecken galt. So standen in der griechischen Welt angesichts der Mythen recht unterschiedliche Einstellungen nebeneinander: kritisch-skeptische, gläubige und respektvolle, leichtgläubige[32]. Insofern lebten die Griechen, wie wir heute, in einer konfusen Welt (Veyne spricht hier von der »Balkanisierung«, d. h. Zersplitterung des gnoseologischen Feldes, der Einbildungskraft). Da nach griechischer Auffassung niemand durch und durch lügen kann, haben auch die Mythenverfasser trotz aller einfältigen, dem aufgeklärten Gottesbild nicht entsprechenden Geschichten »Wahrheiten« ausgesagt. Kritik des Mythos oder Entmythisierung ist nicht Gottlosigkeit oder Religionsfeindschaft – diese äußert sich primär gegenüber dem offiziellen Kult –, sondern im Gegenteil ein intellektueller Typ von Frömmigkeit (gut demonstrierbar bei Plutarch und Pausanias).
»Von Herodot bis zu Pausanias und Eusebios, beinahe hätte ich gesagt, bis zu Bossuet, haben die Griechen nicht aufgehört, an den Mythos zu glauben, ein Problem aus ihm zu machen, und ihr Denken ist dabei kaum über die Gegebenheit dieses Problems hinausgekommen, nicht einmal über seine Lösungen. Während eines halben Jahrtausends hat es viele Köpfe gegeben,z. B. Carneades, Cicero und Ovid, die nicht an die Götter geglaubt haben, aber niemand hat Zweifel an Herakles oder Äol gehabt, und sei es um den Preis von Rationalisierungen; die Christen haben die mythologischen Götter, an die niemand glaubte, verboten, aber über die mythologischen Helden

---

31. Frankfurt/M. 1987 (ed. suhrkamp 1226 = NR 226).
32. Vgl. die Belege aus Galenus, Pausanias und Plutarch bei Veyne, S. 74 ff.

haben sie nichts gesagt, an die glaubten sie nämlich wie alle Welt, einschließlich Aristoteles, Polybios und Lukrez.«[33]

Trotz aller Kritik hat man sich bis heute vom Problem des Mythos nicht befreien können. »Man stellt sich nicht mehr die Frage: ›Welche Wahrheit hat die Fabel? Denn Wahres enthält sie, weil ja niemand von nichts reden könnte‹, sondern man fragt sich eher: ›Welche Bedeutung oder welche Funktion hat der Mythos? Denn umsonst kann man nicht reden oder sich etwas einbilden.‹ Eben. Dieses Bedürfnis, eine Existenzberechtigung für das Fabulieren zu finden, verrät einiges Unbehagen unsererseits wegen des Irrtums; es ist die Kehrseite unserer eigenen Mythologie der Wahrheit und der Wissenschaft. Wir denken: Wie konnte sich die Menschheit so lange und so nachhaltig täuschen? Mythos gegen Vernunft, Irrtum gegen Wahrheit, die Wette stünde zwei zu eins. Da die Wahrheit unteilbar und nicht anzuzweifeln ist, wird der Fehler vielleicht bei den in Wert und Intensität ungleichen Modalitäten des Glaubens liegen. Vielleicht wird es sich als falsch erweisen, daß die Menschheit allzulange dem Argument der Autorität und den gesellschaftlichen Leitbildern gefolgt ist. Aber glaubte sie wirklich so fest daran? Die voltaireschen Geister müssen insgeheim daran zweifeln, daß ihr Nachbar wirklich an die Hirngespinste glaubt; hinter jedem Glauben vermuten sie Tartüfferie. Ganz unrecht haben sie damit nicht: Man glaubt nicht an die Neutronen, an die Mythen oder an den Antisemitismus, wie man an die Zeugnisse der Sinne und an die Moral des Stammes glaubt; denn die Wahrheit ist nicht unteilbar. Aber diese Wahrheiten sind dennoch untereinander analog (sie scheinen ein und dieselbe zu sein), und ihre Aufrichtigkeit ist gleich, da sie ihre Gläubigen mit der gleichen Lebendigkeit zum Handeln treiben. Die Pluralität der Glaubensmodalitäten ist in Wahrheit Pluralität der Wahrheitskriterien.«[34]

Veyne zieht daraus einen Schluß, der schwer anfechtbar ist: Die Pluralität der Wahrheit ist ein Produkt unserer Einbildungskraft, die wiederum historisch bedingt ist. »Solange wir von Wahrheit reden werden, werden wir von Kultur nichts verstehen, und es wird uns nicht gelingen, zu unserer Epoche denselben Abstand zu gewinnen, wie wir ihn zu den vergangenen Jahrhunderten haben, als man noch von Mythen und von Göttern sprach. Das Beispiel der Griechen beweist eine tausendjährige Unfähigkeit, sich von der Lüge loszureißen; niemals haben sie sagen können: ›Der Mythos ist durch und durch falsch, weil er auf nichts beruht‹, und Bossuet wird dies erst recht nicht sagen. Das Imaginäre als solches wird niemals verworfen, als ahnte man insgeheim, daß überhaupt keine Wahrheit mehr übrigbliebe, wenn man es täte. Entweder vergißt man die Mythen von damals, um von anderen Dingen zu reden und die Einbildungen zu wechseln, oder aber man will unbedingt den Kern der

33. Veyne, S. 134.
34. Ebd., S. 135f.

Wahrheit finden, der in der Dichtung verborgen war oder der sie zum Reden brachte.«[35]
So führt uns das Problem des Mythos zur Einsicht nicht nur in die Pluralität der Denkspiele, sondern auch in die Pluralität der Wahrheit, das heißt in die Historizität der Wahrheit. Wahrheit ist nicht transhistorisch, sie ist Teil der Geschichte und daher veränderlich[36]. Es gibt verschiedene Wahrheitsprogramme (Veyne spricht von »Palästen«), die wiederum nur durch die historische Reflexion sichtbar und erklärbar gemacht werden können. Historisch betrachtet ist daher das Gegenüber von Wahrheit und Fiktion oder Falschheit zweitrangig, es geht allein um die Einsicht in die historische Bedingtheit unserer produktiven Einbildungskraft. »Der ›Mythos‹ ist kein transhistorisches Element, keine Invariante; die Gattungen, in denen das mythische Denken wirkt, sind ebenso vielfältig, veränderlich und fließend wie die anderen literarischen Gattungen in den Literaturen aller Völker und Jahrhunderte. Der Mythos ist keine Wesenheit, sondern eher eine Rumpelkammer.«[37]
Natürlich glaubten die Griechen (und nicht nur sie) an ihre Mythen, aber wie, warum und in welcher Variation, ist die historische Frage, deren Beantwortung es uns heute verständlicher und deutlicher macht, als es den Griechen selbst erschienen ist.
Diese Überlegungen im Anschluß an Paul Veyne überschreiten sicherlich das Geschäft des Historikers, aber er hat ein Recht, Konsequenzen aus seiner Arbeit zu ziehen, die gewöhnlich Theologen und Philosophen überlassen werden. Mythos und Ratio sind für ihn keine echten Gegensätze, da sie der Relativität des Historischen unterliegen; ihr Gegeneinander, einsetzend bei den griechischen Vorsokratikern, schlägt immer wieder um in ein Ineinander, eine Verschränkung, da weder der Mythos ohne Ratio leben kann, noch die abstrakte Ratio ohne Bilder, die der Mythos sammelt.

---

35. Ebd., S. 136.
36. Vgl. ebd., S. 140f.
37. Ebd., S. 185 (Anm. 210) und S. 146. Die Bezeichnung »Rumpelkammer« in diesem Zusammenhang findet sich auch bei J.-P. Vernant in seiner Einleitung zu »Mythos ohne Illusion« (s. o. Anm. 4), S. 9.

Grundsätzliches zu den Schöpfungsmythen aus religionsgeographischer Sicht

Manfred Büttner

Im folgenden Beitrag sollen einige Problemkreise angesprochen werden, die aus religionsgeographischer Sicht eng mit dem Thema Schöpfungsgeschichten bzw. Schöpfungsmythen oder auch Schöpfungsmythologie zu tun haben. Ob es sich dabei um Grundsätzliches handelt, sei dahingestellt und möge der Entscheidung des Lesers überlassen bleiben. Zum einen könnte das Gesagte dem Mythenforscher vielleicht die Anregung bieten, auch einmal den religionsgeographischen Aspekt stärker zu berücksichtigen. Zum anderen möchte ich bei dieser Gelegenheit dazu beitragen, den sich anbahnenden Kontakt zwischen Geographen einerseits und Theologen, Religionswissenschaftlern, Missionswissenschaftlern usw. andererseits zu verstärken und darüber informieren, welche Wandlungen sich in den letzten Jahren auf dem Gebiete der Religionsgeographie vollzogen haben. Als Untertitel könnte vielleicht hinzugefügt werden: *Zu den wechselseitigen Beziehungen zwischen Schöpfungsgeschichten und Umwelt. Von der Entmythologisierung zur Ummythologisierung bzw. Kerygmatisierung*[1].

Einleitendes

Noch vor einigen Jahren hätte das Thema dieses Beitrages wahrscheinlich gelautet (lauten müssen): Grundsätzliches zu den Schöpfungsmythen aus der Sicht des Religionsgeographen bzw. aus der Sicht der Religionsgeographie. Es ist nämlich noch gar nicht so lange her, da herrschte die Meinung vor, daß es das Fach Religionsgeographie gäbe, und zwar vorwiegend oder sogar ausschließlich als geographisches Fach. Demzufolge beanspruchten die Vertreter dieses Faches ein Mitspracherecht in allen Fragen, für die sie sich zuständig fühlten. Ja, es gab sogar Geographen, die den sogenannten *Alleinvertretungsanspruch* stellten. Sie begnügten sich nicht mit einem Mitspracherecht, sie waren auch nicht für ein Gespräch mit Vertretern anderer Disziplinen offen, sondern ihnen kam es mehr auf Abgrenzung an. Sie konstatierten: Religionsgeographie ist ein geographisches Fach! Welche Ziele zu verfolgen sind, nach welchen Methoden man vorzugehen hat usw., das bestimmt einzig und allein der Geograph. Vorsichtige Versuche, eine Zusammenarbeit mit der

1. Der Begriff *Kerygmatisierung* tauchte im Referat meines Vorredners (*Bürkle*) und in der anschließenden Diskussion auf. In dieser Diskussion, die übrigens als Überleitung zu meinem Referat empfunden werden konnte, verwies *Greschat* darauf, daß Mythen sehr oft eng mit einem bestimmten Raum bzw. Ort »verknüpft« seien. Diese Verknüpfung geht gelegentlich so weit, daß sie (die Mythen) an einem fremden Ort nicht einmal erzählt werden dürfen.

Religionswissenschaft in Gang zu bringen, meinte man, abblocken zu müssen u. a. mit dem Hinweis, daß sich ein Religionsgeograph, der in dieser Weise vorginge, der wissenschaftlichen Heimat begäbe, in der er verwurzelt sein sollte[2].
Nun, in den letzten Jahren hat sich einiges getan. Wir Geographen haben uns »geöffnet«, oder anders ausgedrückt: Diejenigen, die für eine Öffnung waren, haben inzwischen die Initiative ergriffen und sind zu Wortführern geworden. Es wurde nämlich immer deutlicher, daß sich die »Abgrenzung« sehr hemmend auswirkte[3]. Die Religionsgeographie kümmerte dahin. Eine Belebung kam erst in Gang, als ein grundsätzliches Umdenken eingesetzt hatte, das mit der Gründung einer internationalen Arbeitsgruppe zur Religionsgeographie im Jahre 1976 auch dem Außenstehenden sichtbar wurde. Im Gründungsprotokoll dieser Arbeitsgruppe heißt es ausdrücklich, daß man eine Zusammenarbeit zwischen Geographen, Religionswissenschaftlern, Theologen, Historikern usw. anstrebe[4].
Es soll hier nicht näher ausgeführt werden, wie es zu der Wende kam. Diese wissenschaftshistorisch sehr interessante Entwicklung wird auf unserem Symposium in Eichstätt behandelt, wenn es darum geht, die gegenwärtige Religionsgeographie zu »orten« und zu »zeiten«[5].

---

2. Siehe dazu die »Maßregelung« *Schwinds* in *M. Schwind (Hg.)*: Religionsgeographie (Wege der Forschung 397), Darmstadt 1975, S. 23.

3. Besonders hemmend hatte sich auch ausgewirkt, daß im Standardwerk für Geographen, dem Westermann-Lexikon der Geographie, zu lesen steht, die Religionswissenschaftler seien angeblich selbst der Meinung, zur Erforschung der Umwelt/Religion-Beziehung kaum einen seriösen Beitrag leisten zu können. Betont wird darauf hingewiesen, daß ein derartiger Beitrag »nur sehr indirekt und auf wissenschaftlich noch ungesichertem Wege« erbracht werden könnte. Müßig, darauf hinzuweisen, daß in wissenschaftlich unredlicher Weise für diese die Religionswissenschaft abwertende Behauptung eine fahrlässig oder gar bewußt falsch interpretierte Aussage des Religionswissenschaftlers und Indologen *Sprockhoff* herangezogen wurde. Aber die konservativen Geographen der 60er und 70er Jahre konnten diese falsche Darstellung aufgreifen. Sie kam ihnen sehr gelegen. Im übertragenen Sinne könnte man sagen: Man »erglaubte« diese Darstellung, weil man sie glauben wollte. Siehe dazu *M. Büttner*: Zur Geschichte und Systematik der Religionsgeographie, in: Geographia Religionum. Interdisziplinäre Schriftenreihe zur Religionsgeographie, hg. von M. Büttner/K. Hoheisel/U. Köpf/G. Rinschede und A. Sievers, Bd. 1, Berlin 1985, S. 29.

4. Siehe dazu: Geographia Religionum, a. a. O., Bd. 1, S. 5, 6 und 60. Die Belebung der »Religionsgeographie« ist insbesondere auch daran zu erkennen, daß seit Gründung der Arbeitsgruppe mehr »religionsgeographische« Arbeiten (mit z. T. sehr anspruchsvollem Niveau) erschienen sind, als insgesamt, seit es so etwas wie Religionsgeographie gibt, also seit dem 18. Jh. Vgl. dazu das umfangreiche Literaturverzeichnis in Geographia Religionum, a. a. O., Bd. 1, S. 83–121. Eine moderne *Datenbank* zur Erfassung aller weltweit *in Arbeit befindlichen* Publikationen mit religionsgeographischer Ausrichtung ist (organisiert von der genannten Arbeitsgruppe) im Aufbau.

5. Dieses Symposium findet vom 5.–8. Mai 1988 in Eichstätt statt. Es gliedert sich in folgende Sektionen: I. Allgemeines (Grundsätzlich-Methodisches, Historisches); II. Umwelttheologie; III. Religionswandel; IV. Pilgerwesen; V. Religiöse Minderheiten. Organisiert wird es von der neuge-

Hier möchte ich lediglich auf einige Folgen hinweisen, die sich aufgrund der neuen Entwicklung ergeben haben. Wir sind uns mehr und mehr der Tatsache bewußt geworden, daß es die Religionsgeographie als eigenständiges Fach mit spezifischen Zielen, Methoden, einem besonderen Forschungsobjekt usw. eigentlich gar nicht gibt und nie gegeben hat. Aus dem Grunde war bzw. ist es naheliegend, den Begriff »Religionsgeographie«, der nun einmal Assoziationen zu einem bestimmten Fach weckt, mehr und mehr aufzugeben. Statt dessen (oder in Ergänzung dazu) soll verstärkt von *religionsgegraphischem Denken* (in verschiedenen Fächern!) gesprochen werden oder auch von der *Religion/Umwelt-Forschung.*

Was ist nun mit diesem religionsgeographischen Denken gemeint? Im Grunde genommen nichts weiter als die Berücksichtigung eines bestimmten Aspektes. Man könnte vielleicht sagen: So wie der historisch denkende und entsprechend forschende Wissenschaftler in besonderer Weise das *zeitliche Nacheinander* im Blick hat, so interessiert sich der für geographisches Denken Aufgeschlossene betont für das *räumliche Nebeneinander*[6].

Wir scheinen aufgrund neuester naturwissenschaftlicher Erkenntnisse ja zu wissen, was Forscher wie z. B. *Kant* früher lediglich mehr oder weniger erahnten bzw. postulierten: Der Raum ist eine Funktion der Zeit und umgekehrt[7]. Beides gehört zusammen, das eine ist ohne das andere nicht existent. Jede dieser zwei Grunddimensionen ist zwar für sich allein denkbar, jedoch nur als Abstraktion, nur als eine von mehreren Seiten eines wirklich existierenden Da-Seienden.

Daraus scheint zu folgen: Die Welt, so wie sie existiert, als das, was zur Jetzt-

---

gründeten interdisziplinären Arbeitsgruppe zur Religion/Umwelt-Forschung; Leitung: Büttner, Rinschede, Rudolph.

6. Man kann sich hierzu trefflich von den Ausführungen *Kants* anregen lassen, die er in seiner physischen Geographie macht, Akademie-Ausgabe, S. 160. Dort heißt es: »Die Geschichte betrifft die Begebenheiten, die, in Ansehung der Zeit, sich nacheinander zugetragen haben. Die Geographie betrifft Erscheinungen, die sich, in Ansehung des Raumes, zu gleicher Zeit ereignen.«

7. Von seiten der Theologie sind die hierhergehörenden Publikationen der Physiker bislang praktisch unbeachtet geblieben. Ich nenne stellvertretend für die Fülle der in Frage kommenden Schriften lediglich: *I. Prigogine*: Vom Sein zum Werden, München 1979; *E. Schrödinger*: Die Struktur der Raum-Zeit, Darmstadt 1987 (engl. Original 1950, 1954, 1960 und 1985); *P. Davies*: Die Urkraft, Hamburg 1987. – Soweit ich sehe, ist *Altner* der einzige Theologe, der sich (zusammen mit einigen Mitarbeitern) mit dem Werk Prigogines auseinandergesetzt hat, jedoch vorwiegend mit dessen Systemtheorie. Prigogines Äußerungen zu den *dissipativen Strukturen* können auch für religionsgeographisches Denken von Wichtigkeit sein. Sie sind in etwa mit dem in Verbindung zu bringen, was wir bislang als Fließgleichgewicht bezeichnet haben (*G. Altner*: Die Welt als offenes System, Frankfurt/M. 1984, und Geographia Religionum, a. a. O., Bd. 1, S. 37 und 43). – Man möge dazu beachten, daß die offizielle Bezeichnung der in Anm. 4 genannten Arbeitsgruppe lautet: International Working Group on the Geography of *Belief Systems* (deutsch: Internationale Arbeitsgruppe zur Geographie der Geisteshaltung).

Zeit im Hier-Raum »da« ist, kann vollverspektivisch[8] nur erkannt und beschrieben werden, wenn man sowohl die Verknüpfung nach »vorwärts und rückwärts« in der Zeit als auch jene »zu den Seiten« im Raume (also zur Umwelt) berücksichtigt.
Wenn man dieser Überlegung zustimmt, kann weiter geschlossen werden: Die Verknüpfung in der Zeit bezeichnen wir als Veränderung oder *Werden*. Wer einzig und allein nur diesen Aspekt berücksichtigt, wird die Wirklichkeit nur von einer Seite denkerisch in den Griff bzw. in den Blick bekommen. In diesem Fall geht es um das zwar nicht real existierende, aber im gedanklichen Abstraktionsvorgang durchaus denkmögliche (auf eine einzige Dimension reduzierte) reine, raumlose *Werden*.
Die Verknüpfung im Raum ist bei diesem Ansatz als *Sein* zu bezeichnen. Wer einzig und allein nur den räumlichen Aspekt berücksichtigt, wird ein ebenfalls nicht real existierendes, aber ebenfalls im gedanklichen Abstraktionsvorgang durchaus denkmögliches (auf die Raum-Dimension[en] reduziertes) reines, zeitloses, in sich ruhendes *Sein* erreichen.
Erst wenn beide Seiten, beide Aspekte zusammengenommen, zusammengedacht werden, kommt die ganze Wirklichkeit vollperspektivisch in den Blick, jedenfalls, sofern wir uns auf die mit Hilfe der gegenwärtigen Naturwissenschaft erreichbare Wirklichkeit beschränken[9].
Um nicht mißverstanden zu werden: Es soll keinesfalls unterstellt werden, daß der Historiker an der Wirklichkeit vorbeiforscht. De facto bezieht er das Räumliche, das Geographische, immer mit ein. Welcher Mythenforscher,

---

8. Vollverspektivisch soll hier soviel heißen wie »zufriedenstellend« beschrieben. Vgl. dazu *Davies*, a. a. O. Wie Davies anschaulich herausstellt, galt z. B. zur Zeit des Aristoteles das »Ereignis« eines zu Boden fallenden Steines »zufriedenstellend« beschrieben bzw. »erklärt«, wenn darauf hingewiesen wurde, daß ein Stein nun einmal zur Erde gehöre und immer wieder dorthin zurückstrebe. – Heute, gegen Ende des 20. Jh.s, gibt man sich im allgemeinen erst »zufrieden«, wenn ein ähnliches »Ereignis« in bezug auf Raum und Zeit »geortet« und »gezeitet« ist. Probleme ergeben sich lediglich, wenn Zeit und/oder Ort nicht eindeutig zu klären sind (es ist »unbefriedigend«, zu wissen, daß *ein* Elementarteilchen gleichzeitig durch zwei Löcher bewegt werden kann) oder wenn die Frage nach der Form unklar bleibt (vgl. die folgende Anmerkung). Ebenso unbefriedigend (für unser heutiges Denken nicht zufriedenstellend) bleibt bislang die Frage beantwortet, ob das Licht eine Welle oder eine Materiestrahlung ist. Neuere Überlegungen scheinen zu ergeben, daß diese Frage falsch gestellt sein könnte. Dies lediglich als kurzer Exkurs zu dem Thema, was unter vollperspektivisch, »zufriedenstellend erklärt«, zu verstehen ist.

9. Ob es außer der uns momentan zugänglichen vierdimensionalen Welt auch noch weitere andersdimensionierte oder höherdimensionierte Welten gibt, soll hier außer acht bleben. Ebenso soll der Aspekt außer acht bleiben, ob alles in Raum und Zeit Existierende auch noch eine jeweils ganz bestimmte klar definierbare Form haben müsse. Hingewiesen sei lediglich auf die Frage, ob es noch sinnvoll ist, von einer bestimmten Form zu sprechen, wenn es sich lediglich um Übergangsformen oder Fließformen handelt. Die moderne Mikrophysik führt uns vor Augen, daß es durchaus unsinnig sein kann, von einer bestimmten Form zu sprechen, wenn diese vielleicht nur für eine Millionstel Sekunde existiert. In diesem Zusammenhang in Anlehnung an Davies von *virtueller* Existenz, Form usw. zu sprechen, dürfte keineswegswegs »unsinnig« sein, sondern eine anregende Denkhilfe bilden.

Religionswissenschaftler, Missionswissenschaftler usw. würde die Umwelt völlig außer acht lassen? Welcher Kirchenhistoriker hätte jemals den Raum völlig vernachlässigt? Aber wie *Ulrich Köpf* bereits in Geographia Religionum deutlich herausgestellt hat, sollte man den geographischen bzw. räumlichen Aspsekt nicht »nur« mehr oder weniger *mit* berücksichtigen[10].
Mit diesen Hinweisen kommen wir zur Eingangsfrage bzw. Eingangsanregung zurück. Welche Gesichtspunkte ergeben sich, kommen in besonderer Weise (gegebenenfalls »nur« zusätzlich) für den Religionswissenschaftler, Theologen usw. in den Blick, wenn er die Schöpfungsmythen auch unter religionsgeographischen Aspekten angeht?
Die Antwort könnte lauten: *Grundsätzlich* geht es in dem Fall um die Verknüpfung mit der Umwelt, um die Seinsverbindung, die Seinsstruktur mit dieser. Doch dabei erhebt sich sofort die weitergehende Frage: Ist es die *ganze* Umwelt, das ganze »Um-Herum-Dasein«, das eine strukturelle Verbindung mit den Schöpfungsmythen eingeht? »Andersherum« gefragt: Ist es die *ganze* Umwelt, mit der sich der Homo religiosus im Rahmen seiner Schöpfungsmythen auseinandersetzt, oder nur ein bestimmter *Teil* von ihr, und wenn ja, welcher? Werden bestimmte Bereiche einfach ignoriert, nicht wahrgenommen? Gibt es Wahrnehmungsfilter oder gar Wahrnehmungsblockaden[11]?

---

10. Es wäre zu erwägen, ob die Religionswissenschaft nicht in die zwei (gleichberechtigten?) Bereiche bzw. Aspekte zu untergliedern wäre: Relgions*geschichte* und Religions*geographie*. Man vergleiche dazu König, der ausführt, daß Religionswissenschaft in dem Augenblick entstand, wo es darum ging (bzw. geht), Klarheit über sich selber (die Religion) und ihre Umwelt zu schaffen (*Franz König*: Religionswissenschaftliches Wörterbuch, Freiburg, 1965, S. 761). Schon *Kasche*, der nach dem augenblicklichen Stand der Forschung als erster den Begriff Religionsgeographie verwendet, behandelt Religionsgeschichte und Religionsgeographie »gleichberechtigt« als zwei Betrachtungsweisen, die sich gegenseitig ergänzen. Siehe dazu: *M. Büttner:* Kasche and Kant. On the Physicotheological Approach to the Geography of Religion, in: Trends in the Geography of Belief Systems, Festschrift to Angelika Sievers, hg. von R. P. B. Singh, Banaras Hindu University, Varanasi 1987. – Und sollte nicht auch die Theologie das Räumliche bzw. Geographische wieder stärker aufgreifen, wie es bis in die Zeit der Aufklärung hinein der Fall war, insbesondere von *Melanchton* bis zu *Keckermann*? Ich sehe in der im 18. Jh. einsetzenden »Beschränkung« auf das Zeitliche bzw. Historische einen »Rückzug« in die »Nischen«, die von der modernen Naturwissenschaft nicht »streitig gemacht« werden können bzw. konnten. Speziell beim Lehrstück der Providentia führte dieser »Rückzug« bzw. diese »Beschränkung« zu einer Verarmung und zu einem Dogmenschwund. Im Falle der Providentia verwende ich daher den Begriff Providentiaschrumpfung (*M. Büttner*: Die Geographia generalis vor Varenius. Geographisches Weltbild und Providentialehre, Habil.-Schrift, Wiesbaden 1973, und weitere Aufsätze in geographischen und theologischen Zeitschriften). – Gott »nur noch« als Herrn der Geschichte auszusagen oder Christus »nur« als die Mitte der Zeit zu betrachten, halte ich für »zu wenig«. Meiner Meinung nach ist eine derartige Betrachtungsweise nicht »zufriedenstellend«, jedenfalls nicht für den auch räumlich denkenden Menschen der Gegenwart (vgl. Anm. 8). Es wäre zu fragen, ob man nicht expressis verbis Gott wieder ganz betont als den Herrn über Raum und Zeit und Christus als die Mitte der Zeit und des Raumes bezeichnen sollte, wie es z. B. für die mittelalterlichen Kartographen ganz selbstverständlich war, die Jerusalem als die Mitte der Welt zeichneten.
11. Zur Bedeutung des Wahrnehmungsaspektes für die Religionswissenschaft siehe: Geographia Religionum, a. a. O., S. 33, und *M. Büttner*: Zur modernen Wahrnehmungsgeographie und ihrer

Und wie ist es mit der sogenannten *Wahrnehmungsscopierung?* Setzt man sich in den Schöpfungsmythen gar nicht mit der wirklichen Umwelt, der wirklich wahrgenommenen auseinander, sondern mit vermeintlich wahrgenommener oder gar erwünschter? Ist es nicht die real existierende Umwelt, die in die Mythen hineinwirkt, eine Verbindung mit ihnen eingeht, sondern eine erdachte, möglicherweise erwünschte, die nur in der Vorstellung der Anhänger einer Glaubensgemeinschaft existiert[12], wobei es dahingestellt sein mag, ob es sich dabei um eine Wunschvorstellung handelt, die jeglicher Anlehnung an die Wirklichkeit entbehrt, oder um eine Vorstellung, die durch eine Sinnestäuschung, also eine Fehlwahrnehmung, angeregt wurde bzw. durch eine Wahrnehmung, die man nicht wahrhaben möchte, gegen die man sich sperrt, die aber dann nicht (wie im Falle der Wahrnehmungsblockierung) verdrängt, sondern umgeformt, »umgedacht«, euophorisiert wird? Glaubt man gelegentlich *bewußt* gegen den Augenschein (also gegen die wirklich wahrgenommene Umwelt) an, aus welchen Gründen auch immer[13]?
Und wie ist es mit der anderen Richtung der Beziehung bzw. Verknüpfung? Wirken die einmal konzipierten, ausformulierten Schöpfungsmythen ihrerseits auf die Umwelt ein? Sicherlich nicht auf die natürliche (physiogeographische) Umwelt. Das Klima, das Relief, der Boden usw. werden durch die Schöpfungsmythen (durch Anhänger von Religionsgemeinschaften, die an diese Mythen glauben) nicht umgestaltet[14].

Bedeutung für die Erforschung der Umwelt/Religion-Beziehung, in: Mitteilungen der interdisziplinären Arbeitsgruppe zur Religion/Umwelt-Forschung, Heft 1 (1987), S. 11–20.

12. Zur Vorstellungsgeographie bzw. Vorstellungsreligionsgeographie hat Zelinski einen bemerkenswerten Aufsatz geschrieben, der internationales Interesse geweckt hat: *W. Zelinski*: Unearthly Delights. Cemetery Names and the Map of the Changing American Afterworld, in *Lowenthal/ Bowden (Hg.)*: Geographies of the Mind, Oxford University Press/New York 1976.

13. Dabei wäre zu berücksichtigen, daß Wahrnehmungsscopierungen durch Voreingenommenheit, Indoktrination oder auch Willkür ausgelösst werden können, von Erziehung, Streßsituationen usw. (Erregungszuständen) ganz zu schweigen. Vielleicht sollte in diesem Zusammenhang auf Jan Smith, den Begründer der Glaubensgemeinschaft der Mormonen, hingewiesen werden, der geäußert haben soll, daß er die Umwelt so sehen könne, wie er wolle. Wenn er wolle, könne er einen Kreis sehen, wo ein Viereck sei und umgekehrt. Er brauche nur lange genug hinzusehen, dann stelle er fest, wie sich jedes Gebilde in die Form verwandle, die er sehen *wolle*. – Für diese Art der Auseinandersetzung mit der Umwelt verwendet man unter Religionsgeographen heute mehr und mehr Begriffe wie *anglauben*, *erglauben*, *umglauben* usw. Siehe: Geographia Religionum, a. a. O., S. 60.

14. Der Ausspruch, daß der Glaube Berge versetzen könne, kann sicherlich vor diesem Hintergrund gesehen werden. Und wenn die Israeliten glaubten bzw. glauben, daß Gott seinerzeit, als sie im Kampf standen, die Sonne angehalten habe, dann mag durchaus eine entsprechend (scopierte) Wahrnehmung den Anlaß dazu gegeben haben. Man mag wirklich damals der Meinung gewesen sein, einen Stillstand der Sonne wahrgenommen zu haben. – Daß derartige »Wahrnehmungen« von uns heute entmythologisiert und dann ummythologisiert werden müssen, wenn sie ihre ursprüngliche Bedeutung als Glaubensaussage beibehalten sollen, versteht sich wohl von selbt. Man könnte, angeregt von in Anm. 10 dargelegten Überlegungen, konstatieren: Hier zeigt sich, daß für die Altisraeliten Gott ganz selbstverständlich Herr über Zeit und Raum war.

Aber wie ist es mit der im weiteren Sinne verstandenen Umwelt, mit der *Kultur* im allgemeinen, der *Wirtschaftsweise, Naturwissenschaft, Technik* usw.? Lassen sich hier Beziehungen, Verknüpfungen, Beeinflussungen feststellen, die auch der wissenschaftlichen Nachprüfung standhalten[15]?
Mit dieser rhetorischen Fragestellung will ich meine einleitenden Ausführungen (Anregungen) abschließen. Es sei nun, damit das Ganze nicht zu sehr im Theoretischen bleibt, an einigen Beispielen aufgezeigt, wie man die Verknüpfung der Schöpfungsgeschichten mit ihrer Umwelt im einzelnen untersuchen könnte, und vor allem, mit welchen Fragen dabei anzusetzen wäre. Bekanntlich kann das Aufwerfen bestimmter Fragen ja manchmal interessanter und anregender sein als deren Beantwortung.

Zum Eingehen der Umwelt in die Schöpfungsmythen

Hier wäre vielleicht zunächst einmal auf die *Marind-anim* zu verweisen, jenen Volksstamm im südostasiatischen Archipel, den die Religionswissenschaftler bzw. Religionsethnologen sicherlich besser kennen als ich. In seinen Schöpfungsmythen befaßt sich dieses Volk in besonderer Weise mit der *Banane*. Es wäre, angeregt durch das zur Umweltwahrnehmung Gesagte, zu fragen: Warum ausgerechnet die Banane? Warum, so drängt sich dem religionsgeographisch angeregten Forscher die Frage auf, spiegeln sich nicht das Relief (Berge, Täler usw.), das Meer bzw. das Wasser oder andere Bereiche der physiogeographischen Umwelt mit ähnlicher Intensität in den Schöpfungsmythen wider wie diese Frucht? Haben die Marind-anim für das Physiogeographische wenig oder überhaupt keinen Sinn, und wenn ja, warum?
Mir drängt sich in diesem Zusammenhang die Frage auf, ob es legitim sein könnte, in Analogie zu den Biologen festzustellen: Eine Religion hat offenbar, wie jeder Organismus, im Zuge ihrer Entwicklung nur »Sinne« entwikkelt, die zur Lebenserhaltung wichtig sind. Spiegeln diese »Sinne« den in einer bestimmten Umwelt erreichten Entwicklungsstand wider[16]?
Gehen wir zu einem Gegenbeispiel über. Der *Shintoismus* setzt sich in seiner Schöpfungsgeschichte besonders intensiv mit dem Thema *Insel* auseinander. Man kann ohne Übertreibung sagen: Die Entstehung der japanischen Inseln ist das eigentliche Thema dieser Schöpfungsgeschichte.
Auf dem Hintergrund des bei den Marind-anim Gefragten legen sich fol-

---

15. Daß auch unser heutiges Verhalten zur Umwelt (noch bzw. wieder) auf weite Strecken von Formulierungen geprägt ist, die sich in der Genesis befinden, sollte an dieser Stelle angemerkt werden (vgl. dazu das weiter unten Gesagte). Auf dem Symposium in Eichstätt (Vgl. Anm. 5) wird mit Sicherheit intensiv darüber zu diskutieren sein, wie eine »zufriedenstellende« (vgl. Anm. 8) *Umwelttheologie* zu begründen ist.
16. Könnte man darüber nachdenken (ohne sich der Lächerlichkeit preiszugeben), ob die Religion der Marind-anim mit den Lebewesen zu vergleichen ist, die (noch) keinen Sinn für die Wahrnehmung weit entfernter Dinge entwickelt haben?

gende Fragen nahe, besonders deswegen, weil es sich ja in beiden Fällen um Inselvölker handelt:

1. Warum wird bei den Japanern das Physiogeographische bzw. sogar Kosmographische so stark betont?
2. Warum scheint man im Shintoismus – zumindest was die Schöpfungsgeschichte angeht – wenig oder gar keinen »Sinn« für Früchte, Speisen, überhaupt für die vordergründigen Dinge des alltäglichen Lebens zu haben? Ist das alles für die geistige Bewältigung des Daseins nicht (mehr) wichtig?

Könnte man antworten: Je höher entwickelt eine Religion ist bzw. die Kultur, in der sie entsteht, um so mehr kommt das Ganze in den Blick, »braucht« der Homo religiosus die geistig-religiöse Auseinandersetzung mit diesem Ganzen, entwickelt er demzufolge entsprechende »Sinne«?

Ganz gleich, wie die Antwort ausfallen mag, mir kommt es lediglich darauf an, beispielhaft aufzuzuzeigen, welche Anregungen von religionsgeographischem Denken ausgehen können. Wer grundsätzlich für diese Dinge aufgeschlossen ist, dem werden spontan möglicherweise bessere Beispiele einfallen. Und es sei wiederholt: Ich versuche nicht, als Geograph Forschungsergebnisse aus dem Fach Religionsgeographie vorzulegen, mein Anliegen ist es vielmehr, zu ermuntern, in anderen Fächern neben dem geschichtlichen auch geographisches Denken zum Zuge kommen zu lassen.

Zum Einfluß der Schöpfungsmythen auf die Umwelt

Hierzu möchte ich das Beispiel der *biblischen Schöpfungsgeschichte(n)* aufgreifen und daran erinnern, ein wie großer Einfluß von diesen z. B. auf die Naturwissenschaften ausging. Erinnert sei an das eingangs Gesagte: Der Begriff »Umwelt« soll sehr weit gefaßt werden und auch die soziale Umwelt sowie die Wirtschaft, Naturwissenschaft, Technik usw. mit einbeziehen.

Eigentlich müßte hier etwas weiter ausgeholt und zunächst einmal ausgeführt werden, inwieweit sich in der Genesis das Weltbild der Babylonier niedergeschlagen hat (inwieweit also die Umwelt im Entstehungsgebiet in die Schöpfungsgeschichte eingegangen ist) und wie dann im Zuge der Transformation nach Palästina gewisse Modifikationen erfolgten. Und es wäre weiter herauszustellen, wie dann dieses alte Weltbild aus dem Ursprungsgebiet der Schöpfungsgeschichte, gekoppelt an die christliche Botschaft, im Zuge der Ausbreitung des Christentums sozusagen irrtümlich als *die* vermeintliche Wahrheit mit verkündet wurde, genauso wie man andere Vorstellungen (z. B. die von der »Höherwertigkeit« des Mannes gegenüber der Frau) ganz selbstverständlich zusammen mit der Heilsbotschaft weitertrug.

Das Angedeutete mag jedoch genügen. Deshalb gehen wir sofort zum Einfluß der Schöpfungsgeschichte auf die Entwicklung der Naturwissenschaften über. Auch hier will ich mit Ausführungen über den Streit um das heliozentrische Weltbild oder die Evolutionslehre nicht hinlänglich Bekanntes wiederholen. Es sei vielmehr das Grundsätzliche dieser Beziehungen bzw. Verknüpfung der Schöpfungsgeschichte mit der Umwelt (bzw. einem bestimmten Bereich dieser Umwelt) an einem Beispiel aus meinem eigenen Fach- und Forschungsbereich zu verdeutlichen versucht, nämlich an dem Beispiel der Geowissenschaften, speziell der Geographie[17].

Das Fach Geographie, das in der Antike im wesentlichen von aristotelischem Denken geprägt war, erlebte im Zuge der Christianisierung eine grundlegende Umgestaltung. Während man früher das sogenannte geographische Faktenmaterial in der aristotelischen Reihenfolge (also »von außen nach innen« entsprechend der Vorstellung von den sieben Sphären) abhandelte, legte man seit der Christianisierung die Reihenfolge zugrunde, wie sie in Genesis 1 (also der ersten Schöpfungsgeschichte) vorgegeben ist. Rein formal kann man diese Geographie als Genesis-Exegese bezeichnen. Die Geographen des europäischen Mittelalters waren durchweg Alttestamentler und hatten mehr Ahnung von Sprachen als von geographischer Feldforschung. Noch der Begründer der modernen Geographie, *Sebastian Münster,* muß in erster Linie als Alttestamentler und Hebraist bezeichnet werden, auch wenn er das Triangulierungsverfahren gewissermaßen allgemeinverständlich in die Geographie einführte und damit diesem Fach den entscheidenden Schritt in die Empirie ermöglichte. Selbst *Mercator*, den man doch gemeinhin als Kartographen kennt und weniger als Theologen, verfaßte sein geographisches Hauptwerk als Sechstagewerk-Exegese.

Noch *Keckermann*, der unserem Fach dann im 17. Jh. eine gewisse Eigenständigkeit verleiht, indem er es methodisch von der Theologie löst, hält doch die gedankliche Verbindung zur Genesis aufrecht, wenn er betont, daß die Geographie trotz ihrer Herauslösung aus der Theologie nach wie vor eine theologische Aufgabe habe: Mit ihrer Hilfe kann durch Wissensanreicherung die im Paradies noch vorhanden gewesene ursprüngliche Gottebenbildlichkeit (hier wird erstmals Gedankengut aus dem zweiten Schöpfungsbericht mit der Geographie in Verbindung gebracht) wiedererlangt werden. Seine Aussage: Je mehr der Mensch lernt, die Natur zu beherrschen, um so mehr wird er Gott gleich[18].

---

17. Im folgenden verzichte ich auf Einzelnachweise, sondern nenne lediglich: *M. Büttner*: Die Geographia Generalis vor Varenius. Geographisches Weltbild und Providentiallehre, Wiesbaden 1973; *ders.*: Kant und die Beziehungen zwischen Geographie (Kosmologie), Philosophie und Theologie im 18. Jh., in: Erdkunde 1973; *ders.*: Zum Gegenüber von Naturwissenschaft (insbesondere Geographie) und Theologie im 18. Jh. Der Kampf um die Providentialehre innerhalb des Wolffschen Streites, in: Philosophia naturalis 1973; *ders.*: Regiert Gott die Welt?, Stuttgart 1975; *ders. (Hg.)*: Abhandlungen und Quellen zur Geschichte der Geographie und Kosmologie, Paderborn, 1979ff. Hier insbesondere Bd. 1: Wandlungen im geographischen Denken von Aristoteles bis Kant, Paderborn 1979.

18. Auf den »Sprengstoff«, der in dieser Theologie enthalten ist, kann hier leider nicht näher eingegangen werden. Wie bereits in Anm. 15 angedeutet, werden derartige Gedankengänge auf dem Symposium in Eichstätt eine große Rolle spielen. Grundsätzlich stehen sich ja, wie zur Zeit zu

Selbst *Kant*, der größte Methodiker der Geographie (er hat diesem Fach die entscheidende Ausrichtung für die Zeit nach der Aufklärung bis hin in das 19. und 20. Jh. gegeben) verwendet einen großen Teil seiner Erörterungen dem Problem, inwieweit es der Geograph mit der Schöpfung zu tun hat. Er zeigt zwar auf, daß der sogenannte *physikotheologische* Beweis mit Hilfe des geographischen Faktenmaterials (Gebirge, Wasserkreislauf usw.) nicht stringent zum Schöpfergott führt; aber die Thematik ist immer noch dieselbe, immer noch gehen von der Schöpfungsgeschichte wichtige, je entscheidende Impulse auf die Geographie aus, oder anders formuliert: Immer noch läßt man sich bei methodischen Erörterungen über die Aufgaben, Ziele, Methoden usw. des Faches Geographie von der Genesis anregen. Auch in der Geologie ist es z. B. nicht anders.

Bei diesen kurzen Hinweisen muß ich es leider bewenden lassen. Hier z. B. auf die sehr interessante Frage einzugehen, inwieweit die lutherischen Geowissenschaftler mehr auf die Providentia, die reformierten stärker auf die Creatio abzielen, inwieweit also theologisch »gefiltertes« Denken (basierend auf der Genesis) die Ausrichtung der Geowissenschaften sogar im Detail beeinflußt, würde zu weit führen[19].

---

sehen ist, zwei Positionen gegeüber, die schon in der Auseinandersetzung Keckermanns mit Calvin deutlich werden. Während für *Keckermann* die Naturwissenschaft und die Naturbeherrschung eine grundsätzlich *positiv* zu sehende Aufgabe haben, betrachtet *Calvin* alles *negativ*. Für ihn wird lediglich die Sünde des Menschen immer deutlicher, je mehr er sich den Naturwissenschaften und damit der Naturbeherrschung zuwendet. In diesem Zusammenhang sollte wohl darauf hingewiesen werden, daß Keckermann von einem Theologen fordert, zunächst einmal Naturwissenschaften, insbesondere Geographie zu studieren.

19. Man kann die Geographie bis weit ins 18. Jh. hinein als Ancilla theologiae bezeichnen. *Melanchthon* z. B. entwickelt das Lehrstück von der Providentia zunächst in seiner geographischen Schrift. Daß hier ein wichtiger Ursprung (vielleicht *der* Ursprung) der lutherischen Providentialehre liegt (Melanchthon löst das Lehrstück von der Providentia aus dem Lehrstück von der Creatio heraus und verselbständigt es), hat *Ratschow* noch nicht berücksichtigt (*C. H. Ratschow*: Lutherische Dogmatik zwischen Reformation und Aufklärung, Teil I, Gütersloh 1964; Teil II, 1966). – Melanchton verweist in seinen Loci darauf, daß Einzelheiten über die Providentia in der Geographie behandelt werden. Und noch *Carl Ritter*, Begründer der modernen Universitätsgeographie (er lebte an der Wende vom 18. zum 19. Jh.), benutzt das geograpische Faktenmaterial (und damit das Fach Geographie) weithin dazu, in physikotheologischer Manier damit die Providentia entweder zu »beweisen« oder zumindest zu erläutern, obwohl *Kant* (als Geograph, mehr noch als Philosoph) bereits gegen Ende des 18. Jh.s ein derartiges Verfahren ad absurdum geführt hat. Siehe dazu außer den in Anm. 17 genannten Schriften: *M. Büttner*: Kant and the physicotheological consideration of the geographical facts, in: Organon 11 (Warzawa 1975), Vortrag, gehalten auf dem internationalen Wissenschaftshistoriker-Kongreß in Tokio; *ders.*: Zu Beziehungen zwischen Geographie, Theologie und Philosophie im Denken Carl Ritters, in: Carl Ritter – Geltung und Deutung. Beiträge des Symposiums anläßlich der Wiederkehr des 200. Geburtstages von Carl Ritter, November 1979 in West-Berlin, hg. von Karl Lenz, Berlin 1981; *ders.*: Carl Ritter. Zur europäisch-amerikanischen Geographie an der Wende vom 18. zum 19. Jh. (Band 2 der Abhandlung und Quellen zur Geschichte der Geographie und Kosmologie, hg. von Manfred Büttner), Paderborn 1980.

Serviceleistungen der Religionsgeographie

Zum Schluß sei noch ein wichtiger Aspekt angesprochen. Vor Jahren wurde ich von einer missionswissenschaftlichen Zeitschrift ermuntert, einen Aufsatz über mögliche Serviceleistungen des Religionsgeographen für die Missionswissenschaft zu verfassen. Es ist naheliegend, sich bei einem derartigen Vorhaben von folgenden Beispielen anregen zu lassen:

1. Die missionierten Eskimos sprechen nicht vom Lamm Gottes, sondern vom Seehund Gottes.
2. Im Heliand ist in der Weihnachtsgeschiche statt von Hirten auf dem Felde von Roßknechten bei der Burg die Rede.
3. Die europäischen Maler der Renaissance verlegten die biblischen Geschichten sehr oft in Landschaften ihrer Heimat. Man könnte sagen, daß sie auf ihre Art und mit ihren Mitteln diese Geschichten in ihre Umwelt, in die vom Christentum überprägte Umwelt, »hineinpaßten«.
4. In Bildern afrikanischer Maler wird das Kind in der Krippe meist als schwarzes Kind dargestellt.

Diese Beispiele ließen sich beliebig vermehren. Sie könnten einen Religionsgeographen dazu anregen, Maximen zu entwickeln, nach denen man die Glaubensaussage von der Schöpfung so *umzuformulieren* hätte, daß sie in die jeweilige Umwelt, in die sie im Zuge der Missionierung hineingetragen wird, optimal »paßt«. (Mit »opportunistischer« Anpassung hat das selbstverständlich überhaupt nichts zu tun.) Die Schöpfungsgeschichte wäre von ihrer Koppelung an das babylonische Weltbild zu lösen, so wie es in den genannten Beispielen gewissermaßen ganz naiv und selbstverständlich vollzogen wird.

Doch die Beispiele machen auch deutlich, daß es mit einem »naiven« vordergründigen »Umkoppeln« heute nicht (mehr?) getan ist. Ebenso ist es nicht damit getan, lediglich darauf hinzuweisen, man möge die Bibel nicht wörtlich nehmen.

Ich breche hier ab. Hingewiesen sei noch einmal darauf, daß es das Fach Religionsgeographie ja gar nicht (mehr) gibt, daß demzufolge auch keine Serviceleistungen »von Fach zu Fach« zu erwarten sind, zumindest nicht in vordergründiger Weise. Die Serviceleistung kann eigentlich »nur« in folgendem bestehen: *Religionsgeographisches Denken*, das bereits (möglicherweise dem Theologen unbewußt) für die Entmythologisierung manche wertvolle Anregung gegeben hat (und weiter gibt), dürfte auch viele Denkhilfen geben, um die Ergebnisse der Entmythologisierung für eine »neue« Verkündigung auf dem Felde der Mission (und auch zu Hause) optimal aufzubereiten.

Anders ausgedrückt:

Religionsgeographisches Denken kann helfen, einsichtig zu machen, daß Entmythologisierung sein muß. Ein »Verbot« der Entmythologisierung, um (angeblich) die Gläubigen nicht zu verunsichern, ist »unsinnig«. Nur, es sollte mit der Entmythologisierung nicht sein Bewenden haben. Ummythologisieren bzw. Kerygmatisieren (unter Einschluß religionsgeographischem Denkens) sollte das Endziel sein[20].

20. Dabei würde dann sozusagen »von selbst« für den Theologen das Räumliche, das Geographische (wieder) stärker in den Blick kommen, wie bereits in Anm. 10 andeutend gefordert.

Autorenverzeichnis

Otto Böcher, Professor für Neues Testament an der Johannes-Gutenberg-Universität Mainz.

Horst Bürkle, Professor für Missions- und Religionswissenschaft an der Ludwig-Maximilians-Universität München.

Manfred Büttner, Professor für Geographie an der Ruhr-Universität Bochum.

Hermann Deuser, Professor für Evangelische Theologie an der Bergischen Universität – Gesamthochschule Wuppertal.

Wolfgang Harnisch, Professor für Neues Testament an der Philipps-Universität Marburg.

Jan Heller, Professor für Altes Testament an der Komenského evangelická bohoslevecká fakulta Prag.

Kurt Hübner, Professor für Philosophie an der Christian-Albrechts-Universität Kiel.

Manfred Jacobs, Professor für Kirchengeschichte und Konfessionskunde an der Westfälischen Wilhelms-Universität Münster.

Klaus Koch, Professor für Altes Testament und Altorientalische Religionsgeschichte an der Universität Hamburg.

Siegfried Kreuzer, Universitäts-Dozent für Alttestamentliche Wissenschaft und Biblische Archäologie an der Universität Wien.

Wolf Krötke, Dozent für Systematische Theologie am Sprachenkonvikt, der Theologischen Ausbildungsstätte der Evangelischen Kirche Berlin-Brandenburg, Berlin.

Otto Merk, Professor für Neutestamentliche Wissenschaft an der Friedrich-Alexander-Universität Erlangen-Nürnberg.

Wolfgang Nethöfel, Privatdozent für Systematische Theologie an der Christian-Albrechts-Universität Kiel.

Edward Noort, Professor für Altes Testament und Biblische Archäologie an der Universität Kampen/Niederlande.

Gerhard Oberhammer, Professor für Indologie an der Universität Wien.

Wolfhart Pannenberg, Professor für Systematische Theologie an der Ludwig-Maximilians-Universität München.

Wilhelm Pratscher, Universitäts-Dozent für Neutestamentliche Wissenschaft an der Universität Wien.

Kurt Rudolph, Professor für Religionsgeschichte an der Philipps-Universität Marburg.

Hans Heinrich Schmid, Professor für Altes Testament und allgemeine Religionsgeschichte an der Universität Zürich.

Gerhard Sellin, Professor für Evangelische Theologie mit dem Schwerpunkt Neues Testament an der Universität Oldenburg.
Reinhart Staats, Professor für Kirchengeschichte und Kirchliche Archäologie an der Christian-Albrechts-Universität Kiel.
Fritz Stolz, Professor für allgemeine Religionsgeschichte und Religionswissenschaft an der Universität Zürich.
Nikolaus Walter, Professor für Neues Testament an der Friedrich-Schiller-Universität Jena.
Hans Weder, Professor für neutestamentliche Wissenschaft an der Universität Zürich.
Klaus Winkler, Professor für Praktische Theologie an der Kirchlichen Hochschule Bethel.

Fotonachweis

S. 266, 268, 278 und 281: Aufnahmen des Kunsthistorischen Museums, Wien. – S. 270 und 271: Bildarchiv Foto Marburg. – S. 272: Sächsische Landesbibliothek, Abt. Deutsche Fotothek, Dresden. – S. 279: Germanisches Nationalmuseum, Nürnberg.

Hermann Timm

Das Weltquadrat

Eine religiöse Kosmologie. Phänomenologie des heiligen Geistes. Band 1: Elementarlehre. 2. Auflage. 195 Seiten. Geb.

Vor dem Hintergrund der gegenwärtigen Ökologiekrise und der Sorge um den Fortbestand der natürlichen Welt plädiert dieser Elementarkurs einer Phänomenologie des heiligen Geistes für die Wiederbelebung des weltanschaulichen, des kosmoästhetischen Denkens als Basis jeder Religionskultur.

Zwischenfälle

Die religiöse Grundierung des All-Tags. 3. Auflage. 160 Seiten. Kt.

Das Buch beschreibt die Grunderfahrungen des Menschen im Alltag. Es rekonstruiert des Tageslauf vom Sonnenaufgang bis zur „Geistesstunde" der Mitternacht und erschließt die religiöse Dimension des Alltagslebens.

Diesseits des Himmels

Von Welt- und Menschenbildung. Ca. 160 Seiten. Kt.

Die von der Aufklärung im Namen »reiner« Wissenschaft betriebene Religionskritik scheint der Vergangenheit anzugehören. Nach vollbrachter Emanzipation sind die Kritiker eher an einer konstruktiven Fortbildung der Sache als an einer Verschärfung der ideologischen Auseinandersetzung interessiert, was gegenwärtig zu beobachtende Verschiebungen im thematischen Umfeld von Religion belegen.

Gütersloher Verlagshaus Gerd Mohn

Friedrich Wilhelm Graf

Theonomie

Fallstudien zum Integrationsanspruch neuzeitlicher Theologie.
246 Seiten. Kt.

In diesem Band wird der die Geschichte des Theonomiebegriffs seit der Spätaufklärung prägende Grundkonflikt in vier theologiegeschichtlichen Fallstudien analysiert.

Der Theonomiebegriff ist einer der erfolgreichsten sprachlichen Neubildungen der neuzeitlichen Theologie. Er hat die Funktion des traditionellen Gesetzesbegriffs übernommen und signalisiert das Problem der Vermittelbarkeit von Gottesgesetzlichkeit mit der modernen Auslegung ethischer Verbindlichkeit als vernünftiger Autonomie.

Sind Autonomie und Theonomie Gegenbegriffe, oder ist Theonomie ein theologischer Korrespondenzbegriff für liberaltheologische Offenheit der modernen Kultur gegenüber, für ein theologisches Programm offener Vermittlung? In den Studien werden im jeweiligen gesellschaftlichen und politischen Kontext die Leistungskraft dieses Schlüsselbegriffs theologischer Vermittlungs- bzw. Integrationsansprüche, aber auch die Grenzen einer bestimmten Fassung des Begriffs aufgezeigt.

Die vorliegenden Fallstudien machen deutlich, daß der Theonomiebegriff nicht erst von Paul Tillich geprägt worden ist.

Volker Drehsen

Neuzeitliche Konstitutionsbedingungen der Praktischen Theologie

Aspekte der theologischen Wende zur sozialkulturellen Lebenswelt christlicher Religion. 1240 Seiten in 2 Teilbänden. Kt.

In den problemgeschichtlichen Analysen dieses Buches wird nach den Gründen, Umständen und Bestimmungsmomenten gefragt, die die Herausbildung und Entwicklung der Praktischen Theologie seit Beginn des 19. Jahrhunderts maßgeblich beeinflußt und mitgeprägt haben.

Die neuzeitlichen Begründungsversuche der Praktischen Theologie stehen in einem Spannungsverhältnis, das durch die polaren Aspekte ihrer Wissenschaftlichkeit und der von ihr thematisierten praktischen Lebenswelt bestimmt ist. Dieser Umstand nötigt ebenso zu einer Horizonterweiterung wie die Tatsache, daß die in der Praktischen Theologie verhandelten Fragen und Probleme religiös-kirchlicher Lebensäußerungen zugleich auch in der Religions- und Kirchensoziologie ihre parallele Behandlung erfahren haben. Angestrebt wird eine Praktische Theologie, die als Funktion der Vermittlung zwischen den Bereichen des Lebens und Wissens, der unmittelbaren Erfahrung und der Wissenschaft, den christlichen Glauben zum kontrollierten praktischen Umgang mit sich selbst befähigt.